T5-ASM-220

FRANZ-JOSEF ORTKEMPER

LEBEN AUS DEM GLAUBEN

Christliche Grundhaltungen
nach Römer 12 - 13

ASCHENDORFF MÜNSTER

NEUTESTAMENTLICHE ABHANDLUNGEN

Begründet von Augustinus Bludau,
fortgeführt von Max Meinertz, herausgegeben von Joachim Gnilka

Neue Folge
Band 14

Mit kirchlicher Druckerlaubnis
Nr. 305-6-5-80
Münster, den 11. 4. 1980
Dr. Spital, Generalvikar

D 6

Aschendorffsche Buchdruckerei, Münster Westfalen, 1980

ISBN 3-402-03636-3

INHALT

Seite

Vorwort V

A. Einleitung 1
I. Die Stellung von Röm 12–13 im Gesamt des Briefes 1
II. Gliederung und Analyse von Röm 12–13 4
III. Röm 12–13 als Paränese 11

B. Einzelauslegung 19
I. Röm 12,1–2: Überschrift über die Paränese 19
1. Röm 12,1: „Gebt eure Leiber als Opfer!" 19
Exkurs: Opferkritik im AT und Judentum und in der zeitgenössischen Antike als Hintergrund von Röm 12,1 28
2. Röm 12,2: „Prüft, was Gottes Wille ist!" 34
3. Zusammenfassung 40

II. Röm 12,3–8: Vom rechten Gebrauch der Charismen 41
1. Röm 12,3: Das jedem zugeteilte Maß des Glaubens 41
2. Röm 12,4–5: Die Gemeinde: ein Leib in Christus 47
Exkurs: Das Bild vom Leib 50
3. Röm 12,6–8: Die Charismen 59
a. Röm 12,6a: Die Verschiedenheit der Charismen 60
Exkurs: Der paulinische Begriff des *χάρισμα* 61
b. Röm 12,6b–8: Aufzählung wichtiger Charismen 65
4. Zusammenfassung 84

III. Röm 12,9–21: Christliche Gemeinde in nichtchristlicher Umwelt 85
1. Röm 12,9: Die Liebe und das Tun des Guten 85
2. Röm 12,10–13: Christliche Brüderlichkeit und gelebter Glaube 88
3. Röm 12,14: Güte gegen die Verfolger 101
4. Röm 12,15–16: Solidarität – Eintracht – Demut 103
5. Röm 12,17–21: Verzicht auf Rache – Friedensliebe 106
a. Röm 12,17–19 106
Exkurs: Zorn Gottes und Gericht 112
b. Röm 12,20–21 119
6. Zusammenfassung 124

Seite

IV. Röm 13,8–14: Abschließende Motivation der Mahnung 125
1. Röm 13,8–10: Die Liebe: Erfüllung des Gesetzes 126
2. Röm 13,11–14: Die Dringlichkeit der Stunde 132
a. Röm 13,11–12: Die Nähe des Tages 132
b. Röm 13,13–14: Aufruf zum Wandel wie am Tage 142
3. Zusammenfassung 147

C. Die Paränese von Röm 12–13: Versuch einer systematischen Darstellung 149
I. Der Stellenwert der Mahnung 149
II. Motive der Mahnung 156
III. Das spezifisch Christliche der Mahnung 161
IV. Grundhaltungen von Christen 168
1. Gott Dienen im Alltag der Welt 168
2. Freiheit gegenüber der Welt 173
3. Nächstenliebe 178
4. Der Christ und die Gemeinde 185
a. Nüchterne Einschätzung des eigenen Charisma 185
b. Mitverantwortung für die Einheit der Gemeinde 189
5. Hoffnung und Freude 190
6. Standhaftigkeit 196
7. Beharrlichkeit im Beten 200
8. Gastfreundschaft 208
9. Erbarmen und Solidarität 211
10. Demut – Zuwendung zum Geringen 213
11. Verhalten gegen Verfolger und Feinde: Friedensbereitschaft 217

D. Folgerungen für christliches Verhalten heute 226
I. Einheit von Glauben und Handeln 226
II. Vertröstung? Zur eschatologischen Motivierung der Paränese 230
III. Verbindlichkeiten für Christen 234
IV. Christliche Tugenden für heute 237
1. Eigenständigkeit gegenüber den Trends dieser Welt 237
2. Solidarität innerhalb der Kirche 238
3. Hoffnung und Standhaftigkeit 241
4. Beten 245
5. Gastfreundschaft 247
6. Demut und Barmherzigkeit 248
7. Feindesliebe 250

Literaturverzeichnis 255

VORWORT

Die Unsicherheit in ethischen Fragen ist groß. Entsprechend groß ist das Verlangen nach verläßlicher Orientierung: Wie kann ein Christ zu Maßstäben sinnvollen, sachlich richtigen menschlichen Verhaltens kommen? Die überall anzutreffende Unsicherheit gab den Anstoß zu vorliegender Arbeit. Vielleicht könnte es weiterhelfen, zu untersuchen, welche Schwerpunkte sittlicher Weisung der Apostel Paulus in seiner Zeit setzte. Natürlich wäre es naiv, zu meinen, man könne bei Paulus direkte Antworten auf unsere heutigen Fragen finden. Doch scheint die Erwartung nicht abwegig, daß die Paränese des Apostels uns wichtige Denkanstöße geben kann.

Die Untersuchung beschränkt sich auf die Paränese in Röm 12–13.[1] Das hat zwei Gründe. Einmal: Es scheint angemessener, einen geschlossenen Abschnitt im Zusammenhang zu untersuchen und zu interpretieren. Auf diese Weise kommt Paulus selbst am ehesten zu Wort.

Der zweite Grund ist entscheidender: Die Paränese in Röm 12–13 ist nicht so sehr von einer konkreten Gemeindesituation bestimmt, wie das sonst häufig bei Paulus der Fall ist. Das hat zunächst einen großen Nachteil: Die Mahnungen bleiben z. T. abstrakt, es fehlt die Lebendigkeit und Situationsnähe; sie wirken auf den ersten Blick blaß und unkonkret. Doch hat die „Situationsferne" auch einen großen Vorteil: Hier formuliert Paulus grundsätzlicher, wo in seinen Augen Schwerpunkte einer christlichen ethischen Orientierung liegen müßten. So haben seine Aussagen in Röm 12–13 einen stärker allgemeingültigen Charakter.

Die Arbeit verfolgt letztlich ein pastorales Interesse, das vor allem im abschließenden Teil D zum Ausdruck kommt. Der Hauptakzent liegt aber auf der exegetischen Arbeit der Teile A – C. Die Bedeutung der von Paulus verwendeten Motive und Begriffe in seiner Umwelt wird dabei z. T. recht ausführlich dargestellt. Auf dem Hintergrund zeitgenössischer Anschauungen kommt, so hoffe ich, das eigentlich paulinische Anliegen deutlicher in den Blick.

Die Untersuchung bemüht sich auch um ein Verständnis von zunächst recht „sperrigen" paulinischen Aussagen. Das geschieht nicht aus dogmatischer oder kirchlicher (oder sonst einer) Ängstlichkeit. Es geschieht aus der Überzeugung, daß es wesentlich fruchtbarer ist, die Aussagen anderer zunächst einmal auf ihren positiven Beitrag zum Auffinden der Wahrheit

[1] Die Aussagen über das Verhältnis zu den politischen Gewalten in 13, 1–7 werden dabei ausgeklammert. Röm 13,1–7 ist ein Zwischenstück mit eigenem Gewicht und verdient – schon als thematisches Problem – eine umfassende Behandlung.

abzuklopfen. Sich auch solchen Positionen zu stellen, die auf den ersten Blick veraltet, unbequem, seltsam oder ärgerlich erscheinen, bringt die eigene Denkbemühung möglicherweise weiter als der (oft allzu leichte) Ausweg, sie von vornherein als zeitbedingt und inzwischen überholt am Wege liegenzulassen.[2]

Normalerweise werden nur die unbestritten echten Briefe des Paulus in die Untersuchung einbezogen,[3] soweit ein Blick auf Aussagen in anderen paulinischen Briefen zur Klärung hilfreich ist. Über die paulinische Verfasserschaft von 2 Thess und Kol ist damit keine negative Vorentscheidung getroffen.[4].

Den Abkürzungen liegt das Abkürzungsverzeichnis des „Lexikon für Theologie und Kirche" zugrunde. Wo dieses nicht ausreicht, sind die Verzeichnisse von „Theologisches Wörterbuch zum Neuen Testament", „Die Religion in Geschichte und Gegenwart" und „Sacramentum Mundi" zugrunde gelegt. Die Literatur ist jeweils abgekürzt zitiert, indem meist der Verfasser und das erste Substantiv des Titels angeführt sind. So läßt sich der jeweils zitierte Titel anhand des Literaturverzeichnisses leicht auffinden.

Die Arbeit wurde im Juli 1978 abgeschlossen. Die seither erschienene Literatur konnte nicht mehr berücksichtigt werden; das inzwischen übernommene Pfarramt ließ eine neue Überarbeitung nicht zu.

Zu danken habe ich Herrn Professor Dr. Joachim Gnilka, der die Anregung zu dieser Arbeit gab und ihre Veröffentlichung in den Neutestamentlichen Abhandlungen vorschlug, zu danken habe ich Herrn Professor Dr. Karl Kertelge, der sie in ihrem Endstadium mit wohlwollender und hilfreicher Kritik gefördert hat.

Mein Dank gilt dem Fachbereich Katholische Theologie der Universität Münster, der die Arbeit im Wintersemester 1978/79 als Dissertation annahm wie auch dem Bistum Münster, das ihre Drucklegung mit einem namhaften Zuschuß förderte.

Recklinghausen, den 7. Januar 1980

Franz-Josef Ortkemper

[2] Wobei man sich um eine solche Grundhaltung „toleranten" und wohlwollenden Lesens nicht nur bei neutestamentlichen, sondern auch bei modernen – z. B. atheistischen – Autoren bemühen sollte: auch von ihnen ist viel zu lernen!

[3] Röm, 1/2 Kor, Gal, Phil, 1 Thess, Phm

[4] Vgl. H. Conzelmann, Grundriß 175

A. EINLEITUNG

I. Die Stellung von Röm 12 – 13 im Gesamt des Briefes

In der neueren Exegese herrscht weithin Einigkeit darüber, daß der Römerbrief deutlich in zwei Teile gegliedert ist: Dem „dogmatischen" Teil der Kapitel 1–11 folgt ab Kapitel 12 ein zweiter Teil mit sittlichen Mahnungen.[1] Zwar ist auch in den ersten Teil des Röm immer wieder Paränese eingestreut; der Brief hat von Anfang an einen ermahnenden Aspekt.[2] Gleichwohl bleibt es berechtigt zu sagen, daß die ausdrücklichen Ermahnungen des Röm in den Kapiteln 12–15 konzentriert sind.

Die ursprüngliche Zusammengehörigkeit von Röm 1–11 und 12–15 wird neuerdings von W. Schmithals in Frage gestellt. Beide Teile gehören nach seiner Auffassung zu verschiedenen Schreiben, die Paulus im Abstand von ein bis zwei Jahren an die römische Gemeinde gerichtet hat.[3] Dabei gehört zum Röm A der größte Teil der Kapitel 1–11, außerdem 15, 8–13; der Röm B umfaßt 12, 1–21 + 13, 8–10 + 14, 1–15, 4a. 7. 5f + 15, 14–32 + 16, 21–23 + 15,33.[4] Wir können uns hier auf eine Diskussion der Gründe beschränken, die Schmithals für eine Abtrennung des Kapitels 12 von Röm 1–11 und für eine Entfernung von 13, 1–7. 11–14 aus dem Zusammenhang der Kapitel 12–15 anführt.

Daß die Kapitel 12–16, abgesehen von 15, 8–13 (dieses Stück rechnet Schmithals zum Röm A) keine deutliche Beziehung zu Röm 1–11 haben,[5] ist zweifellos ein schwaches Argument. Tatsächlich ist der paränetische Teil des Röm enger mit dem ersten Teil verknüpft, als man auf den ersten Blick sieht. Zwar sind die Beziehungen von Röm 12, 1–2 zu 1,18ff nicht so „schlagend", wie V.P. Furnish behauptet,[6] doch gibt es einige auffällige Anklänge. Seine Behauptung, daß Paulus in Röm 12, 1–2 die positive Kehrseite der negativen Warnungen von 1,18ff formuliere, ist immerhin erwägenswert: Paulus ruft die Römer auf, sie sollen ihre „Leiber" Gott darbrin-

[1] So u.a. E. Kühl, Röm 1: „theoretischer" und „praktischer" Teil; O. Kuss, Paulus 175 (Kuss rechnet Röm 9–11 als zweiten Teil): „In einem großen dritten Teil gibt Paulus praktische Weisungen für das sittliche Leben der Gemeinde nach innen und außen."

[2] V.P. Furnish, Theology 101; vgl. unten den Abschnitt „Stellenwert der Mahnung" C I.

[3] W. Schmithals, Römerbrief 177; an der römischen Adresse besteht für ihn kein Zweifel, aaO 162.

[4] aaO 210f.

[5] aaO 162; vgl. 23, Anm. 35: In Röm 12–16 werde das in 1,16 formulierte Thema nicht wieder aufgenommen.

[6] Theology 103f.

gen und sie nicht entehren (vgl. 1,24); sie sollen nicht länger das Geschöpf verehren, sondern Gott die „geistige Verehrung" darbringen (vgl. 1,25); das verworfene Denken soll durch die Erneuerung des Denkens überwunden werden (vgl. 1,28). Zwei wichtige Begriffe aus Röm 12,2 tauchen schon in 2,18 auf: *θέλημα* und *δοκιμάζειν*. Das Verb *παριστάναι* begegnet fünfmal in Röm 6,[7] offenbar in ganz ähnlichem Sinne wie in 12,1, wobei in 6,12f auch das Stichwort *σῶμα* auffällt. Die in Röm 12,12 ausdrücklich ausgesprochene Mahnung zu Hoffnung und Standhaftigkeit steht schon in 5,1–11 deutlich zwischen den Zeilen. Die Warnung vor dem Hochmut in Röm 12,3. 16 erinnert in ihrer Wortwahl deutlich an 11,20. 25.

Schwerer wiegt die Behauptung, die Formel „*παρακαλῶ* . . . *διά*" (Röm 12,1) eröffne bei Paulus „mehrmals" das Briefkorpus. Schmithals verweist auf 1 Kor 1,10 und 2 Kor 10,1; allerdings muß man bei 2 Kor 10,1 mit Schmithals die Voraussetzung teilen, daß dies der Beginn des Briefkorpus des „Tränenbriefes" ist.[8] Eine Bestätigung für seine These findet Schmithals in der Beobachtung Bjerkelunds, daß *παρακαλῶ* in der hellenistischen Briefliteratur nicht selten nach der Danksagung das Briefkorpus einleitet.[9] Doch bleibt Schmithals inkonsequent. Er muß selber zugeben, daß die Formel *παρακαλῶ* . . . *διά* in Röm 15,30 den Beginn der Schlußparänese von Röm B bildet.[10] Warum kann sie dann nicht in Röm 12,1 die Schlußparänese des gesamten Röm einleiten?[11]

Ferner weist Schmithals darauf hin, das folgernde *οὖν* Röm 12,1 gebe im vorliegenden Text keinen Sinn.[12] Man hat schon öfter empfunden, daß 12,1 inhaltlich nicht unmittelbar an Kapitel 9 – 11 anschließt und gemeint, 12,1 schließe inhaltlich an 8,39 an;[13] auch das ist kaum überzeugend – eine unmittelbare Anknüpfung an Kap 8 ist ebensowenig nachzuweisen wie die an Kap 9–11. Daraus muß man nicht unbedingt schließen, Röm 1–11 und 12 gehörten nicht ursprünglich zusammen. So vertritt z.B. Th. Zahn die Meinung, Röm 12,1 knüpfe nicht an 11,33–36 an, sondern an den gesamten bisherigen Inhalt des Briefes.[14] Wenn man bedenkt, daß ein so umfangreiches Dokument wie der Röm nicht einfach an einem Stück diktiert ist, sondern zwischen einzelnen Abschnitten Pausen von Stunden, Tagen oder Wochen liegen konnten,[15] scheint das in der Tat eine überzeugendere Lösung zu sein, die eine Teilungshypothese nicht nötig macht.

[7] Röm 6,13. 16. 19.
[8] Römerbrief 163.
[9] aaO. Für das NT verweist Schmithals auf Phm 8f und 2 Thess 2,1; letzterer Verweis ist wiederum nur überzeugend, wenn man zuvor seine Teilungshypothese für die Thess akzeptiert hat (2 Thess 1 = Beginn von Thess C).
[10] aaO.
[11] Vgl. X. Jacques, NRTh 107 (1975) 984.
[12] Römerbrief 164.
[13] Ph. Seidensticker, Opfer 256; H. Lietzmann z. St. vermutet eine Anknüpfung an 8,12f, ähnlich J. Knox z. St.
[14] Th. Zahn, Röm 533.
[15] E. Stange, Diktierpausen 109; auch vor Röm 12,1 rechnet Stange mit einer solchen Pause, aaO 112. Stanges Hinweis scheint mir nicht so abwegig, wie man bisweilen meint.

Eine abschließende Stellungnahme zu Schmithals Thesen würde eine ausführliche Diskussion seiner Beurteilung der historischen Voraussetzungen des Röm erfordern. Die kann hier nicht geleistet werden. Zu vieles ist heftig umstritten oder liegt im Dunkeln. Doch sei die skeptische Frage erlaubt, ob das imposante Gebäude von Vermutungen und Hypothesen einer kritischen Nachprüfung an allen Stellen standhält.

Schmithals muß zu viel historisch nicht mehr Verifizierbares voraussetzen. Etwa: Röm A bildet den Versuch, in Rom eine paulinische Gemeinde zu gründen, bzw. die Gemeinde auf den Boden des paulinischen Evangeliums zu stellen.[16] Dieser missionarische erste Brief hat offensichtlich Erfolg gehabt.[17] So kann Paulus den Brief B an eine Gemeinde richten, die er als paulinische, als seine Gemeinde betrachten kann.[18] Natürlich ist er inzwischen über den Stimmungsumschwung in Rom unterrichtet worden;[19] möglich aber auch, daß die Christen in Rom schon immer auf dem Boden des paulinischen Evangeliums standen.[20] Das alles sind Vermutungen – belegbar sind sie kaum. Vor allem bleibt die Frage ungeklärt, wie Paulus an die ihm unbekannte Gemeinde in Rom einen Brief schreiben kann, der gleich unvermittelt mit der Paränese einsetzt; umgekehrt ergibt sich das Problem, daß sich in dem von Schmithals vorausgesetzten Brief Röm A kein den anderen Briefen entsprechender paränetischer Teil findet.[21]

Man wird die Teilungshypothese von Schmithals eher skeptisch beurteilen. Noch radikaler geht übrigens J. C. O'Neill vor,[22] der so viele Zusätze im Röm entdeckt, daß nur noch ein gutes Drittel des Röm übrigbleibt. Nach seiner Meinung kann Paulus nicht der Autor von 12,1 – 15,13 gewesen sein; als Begründung verweist er auf den traditionellen Charakter des Materials.[23] O. Kuss bemerkt zu solchen Teilungshypothesen in seiner bekannten Nüchternheit,[24] daß ein Festhalten an den überkommenen Einheiten zumindest nicht schlechtere Hypothesen sind „als die unsichere Auflösung der vorliegenden Zusammenhänge in letzten Endes immerhin sehr ungewisse neue Einheiten".[25] Zwar sei die Einheitlichkeit der überlieferten paulinischen Briefe kein wissenschaftliches Dogma: „warum sollte irgendeine Redaktion nicht ‚echte' Briefstücke zusammengestellt haben? Aber schließlich muß man – besonders bei einem Temperament wie dem des Paulus – bei längeren Briefen mit ‚echten', nicht auf das Konto einer späteren Redaktion

16 W. Schmithals, aaO 176. 179.
17 aaO 177. 182.
18 aaO 176. 179. 182.
19 aaO 182.
20 aaO 176.
21 Vgl. H. Hübner, Gesetz 60.
22 J. C. O'Neill, Paul's Letter to the Romans, Harmondsworth 1975.
23 Vgl. U. Luz, ThLZ 102 (1977) 42f: Ein Römerbriefkommentar, „der selbst phantasievolle Exegeten überrascht" (42) „. . . der größte philologische Skandal, der mir in den letzten zehn Jahren begegnet ist" (43).
24 O. Kuss, Paulus 25–27; vgl. 85–87; skeptisch auch E. Fascher, Der erste Brief des Paulus an die Korinther, Berlin 1975, 25f.
25 O. Kuss, aaO 27.

kommenden Bruchstellen, mit Schreib- und Diktierpausen nicht nur von Tagen rechnen dürfen."[26]

Wenig überzeugend ist der Versuch von Schmithals, die Abschnitte Röm 13,1–7 und 13,11–14 als spätere Einlagen in den Text der Kapitel 12–15 zu erweisen. Der umstrittene Abschnitt über das Verhältnis des Christen zu den Obrigkeiten in Röm 13,1–7 unterbricht zweifellos den Zusammenhang;[27] nur ist das kein ausreichender Grund, ihn als Fremdkörper aus den Kapiteln 12–15 entfernen zu wollen: „Die Mahnungen reihen sich auch sonst in den paränetischen Teilen ziemlich locker aneinander."[28] Auch Röm 13,11–14 hält Schmithals für eine Einlage, da der Text sich auf keine Weise einsichtig in den Zusammenhang einordnen lasse und im Kontext einen Fremdkörper darstelle, wenn das für ihn auch nicht so offensichtlich ist wie bei Röm 13,1–7.[29]

Durch die Entfernung von 13,1–7. 11–14 bekommt zwar der von Schmithals rekonstruierte Brief Röm B einen durchsichtigen Aufbau und Zusammenhang. Es bleibt nur die Frage, ob Paulus sich von modernen Exegeten vorschreiben läßt, er müsse in seinen Briefen immer konsequent beim Thema bleiben. Beachtet man den unsystematischen Charakter der Paränese, kann man gegen die Zugehörigkeit von Röm 13,1–7 und 13,11–14 zum ursprünglichen Text des Röm kaum ein stichhaltiges Argument vorbringen.

II. Gliederung und Analyse von Röm 12 – 13

Man hat oft gemeint, Paulus reihe in Röm 12–13 ohne erkennbare Ordnung einfach einzelne Mahnungen aneinander, fast einer „Querfeldeinwanderung"[1] vergleichbar; das entspreche ganz dem Wesen der Paränese, deren Kennzeichen ein weitestgehender Eklektizismus und eine gewisse Planlosigkeit der Disposition sei.[2] Das ist im Prinzip richtig. Eine lockere Disposition ist dennoch erkennbar. Im folgenden soll zunächst eine grobe Gliederung, dann eine etwas ausführlichere Analyse versucht werden.

Röm 12, 1–2 wirkt wie eine programmatische Überschrift; die Mahnung dieser Verse ist noch sehr allgemein und wird dann im folgenden mit konkretem Inhalt gefüllt.

[26] aaO 27, Anm. 2.
[27] W. Schmithals, aaO 185–187; auch die paulinische Autorschaft ist ihm nicht sicher: 196f.
[28] R. Schnackenburg, Botschaft 189; vgl. O. Merk, Handeln 161f.
[29] W. Schmithals, aaO 187–189; an der paulinischen Herkunft dieses Stückes zweifelt Schmithals nicht: 190; es gehöre wohl ursprünglich zu einem Schreiben nach Korinth oder Thessalonich: 191.
[1] K. Barth, Erklärung 165; vgl. H. Lietzmann, Röm 107: „ein Prinzip der Disposition ist nicht zu sehen".
[2] H. Thyen, Stil 86.

In 12,3–8 spricht Paulus von den verschiedenen Charismen. Gott hat jedem in der Gemeinde sein spezifisches Charisma zugedacht, das er zum Wohl des Ganzen einsetzen soll.

Es folgt 12,9–21 eine Reihe von lose aneinandergefügten Mahnungen, an deren Spitze der Aufruf zur ungeheuchelten Liebe steht (V 9).

Der Abschnitt 13, 1–7 behandelt das Verhalten der Christen zu den politischen Gewalten.

Röm 13,8–10 knüpft deutlich an 12,9–21 an; „das μηδενὶ μηδέν in 13,8 summiert offensichtlich das fünffache μή bzw. μηδενί von 12,16–21".[3] Die Reihe der Einzelmahnungen wird eindrucksvoll auf den allem übergeordneten Grundsatz der Liebe zurückgeführt.

Röm 13, 11–14 motiviert abschließend die Mahnung mit dem Blick auf die Nähe des „Tages".

Röm 12,1f und 13,11–14 stellen die gesamte Mahnung der Kapitel 12 und 13 in einen eschatologischen Rahmen.[4] Zweifellos ist Röm 13,11–14 ebenso wie Röm 12,1f als Taufparänese zu verstehen.[5] Doch kommt trotz des eschatologisch gefärbten Rahmens die eschatologische Perspektive in den Einzelmahnungen kaum zum Tragen.

Die Verse Röm 12,1–2 eröffnen programmatisch die Paränese des Briefes. Das οὖν ist nicht „nur äußerliche Überleitungspartikel"[6]; es schließt vielmehr den paränetischen Teil des Röm eng mit dem vorhergehenden Briefteil zusammen.[7] Nun zieht Paulus Folgerungen, die sich aus dem bisher Gesagten notwendig ergeben.[8] Nach P. Steensgaard nimmt der Hinweis auf das Erbarmen Gottes in 12,1 das Reden vom Erbarmen Gottes in 11,31–36 wieder auf; die Präpositionalwendung in 12,1 ist „als Verweis auf die Barmherzigkeit, von der eben gesprochen wurde, zu verstehen".[9] Wahrscheinlicher ist – angesichts der Tatsache, daß das Erbarmen Gottes in 11,30–32 mit dem Verb ἐλεεῖν umschrieben wird –, daß Paulus mit dem folgernden οὖν nicht nur an das unmittelbar in Kapitel 11 Vorhergehende anknüpfen will,

[3] W. Schmithals, Römerbrief 186; das ist sicher das gewichtigste Argument, Röm 13,1–7 als redaktionellen Einschub zu betrachten.

[4] C. K. Barrett z. St. Das καὶ τοῦτο Röm 13,11 scheint noch einmal auf den größeren Abschnitt 12,1 – 13,10 zurückzublicken und nicht nur auf das unmittelbar vorhergehende, J. Baumgarten, Paulus 209. Vgl. auch G. Dautzenberg, Naherwartung 367.

[5] Vgl. J. J. Meuzelaar, Leib 92; U. B. Müller, Prophetie 165–169; zur engen Verbindung von Taufe und Paränese vgl. N. Gäumann, Taufe 65f; Ph. Vielhauer, Geschichte 56.

[6] wie H. Lietzmann z. St. meint.

[7] Vgl. Bl.-Debr.-Rehkopf § 451, 1: „Natürlich gibt es nicht immer streng ursächliche, sondern auch in freier Weise eine zeitliche Verknüpfung an, leitet also die Erzählung fort, bzw. führt zum Hauptthema zurück." C. J. Bjerkelund, Parakalo 162 rechnet mit der Möglichkeit, das οὖν gehöre zur Parakalo-Struktur.

[8] Vgl. Röm 6,12; Gal 5,1; auch Kol 3,1; 2 Thess 2,15; Hebr 10,19. Auch Eph 4,1 beginnt der paränetische Teil mit παρακαλῶ οὖν ὑμᾶς, vgl. 1 Thess 4,1; vgl. auch W. Nauck, οὖν – par 134.

[9] P. Steensgaard, Erwägungen 122. Er verweist darauf, daß auch in LXX ἔλεος (ἐλεέω) und οἰκτιρμοί (οἰκτίρω) miteinander wechseln können; vgl. R. Bultmann, ThW II 476, Anm. 20 und 477, Anm. 52.

sondern an den Inhalt des gesamten Briefes[10], vor allem der Kapitel 8 und 6[11].

Der eigentliche Inhalt der Mahnung ist in V 1 mit einem Infinitiv an *παρακαλῶ* angeschlossen; in V 2 folgen zwei selbständige Imperative.[12] Auf jeden Fall gehören beide Teile sachlich zusammen,[13] wie das verbindende *καί* deutlich macht; es könnte die Bedeutung haben: und darum.[14] Der Warnung *μὴ συσχηματίζεσθε* wird mit einem *ἀλλά* die positive Aufforderung entgegengesetzt: *μεταμορφοῦσθε*.[15] Die geforderte Erneuerung der Gesinnung zielt darauf,[16] zum Prüfen des Willens Gottes zu befähigen.

Die programmatischen Verse Röm 12,1–2 geben die Perspektive für die folgenden Mahnungen an. Auf V 1 mit dem Stichwort „geistlicher Gottesdienst durch Darbringung der Leiber" liegt zweifellos der Hauptton[17]; in V 2 wird näher entfaltet, worin dieser Gottesdienst besteht: im Nonkonformismus gegenüber dieser Welt und der Erneuerung der Gesinnung, die zum Prüfen dessen befähigen, was der Wille Gottes ist.

V 3 setzt neu an, wie das betont vorangestellte *λέγω* mit dem ausdrücklichen Hinweis auf die dem Apostel geschenkte Gnade zeigt; das *λέγω* ... *διά* ... steht dem *παρακαλῶ* ... *διά* ... von V 1 parallel. V 3 wird durch das *γάρ* eng mit dem Vorhergehenden verknüpft: Jetzt wird die in den Versen 1 – 2 gegebene allgemeine Mahnung konkretisiert. Der Abschnitt 12,3–21 zerfällt deutlich in zwei Teile: in 12,3–8 hat Paulus die Gemeinde im Auge; er mahnt, das dem Einzelnen jeweils gegebene Charisma in nüchterner Selbsteinschätzung, zum Wohl der ganzen Gemeinde einzusetzen. Ab 12,9 folgt dann eine Reihe allgemeinerer, lose aneinandergefügter Mahnungen, wobei der Blick allmählich über die Grenzen der Gemeinde hinausgeht: Es ist vom Verhalten der Christen überhaupt die Rede, auch gegenüber den Feinden und Gegnern der Gemeinde (12,14. 17–21).

10 Vgl. C. E. B. Cranfield, Commentary 4f.

11 W. Thüsing, Per Christum 95; Thüsing verweist vor allem auf das *παραστῆσαι* Röm 12,1; Röm 6,13. 19.

12 H. W. Schmidt z. St. glaubt daraus folgern zu können, das Anliegen des Paulus habe aktuelle Dringlichkeit und berühre einen bei seinen Lesern aufgetretenen akuten Notstand. Eine so weitgehende Folgerung läßt sich aus dem Wechsel sicher nicht ziehen, zumal auch Röm 16,17 der gleiche Wechsel zu beobachten ist. O. Michel z. St. denkt daher an eine fest Stilform, worauf H. W. Schmidt selber (unsicher geworden?) hinweist.

13 Entsprechend lassen wichtige Handschriften auch V 2 von *παρακαλῶ* abhängig sein. Doch sind die Imperative sicher ursprünglich, während die Infinitive spätere Angleichung an V 1 sind. So die meisten Ausleger. Th. Zahn z. St. entscheidet sich für die Infinitive. Er nennt zwei Gründe: die Lesart ist weiter verbreitet und in 12,3 erfolgt die Mahnung ebenfalls in Form des Infinitivs, nachdem durch *λέγω* das *παρακαλῶ* von V 1 wieder aufgenommen ist.

14 F. S. Gutjahr z. St.

15 Vgl. die in Formulierung und Aufbau ähnliche Mahnung 1 Petr 1,14f und dazu E. Lohse, Paränese 315.

16 *εἰς τό* kann mit *ἵνα* abwechseln, vgl. Bl.-Debr.-Rehkopf § 402,2.

17 Vgl. E. Käsemann, Römer 13,1–7, 374.

Zweimal wird in 12,3–8 Gott als der Geber der Charismen bezeichnet. In 12,3 dient der Hinweis auf das jedem einzelnen von Gott gegebene Maß des Glaubens zur eindringlichen Motivierung der Warnung vor überheblichem Denken und der Mahnung zur rechten Selbsteinschätzung; in 12,6a werden die Charismen gerade in ihrer Verschiedenheit als Gaben der Gnade Gottes bezeichnet. Hier liegt offenbar der Skopus der Mahnung: die Verschiedenheit der Charismen ist von Gott gewollt; jeder sollte seinen Platz in der Gemeinde akzeptieren, ohne sein Charisma zu überschätzen. Der Bildstoff vom Leib in 12,4–5 dient der weiteren Begründung dieser Mahnung; 12,4 schließt wiederum mit einem *γάρ* an 12,3 an. Paulus spricht in 12,4f in der ersten Person Plural; in V 1–3 hat er die Gemeinde angeredet.

Nachdem die grundlegende Tatsache zur Sprache gekommen ist, daß die Vielen ein Leib in Christus sind (12,5a), spricht 12,6–8 von den Konsequenzen, die sich daraus notwendig für das Zusammenspiel der verschiedenen Charismen in der Gemeinde ergeben. Die Satzkonstruktion von Röm 12,6 ist umstritten. Entweder ist das Partizip *ἔχοντες* dem vorausgehenden *ἐσμεν* untergeordnet,[18] oder der mit *ἔχοντες* beginnende Satz läuft in ein Anakoluth aus.[19] Für die erste Möglichkeit führt man vor allem die Tatsache ins Feld, daß erst V 6a die genaue sachliche Parallele zu V 4b bietet[20] und überdies den Gedanken bringt, den Paulus hier besonders betonen will. Dagegen spricht, daß sich dann allerdings in der „Sachhälfte" eine Überlänge ergäbe (V 5. 6a), die den Fluß des Parallelismus empfindlich stört. Der Vergleich mit dem Leib ist mit V 5 abgeschlossen.[21] Der Meinungsunterschied ist für die sachliche Deutung ohne Belang. Denn das *ἔχοντες* in V 6 kann kein anderes Subjekt haben als das des vorhergehenden Satzes.[22] Die Verse 6b – 8 sind imperativisch zu verstehen;[23] ein entsprechendes Verb ist zu ergänzen.[24] Die Einfachheit und Knappheit kleiner hingeworfener Sätze ist auch für die Diatribe charakteristisch.[25] „Dadurch kann in Imperativen oft große Energie erreicht werden . . ."[26] Die einzel-

18 So schon A. Bisping z. St.; E. Kühl z. St.: das *δέ* sei kopulativ zu fassen.

19 „Statt hinter *διάφορα* erst den allgemeinen Gedanken zu Ende zu führen (‚so laßt sie uns auch dementsprechend benutzen' . . .) bringt Paulus sofort Beispiele und fällt dabei aus der Konstruktion." H. Lietzmann z. St.

20 Vgl. W. C. v. Unnik, Interpretation 180f.

21 So auch W. Sanday – A. C. Headlam z. St.

22 U. Brockhaus, Charisma 197.

23 Anders E. Kühl z. St., der die Verse 6–7 nicht als Paränese versteht; erst in V 8 schlage wieder ein mehr paränetischer Ton durch. Mit Recht wendet F. S. Gutjahr z. St. ein, dann ergäben sich z. T. reine Tautologien.

24 So W. Sanday – A. C. Headlam, Th. Zahn, H. W. Schmidt, O. Michel z. St.

25 Vgl. R. Bultmann, Stil 17 und 69.

26 R. Bultmann, aaO 17, Anm. 2; Bultmann verweist auf Epikt Diss II 10, 10: *μετὰ ταῦτα εἰ βουλευτὴς πόλεώς τινος, ὅτι βουλευτής· (εἰ) νέος, ὅτι νέος· εἰ πρεσβύτης, ὅτι πρεσβύτης· εἰ πατὴρ, ὅτι πατήρ.*

nen Charismen sind zunächst durch εἴτε ... εἴτε miteinander verknüpft;[27] in 8b schließt, wie sonst bei Aufzählungen, ein Asyndeton ab.[28] Paulus mahnt zum nüchternen, selbstlosen Gebrauch der Charismen,[29] wobei auf dem Motiv der Selbstbeschränkung (vgl. V 3) ein besonderer Ton liegt.[30]

Der Übergang von 12,3–8 (Charismen) zu der Mahnung zur Liebe in 12,9 entspricht dem Aufbau von 1 Kor 12–13.[31] Die Zäsur zwischen 12,6–8 und 12,9–21 ist zweifellos nicht scharf.[32] Besonders 8b geht ohne äußerlich sichtbaren Unterbruch in 12,9–21 über.[33] Und doch zieht Paulus zwischen der Charismenliste 12,6–8 und der paränetischen Spruchreihe 12,9–21 „eine Grenze, wenn auch eine recht unauffällige. Die drei letzten Glieder der Liste in V. 8b werden zwar durch den Fortfall des εἴτε äußerlich an die folgenden paränetischen Kurzformeln angeglichen, aber sie lassen sich infolge ihrer strukturellen Ähnlichkeit mit den vorhergehenden Gliedern noch immer als konditionale Satzgefüge verstehen; die Gabe (Geben, Vorstehen, Barmherzigkeit) als Voraussetzung der jeweiligen Aufgabe bleibt erkennbar. Das ist von V.9 an nicht mehr möglich."[34] So kann man aus der Unschärfe der Zäsur keineswegs schließen, Paulus wolle damit bewußt das gesamte Handeln des Christen als charismatisch charakterisieren.[35]

In Röm 12,9–21 sind die Mahnungen locker – meist asyndetisch – aneinandergefügt, größtenteils in Partizipialsätzen, unterbrochen von einigen Imperativen[36] und zwei Infinitiven.[37] Statt der Partizipien stehen bisweilen Adjektive.[38] Der Stil ist z. T. äußerst verknappt. Ein streng logischer Aufbau ist nicht zu erkennen.[39] Die Versuche einer Gliederung bleiben unbefriedigend. E. Kühl meint, in 12,9–13 gehe es um das rechte Verhalten innerhalb der Gemeinde, in 12,14–21 um den Umgang mit den Un-

27 Vgl. Bl.-Debr.-Rehkopf § 446.
28 aaO § 454,3.
29 Vgl. H. Schlier, Röm 364.
30 Vgl. O. Michel, Röm 295.
31 Vgl. G. Friedrich, RGG³ V 1142. Die Liebe wird in Röm 12 nicht wie in 1 Kor 13 zum Thema eines ganzen Abschnitts, sondern steht betont am Anfang der paränetischen Spruchreihe Röm 12,9–21.
32 So gliedert z. B. C. H. Talbert, Tradition: 12,3–9a; 12,9b–13; anders C. Spicq, Agape II 142f, bes. Anm. 1.
33 S. Schulz, Charismenlehre 456.
34 U. Brockhaus, Charisma 226.
35 gegen S. Schulz, aaO.
36 14. 16c. 19b. 20f.
37 15; vgl. Phil 3, 16; Bl.-Debr.-Rehkopf § 389; C. Spicq, Agape II 144, Anm. 4.
38 9a. 10a. 11a. Die Adjektive und Partizipien in Röm 12,9–21 haben deutlich imperativischen Sinn. „Eine entsprechende Form von εἶναι (ἔστε, das im N.T. überhaupt nicht vorkommt) ist idiomatisch fortgelassen." E. Kühl, Röm 426; vgl. L. Radermacher, Grammatik 205 und 228; Bl.-Debr. § 468, 2 (ausführlich über Röm 12,9ff).
39 „In immer nachlässigerer stilistischer Form ... überläßt sich Pl einem natürlichen Lauf der Ideen." Th. Zahn, Röm 548.

gläubigen.[40] Diese Gliederung läßt sich nicht sauber durchhalten. Denn um das Verhalten innerhalb der Gemeinde geht es V 9–13 und 15–16, um den Umgang mit den Ungläubigen V 14 und 17–21. Von daher ist auch die Einteilung, wie sie M. J. Lagrange[41] versucht, nicht korrekt: 12,9–16 gehe es um die Verwirklichung der Liebe unter den Christen, 12,17–21 um die Liebe gegenüber allen Menschen, besonders den Feinden. Lediglich 12,17–21 ist ein einheitliches Thema zu erkennen. Hier greift Paulus das schon in 12,14 angesprochene Thema wieder auf: das rechte Verhalten zu den Verfolgern und Feinden.[42]

Am Anfang der Reihe steht das Stichwort der Agape, das in 13,8–10 noch einmal aufgegriffen wird und dort als das Grundprinzip christlichen Handelns bezeichnet wird. Dadurch erhält die Mahnung zur Liebe großes Gewicht; daß er sie als Thema der gesamten paränetischen Reihe 12,9–21 verstanden wissen will,[43] gibt Paulus allerdings durch nichts zu erkennen. Ein weiterer Schwerpunkt ist durch das Kontrastpaar gut – böse gesetzt, das am Anfang (V 9b), in der Mitte (V 17) und am Ende (V 21) der Spruchreihe steht und den Abschnitt 12,17–21 auch formal einrahmt.

Nach den Ausführungen über die Unterordnung unter die politischen Gewalten in 13,1–7, die den Zusammenhang auffällig unterbrechen, folgt in 13,8–10 noch einmal ein Hinweis auf die Liebe als die entscheidende christliche Grundhaltung. Röm 13,8–10 wie 13,11–14 haben zusammenfassende Funktion, Röm 13,8–10, indem das vom Christen verlangte Handeln im Gebot der Liebe sein Zentrum und seine Zusammenfassung findet, 13,11–14, indem die Mahnung im Blick auf den *καιρός* eschatologisch motiviert wird.

V 8a knüpft Paulus – typisch für die Paränese – mit dem Stichwort *ὀφείλετε*[44] an *τάς ὀφειλάς* in V 7 an. Sachlich hängt 13,8–10 stärker mit 12,9–21 zusammen: die Aufforderung zur Liebe knüpft deutlich an 12,9 an; sie faßt die Paränese von 12,9–21 zusammen. Das zeigt sich auch daran, daß in 13,8a der negativen Warnung die positive Alternative folgt. Diese Figur finden wir in Röm 12 immer wieder: 12,2. 3. 16. 19. 21.[45]

Auf den kategorischen Imperativ von 8a folgt in 8b ein begründender Lehrsatz. V 8b – 10 bilden einen geschlossenen Zusammenhang. Zunächst stellt Paulus in 8b einen Grundsatz auf, den er in 9–10a begründet (*γάρ*) und in 10b abschließend wiederholt und so bekräftigt.[46] Das Gebot der Nächstenliebe ist der Sinn des Gesetzes (V 9); der Hinweis, daß die Liebe die Erfüllung des Gesetzes ist (V 10b), wiederholt noch einmal die Aussage von V 8b und resümiert (*οὖν*) die Ausführungen von 13,8–10.

40 Röm 413.
41 Rom 301.
42 Daß Paulus dieses Thema bereits in 12,14 kurz streift, ist offenbar durch den Stichwortanschluß *διώκοντες* (V 13) *διώκοντας* (V 14) verursacht.
43 A. Nygren, Röm 301–303 führt diesen Gedanken allzu energisch durch.
44 *ὀφείλοντες* in einigen Handschriften, wodurch der Satz an den vorausgehenden angegliedert wird, ist glättende Korrektur, H. Lietzmann, z. St.
45 Vgl. auch das gleichlautende *μηδενί* am Anfang von 12,17 und 13,8.
46 Vgl. G. Delling, ThW VI 303, 13–15.

Die Paränese von Röm 12f wird durch 12,1–2 und 13,11–14 eingerahmt. Man sollte keine zu enge Beziehung dieser beiden Texte konstruieren und nicht die Zwei-Äonenlehre (die schon für 12,2 fraglich ist) in den Text Röm 12,11–14 hineinlesen.[47]

καὶ τοῦτο in 13,11 resümiert die gesamte Mahnung von 12–13: Und das alles tut . . .[48] Es hat offenbar steigernde Bedeutung: und dies um so mehr als.[49] Die Unbestimmtheit des Ausdrucks legt nahe, daß Paulus nicht nur auf 13,8–10, sondern auf den gesamten Abschnitt Röm 12,1 – 13,10 zurückblickt.[50] Ein direkter Bezug von 13,11–14 zu 14,1 ff besteht nicht.[51]

Auf die Themaangabe in 12a folgt der eschatologische Wächterruf[52] 11b – 12, der sich schon durch seine rhythmische Sprache aus dem Zusammenhang heraushebt; 11a und 11c sind erläuternde Prosa.[53] So hebt sich aus diesen Versen ein rhythmisch gebauter Abschnitt heraus:[54]

ὥρα ἤδη ὑμᾶς[55] *ἐξ ὕπνου ἐγερθῆναι.*
ἡ νὺξ προέκοψεν, ἡ δὲ ἡμέρα ἤγγικεν.
ἀποθώμεθα οὖν τὰ ἔργα τοῦ σκότους,
ἐνδυσώμεθα δὲ τὰ ὅπλα τοῦ φωτός.

Vielleicht darf man in diesen Versen ein Tauflied sehen; da Paulus auch sonst Schlußabschnitte in gehobener Sprache zu formulieren pflegt, ist eine letzte Sicherheit nicht zu gewinnen.[56] Das Fehlen der Kopula gibt der ersten Zeile den Charakter eines Aufrufs.[57] Auch in der zweiten Zeile fällt die kurze apodiktische Formulierung auf.

Auf den eschatologischen Wächterruf in 11f folgt die apostolische Mahnrede 13f: Der eschatologische Ausblick zielt auf Paränese! Der Imperativ beginnt schon in 12b im Wächterruf; auf ihn zielt die ganze Aussage (*οὖν*). Die in 12b angesprochenen Werke der Finsternis werden in 13 in drei Doppelpaaren näher konkretisiert. Die Waffen des Lichtes werden überraschenderweise nicht genannt; statt dessen folgt in 14a die Aufforderung, den Herrn Jesus Christus anzuziehen. Zugleich geht in 14a die Mahnung in die direkte Anrede über. V 14b wirkt – durch ein *καί* mit 14a verbunden – angehängt; er greift noch einmal die Warnung vor den Lastern von 13b auf.

47 Hier scheint O. Michel, Röm 330f etwas zu überziehen.
48 Der Imperativ *ποιεῖτε* ist zu ergänzen, vgl. O. Michel z. St.; Bl.-Debr.-Rehkopf § 480, 5.
49 Vgl. Th. Zahn, Röm 564, Anm. 85.
50 Vgl. J. Baumgarten, Paulus 209.
51 Th. Zahn, Röm 564. Zahn hält 13,11–14 für einen Übergang zum neuen Thema in 14,1ff, was kaum überzeugen kann, vgl. 569.
52 Vgl. Eph 5, 14.
53 H. Schlier z. St., vgl. O. Michel z. St.
54 nach H. Schlier z. St.
55 Daß *ὑμᾶς* paulinische Ergänzung sei, J. Baumgarten, Paulus 209, ist kaum zu belegen. Die Lesart *ὑμᾶς* dürfte die ursprünglichere sein; sie paßt besser in den Wächterruf, während die Lesart *ἡμᾶς* gut durch Angleichung an den Gebrauch der 1. Person Plural im Kontext erklärbar ist.
56 H. Schlier z. St.; J. Baumgarten, aaO fragt, ob beide Teile des Wächterrufs (Zeile 1–2 und 3–4) ursprünglich verbunden waren; da die Textbasis äußerst schmal ist, läßt B. die Frage offen, aaO 211.
57 U. B. Müller, Prophetie 143; vgl. Bl.-Debr.-Rehkopf § 127, 4.

III. Röm 12 – 13 als Paränese

Für die verschiedenen Formen der „Mahnrede" in der urchristlichen Literatur hat sich der Begriff „Paränese" eingebürgert. Verschiedentlich hat man darauf aufmerksam gemacht, daß *παραινέω* im NT nur Apg 27,9. 22 vorkommt und vorgeschlagen, dem ntl. Sprachgebrauch entsprechend besser von „Paraklese" zu reden;[1] dieser Begriff würde der Eigenart der urchristlichen Mahnung tatsächlich besser gerecht als der aus der griechischen Literatur[2] stammende Begriff „Paränese". Doch hat sich das Wort „Paränese" inzwischen so allgemein eingebürgert, daß es nicht sinnvoll erscheint, einen anderen Begriff einzuführen.

Als „Paränese" im streng formgeschichtlichen Sinn läßt sich nur Röm 12 – 13 bezeichnen.[3] M. Dibelius nennt als Formmerkmale der Paränese: „nicht weit ausholende, religiös oder theologisch begründete Erörterungen, sondern einzelne Mahnungen, oft in Spruchform, lose aneinander gehängt oder unverbunden nebeneinander stehend . . . Auch sachlich unterscheiden sich die paränetischen Abschnitte der Paulusbriefe deutlich von dem, was Paulus sonst geschrieben. Vor allem fehlt ihnen eine unmittelbare Beziehung auf die Briefsituation. Die Regeln und Weisungen sind nicht für bestimmte Gemeinden und konkrete Fälle formuliert, sondern für die allgemeinen Bedürfnisse der ältesten Christenheit. Sie haben nicht aktuelle, sondern usuelle Bedeutung."[4]

Daß diese Formmerkmale für Röm 12f zutreffen, fällt sofort ins Auge, wenn man die beiden Kapitel mit dem bisherigen Teil des Briefes vergleicht: Ist der Stil in Röm 1 – 11 weithin argumentierend, so wird er ab Kapitel 12 überwiegend appellativ.[5] Das entspricht der Zielrichtung der Paränese: Sie will nicht begründen oder argumentieren; sie „zielt auf das Tun des Gesollten ab."[6] Sie setzt Einverständnis über das, was sittlich gefordert ist, voraus, und kann sich damit begnügen, in kurzen, prägnanten Sätzen an bereits Gewußtes zu erinnern.[7] In Röm 12f begegnet eine Fülle von Mahnungen, die

[1] Vgl. A. Grabner-Haider, Paraklese 4f; R. Schnackenburg, LThK[2] VIII 80; H. Schlier, Eigenart 340, Anm. 2; Röm 349.

[2] Vgl. U. Brockhaus, Charisma 142f.

[3] Doch wird der Begriff inzwischen häufig in dem eben skizzierten allgemeineren Sinn gebraucht, vgl. aaO 142–146.

[4] M. Dibelius, Formgeschichte 239.

[5] Vgl. G. Lohfink, Erzählung als Theologie. Zur sprachlichen Grundstruktur der Evangelien, StdZ 99 (1974) 521–532, hier 523f.

[6] B. Schüller, Begründung 13.

[7] Vgl. aaO 12–16. Schon H. Weinel, Paulus 252 hat diese Eigenart der Paränese deutlich gesehen und positiv gewürdigt: „Deutlich ist . . ., daß das neue Ideal, das Paulus in der Seele trägt, von ihm immer mehr gelegentlich ausgesprochen wird und sich mehr zu sentenziösen Mahnungen, wie sie der Prediger ausspricht, als zu logischen Sätzen gestaltet, denen auch der zustimmen kann, dem sie nicht Tat und Leben werden. Für die Wirkung dieser Sätze ist das kein Schaden gewesen; nur für die Aufmerksamkeit, welche die wissenschaftliche Ethik ihnen zuwendet, ist es schädlich geworden."

auf den ersten Blick keinen aktuellen Anlaß haben und ohne strenge Disposition lose aneinandergefügt sind. Der Stil ist knapp; Paulus benutzt, vor allem in 12,9–15, die denkbar wenigsten Worte.[8] Die Mahnungen wirken in ihrer gedrängten Kürze fast sprichwortartig. In 12,4–15 findet sich eine Reihe von Parallelismen;[9] es begegnen auch einige Antithesen.[10] Die Paränese berührt sich formal und vor allem inhaltlich stark mit den paränetischen Abschnitten nicht nur der übrigen Paulusbriefe,[11] sondern auch der übrigen urchristlichen Literatur.[12]

Daß Röm 12f Paränese im streng formgeschichtlichen Sinn des Wortes ist, ist nicht zu bezweifeln. Allerdings ist zu fragen, ob man daraus folgern kann, diese Kapitel könnten sich „nicht auf irgendwelche Zustände der Gemeinde" beziehen.[13] Der Gebrauch traditionellen paränetischen Materials schließt keineswegs aus, daß es für die spezifischen Bedürfnisse einer Gemeinde ausgewählt und zugeschnitten ist. Auch traditionelle Formulierungen können in aktuelle Situationen zielen.[14] In Röm 12–13 gibt Paulus nicht einfach traditionelle Paränese weiter; die Paränese ist durch sein eigenes theologisches Denken mitgeprägt und spiegelt seine Auseinandersetzung mit Problemen wider, die ihm in seiner früheren missionarischen Tätigkeit begegnet sind. An einigen Stellen ist das mit Händen zu greifen.[15]

Bei der Beurteilung der Frage, wie weit sich Paulus in Röm 12f auf konkrete Verhältnisse in der römischen Gemeinde bezieht, muß man sich vor allzu starren Alternativen hüten. Nur wegen des paränetischen Charakters von Röm 12–13 jeden Bezug dieser Kapitel auf die römische Situation auszuschließen, wäre eine zu schematische Anwendung der Ergebnisse der Formgeschichte.[16] Die Warnung vor Überheblichkeit und die Mahnung

[8] Vgl. C. H. Dodd, Gesetz 24. 59.

[9] Vgl. die tabellarische Übersicht bei R. Bultmann, Stil 75f; ihm folgend K. P. Donfried, Presuppositions 347. Allerdings ist der Parallelismus nicht immer fein durchgeführt. R. Bultmann, aaO 75.

[10] weitere in 12,16–21.

[11] Vgl. vor allem 1 Thess 5,12–22; auch 4,1–12; Gal 5,13 – 6,10.

[12] Vgl. Ph. Vielhauer, Geschichte 50; M. Dibelius – W. G. Kümmel, Paulus, Berlin [4]1970, 84f; M. Dibelius, Geschichte 96. So gleicht die Paränese in Röm 12f mehrfach der in 1 Petr 2,11 – 3,22. „Diese Berührungen beruhen, wie man heute allgemein sieht, nicht auf literarischer Verwendung, sondern auf gemeinsamer mündlicher Überlieferung. So erklären sich die z. T. wörtlichen Berührungen zwischen Röm 12,17 und 1 Petr 3,9 wie zwischen Röm 13,1–7 und 1 Petr 2,13–17." L. Goppelt, Theologie II 367.

[13] So M. Dibelius, Geschichte 108; die einzige Stelle im Röm, „die auf eine offene Frage der empfangenden Gemeinde eingeht", sei Röm 14,1 – 15,13, aaO 99.

[14] Vgl. K. P. Donfried, aaO 341; R. J. Karris, Rom 174f.

[15] R. J. Karris, aaO 176; vgl. Röm 12,3–8 mit 1 Kor 12; Röm 13,8–10 mit Gal 5,14; Röm 13,11–14 mit 1 Thess 5,5–9.

[16] Vorsichtiger H. Thyen, Stil 86: Die Paränese läßt „nur in seltenen Ausnahmefällen und unter großem Vorbehalt Schlüsse zu auf die Situation der Hörer." Dagegen Ph. Vielhauer, Geschichte 69 im Blick u. a. auf Röm 12f: „Die Paränese läßt sich nicht zur Rekonstruktion der moralischen Verhältnisse und Probleme der Adressatengemeinde verwenden."

zu rechter Selbsteinschätzung und Demut in 12,3. 10. 16 scheint in die römische Situation zu zielen, zumal Paulus sich auch in 11,17f. 20. 25 und 14,10 deutlich gegen die Überheblichkeit der Heidenchristen bzw. der „Starken“ wendet.

Auf der anderen Seite wird man kaum zugeben können, „daß die gesamte Paränese dieser Kapitel entscheidend gegen den Enthusiasmus gerichtet ist und sich auch im Detail von da aus erklärt.“[17] Dafür hat Röm 12f insgesamt – ganz im Gegensatz etwa zu 1 Kor 12–14 – einen viel zu unpolemischen Ton. Röm 12f enthält im Unterschied zu Röm 14f „ganz allgemein gültige Regeln und Weisungen für das christliche Verhalten in der Gemeinde und in der Welt.“[18] Das schließt nicht aus, daß die konkrete Situation an einigen Stellen bereits durchschimmert.[19]

Bei dem Versuch, die allgemein gehaltenen Mahnungen von Röm 12 konsequent auf eine konkrete Situation zu beziehen, kommt u. U. eine recht gewaltsame Exegese zustande. Das zeigt sich bei P. S. Minear, der die Warnung vor einer Anpassung an diese Welt in 12,2 auf den Anti-Semitismus der Heidenchristen in Rom bezieht[20] und auch Röm 12,9–14 ganz nach diesem Raster interpretiert: So soll das Gebet in 12,12 das Gebet für die „Feinde“, die Juden (11,28), sein, die Gastfreundschaft von 12,13 soll den jüdischen Hauskirchen in Rom gelten usw.[21]

Für Röm 12–13 ist ein Bezug auf die römische Situation weder von vornherein zu bestreiten noch für jedes Detail zu behaupten. Es ist kaum einzusehen, daß Paulus in 12 – 15 erst ab Kap. 14 auf die römischen Gemeindeverhältnisse eingeht. Er hat sie von Anfang an im Auge.[22] Auf der anderen Seite ist ein deutliches Gefälle von den mehr allgemeinen Mahnungen in Röm 12f zu den konkreteren in Röm 14f nicht zu übersehen.[23]

Die Frage, wie weit Paulus über die Verhältnisse in der römischen Gemeinde zutreffend unterrichtet ist[24] und sich darauf dann in seinem Schreiben beziehen kann, ist seit langem umstritten.[25] Oft wird die skeptische Frage gestellt, ob Paulus „nicht von Korinth aus kopiert“,[26] und von dort aus „wenn nicht alles, so doch manches nach Rom projiziert“.[27] U. Borse vermutet, „daß Paulus weniger die Situation der römischen Empfängergemeinde, sondern vorwiegend die Verhältnisse seines derzeitigen Missionsgebietes auswertet“.[28] Sogar für Röm 14,1 – 15,13 hat man angenommen, dies sei

[17] E. Käsemann, Röm 320, zu Röm 12,3–8; vgl. F. J. Leenhardt, Rom 317.
[18] W. Schrage, Einzelgebote 42.
[19] anders W. Schrage, aaO.
[20] P. S. Minear, Obedience 83f.
[21] aaO 86.
[22] Vgl. K. P. Donfried, Presuppositions 337f.
[23] Vgl. auch W. Marxsen, Einleitung in das Neue Testament. Eine Einführung in ihre Probleme, Gütersloh ³1964, 90.
[24] Nach G. Bornkamm, Paulus 104 scheint er „nur dürftig orientiert zu sein“.
[25] Vgl. den Überblick bei O. Kuss, Paulus 178–204.
[26] J. Gnilka, Amt 95.
[27] aaO 98.
[28] U. Borse, Einordnung 82; vgl. aaO 76: Paulus greift im Röm Themen auf, die nicht in Rom, sondern in Korinth aktuell waren.

eine allgemeine paulinische Paränese; sie fasse ein Problem ins Auge, das in jeder Gemeinde entstehen könne, und greife 1 Kor 8–10 neu auf.[29] Auch diese beiden Kapitel seien nicht in eine konkrete Situation der römischen Gemeinde hineingesprochen.[30]

Eine solche Behauptung läßt sich für Röm 14 – 15 nur schwer akzeptieren. Denn diese beiden Kapitel machen doch den Eindruck, „daß auf wirkliche Praktiken in der römischen Gemeinde hingedeutet wird“[31] und Paulus über die Verhältnisse in der Gemeinde „irgendwoher Nachrichten erhalten hat“.[32] Dies wäre um so wahrscheinlicher, wenn die lange Grußliste in Röm 16 zum ursprünglichen Bestand des Röm gehört;[33] diese Frage ist freilich bis heute umstritten. Die These, Röm 16 sei ein Fragment eines an die Gemeinde von Ephesus gerichteten Briefes,[34] wird nach wie vor von vielen vertreten.[35] Dagegen scheinen sich die Stimmen zu mehren, die Röm 16 für einen Bestandteil des Originalbriefs halten.[36]

Wieder dürfte kaum ein strenges Entweder-Oder zutreffen: Daß Paulus bei der Abfassung des Röm seine bisherigen Erfahrungen und Konflikte mit den Gemeinden (vor allem in Korinth und Galatien) einbringt, ist unbezweifelbar. Ebensowenig sollte man im Blick auf Röm 14/15 bezwei-

[29] R. J. Karris, Rom 161–169; 178.
[30] aaO 169–174.
[31] E. Käsemann, Röm 353.
[32] H. Schlier, Röm 401.
[33] H. Preisker, Problem 30 schließt aus der Grußliste, daß Paulus in Rom viele Bekannte hat; „von ihnen ist er über die Gemeindezustände hinreichend unterrichtet“.
[34] Vgl. dazu A. Suhl, Paulus 267–272; Ph. Vielhauer, Geschichte 188–190.
[35] Vgl. G. Friedrich, RGG³ V 1138; G. Bornkamm, Paulus 96. 249; Ph. Vielhauer, Geschichte 188–190; E. Käsemann, Röm 399 mit vorsichtiger Zustimmung, dagegen W. G. Kümmel, Botschaft 484. W. Schmithals, Römerbrief 138–151 vertritt ebenfalls die ephesische Adresse, mit einer interessanten Variante: 16,1–20 war an das Haus des Onesiphoros adressiert, aaO 146f.
[36] W. G. Kümmel, Einleitung in das Neue Testament, Heidelberg¹⁷1973, 275–280. „Die Annahme, der ursprüngliche Text des Röm habe 1,1 – 16,23 umfaßt, erklärt die Textüberlieferung . . . am überzeugendsten.“ aaO 280. A. Wikenhauser – J. Schmid, Einleitung in das Neue Testament, Freiburg ⁶1973, 462: die Ephesus-Hypothese schafft „wohl mehr und schwerere Probleme, als sie löst.“ H. Schlier, Röm 10–12 nimmt, „freilich nicht mit Sicherheit, an, daß Kap. 16,1–23 ursprünglich zum Römerbrief gehört“, aaO 12. Vgl. ferner K. P. Donfried, Presuppositions 333f; 350f. Auch für B. N. Kaye, Romans 38–41 sind die Argumente gegen eine Zugehörigkeit von Röm 16 zum ursprünglichen Brief nicht überzeugend. Röm 1 – 16 gehören nach seiner Meinung zusammen, aaO 45f; eine Kopie mit dem Text Röm 1 – 15 verblieb in Korinth, aaO 40f; 76. Allerdings hat Paulus nach Kaye's Meinung keine ins einzelne gehende Kenntnis der Situation in Rom, aaO 45, vgl. 76. Paulus hatte beim Schreiben wohl die Vorfälle in der korinthischen Gemeinde im Hinterkopf, aaO 50, vgl. 76f. Anders P. S. Minear, Obedience 23–35: Röm 16 gehört zum ursprünglichen Bestand des Briefes; die in Röm 16 Genannten sind die Leiter der verschiedenen Hauskirchen, die Minear in Rom voraussetzt. Gerade die letzten beiden Stimmen zeigen, wie wenig die historischen Probleme des Röm gelöst sind und wie sehr man zu Hypothesen seine Zuflucht nimmt, die dann auch nicht befriedigen können.

feln, daß Paulus Nachrichten aus der römischen Gemeinde vorliegen,[37] zumal die in 1 Kor 8 – 10 und Röm 14/15 jeweils vorausgesetzte Situation nicht ganz die gleiche ist.[38] Natürlich interpretiert Paulus diese Nachrichten nach seinen bisherigen Erfahrungen und ordnet sie in diese ein.

Besonderes Interesse haben die vielen imperativischen Partizipien in Röm 12 gefunden: 12,9–13. 16a.b. 17a.(b). 18. 19a.[39] Man hat sie als Hinweis auf eine semitische frühchristliche Quelle angesehen, die Paulus benutzt; da im Griechischen ein Gebrauch von Partizipien im imperativischen Sinn sonst nicht nachweisbar sei, sich dieser Sprachgebrauch dagegen häufig im Hebräisch der Rabbinen finde, müsse man annehmen, daß die Partizipien in Röm 12,9–19 Übersetzungen von hebräischen Partizipien sind.[40] Es liegt auf der Hand, daß der Abschnitt 12,14–19 in seiner jetzigen Fassung nicht auf eine solche Quelle zurückgehen kann; Schwierigkeiten machen neben dem Anklang an ein Jesuswort in 12,14[41] vor allem die atl. Zitate, die fast alle nach der LXX zitiert sind. Daher vermutet C. K. Barrett nur hinter den Versen 12,9–13 eine frühchristliche semitische Quelle.[42]

C. H. Talbert hält 12,9b–13 für die Wiedergabe einer semitischen Quelle; 12,9a gehört nach seiner Meinung als Abschluß zum Abschnitt 12,3–8.[43] In 12,14–21 dagegen versucht er, zwischen Tradition und (mit großer Sicherheit) paulinischer Redaktion[44] zu unterscheiden. Er versucht die dem Paulus vorliegende Tradition herauszuarbeiten, indem er die Verse ausscheidet, bei denen neben dem Fehlen eines imperativischen Partizips noch mindestens ein zweiter Grund gegen ihre Zugehörigkeit zur Tradition spricht; diese Verse gehen auf das Konto der Redaktion.[45] Auf diese Weise schält sich eine Gruppe von 6 Weisungen heraus, die sich in zwei Strophen gliedert:[46]

37 Auch die Anrede 11,13 und die Warnung 11,22 lassen sich „nur verstehen, wenn Paulus von einer Mißachtung der judenchristlichen Minderheit in der römischen Gemeinde weiß und sie durch direkte Anrede der Heidenchristen zu bekämpfen beabsichtigt . . .“, W. G. Kümmel, Botschaft 483.

38 Vgl. W. Schmithals, Römerbrief 105f; U. Brockhaus, Charisma 198.

39 Auch 1 Petr verwendet an mehreren Stellen statt des Imperativs Partizipialformen: 2,18; 3,1. 7. 8f; 4,8; auch 1,13f.

40 D. Daube, New Testament 90–105, bes. 102–104; W. D. Davies, Paul 130ff; 329 (Beispiele); vgl. auch C. Spicq, Agape II 144, Anm. 4; E. Lohse, Paränese 314–316; der ganze Abschnitt Röm 12,9–19 ließe sich „ohne Schwierigkeiten in ein glattes Hebräisch übersetzen“, aaO 315.

41 Vgl. C. H. Talbert, Tradition 87.

42 Rom 239f.

43 C. H. Talbert, Tradition 85f.

44 aaO 88: V 19b und 20 werden durch typisch paulinische Einführungsformeln eingeleitet; vgl. bes. aaO 91. 93, Anm. 5.

45 aaO 89f; 92f versucht Talbert nachzuweisen, daß die Redaktion erwartbaren Wegen folgt.

46 aaO 91.

1. τὸ αὐτὸ εἰς ἀλλήλους φρονοῦντες 16a
2. μὴ τὰ ὑψηλὰ φρονοῦντες ἀλλὰ τοῖς ταπεινοῖς συναπαγόμενοι 16b
3. μηδενὶ κακὸν ἀντὶ κακοῦ ἀποδιδόντες 17a
4. τὸ ἐξ ὑμῶν μετὰ πάντων ἀνθρώπων εἰρηνεύοντες 18
5. μὴ ἑαυτοὺς ἐκδικοῦντες ἀγαπητοί ἀλλὰ δότε τόπον τῇ ὀργῇ 19a
6. μὴ νικῶ ὑπὸ τοῦ κακοῦ ἀλλὰ νίκα ἐν τῷ ἀγαθῷ τὸ κακὸν 21

Überdies läßt sich ein symmetrischer Aufbau feststellen: 1 und 4 berühren sich in Inhalt und Form;[47] 2 und 5 weisen eine ähnliche Struktur auf;[48] 3 und 6 haben formale wie inhaltliche Ähnlichkeit.[49]

Talbert kommt zu einem Ergebnis, das durch seine Geschlossenheit besticht. Und doch bleibt man skeptisch. Läßt sich das traditionelle Material noch so exakt herauspräparieren? Immerhin findet sich in 12,21 kein imperativisches Partizip; trotzdem rechnet Talbert diesen Vers zur Tradition.[50] Sollte er aber tatsächlich nicht dazu gehören, fiele die schöne zweistrophige Symmetrie in sich zusammen.

Die Überzeugungskraft der ganzen Operation beruht wesentlich auf der Voraussetzung, daß der Gebrauch des imperativischen Partizips im Griechischen ganz ungewöhnlich ist. Eben dies wird inzwischen bestritten: In hellenistischen Papyri gibt es mehr und überzeugendere Beispiele für den imperativischen Gebrauch des Partizips, als man bisher bemerkt hat oder zugeben wollte.[51] Daß sie trotzdem relativ selten sind, hat einen einsichtigen Grund: Die Papyri sind meist Privatbriefe; die Sprachform des imperativischen Partizips aber begegnet im NT nicht bei Weisungen an einzelne Personen, sondern bei allgemeinen Mahnungen, die an die „Brüder" gerichtet sind.[52] Im übrigen liegen die rabbinischen Parallelen dem Röm zeitlich ferner als die Beispiele aus den Papyri, wie sie A. P. Salom untersucht hat.[53] Das muß auch Talbert zugeben; doch verweist er auf die große Konstanz der mündlichen Überlieferung.[54]

Talberts Ergebnis ist schon von seinen Voraussetzungen her fragwürdig. Selbst wenn man diese teilt, legt sich der weitere Einwand nahe, der bei den Rabbinen seiner Zeit übliche imperativische Gebrauch des Partizips sei Paulus so in Fleisch und Blut übergegangen, daß er 12,9ff spontan in dieser Sprachform rede und seine eigenen Ideen darin ausdrücke.[55] Dem begegnet Talbert mit der Bemerkung, dann sei es doch höchst auffallend, daß Paulus

47 aaO 90.
48 aaO.
49 aaO 91.
50 Seine Erklärung aaO 90, Anm. 3 ist nicht gerade überzeugend.
51 A. P. Salom, Use 47–49, der die Papyri einer neuen Untersuchung unterzogen hat; vgl. V. P. Furnish, Theology 39.
52 A. P. Salom, Use 42f.
53 V. P. Furnish, aaO 39.
54 C. H. Talbert, aaO 93, Anm. 6; E. Lohse, Paränese 316 macht darauf aufmerksam, daß sich in der Gemeinderegel von Qumran in Kolumne 1 Partizipien finden, die imperativischen Sinn haben.
55 C. E. B. Cranfield, Commentary 40, Anm. 3.

sonst nirgendwo in seinen Briefen[56] diese Sprachform verwende. Doch darf man die in 12,6–8 unmittelbar vorausgehenden Partizipien nicht außer acht lassen; sie können die Sprachform des imperativischen Partizips in Röm 12,9ff veranlaßt haben.

Immer noch unter der Voraussetzung, daß Talberts Grundthese richtig ist, muß man noch mit einer anderen Möglichkeit rechnen: Paulus kann in das ihm vorliegende Traditionsstück weitere Elemente in der gleichen Sprachform eingefügt haben. So weist Röm 12,16b *μὴ τὰ ὑψηλὰ φρονοῦντες* eindeutig auf Röm 11,20 zurück; die Vermutung liegt zumindest nahe, daß Paulus hier analog der von ihm übernommenen Tradition formuliert. Auch für Röm 12,9b–13 ist Skepsis angebracht. Die Sprache ist in den meisten Gliedern dieser Ermahnungskette so typisch paulinisch, daß man sich nur mit Mühe vorstellen kann, hier gebe Paulus ein komplettes Traditionsstück wieder.[57]

Fassen wir zusammen: Die knappe Diktion in Röm 12f läßt darauf schließen, daß Elemente der mündlichen Unterweisung aufgenommen sind. Röm 12f ist Paränese. Zweifellos ist das Material nicht im ganzen spezifisch paulinisch. Das zeigen die Berührungen mit der übrigen urchristlichen wie außerchristlichen Paränese.[58] Es dürfte nicht mehr möglich sein, Tradition und Redaktion so scharf voneinander abzugrenzen wie Talbert es versucht.[59] Wenn Paulus traditionelles Material verwandt hat, dann heißt das natürlich auch, daß dieses Material von ihm übernommen und damit verantwortet wird.

Die Diskussion um das imperativische Partizip ist nicht ganz müßig gewesen. Diese Sprachform wird nämlich dann verwendet, wenn von Verhaltensweisen die Rede ist, die mit unbezweifelter Selbstverständlichkeit Geltung haben.[60] Paulus beansprucht also, allgemein verbindliche Weisungen zu geben. Zweifellos gibt es im NT so etwas wie einen „ethischen Pluralismus“,[61] soweit es nicht um den unverzichtbaren Kern christlicher Praxis geht. Doch gibt es daneben so etwas wie grundlegende ethische Weisungen, für die Paulus „selbstverständlich nicht mit einer Verschiedenheit des Verhaltens der Christen rechnet . . . Paulus . . . scheint mir im Regelfall gerade die Gültigkeit seiner Paränese für alle Gemeindeglieder vorauszusetzen.

[56] im Blick auf Phil 2,2: *τὸ ἓν φρονοῦντες* könnte man immerhin zweifeln.

[57] Talbert diskutiert diese Frage im Blick auf das von ihm aus Röm 12,16–21 herausgearbeitete Traditionsstück. Auch dessen Sprache ist nicht gerade unpaulinisch. Talbert findet 2 Erklärungen, die allerdings etwas gesucht wirken: 1. Es wäre für Paulus fast unmöglich gewesen, den Gebrauch dieser Termini zu vermeiden. 2. Wenn Paulus parallele Weisungen auch sonst in seinen Briefen gebraucht, so ist es möglich, daß er traditionelles ethisches Material eben wiederholt gebraucht, C. H. Talbert, Tradition 91, Anm. 6.

[58] Vgl. die Einzelauslegung und den zusammenfassenden Überblick unter C III: Das spezifisch Christliche der Mahnung.

[59] skeptisch auch E. Käsemann, Röm 332f.

[60] D. Daube, New Testament 94, verweist nicht ohne Humor auf das französische „On ne fume pas“.

[61] Vgl. E. Schweizer, Pluralismus 398–400 im Blick auf Röm 14–15.

Das heißt, er geht zweifellos davon aus, daß die in den paränetischen Kapiteln seiner Briefe (1 Thess 4; Röm 12–13 u.ä.) begegnenden Mahnungen wie z. B. die Röm 13,9 zitierten Dekaloggebote oder die in den Tugend- und Lasterkatalogen genannten Verhaltensweisen allen Christen geboten bzw. verboten sind."[62] Der Gebrauch des imperativischen Partizips in Röm 12 bestätigt das.

[62] W. Schrage, Korreferat 403f.

B. EINZELAUSLEGUNG

I. Röm 12,1–2: Überschrift über die Paränese

Die mit bedeutungsträchtigen Motiven gefüllten Verse 12,1–2 stehen der Paränese der Kapitel 12 – 13 programmatisch voran. Alle folgenden Einzelmahnungen stehen unter der hier aufgezeigten grundlegenden Perspektive: Es geht im christlichen Leben um die ungeteilte Hingabe an Gott, aus der kein Bereich des Lebens ausgespart bleibt. Die Verwirklichung solcher Hingabe erfordert ein deutliches Sich-Absetzen vom Lebensstil „dieser Welt" und die Bereitschaft, sich in seiner Gesinnung verwandeln zu lassen. Nur so kann der Christ dem auf die Spur kommen, was Gott vom Menschen will. Die so betont am Anfang stehende theologische Motivierung ist nicht überflüssig. Paulus versteht seine Mahnung nicht als finsteren moralischen Appell, schon gar nicht als gesetzliche Willkür; er will einen Lebensstil aufzeigen, der dem im Glauben erkannten Sinn des Lebens entspricht und so dem wahren Anliegen des Menschen dient. Denn der Christ sieht sich und die Welt im Licht des Erbarmens Gottes.

1. Röm 12,1: „Gebt eure Leiber als Opfer!"

Die Mahnung beginnt feierlich-autoritativ; Paulus mahnt im Namen des Erbarmens Gottes, von dem in den bisherigen Kapiteln des Röm immer wieder die Rede war. Zugleich ist das Wort des Apostels „brüderlicher" Aufruf. Er richtet sich darauf, sich ganz, ohne Vorbehalt, Gott zur Verfügung zu stellen. Eine solche ernsthafte Hingabe seiner selbst verdient es, wahrer, geistiger Gottesdienst genannt zu werden.

Am Anfang der Paränese steht ein Verb,[1] das mit „ermahnen" nur unzureichend übersetzt wird. Es hat schon im Griechischen einen großen Bedeutungsreichtum: 1. herbeirufen; 2. aufrufen, auffordern, ermahnen; 3. anrufen, bitten, ersuchen; 4. ermuntern, zusprechen, trösten; 5. gut zureden, freundlich zusprechen, gute Worte geben.[2] Auch bei Paulus, der es

[1] Es begegnet hier zum ersten Mal in Röm.

[2] W. Bauer, Wörterbuch 1223–1225; vgl. O. Schmitz, ThW V 771. In der LXX werden 15 hebräische Verben durch παρακαλεῖν wiedergegeben; dabei überwiegt die Bedeutung „trösten". Entsprechendes gilt für παράκλησις aaO 774–776. In den griechisch geschriebenen Schriften des AT dagegen (aaO 776f; die Bedeutung „trösten" fällt hier fast ganz fort: 776, 18ff), wie in den anderen Schriften des griechischsprachigen Judentums (aaO 777) begegnet das Verb in der oben skizzierten Bedeutungsbreite; das gilt besonders für Test XII, vgl. A. Grabner-Haider, Paraklese 28.

unter den ntl. Schriftstellern am häufigsten gebraucht,[3] begegnet es in einer Fülle von Bedeutungen:[4] 1. Eindringliches Bitten um Hilfe.[5] 2a. Ermahnender, werbender Zuspruch.[6] 2b. Mahnwort an die christliche Gemeinde.[7] 3. Tröstende Hilfe, Ermunterung, Ermutigung.[8] Natürlich lassen sich diese Bedeutungen nicht immer klar voneinander abheben. Die verschiedenen Bedeutungsnuancen können sich überschneiden; die eine kann gleichsam als Oberton in der anderen mitschwingen.[9]

Das Verb hat in Röm 12,1, wo es als „Einführungsformel für die seelsorgliche Mahnrede"[10] gebraucht wird, auf jeden Fall eine ernstere Nuance. Es geht um ein eindringliches Mahnwort an die Gemeinde, wobei Paulus sofort durch die Anrede „Brüder"[11] durchblicken läßt, wie eng er sich mit den Angeredeten als seinen Mitchristen verbunden weiß.[12] Paulus verwendet das Verb, wo er es im Sinne seelsorglicher Ermahnung gebraucht, häufig mit der Anrede „Brüder".[13] Dadurch bekommt seine Mahnung einen persönlichen, besorgten Ton,[14] der die klassische Charakterisierung der apostolischen Ermahnung durch H. Schlier berechtigt erscheinen läßt: „Die apostolische Ermahnung ist ein besorgter und andringender Zuspruch an die Brüder, der Bitte, Trost und Mahnung zugleich in sich birgt."[15] Zweifellos liegt der Hauptton auf der ernsten, eindringlichen Mahnung, mit der Paulus seine Mitchristen in Rom auf die unausweichlichen Konsequenzen ihres Christ-

[3] C. J. Bjerkelund, Parakalo 24.

[4] Vgl. z. folgenden O. Schmitz, aaO 790–798.

[5] 2 Kor 12,8. In dieser Bedeutung findet sich das Wort vor allem bei den Syn, wo Menschen sich in ihrer Not hilfesuchend an Jesus wenden, vgl. O. Schmitz, aaO 792, 1–15; vgl. 2 Kor 8,4; Phm 9f.

[6] Vgl. 2 Kor 5,20. Hier hat es den Sinn der eindringlichen Werbung, sich der versöhnenden Zuwendung Gottes nicht zu verschließen. In diesem Mahnen des Apostels ist die Autorität Gottes wirksam: *συνεργοῦντες παρακαλοῦμεν*: 2 Kor 6,1.

[7] Röm 12,1; vgl. 1 Kor 1,10, 4, 16; 2 Kor 10,1; 1 Thess 4,1; Phil 4,2; auch Eph. 4,1.

[8] So vor allem 2 Kor 1,3–7, in dem berühmten Trostkapitel des 2 Kor. Vgl. Röm 15,4f; auch Röm 1,12: Paulus erhofft sich von seinem Besuch in Rom gegenseitige Ermunterung im Glauben.

[9] Vgl. U. B. Müller, Prophetie 119.

[10] O. Schmitz, aaO 797, 31f.

[11] Sie begegnet auch vorher schon im Röm: 1,13; 7,1. 4; 8,12; 10,1; 11,25; vgl. auch zu Röm 12,10.

[12] An anderen Stellen spricht Paulus von der Aufgabe der „Brüder", einander zu ermahnen: Röm 15,14 (*νουθετεῖν*); 1 Thess 5,11; 1 Thess 5,14 (*νουθετεῖν*).

[13] Röm 16,17; 1 Kor 1,10; 16,15; 1 Thess 4,1. 10; 5,14. In 1 Kor fällt auf, daß Paulus die Anrede gebraucht, „wenn er an die eigene Einsicht und Urteilskraft der Korinther appelliert". K. Maly, Gemeinde 203.

[14] Besonders deutlich wird sein persönliches Interesse an den Menschen 1 Thess 2,11f im Bild vom Vater und seinen Kindern; vgl. 1 Kor 4,14f.

[15] H. Schlier, Wesen 89; vgl. K. A. Bauer, Leiblichkeit 177f. „Wie die Entgegensetzung des Verbums *παρακαλεῖν* zum fordernden *ἐπιτάσσειν* in Phlm 8f. anzeigt, ergeht im *παρακαλεῖν* nicht die Stimme des Gesetzes, sondern der ermutigende, tröstende und bittende Zuspruch des Bruders gegenüber Brüdern, welcher die ‚in Christus' gestiftete Gemeinschaft voraussetzt." aaO 178.

seins hinweisen will. Doch hat das Verb „ermahnen" bei ihm nicht den Sinn, jemandem die Leviten lesen. „Es ist vielmehr ein hilfreiches Bemühen um den anderen."[16]

Zu einem etwas anderen Ergebnis kommt C. J. Bjerkelund. Aufgrund einer ausführlichen Untersuchung griechischer Papyrusbriefe, Inschriften und Schriftsteller wie auch jüdischer und christlicher Autoren[17] hält er die Parakalo-Sätze für einen Bestandteil des Briefschemas, entsprechend den εὐχαριστῶ-Sätzen am Anfang (z. B. Röm 1,8).[18] Es sei nicht Aufgabe von Röm 12,1 zwischen dem Indikativ und dem Imperativ des Briefes zu vermitteln.[19] Auch dürfe man aus den paulinischen Parakalo-Sätzen nicht das Element des Tröstens heraushören.[20] Seine These kann nicht überzeugen.[21] Zwar könnte Paulus in den Fällen, wo er die Parakalo-Wendung in direktem Anschluß an die Danksagung bringt, von einem vorgegebenen Briefformular abhängig sein.[22] Für Röm 12,1f ist das fraglich,[23] da hier der große Abstand von Danksagung und Parakalo-Formel „kaum auf eine formgeschichtlich ursprüngliche unmittelbare Abfolge von Danksagung und Bitte hinweist."[24]

Paulus nimmt für seine Mahnung hohe Autorität in Anspruch. Zugleich redet er die Adressaten als seine „Brüder" an und macht so deutlich, daß er aus dem Bewußtsein einer tiefen Solidarität mit ihnen schreibt. Die paulinische Mahnung hat einen einladenden, werbenden Ton; sie ergeht im Namen des Erbarmens Gottes. Mit dem Hinweis auf Gottes „Erbarmungen" greift Paulus einen Schlüsselbegriff des AT auf. Im NT begegnet

[16] G. Friedrich zu 1 Thess 4,1; das Wort παρακαλεῖν fehlt in der scharfen Auseinandersetzung mit den Galatern.

[17] Vgl. C. J. Bjerkelund, Parakalo 34–108; „Während wir in den Papyri παρακαλῶ als das übliche Verb für Bitten in privaten Briefen gefunden haben, zeigen unsere Untersuchungen der Inschriften, daß παρακαλῶ auch in offiziellen Schreiben und im diplomatischen Verkehr Anwendung gefunden hat . . . Die hellenistischen Könige gebrauchen diese Wendung, wenn die politische Klugheit ausgesuchte Formulierungen verlangt, um die Freundschaft mit den griechischen Städten zu erhalten." aaO 73; ähnliches gilt für die Königsbriefe im Werk des Josephus, vgl. bes. aaO 101.

[18] aaO 111. 116. 118–124 (Phm). 156–158 (Röm).

[19] aaO 156.

[20] aaO 92.

[21] Bei Bjerkelund selbst bleibt eine gewisse Unsicherheit, besonders bezüglich 1 Thess und Röm, vgl. aaO 139f; 116. 156. 189.

[22] Vgl. 1 Kor 1,10; Phm 9.

[23] Vgl. auch Röm 15,30ff; 16,17ff; 1 Kor 4,16; 16,15f; 1 Thess 5,14; Phil 4,2f.

[24] U. B. Müller, Prophetie 120. Zudem fragt sich, wie viel die von Bjerkelund beigebrachten Parallelen (z. T. aus recht unterschiedlichen Jahrhunderten und Milieus) tatsächlich für das Verständnis der paulinischen Briefe hergeben. So bemerkt B. selber, daß die von ihm herangezogenen Inschriften meist 200 Jahre älter sind als die Briefe des Paulus, aaO 74. Das relativiert seine Behauptung ganz erheblich, daß der diplomatische Parakalo-Stil „in mehreren von Paulus bereisten Städten und Gegenden als bekannt vorausgesetzt werden" müsse, aaO 110, vgl. 72. Im übrigen kommt B. zu einem Verständnis von παρακαλῶ das von dem H. Schliers gar nicht so weit entfernt ist: aaO 188.

οἰκτιρμοί selten, überraschenderweise nur im Corpus Paulinum.[25] „Der bei Abstrakten häufige Plural ist gut griechisch[26]. . ., aber das hebr. רחמים ist der Anlaß dafür geworden, daß die Pluralform in der LXX wie im NT fast ausschließlich gebraucht wird . . ."[27] In der LXX bezeichnet das Wort Gottes Erbarmen; dabei ist fast immer der Plural gebraucht.[28] Der Singular findet sich in der LXX selten; im NT begegnet er nur Kol 3,12. An unserer Stelle meinen die „Erbarmungen" das erbarmende Handeln Gottes in Jesus Christus, von dem in den vorangehenden Kapiteln des Briefes immer wieder die Rede war.[29]

Eigentümlich ist die Präpositionalwendung mit *διά*. Man hat oft gemeint, hier liege ein Latinismus vor.[30] Doch kennt das hellenistische Griechisch einen solchen Gebrauch von *διά* nicht.[31] Nicht nur aus diesem Grund ist die wörtliche Übersetzung „durch das Erbarmen Gottes" zu bevorzugen. Ein Blick auf 1 Thess 4,1f und 2 Kor 5,20 zeigt deutlich die Überzeugung des Paulus, daß durch seine Predigt sich Christus selber Gehör verschafft.[32] 1 Thess 4,1 kann er formulieren: „wir bitten und ermahnen euch *im Herrn Jesus*", 1 Thess 4,2: „ihr wißt ja, welche Weisungen wir euch gegeben haben *durch den Herrn Jesus*",[33] und schließlich in 2 Kor 5,20: „Wir sind Gesandte *an Christi Statt,* als wenn *Gott durch uns mahnt;*[34] wir bitten an Christi Statt: versöhnt euch mit Gott." Die Stellen zeigen deutlich, mit welchem Anspruch die Mahnung des Paulus auftritt: „Der Apostel mahnt durch Christus Jesus, da mit seiner Stimme Christi Jesu Wort laut wird, den er vertritt. Wo der Apostel ist, da ist Christus, nicht weil der Apostel über Christus verfügte, sondern weil Christus so über den Apostel verfügt, daß der Apostel nur ihn zu Gehör bringt."[35] eine Übersetzung des *διὰ τῶν οἰκτιρμῶν τοῦ θεοῦ* mit „bei der Barmherzigkeit Gottes"[36], „unter Berufung auf das Erbarmen Gottes", „in Erinnerung an das Erbarmen Gottes"[37] wäre zu schwach. Wollen wir Röm 12,1 im Sinn des Paulus[38] angemessen verstehen,

25 Röm 12,1; 2 Kor 1,3; Phil 2,1; Kol 3,12; Hebr 10,28.
26 Vgl. Bl.-Debr.-Rehkopf § 142.
27 H. Lietzmann z. St.
28 Vgl. R. Bultmann, ThW V 161f.
29 Vgl. H. Schlier z. St.
30 orare, obsecrare „per" deos, vgl. Th. Zahn z. St.; A. Oepke, ThW II 67, 15–22; Bl.-Debr.-Rehkopf § 223, 5; vorsichtig O. Michel z. St.
31 H. Schlier, Wesen 78; das gilt auch für LXX: M. J. Lagrange z. St.
32 Vgl. z. folgenden H. Schlier, Wesen 78–80; H. Schlier z. St.; zustimmend V. P. Furnish, Theology 102.
33 Vgl. G. Friedrich z. St.
34 Vgl. Röm 15,18.
35 H. Schlier, Wesen 80.
36 So W. Bauer, Wörterbuch 358.
37 Vgl. H. Lietzmann z. St.: unter Hinweis auf . . .
38 Ob die Römer als Adressaten des Briefes die Wendung in diesem gefüllten Sinn verstehen konnten, ist eine andere Frage. Vom apostolischen Selbstbewußtsein des Paulus her ist sie so gemeint.

muß man wörtlich übersetzen: „durch das Erbarmen Gottes", oder unserem Sprachempfinden zugänglicher: „im Namen des Erbarmens Gottes".[39]

Die Mahnung des Apostels richtet sich im Grunde auf eines: sich Gott ganz zur Verfügung zu stellen. Mit *παριστάναι θυσίαν* nimmt Paulus einen wichtigen Begriff der hellenistischen Opfersprache auf: zum Opfer darbringen.[40] In der LXX begegnet dieser terminus technicus nicht, wohl aber bei Josephus.[41] Wie 2 Kor 4,14 steht bei *παριστάναι* kein persönliches Dativobjekt. „Es bedarf einer solchen Näherbestimmung nicht, da schon *θυσίαν* die Bestimmung für Gott ausdrückt."[42] Paulus ruft dazu auf, die „Leiber" zum Opfer darzubringen. „Leib" kann im Profangriechischen die Person des Menschen bezeichnen und auch an die Stelle des Reflexivpronomens treten.[43] Man darf das Wort allerdings nicht voreilig mit dem Begriff „Person" gleichsetzen; der Aspekt des Körperlichen ist stets betont.[44] Das wird besonders deutlich, wenn *σῶμα*[45] den Sklaven meint und seine Verdinglichung zum Eigentum akzentuiert.[46] Auch in der LXX[47] und den Testamenten der Zwölf Patriarchen[48] kann *σῶμα* den Menschen als Ganzen meinen.[49]

Dieser Sprachgebrauch ist auch Paulus geläufig. Die „Anwesenheit des Leibes" 2 Kor 10,10 meint die persönliche Anwesenheit des Paulus, von der seine korinthischen Gegner behaupten, sie sei nicht besonders beeindruckend – ganz im Gegensatz zu seinen Briefen. Aufschlußreich ist ein Blick auf Röm 6,12–19:[50] Dort stehen die Bezeichnungen „euer Leib" (6,12), „eure Glieder" (6,13.19), „euch selbst" (6,13.16) parallel zueinander:[51] „Was der Mensch an und mit seinem Leib tut oder geschehen läßt, widerfährt ihm selbst."[52] Mit „Leib" ist in Röm 6,12 wie 12,1 die ganze Person gemeint, „freilich in bestimmtem Hinblick".[53] Wie in Röm

39 So auch E. Käsemann, H. W. Schmidt, M. J. Lagrange z. St.

40 Belege bei W. Bauer, Wörterbuch 1245; H. Lietzmann und O. Michel z. St.; C.E.B. Cranfield, Commentary 8, Anm. 3.

41 W. Sanday – A.C. Headlam z. St. Die LXX hat dafür *προσάγειν* oder *προφέρειν*, J. Strieder, Bewertung 410, Anm. 555.

42 Th. Zahn z. St.

43 W. Bauer, Wörterbuch 1582; E. Schweizer, ThW VII 1026, 10ff; 1030, 11ff; 1037, 35ff; 1038, 17ff

44 R. H. Gundry, Soma 9–15.

45 im Plural: *σώματα* = Leibeigene, Sklaven, W. Bauer, Wörterbuch 1583.

46 R. H. Gundry, aaO 10.

47 E. Schweizer, aaO 1043, 9ff. 33f; 1046, 3ff; vgl. auch 1053, 24ff (Josephus); J. Strieder, Bewertung 91–95. Zu einem anderen Ergebnis kommt R. H. Gundry, aaO 16–23: Die LXX biete keine überzeugende Stütze für eine Definition von *σῶμα* als ganze Person: 23.

48 J. Strieder, aaO 101–104.

49 auch in LXX liegt der Akzent auf dem Aspekt der Körperlichkeit, vgl. E. Schweizer, ThW VII 1043, 9ff; 1045, 27ff.

50 Röm 6,16. 19 begegnet wie Röm 12,1 das Verb *παριστάνειν*.

51 Ein ähnlicher Wechsel von *σῶμα* und *ἡμεῖς* findet sich 1 Kor 6,13f. 19f; 2 Kor 4,10f; *σῶμα* und *ὑμεῖς* wechseln 1 Kor 6,15/12,27.

52 E. Lohse, Grundriß 88.

53 R. Bultmann, Theologie 194.

6,12–14. 16a σῶμα und ἑαυτούς nicht einfach auswechselbar sind[54], so darf man auch Röm 12,1 nicht durch ein bloßes Personal- oder Reflexivpronomen wiedergeben; das würde den Akzent der Stelle verwischen. Es ist nicht zufällig, daß Paulus von der Hingabe der „Leiber" spricht: „Leiblichkeit weist auf Ganzheit und irdische Realität des Gehorsams."[55] Die Wahl von σῶμα in 12,1 ist also nicht zufällig: Die irdische, leibliche Existenz wird zum Bewährungsfeld des Glaubens. Mit dem Begriff „Leib" insistiert Paulus auf den konkreten Konsequenzen der Hingabe in der Lebenswirklichkeit des Menschen.[56]

Paulus nimmt Opferterminologie auf. Damit „wird dem sittlichen Leben der Christen die heilige Radikalität des kultischen Opfers zuerkannt."[57] Das Darbringen des Opfertiers ist als Bild für die Lebenshingabe des Menschen an Gott gebraucht.[58] Das ist ein kräftiges Bild, das den Ernst der Auslieferung des Menschen an Gott und seinen Willen unterstreicht. Der Christ soll nicht eine materielle Gabe zum Opfer bringen, nicht einen Teil seines Lebens oder ein Stück seines Besitzes, sondern sein Leben selbst, sich selbst – ohne Vorbehalt.

Mit drei Attributen wird die geforderte Hingabe der Christen näher bestimmt. Die beiden letzten gehören zweifellos der Kultsprache an; das kann man von dem ersten Attribut nicht sagen, in dem das Opfer als ein „lebendiges" charakterisiert wird. Der präzise Sinn dieser in der antiken Literatur sonst nicht begegnenden Wortverbindung „lebendiges Opfer" ist schwer zu ermitteln.[59] Am plausibelsten ist die Deutung, hier werde der traditionelle Opferbegriff durchbrochen, indem den blutigen Tieropfern gegenüber die lebendige Hingabe der Menschen selbst gefordert wird.[60] Die Wendung zielt auf die „persönliche Hingabe und Selbstaufopferung".[61]

Nicht auszuschließen ist eine weitere Nuance.[62] In Röm 6,13 hatte Paulus von dem Leben gesprochen, das dem Getauften schon geschenkt ist und das den Tod nicht mehr zu fürchten braucht. Von Röm 6,13 her interpretiert H. Schlier Röm 12,1: „Die durch die Barmherzigkeit Gottes Ange-

54 R. H. Gundry, Soma 29–31; das gilt auch für 2 Kor 4,10–12, wie ein Blick auf den Kontext zeigt: aaO 31f.

55 W. Schrage, Einzelgebote 49.

56 Daß Paulus in Röm 12,1 so deutlich auf der Leiblichkeit der Hingabe besteht, könnte überdies eine Nachwirkung seiner Auseinandersetzungen mit den korinthischen Gnostikern sein, denen gegenüber er die Leiblichkeit christlicher Existenz betont. Vgl. E. Schweizer, ThW VII 1060f.

57 W. Thüsing, Per Christum 95.

58 Vgl. Phil 2,17, wo das Opfer der Glaube der Gemeinde in einem weiten Sinn ist: „Ihre Gebete, ihre eigenen missionarischen Anstrengungen, auch ihre Unterstützung des Apostels gehören dazu." J. Gnilka z.St.; vgl. Phil 4,18.

59 Daß der Hinweis auf den lebendigen Leib, der Gott zur Verfügung gestellt werden soll, der enthusiastischen Hingabe des Leibes zum Verbrennen gegenüberstehe (vgl. 1 Kor 13,3), R. Jewett, Terms 302, ist eine recht willkürliche Vermutung.

60 E. Käsemann z.St., vgl. P. Althaus z.St.

61 H. W. Schmidt z.St.

62 So schon W. Sanday – A. C. Headlam, Th. Zahn z. St.

rufenen sind ja schon ‚lebendig' durch die Taufe."[63] Sie sind solche, „die aus dem Tod zum Leben gekommen sind" (Röm 6,13).[64] „Indem der Glaubende sich selbst und sein Leben anbietet, offenbart er die eschatologische Freiheit, die neue Situation, von der Röm 6,13 spricht."[65]

In einer zweiten Apposition bezeichnet Paulus das Opfer als „heilig".[66] „Heilig" ist ein Schlüsselwort der Religionsgeschichte;[67] es bezeichnet durchweg den vom „Profanen" abgegrenzten Bezirk des „Heiligen": heilige Sachen, Orte, Zeiten, Personen, Handlungen.[68] Es spielt im AT[69] und Spätjudentum[70] eine wichtige Rolle. Für den atl. Glauben ist „Heiligkeit" das innerste Wesen Gottes (Am 4,2).[71] Das wird besonders deutlich in der Berufungsvision bei Jesaja (6,3). „Heiligkeit" wird dann auch zur sittlichen Forderung an den Menschen. Der „heilige" Gott beansprucht das tägliche Leben des Menschen und fordert ein seiner Erwählung entsprechendes „heiliges" Leben.[72] Das AT weiß in der Verheißung Sach 14,20f auch schon davon, daß die Scheidung von „heilig" und „profan" nicht endgültig ist: sogar die „Schellen der Pferde" und die „Kochtöpfe" werden „an jenem Tage" so heilig sein wie die Tempelgefäße: „Jegliche Profanität ist dann verschlungen von der das All durchherrschenden Heiligkeit Gottes . . ."[73]

In Röm 12,1 wird die Hingabe der Christen durch das Prädikat „heilig" näher umschrieben. „Heilig" ist hier nicht das Opfer als eine materielle, Gott übereignete Gabe.[74] „An Stelle der dinglichen Opfergabe, die vom Geber unterschieden ist, tritt . . . das persönliche Opfer des Leibes, also des irdischen Lebens, das von der Existenz des Opfernden nicht abtrennbar ist."[75] Auch in 1 Kor 3,17 kann man beobachten, wie das Prädikat „heilig" nicht mehr der Sache, dem Tempel, gilt, sondern den Menschen, die Gottes Gemeinde bilden, Gottes Tempel sind, Ort seiner Gegenwart in dieser Welt.[76] Das Opfer, das der Christ zu bringen hat, läßt sich nicht auf bestimmte Orte und geweihte Zeiten beschränken. Der Anspruch Gottes umgreift das gesamte Leben des Menschen.

63 H. Schlier, Wesen 83.
64 Vgl. Röm 8,13; 2 Kor 4,10–11.
65 O. Michel z. St.
66 ἅγιος: „gottgeweiht", „heilig = rein, vollkommen, Gottes würdig, Gottes Art gemäß", W. Bauer, Wörterbuch 17f.
67 Vgl. O. Procksch, ThW I 87–88; G. Lanczkowski, RGG³ III 146–148.
68 Die Gemeinde von Qumran ist besonders von diesem Denken gekennzeichnet; vgl. F. Horst, RGG³ III 150f.
69 Vgl. O. Procksch, aaO 88–96; F. Horst, aaO 148–150; B. Kraft, LThK² V 89f; H. Groß, HThG I 653–655; K. Stalder, Werk 101–130.
70 Vgl. K. G. Kuhn, ThW I 97–101; F. Horst, aaO 150.
71 Vgl. O. Procksch, aaO 90, 28–31; vgl. Hos 11,9.
72 klassisch formuliert Lev 11,44; 19,2 (vgl. 1 Petr 1,16); 20,26.
73 H. Groß, HThG I 654; vgl. K. Elliger z. St.
74 wie etwa Lev 2,3.
75 O. Procksch, ThW I 109, 15–18.
76 Vgl. auch Röm 15,16!

Ein solches Ernstnehmen Gottes im profanen, täglichen Leben ist „Gott wohlgefällig". *τῷ θεῷ* steht betont voran;[77] es gehört eindeutig nicht zu *ἁγίαν*, auch nicht zum Verb[78], sondern zu *εὐάρεστον*. *εὐάρεστος τῷ θεῷ* ist bei Paulus ein feststehender Ausdruck: Röm 14,18; Phil 4,18.[79] Phil 4,18 ist die Geldspende gemeint, die die Philippergemeinde dem Paulus in ihrer Sorge übersandte; sie ist, als Zeichen der Anteilnahme der Gemeinde am Geschick des Apostels, Gott wohlgefällig. In Röm 14,18 bezieht es sich auf die Rücksicht, die man dem schwachen, ängstlichen Mitchristen entgegenbringen soll. Beide Male geht es also um menschliche Solidarität miteinander: das ist Gott wohlgefällig. Ähnlich ist es Röm 12,1: Gott wohlgefällig ist nicht das Opfer einer materiellen Gabe, sondern der nüchterne, alltägliche Dienst.

Hinter der Sorge, ein Opfer oder Gebet möge Gott wohlgefällig sein, steht ursprünglich die Vorstellung von einer Gottheit, die gnädig sein oder zürnen kann, die man durch Opfer wenn nicht zwingen, so doch dem Menschen geneigt machen kann.[80] Von solchen Vorstellungen ist bei Paulus nichts mehr zu spüren. Die Formel „Gott wohlgefällig" will vielmehr positiv sagen, daß die hier geforderte Haltung der Hingabe des Lebens dem Willen Gottes entspricht.[81]

Eine solche ernsthafte Hingabe seiner selbst: das ist der wahre Gottesdienst, der Gott ehrt. Die abschließende Wendung „das sei euer vernünftiger (bzw. geistiger) Gottesdienst" muß als Apposition zum ganzen Satz aufgefaßt werden.[82] Sie wirkt wie ein rhythmischer Abgesang, so daß sie großes Gewicht bekommt.[83] Paulus hat die Formulierung kaum selber gebildet, sondern sie aus dem Sprachgebrauch seiner Zeit übernommen.[84]

Der Begriff *λατρεία* hat ursprünglich die Bedeutung „Dienst um Lohn", weiter meint er „Dienst, Arbeit, Mühe" überhaupt.[85] In der religiösen Spra-

[77] Diese Lesart empfiehlt sich „durch die Beispiellosigkeit dieser Wortfolge im NT", Th. Zahn z. St. Die Lesart *εὐάρεστον τῷ θεῷ*, obwohl in wichtigen Handschriften bezeugt, ist zweifellos spätere Angleichung an die üblichere Formulierung.

[78] Das wäre bei der Lesart *εὐάρεστον τῷ θεῷ* gut möglich.

[79] Vgl. 2 Kor 5,9 *εὐάρεστοι αὐτῷ* (= *κυρίῳ*); Eph 5,10; Kol 3,20. Auch an den einzigen Stellen, an denen *εὐάρεστος* in LXX erscheint, ist es mit *θεῷ* (Weish 4,10) bzw. *σοί* (Gebetsanrede, Weish 9,10) verbunden. Vgl. auch O. Michel z. St; in der Opfersprache der LXX kommt *τῷ θεῷ εὐάρεστος* nicht vor, vgl. Ph. Seidensticker, Opfer 259. Der Sache nach ist der Gedanke im AT freilich gegeben, vgl. nur Gn 4,4f; 8,21; Ex 29,18. 25. 41; Lv 1,9. 13. 17; besonders Am 5,22; Ps 51,18: Gott findet kein Gefallen an Opfern. Test Dan 1,3: Gott wohlgefällig ist die Wahrheit und gerechtes Handeln.

[80] Vgl. Ph. Seidensticker, Opfer 10.

[81] Vgl. auch noch „Gott gefallen" 1 Thess 4,1; negativ Röm 8,8; „dem Herrn gefallen" 1 Kor 7,32.

[82] O. Michel, H. W. Schmidt z. St.

[83] Ph. Seidensticker, aaO 260.

[84] E. Gaugler z. St.

[85] H. Strathmann, ThW IV 59,16–18.

che bezeichnet er den Gottesdienst, die Gottesverehrung.[86] In der LXX wird er, wie das entsprechende Verb λατρεύειν, fast ausnahmslos im Sinne der kultischen Gottesverehrung gebraucht.[87] Paulus verwendet das Wort nur noch Röm 9,4; dort meint es den jüdischen Gottesdienst. Häufiger begegnet dagegen das Verb λατρεύειν.

λογικός ist ein Lieblingswort der hellenistischen Philosophie, besonders der Stoa;[88] es hat dort die Bedeutung „geistig, vernünftig".[89] Auffallenderweise fehlt es in der LXX und bei Josephus, begegnet aber in den Gebeten der griechischen Synagoge.[90] Im NT kommt es nur noch 1 Petr 2,2 vor. Schwierig zu entscheiden ist, ob wir λογικός hier als „vernünftig" oder als „geistig" zu übersetzen haben. Röm 1,9 beschreibt Paulus sein eigenes Verhältnis zu Gott als ein λατρεύειν ἐν τῷ πνεύματι. Das könnte darauf schließen lassen, daß auch an unserer Stelle λογικός als πνευματικός aufzufassen ist, wie es auch in der ähnlichen Wendung 1 Petr 2,5 steht.[91]

Wieder greift Paulus gottesdienstliche, kultische Sprache auf. Und wieder läßt sich beobachten, wie der kultische Terminus λατρεία den alltäglichen Dienst des Christen beschreibt. So ist es auch Röm 1,9, wo Paulus das Ganze seiner Arbeit als „Gottesdienst" bezeichnet;[92] das ursprünglich kultische Verb λατρεύειν[93] meint den „Dienst" des Paulus an der Verkündigung des Evangeliums.[94] Dieser übertragene Sinn findet sich ebenso in den späteren Schriften des NT;[95] so wird Hebr 12,28 gesagt, daß die Gottesverehrung der Christen in der Dankbarkeit und der Furcht vor Gott besteht.

Die abschließende Apposition faßt den Gedankengang des Verses 1 markant zusammen: „Der neue lebendige Gottesdienst hat seinen Platz nicht in einem Tempel, nicht an besonderen heiligen Orten und Zeiten, sondern in der ganzen Lebenswirklichkeit des Menschen."[96] Christlicher Gottesdienst betrifft das tägliche Leben und besonders die irdische, leibliche Existenz. Darum kann Paulus die Geldgeschenke der Gemeinde als Opfer bezeichnen (Phil 4,18; 2 Kor 9,12; Röm 15,27) und seine eigene apostolische Tätigkeit als wahren, kultischen Gottesdienst. Er kann sich selber als Prie-

86 W. Bauer, Wörterbuch 924.
87 H. Strathmann, aaO 59–62; auch Philo kennt diesen Sprachgebrauch, aaO 62, 17ff.
88 Vgl. A. Bonhöffer, Epiktet 158–160. s. bes. den berühmten Text Epikt. Diss I 16,20 f: „Was kann ich lahmer Greis andres tun, als Gott loben? Wäre ich eine Nachtigall, so täte ich, was die Nachtigall kann. Wäre ich ein Schwan, ich täte, was der Schwan kann. Nun bin ich ein vernünftiges (λογικός) Geschöpf; ich muß Gott loben." R. Mücke.
89 Vgl. W. Bauer, Wörterbuch 941f; G. Kittel, ThW IV 145, 27–34; H. Lietzmann z. St.; J. Strieder, Bewertung 410, Anm. 556.
90 G. Kittel, aaO 145, 32–34; O. Michel z. St.
91 Vgl. J. M. Nielen, Gebet 113.
92 H. Conzelmann, Christus 23; vgl. K. H. Schelkle, Apostel 270. 278.
93 Der kultische Sinn wird in Röm 1,25 noch greifbar, wenn auch in der polemischen Bemerkung: sie verehrten das Geschöpf an Stelle des Schöpfers.
94 Vgl. Phil 3,3.
95 Vgl. H. Strathmann, ThW IV 63, 41–65, 26.
96 H. W. Schmidt z. St.

ster wirken sehen in der Predigt des Evangeliums; die Heiden sind eine wohlgefällige Opfergabe (Röm 15,16), die Bekehrten sind geheiligte Erstlinge (1 Kor 16,15).[97]

Die paulinischen Aussagen gewinnen an Prägnanz, wenn wir sie auf dem Hintergrund der atl.-jüdischen wie der zeitgenössischen hellenistischen Opferkritik lesen. Auf dieses Umfeld sei nun ein kurzer Blick geworfen.

Exkurs: Opferkritik im AT und Judentum und in der zeitgenössischen Antike als Hintergrund von Röm 12,1

a. Altes Testament

Die prophetische Opferkritik scheint bisweilen an eine Verwerfung der blutigen Opfer überhaupt zu grenzen.[98] Allerdings läßt sich die Einstellung der alttestamentlichen Propheten[99] nicht auf den Generalnenner bringen, daß sie den Opferkult ganz und gar ablehnen.[100] Wohl kritisieren sie in aller Schärfe den Widerspruch zwischen der Fassadenhaftigkeit eines veräußerlichten Opferbetriebs, den man zwar mit allem Eifer vollzieht, und dem konkreten Leben, in dem man Unrecht tut und die Schwachen ausbeutet; der Opferkult muß Konsequenzen für das tägliche Leben haben. Rechte Gesinnung des Herzens und Einsatz für Gerechtigkeit sind Voraussetzung für den Vollzug des Opfers.[101] Ähnlich wird in Dt 10,12f die Forderung des rechten Gottesdienstes „zu der Forderung innerster frommer Gesinnung des Herzens und ihrer Bewährung im gesamten religiösen und sittlichen Verhalten" vertieft.[102]

[97] Vgl. E. Schüssler Fiorenza, Cultic Language in Qumram and in the NT, CBQ 38 (1976) 159–177, hier 173.

[98] Vgl. J. M. Nielen, Gebet 73f, unter Verweis auf Am 2,10; 5,25; Mich 6,8; Jer 7, 21–24

[99] Vgl. H. J. Kraus, Gottesdienst 189–192.

[100] Vgl. z. B. Hos 9,3–5: es ist die bittere Erfahrung der Verbannten, daß sie fern der Heimat den Opferkult nicht vollziehen können; vgl. auch Jes 60,7; 66,20f; später kritisiert Mal 1,6–14 die Priester gerade deswegen, weil sie den Opferdienst nicht so wichtig nehmen. Auch finden wir bei den Propheten Texte, die den Tempel und seine Liturgie hoch einschätzen, vgl. Jes 30,29; Am 1,2; auch Jer 7,7; 26,2. Insofern ist J. Beckers Meinung überspitzt, bei den Propheten werde grundsätzlich Kritik am ganzen kultischen Leben geübt: „Statt des Kultes wird die gehorsame Gebotserfüllung gefordert." J. Becker, Das Heil Gottes. Heils- und Sündenbegriffe in den Qumrantexten und im Neuen Testament, Göttingen 1964, 129.

[101] Vgl. Am 5, 21–27; Hos 6,6; 8,12–13; Jes 1,10–17; 29,13–14; Jer 6,19f; 7, 21–28; 14,12, auch 7, 3–7; Mi 6,6–8; Jes 66,1–4. Ein Reflex dieser Opferkritik findet sich 1 Sam 15,22 und in einigen Psalmen: 40,7–9; 50,8–23; 51,18f; 69, 31f. In den Weisheitsbüchern vgl. Spr 15,8; 21,3. 27; Sir 34,18–19; 35,1–11; vgl. auch Jud 16,16; Dan 3,39.

[102] H. Strathmann, ThW IV 61,5–7.

Auf einige Akzente sei besonders hingewiesen: In Ps 141,2 wird das Gebet mit dem Rauchopfer verglichen. Ähnlich ist Ps 50,14. 23 vom „Opfer des Lobes“ die Rede.[103] Spr 15,8 stellt im Parallelismus dem Opfer der Gottlosen das Gebet der Redlichen gegenüber. Es ist allerdings nicht gemeint, „daß Gebet etwa wertvoller sei als Opfer, sondern sowohl Opfer als Gebet des Gerechten sind Gott wohlgefällig. Rituelle Religion (V. 8) und Moral (V. 9) gehören zusammen und schließen einander nicht aus.“[104] Entsprechend werden in Sir 35,1–3 Befolgung des Gesetzes, Liebeswerke, vor allem Almosen und Abkehr vom Unrecht dem Opfer gleichgesetzt. Wie der Fortgang in 35,4–11 zeigt, ist damit gerade nicht eine Abwertung des Opfers ausgesprochen. Hos 6,6 benutzt die Gattung der Opfer-Thora, „um auf das eigentliche, das Totale, den Menschen ganz in Anspruch Nehmende des Gottesdienstes hinzuweisen: Gehorsam, Hören, Liebe, Gotteserkenntnis.“[105]

In der synoptischen Jesusverkündigung begegnet ein deutlicher Reflex der prophetischen Opferkritik.[106] Jesus polemisiert nicht gegen die bestehende Opferpraxis.[107] Aber er besteht darauf, daß das Opfer das rechte zwischenmenschliche Verhalten voraussetzt.[108]

b. Außerbiblisches Judentum

Im außerbiblischen Judentum stoßen wir auf ähnliche Beispiele.[109] Test Lev 3,6 heißt es vom Gottesdienst der Engel: „Sie bringen dem Herrn Wohlgeruch des Räucherwerks als ein vernünftiges und unblutiges Opfer dar.“[110] Dem Opferkult gleichgestellt bzw. übergeordnet werden das rechte sittliche Handeln,[111] die Freilassung jüdischer Sklaven,[112] Reinheit der Seele und frommer Glaube,[113] das Preisen Jahwes,[114], die Übung der Tugend.[115]

Bei Philo ist der Zug zur Vergeistigung besonders kräftig.[116] Er bemüht sich, die gesetzlichen Bestimmungen des jüdischen Kults allegorisch zu deuten; die Bestimmungen über die Reinheit der Opfertiere zielen darauf, daß

103 Vgl. Ps 69,31f; Hos 14,3, zitiert Hebr 13,15.
104 H. Ringgren z. St.
105 H. J. Kraus, Gottesdienst 189.
106 Vgl. Mk 12,33: 1 Sam 15,22; Mt 9,13; 12,7; Hos 6,6.
107 Vgl. Mt 8,4.
108 Mt 5,23f.
109 Vgl. außer den nachstehend genannten auch slav Hen 45,2–3; Test Lev 14,5; 16, 1–3; Ps Sal 15,3f; ferner J. Behm, ThW III 186f.
110 J. Becker; griech. Text: λογικὴν καὶ ἀναίμακτον προσφοράν (a: θυσίαν).
111 Jub 2,22; Philem 2,1–10; Arist 169.
112 Arist 19.37; im übrigen denkt Arist sehr positiv über den Opferdienst: vgl. Arist 83–99, bes. 95; auch 42. 45.
113 Arist 234.
114 Ps 154 (= Syr II), 10–11 (Zählung nach A. S. van der Woude); vgl. M. Noth, Die fünf syrisch überlieferten apokryphen Psalmen, ZAW 48 (1930) 1–23
115 Josephus, c. Apion II 192; aaO 193 folgt ein Lobpreis des Tempels und seines Kultes.
116 Vgl. H. Wenschkewitz, Spiritualisierung 140–146; J. Behm, ThW III 188f.

die Opfernden an keinem Affekt leiden.[117] Ohne die entsprechende Gesinnung sind die Opfer wertlos.[118] Im Grunde geht es darum, sich selbst als Opfer darzubieten,[119] durch ein tugendhaftes Leben.[120] Das beste Opfer ist das Preisen Gottes durch Lobgesänge oder schweigende Verehrung im Inneren des Menschen;[121] Philos Frömmigkeit hat einen stark mystischen Zug.

Die Qumrangemeinde beteiligte sich nicht am Opferdienst des Tempels in Jerusalem; mehr als Brand- und Schlachtopfer gelten ihr das Lobopfer der Lippen und vollkommener Wandel. „Ein gesetzesstrenges, heiliges Leben, zu dem auch Gebete und Loblieder gehörten",[122] war dieser Gemeinde der wahre Gottesdienst.[123]

Bei den Rabbinen findet sich zu Dt 11,13 die Erklärung, mit der Aufforderung, Gott im Herzen zu dienen, sei der Opferdienst des Gebetes gemeint.[124] Zwar erhofft man die Wiederherstellung des Tempels und seiner Opfer,[125] doch gilt die Thora als wichtiger.[126] Das Studium der Thora kann den ausgefallenen Opferdienst ersetzen.[127] Auch Gebet und Wohltätigkeit können an seine Stelle treten, ebenso wie Fasten, Buße, Demut und das Leiden der Gerechten.[128] Zwar liegen die rabbinischen Texte meist wesentlich später als Paulus, doch darf man vermuten, daß solche Gedanken im Ansatz auch schon vor der Zerstörung des Tempels – zumal in der jüdischen Diaspora – lebendig gewesen sind.

c. Zeitgenössische Philosophie

Die zeitgenössische Philosophie der Stoa übt am veräußerlichten Opferbetrieb ihrer Zeit heftige Kritik.[129] Seneca hält die traditionellen Formen der Gottesverehrung für unangemessen; denn die Gottheit ist das Wesen, „das alles hat und alles gibt und Wohltaten ausstreut ohne Entgelt."[130] Trotzdem lehnt Seneca den Kult nicht ab; er betont, daß es beim Opfer auf die rechte Gesinnung des Menschen ankomme.[131] Aber er ist am Kult nicht

117 spec I 260; sacr 51 bezeichnet Philo die Tugenden als Opfertiere; diese Tendenz findet sich auch im Arist: 169f.
118 Mos III 107; Gott legt keinen Wert auf die Menge der Opfertiere, sondern auf das πνεῦμα λογικόν des Opfernden: spec I 277; vgl. I 203.
119 spec I 269f.
120 spec I 271f.
121 aaO; vgl. I 224; plant 126; Mos II 108.
122 R. Schnackenburg, Existenz II 86.
123 1 QS IX 3–5; vgl. 1 QS X 6. 14; 1 QS VIII 5–11.
124 Billerbeck III 26.
125 Vgl. Ph. Seidensticker, Opfer 108.
126 H. Wenschkewitz, Spiritualisierung 92f. 127 aaO 94.
128 Vgl. aaO 94–99; J. Behm, ThW III 187.
129 Vgl. H. Wenschkewitz, aaO 113–131.
130 ep 95, 48 O. Apelt.
131 Ben I 6, 3.

sonderlich interessiert. Wie die stoische Philosophie überhaupt, setzt er den Akzent auf die Ethik, auf rechte Gesinnung und rechtes Handeln.[132]

Die Einstellung Epiktets ist der Senecas ähnlich; allerdings finden wir bei ihm keine ausdrückliche Polemik gegen den Kult,[133] und seine Haltung offenbart eine größere religiöse Tiefe.[134] Der Kult wird zum Ausdruck der Dankbarkeit des Menschen.[135] Auch bei ihm fällt ein starker Akzent auf die Ethik: „Das ganze Leben gilt als ein Posten, auf den Gott uns gestellt hat, als ein großer Gottesdienst."[136] So wenig Epiktet die üblichen Opfer verwirft, „so läßt er doch überall durchblicken, daß die geistigen Gaben eine ungleich höhere Bedeutung haben, daß sie den eigentlichen Kern und Mittelpunkt der Frömmigkeit und des Gottesdienstes bilden sollten, der eigentlich keiner äußeren Formen bedarf . . ."[137]

d. Mysterienreligionen

Die individualistische Mystik der Spätantike verlegt die wahre Frömmigkeit in das Innere des Menschen. „Nicht nur die blutigen Opfer wurden jetzt verpönt; auch Honig-, Wein- und Weihrauchspenden gelten bei vielen nicht mehr. Gotteserkenntnis, Tugend und Gebet, das sind die wahren Opfer, vom Gebete wiederum an erster Stelle Lob- und Dankgebet . . ."[138] Schließlich aber bleibt nur noch das reine Schweigen als angemessene Verehrung der Gottheit.[139] In der hellenistischen Mystik begegnet die Röm 12,1 sehr nahestehende Formel von der *λογική θυσία*.[140] Hier wird der Lobpreis Gottes „geistiges Opfer" genannt, ein Lobpreis, der durch den im Mysten wohnenden göttlichen Logos geschieht.[141] Die Formel entstand, als im mystischen Kult das Dankgebet an die Stelle des im Mysterienkult üblichen Dankopfers trat.[142] Das wahre Opfer ist das Opfer des Gebets, „und noch mehr vergeistigt das Opfer des unausgesprochenen Gedankens oder der mystischen Erfahrung und Versenkung."[143] Es vollzieht sich im Schweigen, und der Dankhymnus ist nur die nachträgliche Aussage für das mystische Erlebnis.[144]

132 Vgl. ep 95,50: „Du suchst die Götter dir geneigt zu machen? Sei gut!" O. Apelt.
133 Wohl warnt er davor, den Göttern durch maßlose Geschenke zu schmeicheln, Stob D 1 (R. Mücke).
134 H. Wenschkewitz, aaO 117.
135 aaO 118.
136 aaO 119, unter Hinweis auf Diss I 9, 16; vgl. auch A. Bonhöffer, Epiktet 159.
137 A. Bonhöffer, Epiktet 361; vgl. Diss I 19, 25.
138 O. Casel, Mystik 38.
139 aaO.
140 Corp Herm I 31; XIII 18f. 21 vgl. zu den Texten Ph. Seidensticker, Opfer 32–39. Der griechische Text von Corp Herm I 31f und XIII 17–20 bei H. Lietzmann, Röm 133f.
141 Vgl. H. Lietzmann z. St.
142 R. Reitzenstein, Mysterienreligionen 329.
143 K. H. Schelkle zu 1 Petr 2,2.
144 Ph. Seidensticker, aaO 34. 39.

e. Paulinische Akzente

Die angeführten Beispiele aus dem atl. wie außerbiblischen Judentum, aus der zeitgenössischen stoischen Philosophie wie aus der hellenistischen Mystik verdeutlichen das geistige Klima, in dem Paulus schreibt. Doch wird man bei der Behauptung einer direkten Abhängigkeit eher vorsichtig sein. Eine (möglicherweise ganz zufällige) terminologische Übereinstimmung ist noch kein Hinweis auf inhaltliche Abhängigkeit.

Man hat behauptet, Paulus sei maßgeblich von den Mysterienreligionen beeinflußt worden.[145] Röm 12,1 liege der hermetische t.t. λογική θυσία voraus.[146] Inzwischen ist man, nachdem die erste Entdeckerfreude abgeklungen ist, zurückhaltender geworden. Denn die hermetischen Texte stammen erst aus dem 2./3. Jahrh. n. Chr.[147] Natürlich haben die Mysterienkulte zur Zeit des Paulus schon existiert, und es ist nicht auszuschließen, daß er sie kannte. Doch fragt sich, ob er einen Terminus wie λογική λατρεία direkt aus den Mysterienkulten übernommen hat, oder ob er – wahrscheinlicher – die landläufige Volkssprache aufgreift, in der solche Termini heimisch geworden waren.[148]

Vor allem ist auf wesentliche inhaltliche Unterschiede hinzuweisen, die Paulus von den Mysterienreligionen trennen; bei näherem Hinsehen zeigt sich, daß zwischen beiden Auffassungen Welten liegen. Man braucht nur den Zusammenhang, in dem in den hermetischen Schriften von der λογική θυσία die Rede ist,[149] mit dem Zusammenhang zu vergleichen, in dem Paulus in Röm 12 von der λογική λατρεία spricht. Das Klima ist ein ganz anderes: In den hermetischen Schriften hymnischer, ekstatischer, weltabgewandter Lobpreis, in Röm 12 die nüchternen alltäglichen Probleme und Aufgaben einer christlichen Gemeinde. Für Paulus bedeutet der „geistige Gottesdienst" keineswegs Abkehr von der (bösen) Welt und Rückzug in die Innerlichkeit, sondern gerade im Gegenteil das Sich-Bewähren im Alltag. Nicht die mystische Versenkung, sondern der Dienst des täglichen Lebens ist das Opfer, das Gott gefällt. Anders als in den Mysterienreligionen spielt die ethische Mahnung im Denken des Paulus eine zentrale Rolle. In den Mysterienreligionen geht die konkrete Existenz den Wiedergeborenen, den Pneumatiker nichts mehr an, sie wird ignoriert. „Die praktische Konsequenz kann sowohl der Libertinismus wie die Askese sein."[150]

145 So R. Reitzenstein, Mysterienreligionen 46. 67. 71–91, 333ff; bes. 417–425.

146 H. Lietzmann z. St.; R. Reitzenstein, aaO 328f.

147 Vgl. H. Dörrie, Hermetica, RGG^3 III 265; H. M. Schenke, Gott 46; schon E. Kühl z. St. hatte darauf hingewiesen.

148 Ph. Seidensticker, Opfer 132f.

149 Vgl. die deutsche Übersetzung von R. Reitzenstein, in: E. Lehmann/H. Haas, Textbuch zur Religionsgeschichte, Leipzig ^{2}1922, 216 und 214; zu Corp Herm XIII vgl. R. Reitzenstein, Mysterienreligionen 47–52.

150 R. Bultmann, Problem 133; ähnlich P. Bläser, Mensch 239: Die meisten Mysterienreligionen haben an sich überhaupt keine Beziehung zur Moral. „Der in die Mysterienkulte Eingeweihte empfängt die Sicherheit des ewigen Lebens, für sein

Ein weiterer Unterschied, der den Abstand deutlich macht: Die Mysterienkulte werden in den sich von den anderen absondernden Zirkeln der Eingeweihten praktiziert. Ihr Ziel ist die schweigende Versenkung, der Rückzug aus der Welt. Diese Vergeistigung des Kultes bedeutet zugleich seine Individualisierung. Paulus dagegen spricht die Christen in Rom bewußt als Gemeinde an. Mit dem Bild vom Leib (Röm 12,4–5) verdeutlicht er ihnen ihre Verantwortung füreinander. Er weist aber auch deutlich auf die Verantwortung des Christen für die Menschen außerhalb der Gemeinde hin (Röm 12,14. 17–21).

Ebensoweit ist Paulus von der Auffassung der Qumran-Gemeinde entfernt. In 1 QS IX 3–5 ist das Leben nach den Regeln der Gemeinde gemeint, das mehr zählt als alle materiellen Opfer, ein Rückzug aus der Welt in die Mauern der „Einung". Bei Paulus geht es dagegen um die Bewährung einer christlichen Gemeinde mitten in einer heidnischen und z. T. feindlichen Umwelt, der die Gemeinde standzuhalten hat. Dieses Standhalten darf nicht zur Distanzierung von den „Verfolgern" führen – auch sie sind in die fürbittende Sorge der Gemeinde einzubeziehen (Röm 12,14).

Von den Texten aus dem Bereich der jüdischen Apokalyptik steht Test Lev 3,5f der Aussage des Paulus in Röm 12,1 terminologisch besonders nahe. Auch hier ist der Abstand beträchtlich: „Was für die Apokalyptik erst im Himmel möglich sein wird, dazu fordert Paulus die Christen schon jetzt auf."[151]

Was oben für die Mysterien gesagt wurde, gilt ähnlich für die philosophischen Tendenzen zu einer Vergeistigung des Kultes: Die Folge ist zugleich seine Individualisierung. „Das rein geistige Opfer der Philosophen lehnt nicht nur jede äußerliche Gabe, jeden Ritus, jeden formierten Text ab, es verzichtet naturgemäß auf jeden Gemeindezusammenschluß beim Kulte. Die einzelne Seele hat mit sich selbst und mit Gott zu tun."[152] Unter hellenistischem Einfluß bekommt auch die Frömmigkeit Philos eine individualistische Note.[153] „Der äußere Kultus ist Sache der Gemeinde; der innere Kultus des Weisen, des eigentlichen Priesters vollzieht sich, ohne daß er einer Gemeinde dazu bedürfte; auch die Tugenden, die Philo in diesen Zusammenhängen fordert, sind nicht soziale Tugenden, sondern Weltverneinung und Askese."[154]

Erst recht wäre die paulinische Forderung, „die Leiber" darzubringen, für Philo undenkbar. Hier unterscheidet sich Paulus wesentlich von zeitgenössischen, eher leibfeindlichen Tendenzen. „Man denke, wie verächtlich Epiktet vom *σωμάτιον* redet, aber auch Philo nennt wohl den *νοῦς*, die *διάνοια* und *ἀρετή* usw. als Opfer, nicht aber den Leib, der den dualistischen Tendenzen seiner Philosophie entsprechend der Gottheit möglichst fernge-

persönliches Leben aber ergeben sich daraus gar keine Folgerungen. Und Tatsache ist, daß die meisten Mysterienreligionen in ihren Kulten der Unsittlichkeit und Zügellosigkeit einen weiten Raum gaben."

151 A. Grabner-Haider, Paraklese 117, Anm. 301.

152 O. Casel, Mystik 39.

153 Ph. Seidensticker, Opfer 117.

154 H. Wenschkewitz, Spiritualisierung 144.

rückt wird. Wiederum setzt sich hier (d. h. bei Paulus) gegenüber dem griechischen Pessimismus . . . die aus dem Judentum übernommene erhöhte Schätzung der Leiblichkeit durch."[155] Der Leib ist für Philo die Quelle aller Übel. Dem entspricht, daß er für den Körper die Gottebenbildlichkeit ausdrücklich leugnet.[156] Die paulinische Formulierung vom Leib als dem Tempel des heiligen Geistes (1 Kor 6,19) wäre bei Philo nur schwer vorstellbar. Bei ihm nimmt Gott Wohnung in der durch seine Worte gereinigten Seele.[157] Lediglich vom Körper Adams kann er sagen, er sei der Tempel für die gottesebenbildliche, Gott repräsentierende Seele.[158] Daß Paulus in Röm 12,1 bewußt gegen die überasketische „spekulative" Schicht im Werk Philos oder anderer hellenistischer Juden polemisiert,[159] ist allerdings eine Vermutung, die sich kaum belegen läßt.

2. Röm 12,2: „Prüft, was Gottes Wille ist!"

In einem zweiten Anlauf versucht Paulus nun zu beschreiben, welche innere Einstellung die von ihm geforderte Hingabe voraussetzt. Zunächst wird die falsche und die richtige Haltung kontrastiert: Christen sollen sich nicht diesem Äon anpassen; statt dessen sollen sie sich in ihrem Inneren, in ihrer Gesinnung, verwandeln lassen.

Am Anfang von V 2 steht die Warnung, sich diesem Äon anzupassen. *αἰών* bedeutet im Griechischen zunächst nicht „Welt", sondern „Lebenskraft, Leben, Lebenszeit, Zeitalter, Generation, Zeitraum, Zeit, Ewigkeit".[160] Bei Paulus wird *αἰών* häufig mit *κόσμος* gleichgesetzt.[161] Das erklärt sich aus dem jüdischen Sprachgebrauch: „Das Hebräische hat erst spät den Begriff des Weltalls entwickelt und dafür neben der Umschreibung ‚Himmel und Erde' zwei Bezeichnungen gebildet: הַכֹּל das All und עוֹלָם."[162]

Daß Paulus hier von „diesem" Äon spricht, legt zunächst die Vermutung nahe, daß er die Lehre von den zwei Äonen aufgreift, die in der atl.-jüdischen

[155] aaO 191.
[156] op 69.
[157] somn I 146ff.
[158] op 137.
[159] das erwägt U. Duchrow, Christenheit 115, Anm. 400.
[160] H. Sasse, ThW I 197, 12–23; vgl. W. Bauer, Wörterbuch 53–55.
[161] Vgl. 1 Kor 1,20 *σοφία τοῦ κόσμου*; 1 Kor 2,6 *σοφία τοῦ αἰῶνος τούτου*; 1 Kor 3,19 *σοφία τοῦ κόσμου τούτου*; in 1 Kor 1,20 und 3,18f wechseln überdies *αἰών* und *κόσμος*.
[162] H. Sasse, aaO 204, 6–8; die Gleichsetzung findet sich vereinzelt auch schon im griech. Bereich und bei Philo: H. Sasse, aaO 204, 4–5 und Anm. 20; vgl. aaO 207, 26–39, vgl. H. Zimmermann, Neutestamentliche Methodenlehre. Darstellung der historisch-kritischen Methode, Stuttgart ²1968, 22f; zu Paulus 24f.

Apokalyptik weit verbreitet war:[163] Dieser jetzigen, sehr negativ qualifizierten Welt, die von Sünde, Leid und Tod gezeichnet ist, wird die kommende, neue Welt folgen, die Gott heraufführt, eine Welt des Lebens, der Gerechtigkeit, des Friedens. In der bisherigen Exegese war man weithin der Meinung, daß Paulus dieses apokalyptische Schema mit dem Judentum teile. Nur in einem Punkt gebe es einen charakteristischen Unterschied: Nach paulinischer Auffassung sei der neue Äon nicht mehr pure Zukunft; seit der Auferstehung Jesu sei er schon Wirklichkeit,[164] während der alte Äon noch fortbesteht, aber bereits im Vergehen begriffen ist (vgl. 1 Kor 10,11). So lebe der Christ in einer Situation, in der sich alter und neuer Äon überschneiden: „er lebt in zwei Äonen gleichzeitig: im neuen, der gekommen und noch im Kommen ist, und im alten, der schon überwunden, aber doch noch mitten ‚im Vergehen' ist."[165] So sind die Christen schon jetzt von dem gegenwärtigen, bösen Äon erlöst (Gal 1,4).

Nun hatte man immer schon gesehen, daß Paulus zwar von „diesem" Äon spricht,[166] nicht aber vom „kommenden".[167] Doch glaubte man, die Vorstellung vom kommenden Äon aus dem apokalyptischen Schema ergänzen zu können. Immerhin setzt die Rede von „diesem Äon" in irgendeiner Weise die von „jenem" oder vom „kommenden" Äon voraus, wie sie sich dann später Eph 1,21; 2,7 tatsächlich findet.[168] Allerdings muß man die Tatsache, daß Paulus selber von „jenem" oder vom „kommenden" Äon schweigt, ernster nehmen.[169] Paulus hat offenbar das gängige Schema gesprengt[170] und lediglich Fragmente der traditionellen Zwei-Äonenlehre übernommen, soweit sie „diesen Äon" betreffen,[171] nicht aber das gesamte apokalyptische Schema. Das dürfte seinen Grund darin haben, daß es in seinen Augen nicht geeignet schien, das durch Jesu Tod und Auferstehung geschehene Neue adäquat zur Sprache zu bringen.[172]

[163] Vgl. J. Schreiner, Alttestamentlich-jüdische Apokalyptik. Eine Einführung, München 1969, 112–116; H. Sasse, ThW I 206,25 – 207,3; die Zwei-Äonenlehre findet sich auch im rabbinischen Schrifttum, vgl. H. Sasse, aaO 207, 4–25. In den Schriften von Qumran fehlen die Ausdrücke „dieser bzw. der kommende 'Olam", vgl. G. Delling, Zeit 82, Anm. 4. Eine gute Charakterisierung mit Textbeispielen bei F. J. Schierse, LThK² I 681; vgl. auch R. Schnackenburg, Existenz I 160–166, bes. 163–165; II 12f; Ph. Vielhauer, Geschichte 490–492.

[164] Vgl. H. Sasse, aaO 207, 45–50.

[165] O. Kuss, Röm 287; vgl. 286–291, bes. die Skizze 290.

[166] Vgl. Röm 12,2; 1 Kor 1,20; 2,6. 8; 3,18; 2 Kor 4,4; Gal 1,4 (αἰών). 1 Kor 3,18; 5,10; 7,31 (κόσμος).

[167] Wohl findet sich bei Paulus 1 Kor 6,9; 15,50; Gal 5,21; 1 Thess 2,12 der Terminus „Reich Gottes", das besonders 1 Kor 15,50 als eschatologische Größe erscheint.

[168] Vgl. auch Mt 12,32; Lk 20,34. 35.

[169] auch vom „alten" oder „neuen" Äon ist bei ihm nicht die Rede!

[170] So schon F. J. Schierse, LThK² I 682; vgl. A. Vögtle, Sacramentum Mundi I 208f.

[171] J. Baumgarten, Paulus 194; vgl. 184. 188. 190f.

[172] Vgl. aaO 189.

In Röm 12,2 ist lediglich von „dieser Welt“ die Rede. Sie ist „nicht mehr einfach die Schöpfungswelt Gottes, sondern die Welt des geschichtlichen Daseins, in der sich das Böse auswirkt und mächtig ist.“[173] Zwar sind die Christen durch die Selbsthingabe Jesu am Kreuz dem gegenwärtigen bösen Äon entnommen (Gal 1,4); aber sie sind seiner Faszination noch ausgesetzt[174] und bedürfen so der Mahnung, sich „dieser Welt“ nicht anzupassen.

συσχηματίζω hat die Bedeutung „nach etwas gestalten“, im Passiv[175] „sich gleich gestalten, die gleiche Gestalt annehmen, sich (im Wesen) anpassen“.[176] Paulus argumentiert nicht ausdrücklich mit der Vergänglichkeit der Welt, wie er es in 1 Kor 7,31 tut. So sollte man diesen Gedanken hier nicht einlesen. Zweifellos klingen dann in der Zusammenfassung Röm 13,11–14 drängendere eschatologische Töne an, die die Mahnung verschärfen und dringlich machen.[177] Die Zielrichtung der Mahnung ist eindeutig: Die Christen sollen sich nicht dem Lebensstil, wie man ihn in dieser Welt für selbstverständlich hält, kritiklos anpassen. Paulus stellt hier die Maßstäbe, wie sie in dieser Welt gelten, in Frage, so wie er in 1 Kor 1,20 und 3,18f das, was in dieser Welt als Weisheit gilt, von seiner Kreuzesbotschaft her der Kritik unterwirft.

Der Warnung, sich dieser Welt nicht anzupassen, stellt Paulus die positive Alternative gegenüber: Sondern laßt euch verwandeln durch die Erneuerung[178] des Denkens.[179] Man hat oft einen Gegensatz sehen wollen: *συσχηματίζω*: äußere Anpassung – *μεταμορφόω*: innere Verwandlung. Das ist kaum überzeugend.[180] Zu beachten sind die präsentischen Imperative (im Gegensatz zum Aorist in V 1): „sie gehen auf fortdauernde Arbeit“.[181] Das Sprachspiel *μή . . . ἀλλά* begegnet in Röm 12 noch öfter: 12,3. 16. 19. 21. Paränese beschränkt sich nicht auf die negative Warnung, sondern zeigt positive Alternativen auf.

Das Verb *μεταμορφόω* hat die Bedeutung „umformen, verändern, in eine andere Gestalt verwandeln, zu etwas anderem werden, anders werden“.[182] Der Gedanke der Verwandlung spielt in den Mysterienkulten eine wichtige Rolle.[183] In der Apokalyptik meint er die eschatologische Verwandlung.[184]

173 R. Schnackenburg, Kirche 157.
174 Vgl. G. Delling, Zeit 82.
175 Vgl. Bl.-Debr.-Rehkopf § 314, 1.
176 W. Bauer, Wörterbuch 1574f; seltsamerweise fehlt das Wort im ThW. vgl. auch das *μετασχηματίζω* in 2 Kor 11,13f.
177 Vgl. W. Schrage, Stellung 128.
178 dat. instr.
179 In wichtigen Handschriften findet sich der das Gemeinte verdeutlichende Zusatz *ὑμῶν*. Ob er ursprünglich ist oder nicht, ist sachlich ohne Belang. Th. Zahn z. St.: Die Lesart *ὑμῶν* ist ungenügend bezeugt.
180 Vgl. die ausführliche Diskussion bei C.E.B. Cranfield, Commentary 15f.
181 F. S. Gutjahr z.St.
182 J. Behm, ThW IV 762f; vgl. W. Bauer, Wörterbuch 1011f.
183 Vgl. R. Reitzenstein, Mysterienreligionen 262f; 307f; 357f und H. Rhys z. St.
184 Belege bei H. Schlier z. St.

Im Passiv gewinnt das Verb die Bedeutung „sich umgestalten lassen".[185] Der Gebrauch des Passivs dürfte seinen Grund haben: Die geforderte innere Umwandlung ist letztlich nicht menschliche Leistung; Gott muß sie im Menschen bewirken.[186] Andererseits geschieht solche Umgestaltung nicht einfach automatisch; der Mensch muß sie an sich geschehen lassen und für sie offen sein. Nicht auszuschließen ist, daß in μεταμορφοῦσθε der Aufruf Jesu zur Umkehr nachklingt: „es ist verstärktes μετανοεῖτε."[187]

Mit dem Gedanken der „Erneuerung" greift Paulus Taufterminologie auf. Das Substantiv ἀνακαίνωσις, „Erneuerung", begegnet im NT sonst nur noch Tit 3,5,[188] mit eindeutigem Bezug auf die Taufe. In Röm 6,4 ist vom Wandel in der „Neuheit des Lebens" die Rede, als Verpflichtung, die sich aus der Taufe ergibt. Offenbar liegen hier für das urchristliche Denken feste Assoziationen vor: Taufe – neuer Mensch (vgl. Röm 6,6) – Verpflichtung zu neuem Wandel.[189] Paulus läßt keinen Zweifel daran, daß diese Erneuerung nicht zunächst menschliche Leistung, sondern Gottes Gabe an den Menschen ist: laßt euch verwandeln. Auch der Gedanke der „neuen Schöpfung" in 2 Kor 5,17 und Gal 6,15 weist eindeutig auf die Initiative Gottes hin, der den Menschen neu schafft.[190] Ähnlich ist es Tit 3,5, wo Gott es ist, der die „Erneuerung" durch die Taufe schenkt, eine Aussage, die ganz in der Linie paulinischer Tradition liegt.[191]

Es ist die Gesinnung des Menschen, die erneuert werden soll. Das Wort νοῦς, das wir hier mit „Gesinnung" wiedergegeben haben, hat im Griechischen ein breites Bedeutungsfeld: 1. Sinn, Gesinnung; 2. Einsicht, Erfindungsgabe; 3. Verstand, Denkvermögen, Fähigkeit denkenden Erkennens; 4. Gedanke, Meinung, Urteil, Entschluß, Absicht, Plan; 5. übertr. Sinn, Bedeutung (von Wörtern, Sätzen u. dgl.).[192] An unserer Stelle trifft die Übersetzung mit „Sinn, Gesinnung" das von Paulus Gemeinte am besten. Das entspricht auch dem überwiegenden Sprachgebrauch der LXX und der

185 Bl.-Debr.-Rehkopf § 314,1.

186 In 2 Kor 3,18 gebraucht Paulus das Verb μεταμορφόω für die eschatologische Verwandlung des Menschen; sie widerfährt dem Menschen. Auch in Phil 3,21 mit seinem an Röm 12,2 anklingenden Wortmaterial ist von der eschatologischen Verwandlung die Rede, vgl. Röm 8,29.

187 H. Lietzmann z.St.

188 In 2 Kor 4,16 steht das Verb ἀνακαινοῦσθαι: unser innerer Mensch wird Tag für Tag erneuert (Passiv!).

189 Vgl. Röm 7,6, ein Text, der eindeutig auf Röm 6,4.6 zurückweist; später, Eph 4,22–24 und Kol 3,9f ist vom Ausziehen des alten und vom Anziehen des neuen Menschen die Rede, ein Bild, das von der Verpflichtung des Christen spricht, sein Leben von Grund auf zu ändern. An beiden Stellen liegt Taufterminologie vor; vgl. J. Gnilka zu Eph 4,22–24; E. Lohse zu Kol 3,9f.

190 Vgl. W. Thüsing, Per Christum 128f: Die Parallelen Röm 6,4; 7,6 zeigen, „daß es sich keineswegs nur um religiös-ethische Akte des Menschen handelt, sondern daß die Hinwendung des Menschen getragen ist vom Wirken des Pneuma."

191 Vgl. F. J. Schierse, N. Brox z.St.

192 J. Behm, ThW IV 951; vgl. W. Bauer, Wörterbuch 1077f.

außerbiblischen Schriften des Judentums.[193] *νοῦς* meint hier die Gesinnung, die Willensrichtung, ein Denken, das „auf etwas aus ist".[194] Die Erneuerung, die Paulus Röm 12,2 fordert, muß an der Wurzel, an der Gesinnung ansetzen.[195] Allerdings weiß Paulus nüchtern darum, daß die rechte Gesinnung nicht automatisch das rechte Tun zur Folge hat. So spricht er in Röm 7,23. 25 von dem quälenden Widerspruch, zwar mit seiner Vernunft das Richtige einzusehen und es doch nicht in die Wirklichkeit übertragen zu können.

Ziel der Erneuerung ist die Fähigkeit zum Herausfinden dessen, was der Wille Gottes ist. *δοκιμάζειν* bedeutet 1. „prüfen, erproben, unterscheiden", dann aber auch 2. „als bewährt oder erprobt annehmen, genehmigen".[196] In der LXX bedeutet es „prüfen, erforschen, erproben", verbunden mit dem Gedanken der Reinigung,[197] der Erkenntnis der wahren Wirklichkeit einer Person oder Sache.[198] W. Bauer erwägt für Röm 12,2 die zweite Bedeutung: „als bewährt annehmen, was der Wille Gottes ist."[199] Doch liegt es näher, an ein „eindringliches genaues Prüfen"[200] zu denken, wobei möglicherweise der zweite Aspekt mitschwingt: „prüfen und sich entscheiden für", „unterscheiden und entscheiden".[201] Im Sinn des Prüfens begegnet das Verb auch Phil 1,10: Paulus erbittet den Philippern die Fähigkeit, zu prüfen, worauf es in der jeweiligen Situation ankommt: *εἰς τὸ δοκιμάζειν* (die mit Röm 12,2 gleichlautende Formulierung fällt sofort auf) *ὑμᾶς τὰ διαφέροντα*. Neben der Liebe (Phil 1,9) gehört diese Fähigkeit zum wichtigsten, was der Apostel der Philippergemeinde in seinem den Brief einleitenden Fürbittgebet erbittet. Die gleiche Formulierung *δοκιμάζειν τὰ διαφέροντα* begegnet Röm 2, 18 in der Anklage gegen die Juden: Der Jude glaubt den Willen (Gottes) zu kennen; er ist ihm im Gesetz des Mose zugänglich (Röm 2,17f). Er vermag also zu prüfen, worauf es ankommt, was das Wesentliche ist.

Röm 12,2 ruft zum kritischen, eindringlichen Prüfen dessen auf, was der Wille Gottes ist. *θέλημα* wird bei Paulus meist von Gottes Willen gebraucht, entweder von seiner beschließenden Verfügung (z. B. in der Formel „durch den Willen Gottes" Röm 15,32; Gal 1,4) oder von seinem fordernden Willen (Röm 2,18 u.ö.).[202] Im letzteren Sinn ist *θέλημα* hier gemeint.[203] Was Gottes Wille ist, liegt nach der Auffassung des Paulus offenbar nicht selbstverständlich zutage. Es bedarf der Mühe kritischen Prüfens, ihn zu finden.

193 Vgl. J. Behm, aaO 952, 1–33; G. Bornkamm, Studien zu Antike und Urchristentum. Gesammelte Aufsätze Band II, München 1959, 121f Anm. 6.
194 R. Bultmann, Theologie 212.
195 Vgl. Mk 7,21–23 (auch Mt 12,24f par Lk 6,45): aus dem Inneren des Menschen, aus dem Herzen (vgl. Röm 1,24) kommen die schlechten Eingebungen und Taten.
196 W. Grundmann, ThW II 259, 17–35; G. Therrien, Discernement 11f.
197 Vgl. Ps 65,10.
198 G. Therrien, Discernement 17–19.
199 Wörterbuch 401.
200 J. Gnilka zu Phil 1,10; vgl. 1 Thess 5,21: „Prüft alles, das Gute behaltet."
201 H. Schlier z.St.; vgl. C. E. B. Cranfield, Commentary 19.
202 R. Bultmann, Theologie 223.
203 Vgl. 1 Thess 4,3; 5,18.

Unsere Stelle ist oft individualistisch ausgelegt worden: Es ist der einzelne, der je und je nach dem Willen Gottes zu fragen hat. „In Wirklichkeit ist ‚Wille Gottes' hier keineswegs nur Anruf für das sittliche Verhalten im Bereich des eigenen individuellen Lebens . . . ‚prüfen, was der Wille Gottes ist', bedeutet auch, daß jeder fragt, welches Charisma und welcher Dienst für das Werk Gottes und den ‚Leib in Christus' ihm gegeben ist."[204] Der Röm ist zum Verlesen in der Gemeindeversammlung bestimmt. So ist die Annahme berechtigt, daß Paulus bei seiner Mahnung die versammelte Gemeinde im Auge hat: Sie wird zum gemeinsamen Suchen dessen aufgefordert, was Gott von ihr will.[205]

Die drei angefügten Adjektive kann man als Attribute zu *τὸ θέλημα τοῦ θεοῦ* lesen: der gute, wohlgefällige, vollkommene Wille Gottes,[206] oder als substantivierte Adjektive,[207] die wie *τὸ θέλημα τοῦ θεοῦ* von *τί* abhängig sind: was das Gute, Wohlgefällige und Vollkommene ist. Die zweite Übersetzungsmöglichkeit ist vorzuziehen, zumal Paulus den Begriff *τὸ ἀγαθόν*, das (sittliche) Gute auch sonst im Röm[208] gebraucht und *εὐάρεστος*, „angenehm, wohlgefällig", als Attribut zu „Wille Gottes" nicht sonderlich sinnvoll erscheint.

τὸ ἀγαθόν im Sinne des sittlich Guten ist ein wichtiger Begriff sowohl der klassischen griechischen Philosophie und des Hellenismus,[209] als auch der LXX.[210] „In der griechischen Philosophie mit ihrer humanistischen Lebenshaltung hat der Begriff des *ἀγαθόν* große Bedeutsamkeit. Um sein Verständnis als die dem Dasein sinngebende Größe geht das philosophische Bemühen."[211] Daß Paulus hier sagen will, man solle „das Gute des heidnischen Ethos prüfen",[212] ist durch nichts zu belegen. Die Aussage bleibt allgemeiner: Christen sollen nach dem Guten suchen. Die Mahnung zum Guten kehrt in Röm 12,9 wieder.

Das Stichwort *εὐάρεστος* begegnete uns schon in V 1, wo es das leibliche Opfer der Christen als ein Gott wohlgefälliges charakterisierte. Auch hier ist ein *τῷ θεῷ* mitzuhören: Es geht darum, herauszufinden, welches Verhalten dem Willen Gottes entspricht und ihm gefällt.[213]

204 W. Thüsing, Aufgabe 78; vgl. K. Wengst, Zusammenkommen 548f.

205 Vgl. K. Wengst, aaO 549; freilich scheint Wengst aaO 549–554 diesen an sich richtigen Gedanken kräftig zu überziehen.

206 So G. Delling, ThW VIII 77, 9–14, bes. Anm. 58; A. Nygren z. St.; auch die Vulgata liest so: ut probetis quae sit voluntas Dei bona et beneplacens et perfecta.

207 „Der Artikel ist vor dem zweiten und dritten Glied nicht wiederholt, weil die drei Nomina eine Sache (= was Gott will) nur unter verschiedenem Gesichtspunkt bezeichnen." F. S. Gutjahr z. St.

208 Röm 2,10; 7,18f (ohne Artikel); 13,4.

209 W. Grundmann, ThW I 10–13.

210 aaO 13–14.

211 aaO 10, 31–34.

212 O. Merk, Handeln 167.

213 Gen 6,9 LXX heißt es von Noah, daß er Gott gefiel und ein „vollkommener" (*τέλειος*) Mensch war. Vgl. Gen 5,22. 24; 17,1; 24,40; 48,15: von Menschen, die Gott gefielen, vgl. Sir 44,16.

Das Adjektiv τέλειος kann im Griechischen verschiedene Bedeutungsnuancen haben: „bis zum Ende gelangt, vollendet, vollkommen, vollständig, fehllos".[214] Die von Aristoteles gegebene Definition der Vollkommenheit (Met IV 16) ist aus der Übernahme durch die Scholastik bekannt: perfectum cui nihil deest. Der hier ausgesprochene Ganzheitsaspekt ist grundlegend für das außerbiblische Verständnis von τέλειος.[215] Das Wort begegnet häufig in der Ethik, oft verbunden mit dem Begriff des Guten.[216] Im Judentum spielt der Begriff eine entscheidende Rolle. Als ein Beispiel für viele[217] stehe Dt 18,13: „Vollkommen sollst du sein vor deinem Gott"; hier steht es als Forderung an das Volk, „das ganz und gar, ungeteilt Jahwe dienen soll".[218] In LXX kann τέλειος die Fehllosigkeit des Tieropfers bezeichnen.[219] Es kann aber auch die religiöse und sittliche Integrität meinen.[220] Das grundlegende semantische Element von τέλειος in der LXX ist „das der Ganzheit der Beziehungen zu Gott (darum ist καρδία ein mit Vorzug zugeordnetes Substantiv)."[221] Vollkommen ist, was Gottes Wort und Weisung entspricht.[222] In Röm 12,2, wo Paulus „die Vokabel τέλειος als Endnummer einer ganzen Reihe kultisch betonter Termini einführt", ist der „Hauptklang des Adjektivs ein sittlicher".[223]

3. Zusammenfassung

Die Mahnung in Röm 12,1 ist von kultischer Terminologie geprägt. Das Anliegen des Paulus ist mit dem Stichwort „Spiritualisierung des Kultischen" nicht genau umschrieben. Es geht dem Apostel nicht um Verinnerlichung, sondern um den Hinweis, daß der wahre Gottesdienst in der täglichen Lebenspraxis geschieht. Paulus will das ganze Leben dem Willen Gottes unterstellt wissen: das ist der rechte Gottesdienst. Die Opferterminologie unterstreicht eindringlich den Ganzheitsaspekt der Hingabe. Was es im gelebten Alltag heißt, von Gott über seine gesamte Existenz verfügen zu lassen, wird Paulus im folgenden an konkreten Beispielen illustrieren. Denn solche großen Worte können leicht fromme Abstraktionen bleiben. Sie drängen darauf, im Alltag wahrgemacht zu werden.

[214] W. Bauer, Wörterbuch 1601; G. Delling, ThW VIII 68.
[215] K. Prümm, Vollkommenheit 79; man kann diesen formalen Sinn („vollkommen ist, dem nichts fehlt") zuversichtlicher als Du Plessis es tut, „als bleibende Bedeutungsgrundlage vertreten", K. Prümm, aaO 91.
[216] G. Delling, ThW VIII 70–72; vgl. aaO 69, 25f. Philo, gig 45, stehen τὸ τέλειον und τὸ ἀγαθόν als Attribute der Gottheit nebeneinander.
[217] Vgl. H. Preisker, Ethos 129f; G. Delling, aaO 72, 47–73, 18 (LXX); 73, 19–74, 15 (Qumran); vgl. bes. 1 QS 9,19; 5,23f.
[218] G. Delling, aaO 73,8.
[219] Ex 12,5.
[220] Gen 6,9; Dt 18,13; 2 Sam 22,26, weitere Beispiele bei R. Corriveau, Liturgy 184, Anm. 172; vgl. K. H. Schelkle, Theologie III 202f.
[221] K. Prümm, aaO 81.
[222] K. H. Schelkle, aaO 202.
[223] K. Prümm, aaO 89.

Zunächst bedeutet die Bereitschaft zur ernsthaften, ungeteilten Hingabe, daß die Gemeinde der Christen sich nicht den in dieser Welt geltenden Maßstäben kritiklos anpassen darf. Sie muß sich von ihrer Umgebung in ihrer Gesinnung (und dann auch in ihrem Tun) unterscheiden und sich der Mühe unterziehen, herauszufinden, was Gott von ihr will. Bei solcher Suche nach ethischer Orientierung liegt der Wille Gottes auch für die christliche Gemeinde nicht einfach in einem fertigen Moralkodex vor, er muß in einem Prozeß mühsamen Suchens gefunden werden. Mit dem Hinweis auf das Gute, Wohlgefällige und Vollkommene[224] ist natürlich nur ein formaler Rahmen abgesteckt, der mit konkretem Inhalt gefüllt werden muß. Eine solche Auffüllung und Konkretisierung dessen, was das Gute, Gott Wohlgefällige und Vollkommene ist, wird Paulus im folgenden versuchen.

II. Röm 12,3–8: Vom rechten Gebrauch der Charismen

Nach der programmatischen Überschrift in 12,1–2 setzt Paulus in 12,3 neu an; das „ich sage euch" in 12,3 steht dem „ich ermahne euch" in 12,1 parallel. Die Verse 12,3–8 bilden eine geschlossene thematische Einheit. Die Warnung vor dem Hochmut und die Mahnung zu nüchterner Selbsteinschätzung in 12,3 ergeht im Blick auf die Charismen, auf die Paulus in 12, 6–8 zu sprechen kommt: Jeder soll sein Charisma ohne Überheblichkeit in rechter Selbsteinschätzung annehmen; denn Gott hat ihm das Maß des Glaubens zugeteilt. Die Mahnung wird durch das Bild vom Leib anschaulich illustriert: Der Leib braucht viele verschiedene Glieder, um funktionsfähig zu sein (12,4–5). Allerdings ist das Bild vom Leib hier mehr als eine plastische Veranschaulichung der Tatsache, daß Menschen gerade in der Verschiedenheit ihrer Fähigkeiten aufeinander bezogen sind; die entscheidende Aussage liegt nämlich darin, daß die vielen ein Leib „in Christus" sind. Der Charismenliste 12,6–8 steht in 12,6 betont der schon in 12,3 angesprochene Gedanke voran, daß die Charismen Gaben der Gnade Gottes sind. Die Aufzählung ist exemplarisch gemeint. Es geht darum, daß jeder Einzelne sein Charisma akzeptiert und in selbstloser Weise in die Gemeinde einbringt. Das Charisma ist nicht zur Mehrung des eigenen Ansehens gegeben, sondern zum Wohl der Gemeinde.

1. Röm 12,3: Das jedem zugeteilte Maß des Glaubens

Dieser letzte Gedanke wird von Paulus in Röm 12,3 stark akzentuiert. Er beruft sich dabei ausdrücklich auf seine apostolische Autorität. Schon das betont am Anfang stehende „ich sage euch" gibt seinem Wort starken Nach-

[224] Diese Adjektive spielen auch in der späteren ntl. Paränese eine wichtige Rolle, vgl. Eph 5,10; Kol 3,20; 4,12; Hebr 13,21.

druck.[1] Es begegnet als Einleitungsformel sowohl in den Testamenten der Zwölf Patriarchen als auch in der apokalyptischen Literatur,[2] und vor allem bei den Synoptikern[3] und will zweifellos unterstreichen, daß hier mit höchster Autorität gesprochen wird. In der jüdischen Apokalyptik hatte die Einleitungsformel „ich sage euch" die Funktion, „eine entscheidende eschatologische Botschaft einzuführen".[4] Besonders deutlich betont Gal 5,2 das Gewicht der Autorität des Paulus: „ich, Paulus, sage euch".[5] In diesem Sinn steht es auch Röm 12,3 gebieterisch am Anfang und gibt der folgenden Mahnung großes Gewicht. Zweifellos schwingt in dem betonten „ich sage euch" auch die bei Paulus häufig anzutreffende Überzeugung mit, daß sich in seinem Wort Gottes Wort Gehör verschafft.[6]

Der autoritative Anspruch verstärkt sich durch die Apposition: kraft der Gnade,[7] die mir gegeben wurde. Das *διά* ist entsprechend V 1 zu übersetzen: im Namen der mir gegebenen Gnade. Gemeint ist nicht nur, „daß der Apostel auf Grund der Gnade redet, sondern daß in seinem Reden die Gnadenkraft des erhöhten Christus in ihm, das Pneuma, wirksam wird".[8] *χάρις* ist ein Schlüsselwort paulinischer Theologie. Sprachlicher Ausgangspunkt ist bei Paulus „die Bedeutung Erfreuen durch Schenken, der geschenkte, nicht verdiente Gunsterweis".[9] Der Geschenkcharakter der Gnade, der schon im Begriff selber liegt, wird durch das passive *δοθείσης* noch unterstrichen. Hier in Röm 12,3 bezieht sich die dem Apostel geschenkte Gnade ganz offensichtlich auf das Apostelamt, das er von Jesus Christus empfangen hat (Röm 1,5)[10] und das seinem Wort Autorität verleiht. Paulus versteht die

[1] *λέγω* Worte vorbringen, sagen, äußern, W. Bauer, Wörterbuch 925, kann auch die Bedeutung annehmen „befehlen, beteuern, versichern, behaupten, erklären, als Lehre verkünden", aaO 928f. H. Lietzmann z. St. übersetzt: „ich schärfe euch ein".

[2] U. B. Müller, Prophetie 132f (Belege).

[3] Mt 3,9 in der Bußpredigt des Täufers; in der Umkehrforderung Lk 13,2f. 4f; ferner Mt 6,25. 29; 11,9; 13,17; Lk 12,8; vgl. U. B. Müller, aaO 133f; vgl. auch Mt 5,18; 11,22; 19,28; 23,39.

[4] U. B. Müller, aaO 135; fraglich scheint, die Funktion dieser Einleitungsformel mit der der Botenformel der alttestamentlichen Prophetie gleichzusetzen, wie U. B. Müller es (auch für „ich ermahne euch" mit Präpositionalwendung wie in Röm 12,1) tut und dann daraus zu schließen, mit diesen Formeln würden bestimmte Abschnitte der paulinischen Briefe als „prophetisch" charakterisiert, vgl. aaO 118. 124. 127f. 135f u. ö.

[5] Der Anklang an das „ich sage euch" bei Mt ist nicht zu überhören: Mt 5,22 u. ö. Ob er gewollt ist oder nicht: Er zeigt deutlich, welche Autorität Paulus für sich in Anspruch nimmt; vgl. 1 Kor 7,6. 8. 10. 12; 2 Kor 8,8; Gal 1,9; 5,16.

[6] Vgl. 1 Thess 1,6. 8; 2,13; Röm 10,14–18.

[7] *τοῦ θεοῦ* in wenigen Handschriften ist spätere Hinzufügung.

[8] W. Thüsing, Per Christum 160.

[9] H. Conzelmann, ThW IX 384, 19–21; vgl. zum Sprachgebrauch überhaupt aaO 363–366; W. Bauer, Wörterbuch 1734–1737: 1. die Anmut, die Lieblichkeit. 2. die Gunst, die Huld, das Wohlwollen, die gnädige Fürsorge, 3. die Betätigung des Wohlwollens, der Huldbeweis, die Gnadentat, das Gnadenwerk. 4. der Dank. vgl. K. H. Schelkle, Theologie III 64f; IV 2,44f; ausführlich J. Wobbe, Charis-Gedanke 5–8.

[10] Vgl. H. Conzelmann, aaO 386, 25–27.

ihm verliehene „Vollmacht“ als eine Gabe, die ihm zur Förderung der Gemeinde gegeben wurde (2 Kor 13,10).

Die Wendung „die mir verliehene Gnade“ begegnet in den Briefen des Apostels häufiger. So in Röm 15,15 im Rückblick auf den „teilweise etwas kühn geschriebenen“ Brief,[11] in Gal 2,9, wo es gerade um die apostolische Autorität geht, die dem Paulus in den galatischen Gemeinden bestritten wurde, wie in 1 Kor 3,10, wo Paulus sich von einer einseitigen und unangemessenen Berufung auf bestimmte Amtsträger distanziert: es geht nicht um den Amtsträger, sondern um die Sache, die er zu vertreten hat (1 Kor 3,5).[12] Durch die Berufung auf die ihm geschenkte Gnade erhalten die folgenden Mahnungen das volle Gewicht seiner apostolischen Autorität. Zugleich wendet er sich an Menschen, von denen er weiß, daß auch sie von Gott ihre je verschiedenen Gaben erhalten haben (Röm 12,6; vgl. 1 Kor 1,4): Er stellt sich nicht über sie, sondern weiß sich mit ihnen von Gott beschenkt.[13] So äußert er schon im Eingang des Röm (1,11f) die Überzeugung, daß auch die Gemeinde ihm aus ihrem geistlichen Reichtum etwas zu geben hat.

Paulus richtet seine Mahnung betont an jeden in der Gemeinde, nicht nur an Einzelne in ihr, die sich einbilden, etwas Besonderes zu sein.[14] Man hat oft angenommen, Paulus wende sich hier speziell gegen ein (von ihm in der römischen Gemeinde vorausgesetztes) übertriebenes Charismatikertum, gegen Leute, die sich durch ihre Charismen besonders herausgehoben fühlten:[15] Es gibt kein Glied der Gemeinde, das der Mahnung nicht bedürfte, „auch wenn es manche, z. B. von den Charismatikern, von sich meinen sollten“.[16] Für diese Deutung könnte neben dem betonten *παντὶ τῷ ὄντι ἐν ὑμῖν* auch die Tatsache sprechen, daß Paulus die Mahnung so betont an den Anfang setzt und sie mit dem vollen Gewicht seiner apostolischen Autorität vertritt. Solche Eindringlichkeit könnte ihren Grund darin haben, daß er hier eine besondere Gefährdung der römischen Gemeinde sieht.[17] Zudem richtet sich seine Mahnung zweifellos gegen eine Überschätzung der eigenen Gabe; in 12,16 wird sie ausdrücklich noch einmal aufgegriffen. Doch fällt bei einem Vergleich von Röm 12,3–8 mit 1 Kor 12–14 auf, daß hier im Röm (wie überhaupt in Röm 12–13) von direkter Polemik gegen bestimmte Positio-

[11] Auch dort bezieht sie sich auf das Apostelamt des Paulus: J. Hainz, Ekklesia 174–179.

[12] Daß Paulus seinen apostolischen Auftrag als Geschenk versteht, kommt besonders deutlich 1 Kor 15,10; Gal 1,15f zum Ausdruck.

[13] Vgl. Phil 1,7.

[14] C. H. Dodd z. St. stimmt dem Vorschlag zu, hinter *τῷ ὄντι* ein *τί* einzufügen. Doch gibt es für diesen Zusatz keinen textkritischen Anhaltspunkt.

[15] Vgl. H. W. Schmidt, O. Michel z. St.; C. K. Barrett z. St.; G. Friedrich, RGG^3 V 1137. 1142. Anders J. Hainz, Ekklesia 182f. W. Marxsen ist der Meinung, daß schon in Röm 12,3 das Thema „Starke und Schwache“ von 14,1 – 15,13 abgehandelt wird, wenn auch allgemeiner formuliert: W. Marxsen, Einleitung in das Neue Testament. Eine Einführung in ihre Probleme, Gütersloh ^{3}1964, 89.

[16] H. Schlier z. St., vgl. H. Rhys z. St.

[17] Vgl. K. H. Schelkle z. St.

nen nichts zu spüren ist. Daher scheint eine polemische Stoßrichtung der Mahnung von 12,3 gegen eine bestimmte Gruppe in der Gemeinde eher unwahrscheinlich.

Der Akzent in Röm 12,3 liegt auf der Warnung vor der eigenen Selbstüberschätzung und dem Hinweis auf das *σωφρονεῖν*, die nüchterne Selbsteinschätzung, als die dem Christen angemessene Haltung. Die Mahnung ist in ein geschliffenes Wortspiel gekleidet,[18] wie es in der hellenistischen Literatur damals recht beliebt war,[19] Doch hat die gekonnte Formulierung zugleich den großen Nachteil, unpräzis zu bleiben. Paulus spielt mit den drei Verben *ὑπερφρονεῖν*, *φρονεῖν*, *σωφρονεῖν*. Das Grundwort *φρονεῖν* taucht zweimal auf. Paulus spielt mit zwei Bedeutungen von *φρονεῖν*: in 12,3a bedeutet es „denken, urteilen, meinen, Gedanken hegen";[20] in 12,3b hat es die Bedeutung „den Sinn richten auf, bedacht sein auf".[21] Das Verb ist bei Paulus häufiger. Im Röm braucht er es zweimal in Verbindung mit *ὑψηλός*: Röm 11,20 in der Mahnung an die Heiden, sich nicht über die Juden zu erheben,[22] Röm 12,16 in der Mahnung, sich auch für unscheinbare Dienste bereitzuhalten.[23] *ὑπερφρονεῖν* ist Hapaxlegomenon im NT[24] und bedeutet „sich überschätzen, übermütig sein".[25] Solchem Sich-überschätzen, das mehr denkt, als man denken soll,[26] stellt Paulus das *σωφρονεῖν* als die rechte Haltung gegenüber.

Damit greift Paulus einen zentralen Begriff der griechischen Philosophie auf und knüpft so an hellenistische Lebensweisheit an. Das Verb bedeutet „vernünftig sein, verständig sein, besonnen sein, verständig handeln, sich mäßigen".[27] Die *σωφροσύνη* zählt schon sehr früh zu den Grundtugenden,[28] in der Nikomachischen Ethik des Aristoteles gilt sie als eine der vier Kardinaltugenden.[29] Die Besonnenheit ist „die schönste der Gaben, die die Himmlischen in des Menschen Herz gesenkt haben (Soph Ant 683ff) – sie ist die Vollendung des Menschentums im Maß."[30] In der Stoa und der Popu-

[18] Eine ähnlich kunstvolle Paronomasie findet sich 1 Kor 11,31f.

[19] Beispiele solcher Wortspielerei mit *φρονεῖν* bei W. Bauer, Wörterbuch 1665 und 1587.

[20] W. Bauer, Wörterbuch 1712f.

[21] aaO 1713.

[22] Vgl. 11,25; Phil 3,15.

[23] Auch Phil 2,5, in der Einleitung zum Christushymnus, braucht Paulus das Wort, um den Philippern die Gesinnung des Dienens nahezulegen: „Eben die Erniedrigung Jesu Christi verwehrt das Sich-selbst-erhöhen des Menschen ..." G. Eichholz, Theologie 103.

[24] Die Textvariante *φρονεῖν* hinter dem *ὑπέρ* in 1 Kor 4,6 dürfte von Röm 12,3 beeinflußt sein.

[25] W. Bauer, Wörterbuch 1665.

[26] *παρά* m. acc. hier: mehr als, vgl. W. Bauer, Wörterbuch 1211f; Bl.-Debr.-Rehkopf § 236,3.

[27] W. Bauer, Wörterbuch 1587; vgl. U. Luck ThW VII 1094f.

[28] Vgl. U. Luck, aaO 1096, 2ff.

[29] Nik. Eth. 1117b 13.

[30] E. Stauffer, ThW I 35,5–7; vgl. Sophokles, Elektra 307.

larphilosophie hat sie im Rahmen der großen Tugenden ihren festen Platz.[31] So kann es nicht verwundern, daß sie im hellenistisch beeinflußten Judentum eine zentrale Bedeutung hat: Spr 8,7 erscheint sie in der Gruppe der vier Haupttugenden.[32] Auch bei Philo steht sie in der Reihe der vier Kardinaltugenden.[33] Bei Paulus begegnet *σωφρονεῖν* nur noch in 2 Kor 5,13; das Substantiv fehlt ganz. Um so häufiger finden wir die Wortgruppe in den Pastoralbriefen, wo sie wie in Test XII[34] häufig im Sinn von Enthaltung und Keuschheit verstanden wird,[35] während das Verb bei Paulus zweifellos noch die allgemeine Bedeutung „besonnen sein" hat, wie vor allem der Gegensatz zu *ὑπερφρονεῖν* zeigt.[36] So ist es auch 2 Kor 5,13 gebraucht: Es steht dort im Gegensatz zur Ekstase und meint die Nüchternheit des täglichen Dienstes; der Dienst für andere ist wichtig und nicht die Ekstase des Charismatikers.[37]

So glänzend das Wortspiel formuliert ist, so blaß bleibt es, wenn wir nach dem konkret Gemeinten fragen. Was Paulus sagen will, gewinnt erst deutlichere Konturen, wenn wir die folgenden Verse mitbeachten: Er will vor jeder Überheblichkeit warnen; jeder soll an seiner Stelle die ihm von Gott zugewiesene Aufgabe wahrnehmen (12,6–8) und dabei auch vor geringen Aufgaben nicht ausweichen (12,16).

Diese Einstellung, die Paulus fordert, hat einen tieferen Grund, den nun 12,3c (und die folgenden Verse) zur Sprache bringen: Jedem hat Gott seine Lebenssituation zugewiesen. Die Mahnung wird damit religiös motiviert. *ἑκάστῳ ὡς* ist so viel wie *ἕκαστος ὡς αὐτῷ*.[38] Das Verb *μερίζω* bedeutet 1. „in Teile zerlegen, zerteilen"; 2. „verteilen, zuteilen, mitteilen".[39] Hier liegt ohne Zweifel die zweite Bedeutung vor: Gott teilt jedem sein „Maß des Glaubens" zu. Die Lesart *ἐμέτρησεν* ist nicht ursprünglich, sondern Angleichung an das folgende *μέτρον*.[40]

Der Ausdruck „Maß des Glaubens" bereitet einiges Kopfzerbrechen. So präsentiert C. E. B. Cranfield eine stattliche Liste von acht Interpretationsmöglichkeiten.[41] Vom Zusammenhang her scheinen drei Dinge klar zu sein: 1. *μέτρον* bedeutet hier „Maß", und nicht etwa „Maßstab".[42] Es ist

31 Vgl. U. Luck, aaO 1096, 47 – 1097,26; A. Vögtle, Tugend- und Lasterkataloge 59.
32 Vgl. G. Bertram, ThW IX 222,23–25; U. Luck, aaO 1097,36 – 1098,2 und 1098, 8–14 (Josephus).
33 Vgl. U. Luck, aaO 1098,15–42.
34 Vgl. aaO 1098,3–7.
35 Vgl. aaO 1100,8ff. Diese Begrenzung findet sich auch später in der alten Kirche, aaO 1101,5–11.
36 Auch im griechischen Sprachgebrauch kann *σωφροσύνη* in Gegensatz zur *ὕβρις* treten, meint also die Begrenzung und Bescheidung des Menschen, der die ihm gesetzten Grenzen respektiert; vgl. aaO 1095,21–31.
37 Vgl. 1 Kor 14,19.
38 Vgl. M. J. Lagrange, O. Michel z. St.
39 W. Bauer, Wörterbuch 997f.
40 Vgl. J. N. Birdsall, EMETPHΣEN in Rom. XII. 3, JThS NS 14 (1963) 103f.
41 C. E. B. Cranfield, METPON 347.
42 Diese Deutung wird von C. E. B. Cranfield bevorzugt: jeder soll sich an dem Maßstab messen, den Gott ihm in seinem Glauben gegeben hat, Commentary 26.

vom dem einzelnen je verschieden zugeteilten „Maß des Glaubens" die Rede, und nicht etwa von einem objektiven „Maßstab" des Glaubens. 2. Der Genetiv ist hier ein genetivus partitivus: gemeint ist ein „Maß an Glauben", das verschieden zugeteilt wird.[43] 3. „Glaube" kann hier nicht den objektiven Glaubensinhalt meinen; es ist, wollen wir schon moderne Kategorien anwenden, eher von der fides qua creditur die Rede als von der fides quae creditur. Das macht der Zusammenhang ganz deutlich: Das „Maß des Glaubens" ist eine betont individuelle Sache (ἑκάστῳ). Eine Deutung auf den wundertätigen Glauben[44] ist ausgeschlossen. Denn der Ausdruck meint nach dem Zusammenhang nicht ein einzelnes Charisma; überdies ist von dieser Gnadengabe im folgenden gar nicht die Rede.

Zweifellos hat Paulus hier schon die Aussagen der folgenden Verse im Auge, besonders die von der Verschiedenheit der Charismen in 12,6. Gott teilt das Maß des Glaubens zu (12,3); Gott gibt das Charisma (12,6): diese Aussagen stehen ohne Zweifel parallel.[45] Und doch bleibt auffällig, daß Paulus hier vom μέτρον πίστεως und nicht vom μέτρον πνεύματος oder χάριτος spricht.[46] H.W. Schmidt scheint diese Tatsache am plausibelsten zu erklären: „Das ‚Maß des Glaubens', seine Stärke und seine Schwäche (14,1), sein Wachstum und seine Reife (2. Thess. 1,3; 2. Kor. 10,15),[47] seine charismatische Besonderheit bestimmen die Art und den Umfang der Aufgabe, welche sich der Christ zutrauen darf." Und er fragt, ob Röm 12,3 deswegen vom „Maß des Glaubens" statt vom „Maß der Gnade" die Rede ist, weil hier der Glaube als das eigentliche Wesen aller besonderen Gnadengaben verstanden wird.[48]

Es bleibt eine gewisse Unsicherheit, ob damit das von Paulus Gemeinte präzis getroffen ist. Denn das alles „ist etwas kryptisch gesagt".[49] Doch ist die Gesamtaussage von Röm 12,3c deutlich, vor allem im Blick auf die folgenden Verse: Gegenüber jeder Überheblichkeit verweist Paulus den einzelnen auf seine ihm von Gott zugewiesene Aufgabe, die er akzeptieren soll. Er stellt Gottes Geben in den Vordergrund und fordert jeden einzelnen Christen auf, seine ihm von Gott verliehene Gabe als eine Chance zu begreifen, dem Ganzen der Gemeinde damit dienen zu können. Diesen Gedanken entfaltet Paulus nun im Gleichnis vom Leib und seinen Gliedern.

[43] Vgl. U. Brockhaus, Charisma 199 Anm. 29.

[44] So O. Bardenhewer z. St. unter Hinweis auf 1 Kor 12,9; 13,2. Th. Zahn z. St. meint, der Heilsglaube, der gerecht macht, lasse keine qualitativen Unterschiede zu. Dagegen verweist E. Kühl z. St. auf 1 Thess 3,10; 2 Kor 10,15; Röm 14,1.

[45] Vgl. G. Friedrich, ThW VI 853, 8–11. In dem deutlich von Röm 12,3 beeinflußten Vers Eph 4,7 ist, ebenfalls im Zusammenhang mit den verschiedenen Gnadengaben, vom μέτρον τῆς δωρεᾶς τοῦ Χριστοῦ die Rede, wobei δωρεά fast gleichbedeutend mit χάρις scheint; vgl. H. Schlier zu Eph 4,7; auch Eph 4,16.

[46] Vgl. O. Michel z. St.

[47] Vgl. 1 Thess 3,10: Mangel an Glauben.

[48] H. W. Schmidt z. St.

[49] H. Schlier z. St.

2. Röm 12,4 – 5: Die Gemeinde: ein Leib in Christus

Mit dem Bild vom Leib schneidet Paulus ein Thema an, das er schon früher in 1 Kor 12,12–27 ausführlich erörtert hat. Die Priorität des 1 Kor vor Röm ist allgemein anerkannt.[50] Der Röm ist „höchstwahrscheinlich in Korinth geschrieben,[51] und zwar später als die Korintherbriefe.[52] Beim Vergleich mit 1 Kor 12,12–27 fällt eines sofort ins Auge: In 1 Kor befindet sich Paulus in einem lebhaften, z. T. höchst kontroversen Gespräch mit seiner Gemeinde. Er bemüht sich, seine Mahnung plausibel zu machen, indem er das Bild vom Leib in aller Breite entfaltet. Er will die Gemeinde überzeugen und Andersdenkende für seine Sicht der Dinge gewinnen. Die Stoßrichtung seiner Argumentation wendet sich ganz deutlich gegen enthusiastische Tendenzen in der Gemeinde.[53] Möglicherweise war die Leib-Christi-Vorstellung ein Teil der gegnerischen Bastion in Korinth; Paulus scheint sie jedenfalls bei seinen Lesern als bekannt vorauszusetzen.[54]

Ganz anders verhält es sich mit Röm 12,4–5: Das Bild vom Leib ist so knapp wie nur eben möglich gezeichnet: in 12,4 wird das Bild vom menschlichen Leib in aller Kürze dargestellt, in 12,5 wird es auf die christliche Gemeinde gedeutet.[55] Schon dieser auffallende Unterschied zu 1 Kor spricht gegen die Meinung, daß Paulus hier gegen enthusiastische Tendenzen in der römischen Gemeinde polemisiere. Von ausdrücklicher Polemik ist in Röm 12,4–5 wie in Röm 12–13 nichts zu spüren; Paulus scheint auch nicht mit Widerspruch zu rechnen. Er spricht sachlich, knapp und präzis einige wichtige Themen seiner Paränese und ihre theologischen Voraussetzungen an. Sobald er sich in Röm 14 – 15 an ganz bestimmte Gruppen in der römischen Gemeinde wendet und zu einer (jedenfalls nach seiner Sicht der Dinge) in der Gemeinde umstrittenen Frage Stellung nimmt, wird sein Stil sofort lebhafter; seine Absicht ist es ganz deutlich, die Angesprochenen zu überzeugen. Hier in Röm 12 dagegen reiht er ihm wichtig scheinende Mahnungen aneinander, ohne daß er gegen bestimmte Positionen ausdrücklich polemisiert.

Die Darstellung des Bildes in Röm 12,4 ist ganz knapp gehalten: Der Leib besteht aus vielen Gliedern; aber nicht alle Glieder haben die gleiche Funk-

[50] Vgl. zuletzt A. Suhl, Paulus 249 (1 Kor 12–14 gehören nach Suhl zu Kor B, aaO 208).

[51] W. G. Kümmel, Einleitung in das Neue Testament, Heidelberg [17]1973, 272; vgl. A. Suhl, aaO 264–267; G. Friedrich, RGG[3] V 1138 erwägt eine Abfassung in Philippi.

[52] Ph. Vielhauer, Geschichte 175; A. Wikenhauser – J. Schmid, Einleitung in das Neue Testament, Freiburg [6]1973, 455f; U. Borse, Einordnung 73f: 1/2 Kor und Gal gingen dem Röm innerhalb eines einzigen Jahres voraus, vgl. aaO 82f.

[53] Besonders deutlich wird diese Stoßrichtung am Übergang von 1 Kor 12 zum „Hohen Lied der Liebe" in 1 Kor 13: 1 Kor 12,29–31 und in 1 Kor 14.

[54] H. Hegermann, Ableitung 840f; vgl. die rhetorischen Fragen 1 Kor 1,13; 6,15; 10,16, auch G. Friedrich, Christus 254.

[55] O. Michel z. St. macht darauf aufmerksam, daß beide Teile des Gleichnisses zweizeilig sind. Die knappe, gut gebaute Formulierung wirkt wie festes Formelgut.

tion.[56] Daß die Glieder nicht die gleiche Tätigkeit ausüben, wird nicht wie in 1 Kor 12,14–26 breit entfaltet, aber doch ausdrücklich erwähnt. Den dort weiter ausgeführten Gedanken, daß der Leib auf jedes seiner Glieder angewiesen ist und die Glieder so auch füreinander eine Bedeutung haben,[57] entfaltet Paulus hier nicht. Das nachgestellte *πάντα* ist stark betont: die Glieder haben, auf ihre Gesamtheit gesehen und ohne Ausnahme, nicht ein und dieselbe Funktion.[58]

Ebenso knapp ist die Deutung des Bildes in 12,5: So sind die vielen[59] Glieder der Gemeinde ein Leib in Christus, die Einzelnen[60] aber sind untereinander Glieder. An sich würde man erwarten, daß die Sachhälfte etwa lautet: So besteht auch die Gemeinde aus vielen Gliedern, und diese haben ebenfalls verschiedene Aufgaben zu erfüllen. Statt dessen stellt Paulus zunächst fest, daß die Christen tatsächlich einen Leib in Christus darstellen und untereinander die Stellung von Gliedern haben; die eigentliche Sachhälfte folgt dann erst in V 6.[61] Paulus sagt nicht nur, daß die Gemeinde einem Leib gleiche; er sagt eindeutig, daß sie ein Leib sei.[62] Das Bild vom Leib ist also mehr als bloße Metapher.[63] Es beschreibt, was die Gemeinde im tiefsten ist. Wie sehr Paulus den „einen Leib in Christus“ als Realität versteht, zeigt sich auch daran, daß in Röm 12,4a das „Wir“ der Sachhälfte schon in die Bildhälfte eingedrungen ist; umgekehrt tauchen die Bildworte „Leib“ und „Glieder“ auch in der Anwendung wieder auf.[64]

Die entscheidende Aussage liegt darin, daß die Vielen ein Leib „in Christus“ sind.[65] Paulus spricht in Röm 12,5 nicht wie in 1 Kor 12,27[66] vom „Leib Christi“. Man kann daraus nicht zwingend schließen, daß Paulus diesen Begriff bewußt vermeidet, um sich gegen enthusiastische und gnostische

[56] *πρᾶξις* hier: das Handeln, die Tätigkeit, die Verrichtung. W. Bauer, Wörterbuch 1384.

[57] „Mit dem Bild des Leibes, der nicht nur Auge sein kann, ohne zu einem lebensunfähigen Monstrum zu werden, wird gewarnt vor allen Minderwertigkeitsgefühlen (v 14–20), mit dem Bild des Leibes, in dem das Haupt auch die Füße benötigt, vor aller Überheblichkeit (v 21–25).“ E. Schweizer, ThW VII 1067, 2–5.

[58] H. Schlier, z. St.

[59] *οἱ πολλοί* semitisch = „alle“, H. Schlier z. St.; es entspricht dem „ wir alle“ in 1 Kor 12,13.

[60] *τὸ δὲ καθ' εἷς*: „im einzelnen, in bezug auf jeden einzelnen“, Bl.-Debr. § 305; so auch W. Bauer, Wörterbuch 460 (*εἷς* 5 e) und 804 (*κατά* II 3a); vgl. L. Radermacher, Grammatik 71.

[61] A. Wikenhauser, Kirche 96f.

[62] Vgl. 1 Kor 10,17; 12,12f. 27; E. Schweizer, aaO 1067, 10f.

[63] Vgl. U. Brockhaus, Charisma 164f. Das ist im übrigen in der neueren Forschung durchweg anerkannt, vgl. den Überblick bei J. J. Meuzelaar, Leib 5–8; auch E. Käsemann, Problem 181f.

[64] Vgl. L. Nieder, Motive 92.

[65] Die Formulierung „ein Leib Christi“ wäre natürlich unmöglich –auf den Gedanken der Einheit aber kommt es Paulus in Röm 12,5 an, vgl. A. Wikenhauser, aaO 101.

[66] Paulus hat schon 1 Kor 6,15 ausdrücklich gesagt, daß die Christen Glieder Christi sind. Wie diese Gliedschaft entsteht, sagt er nicht, aber er denkt zweifellos an die Taufe (1 Kor 6,11), vgl. A. Wikenhauser, aaO 102f.

Tendenzen in Rom zu richten.[67] Eher wird man damit rechnen, daß Paulus noch nicht mit festen, griffigen theologischen Formeln arbeitet und so die gleiche Sache durchaus unterschiedlich formulieren kann.[68]

Die Formel „in Christus" begegnet bei Paulus häufig.[69] Sie drückt die enge, lebendige, alles und jedes umfassende Verbindung der Glaubenden und Getauften mit Christus aus.[70] Sie setzt voraus, daß Christus für Paulus nicht eine Person der Vergangenheit ist, sondern „für ihn eine Realität und Macht der Gegenwart bedeutet".[71] Obwohl F. Neugebauer es als einen Irrweg bezeichnet, die Formel „in Christus" räumlich erklären zu wollen – das ἐν sei nicht räumlich, sondern geschichtlich auszulegen –,[72] „bleibt es einleuchtend, an einen ‚Bereich', eine ‚Sphäre', ein ‚Kraftfeld' zu denken."[73] Doch hat Neugebauer sicherlich darin Recht, daß die Formel nicht „mystisch" zu verstehen ist, sondern „das Bestimmt-Sein durch das Christusgeschehen"[74] meint. Zweifellos schwingt gerade in Röm 12,5 die räumliche Bedeutung mit, wenn die Formel die Zugehörigkeit zur christlichen Gemeinde beschreibt: Die Vielen sind ein Leib in Christus; sie leben „in der personalen Herrschaftsdimension Christi".[75]

Der „eine Leib in Christus" wird durch die Taufe konstituiert. Zwar spricht Paulus das hier nicht ausdrücklich aus wie in 1 Kor 12,12f. Es kann jedoch kein Zweifel sein, daß er auch an unserer Stelle an die Taufe denkt. Dafür spricht neben der Sachparallele in 1 Kor 12,12f auch Gal 3,27f:[76] die Taufe „auf Christus" bewirkt, daß alle „einer in Christus Jesus" sind; die Formel „in Christus" steht offenbar in enger Verbindung mit der Taufe als auch mit der Vorstellung vom „Leib Christi".[77] Schließlich ist auf die Taufanspielungen im unmittelbaren Kontext 12,1–2 und 13,11–14 zu verweisen wie auch auf die in Röm 6 voraufgehenden Taufaussagen, die von der engen Bindung des Getauften an Christus sprechen: Die Christen wurden „auf Christus Jesus getauft" (Röm 6,3), sind „mit ihm begraben" (Röm 6,4), sind „mit Christus gestorben" und dürfen Hoffnung haben, auch „mit ihm" zu leben (Röm 6,8), sie leben für Gott „in Christus Jesus" (Röm 6,11).

[67] Wie R. Jewett, Terms 302–304 behauptet, unter Hinweis auf Röm 12,3. 6ff; 11,20 und 12,16.
[68] Vgl. J. Gnilka, Amt 101.
[69] Die Formeln „in Christus Jesus" und „im Herrn" kommen vor Paulus gar nicht und außerhalb des Corpus Paulinum nur selten vor. „Paulus ist ihr eigentlicher Träger, vielleicht ihr Schöpfer." A. Oepke, ThW II 537, 22–24.
[70] O. Kuss, Paulus 371.
[71] Th. Soiron, Kirche 98.
[72] F. Neugebauer, In Christus 148.
[73] O. Kuss, aaO.
[74] E. Lohse, Grundriß 96.
[75] H. Schlier z. St.
[76] Daß Paulus in 1 Kor 12,13 und Gal 3,27f „sehr wahrscheinlich ein Schlagwort aus der Tauftradition enthusiastisch-gnostisierender Gemeindechristen aufgenommen hat", wie S. Schulz, Evangelium 491, vermutet, müßte wohl erst bewiesen werden.

In 1 Kor 10,17, einem Text, der sich zum Teil (bis auf eine kleine Umstellung) wörtlich mit Röm 12,5 deckt, sieht Paulus die Einheit der Gemeinde in der Feier des Herrenmahls begründet (1 Kor 10,16–17). Auch 1 Kor 12,13c spielt vielleicht auf das Herrenmahl an.[78] Offensichtlich besteht für Paulus hier eine feste Gedankenverbindung: Taufe – Herrenmahl – Einheit der Gemeinde. Allerdings erwähnt er das Herrenmahl im Röm an keiner Stelle. Doch dürfte für ihn in Röm 14 – 15 das mit dem Gemeindemahl verbundene Herrenmahl im Hintergrund stehen.[79] Darum, weil die Intoleranz nicht einmal da Halt macht, ist für ihn der Streit in der Gemeinde so gravierend.[80]

Paulus spricht in Röm 12,4f im Stil des bekennenden, kommunikativen „Wir", nachdem er zuvor, in Röm 12,1–3, die Gemeinde angeredet hat. Die Selbstverständlichkeit, mit der Paulus in die 1. Person Plural übergeht,[81] zeigt deutlich, daß er aus dem Bewußtsein einer tiefen Solidarität mit der Gemeinde schreibt. Wenn er mahnt, steht er nicht einfach der Gemeinde gegenüber. Vielmehr stellt er sich mit den Angeredeten auf eine Stufe; er weiß sich als einer von ihnen. Die Selbstverständlichkeit, mit der Paulus in dem Brief an die von ihm nicht gegründete Römergemeinde hier in der 1. Person Plural spricht, ist überdies deutlicher Hinweis darauf, daß die Wirklichkeit des „einen Leibes in Christus" im Bewußtsein des Apostels die einzelne Ortsgemeinde übergreift.

Exkurs: Das Bild vom Leib

Die ausführliche Diskussion der letzten Jahrzehnte über den Begriff „Leib Christi" kann hier unmöglich referiert werden. Die Frage des religionsgeschichtlichen Hintergrundes der Vorstellung ist bis heute umstritten geblieben.[82]

Das Bild vom Leib ist in der gesamten Antike weit verbreitet, um das Zusammenspiel von Menschen mit verschiedenen Fähigkeiten und Aufgaben zu einem Ganzen zu beschreiben.[83] Es taucht bereits in einem altägyptischen

77 Vgl. L. Goppelt, Theologie II 433f.

78 Die Meinungen gehen hier auseinander. Wegen des Aorists denkt Th. Soiron, Kirche 71 an die Taufe. Ähnlich F. Mußner, Christus 137f; G. Friedrich, Geist 65 Anm. 17; H. Halter, Taufe 173. H. Ridderbos, Paulus 265 hält die Beziehung auf das Abendmahl für richtiger. Ähnlich J. Reuss, Kirche 111; L. Goppelt, ThW VI 160, 15f; vgl. 147 Anm. 17 und 18. U. Brockhaus, Charisma 170 Anm. 134 hält die Frage für unentscheidbar.

79 Vgl. J. J. Meuzelaar, Leib 21f; 26f.

80 Ähnlich kritisiert er 1 Kor 11,17–34 gerade die Rücksichtslosigkeit gegeneinander.

81 Vgl. auch 1 Kor 12,12f.

82 Vgl. den Überblick bei R. Jewett, Terms 201–250.

83 Vgl. E. Schweizer, ThW VII 1033, 35 – 1034,14; 1035,37 – 1037,28; 1039,22–37 (Plutarch); 1049, 7–10 (Philo); J. J. Meuzelaar, Leib 154f (Josephus).

Märchen aus der 22. Dynastie (950–730 v. Chr.) auf, in einer Fabel vom Streit der Körperteile.[84] In der klassischen Antike wie in der hellenistischen Popularphilosophie begegnet das Bild immer wieder.[85] In der griechisch-römischen Antike ist der Gedanke, daß der *Kosmos* ein organisches Gebilde ist, weit verbreitet; er wird in vielen Variationen vorgetragen, vor allem in der Stoa.[86] Häufig wird der Kosmos *σῶμα* genannt bzw. mit einem menschlichen Leib verglichen. Der Mensch, der Bürger dieses Kosmos, weiß sich als sein Teil, als sein Glied. Als Beispiel sei Seneca, ep 95,52 zitiert: „wir sind Glieder eines großen Körpers."[87] Auch der *Staat* und andere menschliche Gemeinschaften werden in verschiedener Hinsicht mit dem menschlichen Leib verglichen.[88] „Nach Philo spec. leg. 3,131 betet der Hohepriester für das jüdische Volk, ‚auf daß jedes Lebensalter und alle Teile des Volkes wie (Glieder) eines Leibes (*ὡς ἑνὸς σώματος*) zu ein- und derselben Gemeinschaft (*κοινωνία*) zusammengefügt werde im Streben nach Frieden und Gehorsam gegen das Gesetz'."[89] Der Vergleich des Staates mit einem Leib begegnet vor allem in paränetischen Ausführungen.[90] Auffallend ist die große Variationsbreite, mit der das Bild – je nach Aussageabsicht – gebraucht wird.[91] Am bekanntesten ist die Fabel des Menenius Agrippa von den Gliedern des Leibes geworden, die gemeinsam einen Aufstand gegen den Bauch unternehmen, und dabei einsehen müssen, daß sie selber zugrundegehen, wenn sie sich nicht in den Organismus des Leibes einfügen.[92]

Allerdings genügt der antike Organismusgedanke nicht, um das paulinische Bild vom Leib zu erklären. Denn Paulus argumentiert nicht nur, daß die Christen eine große Gemeinschaft bilden und untereinander Glieder sind; sie sind ein Leib „in Christus" (Röm 12,5), sie sind „Leib Christi" (1 Kor 12, 27), sind „in einem Geist auf einen Leib getauft" (1 Kor 12,13), ihre Leiber sind „Glieder Christi" (1 Kor 6,15). Eben dies macht das eigentliche religionsgeschichtliche Problem aus: Daß Paulus den Leib mit Christus selber identifiziert (1 Kor 12,12; vgl. 1,13!), bzw. vom „Leib in Christus" spricht. Wie kommt Paulus zu dieser Aussage?

84 J. Gnilka, Der Epheserbrief, Freiburg-Basel-Wien 1971, 100.
85 Beispiele bei A. Wikenhauser, Kirche 130–143; E. Käsemann, Leib 46f; J. J. Meuzelaar, aaO 149–155, auch 156–162; K. H. Schelkle, Theologie IV 2, 38f (bes. Philo).
86 Vgl. z. folgenden H. Schlier, RAC III 439–441.
87 O. Apelt; vgl. ep. 92,30.
88 H. Schlier, aaO 441–444.
89 aaO 442.
90 Beispiele aaO 442f.
91 Vgl. J. J. Meuzelaar, aaO 149–155.
92 Livius, Hist. 2,32; vgl. J. Horst, ThW IV 560,29 – 561,2 und 567,6ff; E. Schweizer, aaO 1037, 15–17; J. J. Meuzelaar, aaO 150f.

H. Schlier und E. Käsemann[93] haben in frühen Schriften die Meinung vertreten, das Bild vom „Leib Christi" leite sich aus dem *gnostischen Erlösermythos* her, wobei H. Schlier gnostischen Einfluß nur in Eph und Kol annahm.[94] Diese These hat durch R. Bultmann weite Verbreitung gefunden: „Der Leib wird nicht durch die Glieder, sondern durch Christus konstituiert (so auch Rm 12,5); er ist also vor und über den Gliedern da, nicht durch sie und in ihnen. Der Leib Christi ist also – gnostisch gesprochen – eine kosmische Größe; doch dient die gnostische Begrifflichkeit dazu, den übergreifenden, durch das Heilsgeschehen gestifteten geschichtlichen Zusammenhang, in den der Einzelne gestellt wird, auszudrücken."[95]

Ein entscheidender Einwand gegen diese These, der schon sehr früh erhoben wurde, lautet: Man hat das Alter der gnostischen Schriften sehr überschätzt.[96] Die gnostischen Texte stammen aus nachneutestamentlicher Zeit; zwar können die in diesen späteren Texten zutage tretenden Vorstellungen wesentlich älter sein als ihre schriftliche Fixierung, aber man muß auch damit rechnen, daß gnostische Texte biblisch-christliche Motive aufgenommen haben.[97] So ist das Alter der Texte „eine heikle Frage für die gesamte Hypothese."[98]

Vor allem hat man auf wichtige inhaltliche Unterschiede zwischen dem gnostischen Mythos und der paulinischen Anschauung aufmerksam gemacht.[99] Die Vorstellung „von dem himmlischen Anthropos, der Haupt des Leibes ist und der in den Kosmos herabsteigt, um die einzelnen Lichtteile, seine Glieder, aus den Fesseln der Materie zu befreien und mit in den Himmel zu nehmen . . . kommt aber bei Paulus in den Hauptbriefen überhaupt nicht vor."[100] Überdies findet sich der Mythos vom „erlösten Erlöser" erst im Manichäismus.[101] Daher stößt die Herleitung aus dem gnostischen Erlö-

[93] E. Käsemann, Leib und Leib Christi, hatte zu zeigen versucht, daß sowohl die paulinische Christologie (163–168) als auch die paulinische Vorstellung vom Christusleib (168–171) den gnostischen Mythos vom erlösten Erlöser voraussetze (vgl. 50–52 und 65–94), der seinerseits auf indischen und persischen Voraussetzungen beruhe (59–65). Ein knapper Überblick über die gegenwärtige Forschungslage bei H. M. Schenke, Gott 1–5.

[94] H. Schlier, Christus 38–48. In Röm und 1 Kor liegt nach seiner Meinung der (u. a. der griechischen Popularphilosophie bekannte) Vergleich einer Gemeinschaft mit dem menschlichen Leib zugrunde, aaO 40f. H. Schlier hat seinen Standpunkt inzwischen geändert: RAC III 444.

[95] R. Bultmann, Theologie 311; vgl. 144 und 182.

[96] So schon A. Wikenhauser, Kirche 239f.

[97] K. H. Schelkle, Theologie IV 2, 39f; ähnlich G. E. Ladd, Theology 362f.

[98] J. J. Meuzelaar, Leib 10.

[99] Vgl. im einzelnen J. J. Meuzelaar, aaO 9; für Eph F. Mußner, Christus 160–173; C. Colpe bestreitet auch für Eph, daß in ihm die gnostische Soteriologie vorausgesetzt ist: Leib-Christi-Vorstellung 172–187, bes. 178f.

[100] J. Reuss, Kirche 114f.

[101] Vgl. K. M. Fischer, Tendenz 58; zur Kritik der gnostischen Ableitung aaO 58–68.

sermythos inzwischen auf große Skepsis. H. M. Schenke kommt aufgrund einer ausführlichen Untersuchung neu gefundener bzw. zugänglich gemachter gnostischer Texte zu einem negativen Ergebnis.[102]

Aufs ganze gesehen wird man der Behauptung eines gnostischen Einflusses eher zurückhaltend gegenüberstehen. Doch muß man gegenüber allzu selbstsicheren Urteilen betonen, daß hier noch nichts definitiv entschieden ist. Die Frage eines vor- oder nachchristlichen Ursprungs der Gnosis ist nach wie vor umstritten.[103] Zweifellos ist das Fehlen von Originaltexten, die eindeutig in urchristliche Zeit datiert werden können, ein wichtiges Argument.[104] Es ist allerdings fragwürdig, das Alter der gnostischen Bewegung am Alter der schriftlichen Quellen ablesen zu wollen; das tut man bei der rabbinischen Literatur auch nicht. Man muß mit einer möglicherweise sehr lange währenden unliterarischen Phase der gnostischen Bewegung rechnen.[105] So kann man für die Zeit des NT mit gutem Grund eine Art „Prägnosis" voraussetzen, die als allgemeine Atmosphäre jener Epoche „mehr oder weniger stark auf alle Religionen und Philosophien einwirkte."[106]

Ein zweiter Erklärungsversuch verweist auf den *semitischen Gedanken der korporativen Persönlichkeit,*[107] „die Vorstellung einer dynamischen Einheit zwischen einer Einzelpersönlichkeit (vor allem dem Stammvater) und einer von ihr abhängigen Gemeinschaft (vor allem der Nachkommenschaft); die Einzelpersönlichkeit wird so sehr in Einheit mit der von ihr abhängigen Gemeinschaft gesehen, daß sie geradezu diese Gemeinschaft ‚ist', daß die Gemeinschaft in das Geschick und Leben des ‚Stammvaters' einbe-

[102] H. M. Schenke, Gott 155. Die gnostische Herleitung stützt sich auf die Theorie Reitzensteins über den „erlösten Erlöser". „Die Beurteilung der einschlägigen Arbeiten Reitzensteins in der modernen Forschung ist . . . merkwürdig zwiespältig. Auf der einen Seite, namentlich in Frankreich und England, vertritt man etwa die Auffassung, die Theorien Reitzensteins seien dermaßen veraltet und überholt, daß sie kaum noch eines Wortes der Kritik bedürften . . . Auf der anderen Seite, besonders in Skandinavien und Deutschland, werden seine Ergebnisse weitgehend als selbstverständliche Voraussetzung für weitere darauf aufbauende Forschungen betrachtet (Bultmannschule) . . ." aaO 3; vgl. 28. Skeptisch auch C. Colpe, RGG³ II 1650–1652; anders E. Haenchen, RGG³ II 1652f.

[103] Vgl. die z. T. gegensätzlichen Berichte W. Schmithals, Gnosis und Neues Testament, Verkündigung und Forschung 21 (1976) 22–46 und O. Betz, Das Problem der Gnosis seit der Entdeckung der Texte von Nag Hammadi, aaO 46–80.

[104] W. Schmithals, aaO 27.

[105] aaO 27f; doch weist O. Betz auf die Problematik hin, in komplizierten Rückschlußverfahren ein Ursystem der Gnosis herauszukristallisieren, aaO 51. Auch W. Schmithals ist sich dieser Schwierigkeit bewußt, aaO 28f u. ö.

[106] R. Baumann, Mitte und Norm des Christlichen. Eine Auslegung von 1 Korinther 1,1 – 3,4, Münster 1968, 185; vgl. C. Colpe, Vorschläge des Messina-Kongresses von 1966 zur Gnosisforschung, in: W. Eltester, Christentum und Gnosis, Berlin 1969, 129–132, hier 131.

[107] Lit. bei W. Grundmann, ThW VII 789, Anm. 110; W. Thüsing, Per Christum 65f, Anm. 16; vgl. J. J. Meuzelaar, Leib 11–14; H. Ridderbos, Paulus 30. 264; U. Brockhaus, Charisma 167.

zogen ist."[108] Die Idee vom Stammvater, dessen Geschick die von ihm abhängige Gemeinschaft prägt, ermöglicht die paulinische Vorstellung von der Gemeinde als dem Leib Christi bzw. dem einen Leib „in Christus".[109] Diese Idee ist charakteristisch für das biblische Denken.[110] Sie findet sich in der Vorstellung von der Einheit und Zusammengehörigkeit des Volkes Israel mit den Vätern, im Gedanken des von Gott mit den Vätern beschlossenen Bundes, in der Gestalt des leidenden Gottesknechtes bei Deuterojesaja und liegt auch den spätjüdischen Adam-Spekulationen zugrunde.[111] Sie ist nicht zuletzt durch den hebräischen Zeitbegriff ermöglicht: Das hebräische Verbum kennt keine Zeitformen. So liegt dem Hebräer ein Denken besonders nahe, „dass nämlich ein vergangenes Ereignis uns ‚präsent' wird, wenn wir davon leben, uns davon bestimmen lassen, währenddessen ein belangloses Ereignis, von dem wir gar nichts erfahren, zwar von einem abstrakten Zeitbegriff her verstanden gleichzeitig stattfinden kann, uns aber nicht ‚gegenwärtig' wird. In diesem Sinn ist der am Kreuz getötete Leib Jesu von Nazareth (R. 7, 4, 1. K. 10,16; 11,27) seiner Gemeinde gegenwärtig in dem Segen, der davon ausgeht. ‚Leib Christi' ist also zunächst der Segensbereich, in dem der Gekreuzigte, und der Herrschaftsbereich, in dem der Auferweckte weiterwirkt. Auch wir können in dieser Weise etwa vom ‚Raum der Kirche' sprechen, in den wir hineintreten im Glauben."[112]

Für diese Ableitung sprechen zwei Gesichtspunkte: 1. Das Bild vom Leib kommt auffallenderweise bei Paulus nur in den beiden Briefen vor, in denen von Christus als dem eschatologischen Adam die Rede ist (Röm 5, 12–21; 1 Kor 15,21f. 45–49). 2. Auch Gal 3,28 scheint Christus als die „Universalpersönlichkeit" zu sehen, die alle Getauften umfaßt: „Denn ihr alle seid einer in Christus Jesus." Es fällt auf, daß Paulus hier nicht formuliert, daß die Christen in Christus eins (ἕν) sind; er sagt, daß sie einer (εἷς) sind. Das „entspricht der Terminologie der korporativen Persönlichkeit und deutet an, daß Christus der Eine ist, der alle in sich einbegreift."[113]

Neuerdings weist K. M. Fischer, unter Verwerfung der beiden letzten Erklärungsversuche,[114] auf *die in der Antike weitverbreitete Vorstellung vom Allgott als Makroanthropos* hin; das Bild von der Kirche als dem Leib Christi sei eine christliche Variante dieser Vorstellung.[115] Dabei haben sich

[108] W. Thüsing, Per Christum 65f; vgl. K. H. Schelkle, Theologie IV 2, 40.
[109] Vgl. E. Schweizer, ThW VII 1069f; vgl. auch E. Percy, Leib 38f; 41–43.
[110] Vgl. z. folgenden J. J. Meuzelaar, aaO 11.
[111] Dazu vgl. E. Schweizer, Kirche 274–285; H. Schlier RAC III 445–447; zu den rabbinischen Adamsspekulationen vgl. W. D. Davies, Paul 36–57, bes. 53–57.
[112] E. Schweizer, Gemeinde 82f.
[113] W. Thüsing, Per Christum 77f.
[114] K. M. Fischer, Tendenz 54–56; 58–68. Fischer bestreitet die Ableitung von der Stammvatervorstellung mit einem nicht ganz überzeugenden Argument: „Es gibt keinen Beleg dafür, daß die Stammvater-Vorstellung sich mit der Vorstellung von einem Leibe verbunden hätte. Das eine ist eine zeitliche Vorstellung, das andere eine räumliche." aaO 55f. Trotzdem kann die Stammvater-Vorstellung eine wichtige Voraussetzung der paulinischen Leib-Christi-Vorstellung sein.
[115] aaO 68. 76.

zwei verschiedene Vorstellungen miteinander verbunden: die Vorstellung vom Kosmos als einem Riesenleib und die Vorstellung von dem Gott, der alles in allem ist.[116] Fischer bringt zahlreiche Beispiele aus verschiedensten Kulturkreisen, die belegen, mit welcher Selbstverständlichkeit der antike Mensch sich den Kosmos als einen Riesenleib vorstellen konnte.[117] Auch die Allgott-Vorstellung findet sich quer durch die gesamte Antike; in hellenistischer Zeit häufen sich die Beispiele.[118] Beide Vorstellungen haben sich schon sehr früh miteinander verbunden.[119] So wird Zeus in einem orphischen Hymnus „strahlender, unbegrenzter, unerschütterter, nicht zitternder, starker, übermächtiger Leib" genannt; in der Größe des Zeus sind alle Leiber beschlossen.[120] Auch für diese Verbindung gibt es gerade in der hellenistischen Zeit viele Belege.[121] Die Vorstellung vom Allgott als Makroanthropos hat im Ursprung überhaupt nichts mit der Gnosis zu tun. „Sie ist im Gegenteil ein besonders schöner Ausdruck eines einheitlichen Weltgefühls."[122] Paulus konnte diese Vorstellung bei seinen Lesern voraussetzen und so mit ihrem spontanen Verständnis rechnen.

Schauen wir auf *die möglichen religionsgeschichtlichen Voraussetzungen* der paulinischen Vorstellung vom „Leib Christi", ergibt sich *ein breites Spektrum.*[123] Dies um so mehr, als sich die verschiedenen Vorstellungskreise vielfältig berühren und überschneiden und sich gegenseitig synkretistisch beeinflußt haben. So ist z. B. H. Schlier der Meinung, daß man die jüdische Adamspekulation in allerdings schwer greifbarer Verwandlung durch den orientalisch-gnostischen Urmensch-Erlösermythus als die hinter den paulinischen Aussagen stehende und sie bestimmende Anschauungsform bezeichnen kann.[124] Man darf also keineswegs mit einer monokausalen Erklärung rechnen. Schon A. Oepke[125] hatte angenommen, daß Paulus von verschiedenen Strömungen beeinflußt ist: gnostischen (hier steht er im Gefolge Schliers und Käsemanns), jüdischen (der atl. Vorstellung einer Gesamtpersönlichkeit und ihre Repräsentation durch eine Einzelperson) und

116 aaO 69.

117 aaO 69–71; schon oben wurde Seneca, ep. 95, 52 zitiert: Wir sind Glieder eines großen Körpers.

118 aaO 71f.

119 aaO 72–74.

120 O. Kern, Orphicorum Fragmenta, Berlin 1922, 201f, Fr. 168, zit. bei K. H. Schelkle, Theologie IV 2,38.

121 K. M. Fischer, aaO 73; der Hinweis auf Philo, Mos II 117 überzeugt allerdings nicht.

122 aaO 74.

123 Noch anders leitet Schalom Ben Chorin die Leib-Christi-Vorstellung aus der jüdischen Mystik ab, in der von einem Leib Gottes gesprochen wird, der Israel umfaßt und kosmische Ausmaße annimmt: Schalom Ben Chorin, Paulus. Der Völkerapostel in jüdischer Sicht, München 1970, 117; doch muß er selbst zugeben, daß der literarische Niederschlag dieser Vorstellung erst im 6. – 13. Jh. erfolgt, aaO 117f. Diese Herleitung kommt also nicht ernsthaft in Betracht.

124 H. Schlier, RAC III 445 unter Hinweis auf Röm 5,12–21; 1 Kor 15,20–22. 44b–49; vgl. H. Schlier, LThK[2] VI 908.

125 A. Oepke, Gottesvolk 221–228.

hellenistischen (Organismusgedanke). „Die verschiedenen Komponenten zu einer neuen Legierung verschmolzen, sie zu einer neuen Verbindung geeinigt zu haben, wird die eigenste Tat des Pls sein.“[126] Zwar dürfte eine einfache Addition aller vorhandenen Voraussetzungen die Sache allzu sehr vereinfachen, doch hat Oepke zweifellos Recht, daß man mit einem Zusammenspiel verschiedener Einflüsse rechnen muß.[127] Die skizzierten Ideen waren in der Umwelt des Paulus vorhanden, sich vielfach überschneidend; sie sind die Voraussetzung der Rede vom Leib Christi – und für ihr Verständnis durch die Gemeinde.

Die entscheidende Prämisse für die Vorstellung vom Leib Christi (bzw. vom einen Leib in Christus) ist allerdings eine christliche: die sakramentale Aussage von 1 Kor 10,17 (vgl. Gal 3,27f). Die enge terminologische Übereinstimmung von Röm 12,5 mit 1 Kor 10,17 weist darauf hin, daß der unmittelbare Anlaß für die paulinische Vorstellung vom Leib Christi sein Verständnis des Herrenmahls ist: „Das Mahl bewirkt die Gemeinschaft mit dem Leib Christi. Das eine Brot schafft den Leib der Kirche.“[128] In diesem Punkt besteht weitgehende Übereinstimmung.[129]

Auf dem Hintergrund der zeitgenössischen Vorstellungen läßt sich *die spezifisch paulinische Färbung des Bildes* um so deutlicher erkennen. Paulus übernimmt ein in der Antike weitverbreitetes Bild. „Besonders deutlich ist seine Abhängigkeit von populären Vorstellungen und Redeformen in 1 Kor 12,14–26. Wenn er hier die Glieder des menschlichen Leibes, wenn auch nur hypothetisch, redend einführt, so folgt er einem Brauch, der in der Fabel seiner Zeit vollkommene Analogien hat.“[130] Das antike Bild hat seinen Sitz im Leben stets in der Ethik,[131] meist in der Mahnung zum Zusammenhalt: Das Wohl des Ganzen muß das oberste Gesetz des Handelns für die einzelnen Glieder sein. Das gilt auch für Paulus. Doch ist der Anlaß für den Ge-

[126] aaO 227; ähnlich A. Oepke, Leib Christi oder Volk Gottes bei Paulus?, ThLZ 79 (1954) 363–368, hier 363f; E. Käsemann, Problem 180f.

[127] Auch R. Jewett, Terms 271–273 sieht verschiedene Einflüsse zusammenfließen: Paulus benutzt das gewohnte hellenistische Bild vom Organismus des Leibes; aber daß er in 1 Kor 12,12 dieses Bild durchbricht, indem er den Leib mit dem Namen einer Person identifiziert, scheint durch die traditionelle jüdische Konzeption vom Einschluß der individuellen Personen im riesenhaften Leib Adams begründet zu sein. Aber auch die sakramentale Aussage von 1 Kor 10,17 (vgl. Gal 3,27–28) hat die Rede von der Kirche als Leib mit ermöglicht. Vgl. 286f; 456–458; 304 weist Jewett auf die enge terminologische Übereinstimmung von Röm 12,5 und 1 Kor 10, 17 hin. E. Percy, Leib 18. 43f versucht die Vorstellung vom Leib Christi aus der Formel ἐν Χριστῷ herzuleiten, wobei allerdings auch die biblische Vorstellung vom Stammvater eine Rolle spielt, aaO 38f. 41–43.

[128] K. H. Schelkle, Theologie IV 2, 38.

[129] Vgl. z. B. M. Meinertz, Theologie II 161; L. Goppelt, Theologie II 475f; H. Conzelmann, Grundriß 287; G. Delling, Merkmale 382; G. Friedrich, Christus 250; E. Käsemann, Problem 191–194; J. Roloff, Theologische Realenzyklopädie II 519; H. Hegermann, Ableitung 839; anders K. M. Fischer, Tendenz 49f.

[130] A. Wikenhauser, Kirche 150.

[131] Vgl. J. J. Meuzelaar, Leib 156–162.

brauch des Bildes bei ihm nicht – wie häufig in der Antike – die Tatsache, daß die Unterprivilegierten den Herrschenden Faulheit und Müßiggang vorwerfen.[132] Was Paulus vertritt, ist nicht ein in der Antike häufig anzutreffendes Nützlichkeitsdenken,[133] sei es in dem Sinne, daß die Herrschenden mit diesem Bild ihre Macht begründen wollen, oder in dem Sinne, daß einfach das Aufeinanderangewiesensein aller (in Gemeinde, Stadt oder Staat) betont wird. Bei ihm geht es um Tieferes: Die Einheit der Gemeinde ist bei aller Mannigfaltigkeit „nicht in ihrem Willen zur Gemeinschaft, sondern in der Christusgegenwart" begründet.[134] Der „Leib Christi" ist nicht das Produkt der Gemeinschaft, sondern vorgegebene Tatsache;[135] er wird „nicht durch die Glieder, sondern durch Christus konstituiert".[136]

Hier liegt der entscheidende Unterschied: Die Gemeinde gewinnt ihre Identität durch ihre Zugehörigkeit zu Christus; in 1 Kor 12,12 scheint sie sogar fast mit Christus identifiziert zu sein: sie ist geradezu „der Christus". Sie gewinnt ihre Identität nicht aus Eigenem, sondern von Christus her. Röm 12,3 betont Paulus nachdrücklich Gottes grundlegendes schöpferisches Tun,[137] bevor er in 12,4f das Bild vom Leib einführt. Das ist für die paulinische Sicht der Gemeinde konstitutiv: Sie kommt nicht aus menschlicher Initiative zusammen, sondern besteht aus „Berufenen" (1 Kor 1,2). Aufschlußreich auch, wie Paulus in 1 Kor 12,18 die Darstellung des Bildes unterbricht,[138] um das für ihn Entscheidende zur Sprache zu bringen: „Nun aber hat Gott die Glieder eingesetzt, jedes einzelne von ihnen am Leibe, wie er wollte." Die Gemeinde ist in der Sicht des Paulus kein von unten gewachsener Zusammenschluß von Menschen, ein natürlicher Organismus, wie etwa die Gemeinschaft des Staates. Sie ist vielmehr eine Gemeinschaft, die ihre Identität eben nur „in Christus" haben kann (Röm 12,5): aufgrund ihrer in der Taufe grundgelegten inneren Verbindung mit ihm. „Was die Gemeinde also zu ‚einem Leibe' zusammenschließt, ist so eindeutig als möglich bestimmt: Christus; nur er."[139]

In diesem Punkt liegt auch ein grundsätzlicher Unterschied gegenüber der stoischen Vorstellung vom Kosmos als einem großen Leib; der einzelne Mensch ist ein Teil des Alls, das die Menschen umfaßt und zusammen-

132 worauf Menenius Agrippa „mit demagogischer Schlauheit" antwortet, J. Strieder, Bewertung 84. Das Bild vom Leib steht hier im Dienst der Erhaltung der Macht.

133 Ganz im Gegensatz zu Paulus der utilitaristische Vorschlag des Zeno (ca. 490–430 v. Chr.): „Man muß den Menschen von Nutzen sein, von denen wir verlangen Gutes zu erfahren. Denn wir sorgen ja auch mehr für die Glieder des Leibes, die nach unserer Annahme nützlicher sind in ihrem Dienst." Maximus Florilegium 6 (v. Arnim I 56f, 236); zit. bei J. J. Meuzelaar, 157.

134 G. Delling, Gottesdienst 155f.

135 E. Schweizer, ThW VII 1069, 2f; vgl. K. Kertelge, Gemeinde 103, Anm. 50.

136 E. Lohse, Grundriß 102.

137 Vgl. J. Horst, ThW IV 569,3f.

138 Vgl. H. Conzelmann z. St.

139 E. Schweizer, Leib Christi 129 mit Hinweis auf 1 Kor 12,12. 27.

schließt.[140] Auch Paulus denkt offenbar „an so etwas wie einen alle umspannenden Leib Christi“.[141] Doch übernimmt er den pantheistischen Monotheismus der Stoa nicht.[142] Wenn Seneca ep. 95,52 davon spricht, daß alle Menschen Glieder eines großen Leibes sind, so gründet diese Auffassung von der grundsätzlichen Gleichheit aller Menschen darin, daß alle an derselben Natur teilhaben.[143] Auch Paulus weiß um die Gleichrangigkeit aller Menschen; für ihn ist sie „in Christus Jesus“ begründet (Gal. 3,26–28).

Gegenüber der Gnosis fällt auf, daß das Bild vom Leib seinen Sitz im Leben nicht primär in soteriologischen Spekulationen hat, sondern in der Paränese.[144] Vor allem teilt Paulus nicht die pessimistische Welthaltung der Gnosis.[145] „Die neutestamentlichen Aussagen sind ungebrochen positiv. Die Glieder sind nicht zerstreut, der Leib nicht zerstückelt, sondern vereinigt.“[146] Überdies ist der „Leib Christi“ für Paulus immer auch der am Kreuz hingerichtete Leib des irdischen Jesus (Röm 7,4). Wenn er von der Gemeinde als dem Leib Christi redet, spricht er auch von der Abhängigkeit der Gemeinde von dem geschichtlichen Ereignis des Kreuzes Jesu; hier liegt ein wesentlicher Unterschied zu den gnostischen Analogien.[147]

Zusammenfassung

Die Darstellung des Bildes vom Leib in Röm 12,4–5 ist äußerst knapp. Paulus will hier keine Ekklesiologie entwickeln, sondern seine Mahnung theologisch begründen. Auf der Mahnung liegt im Zusammenhang von Röm 12 eindeutig der Akzent. Paulus verwendet das Bild vom Leib nur in der Paränese;[148] vom paränetischen Zielgedanken her ist es auch hier zu verstehen. Verbindung mit Christus bedeutet zugleich Verwiesensein aufeinander. Genau darum wird es im folgenden gehen: Die enge, in Christus gegründete Verbundenheit darf nicht fromme Theorie bleiben – sie drängt zur Bewahrheitung im konkreten Alltag der Gemeinde: In der Annahme und Betätigung des eigenen Charisma wie auch der Anerkennung des Charisma des anderen (12,6–8), in der gegenseitigen Bruderliebe und in der Achtung voreinander (Röm 12,10), im einmütigen Zusammenstehen (Röm 12,16), schließlich in der unbeirrten Solidarität miteinander, wo die Meinungen innerhalb der Gemeinde hart aufeinanderprallen (Röm 14f).

Doch bevor der Apostel alle diese Mahnungen zur Sprache bringt, stellt er den Lesern die für solche Mahnung grundlegende Tatsache vor Augen: Die

[140] Vgl. H. Conzelmann zu 1 Kor 12,26.
[141] E. Schweizer, ThW VII 1069,4f.
[142] J. J. Meuzelaar, Leib 169; das gilt übrigens auch für Philo und Josephus, vgl. aaO 170; zum pantheistischen Monotheismus der Stoa vgl. aaO 156–162.
[143] Vgl. N. A. Dahl, Volk 225.
[144] Vgl. E. Schweizer, Kirche 291.
[145] Vgl. H. Hegermann, Ableitung 841f.
[146] K. M. Fischer, Tendenz 75.
[147] Vgl. E. Schweizer, aaO 289.
[148] Vgl. E. Schweizer, ThW VII 1071, 7ff.

Vielen sind ein Leib in Christus (Röm 12,5). Man kann von der grundlegenden Tatsache, daß die Gemeinde ihre Existenz Christus zu verdanken hat, daß sie nur aus der Verbindung mit ihm und im Gehorsam gegen ihn existieren kann, nicht reden, ohne von den Konsequenzen zu sprechen, die sich daraus ergeben. Wieder erweist sich: Indikativ und Imperativ gehören für Paulus eng zusammen.[149] Hier wird der tiefste Grund der folgenden Mahnungen sichtbar: Die in der Taufe begründete Gemeinschaft mit Christus und das darin gegebene Verwiesensein aufeinander.

3. Röm 12,6–8: Die Charismen

Vorbereitet durch das Bild vom Leib, kommen nun die Charismen zur Sprache. Sie sind, gerade in ihrer Verschiedenheit, von Gott gewollt (12,6a). Die Aufzählung der Charismen in 12,6b–8 ist exemplarisch gemeint: Paulus verdeutlicht an einigen ihm wichtigen Beispielen sein Grundanliegen: Der einzelne Christ soll sein Charisma bejahen und in der rechten Gesinnung ausüben. Er soll die ihm geschenkte Gabe akzeptieren und eben mit diesem ihm gegebenen Charisma seinen Part in der Gemeinde spielen. Darin erweist sich die rechte *σωφροσύνη* des Christen (Röm 12,3).

Wir werden uns im folgenden bemühen müssen, möglichst genau auf die paulinischen Aussagen zu achten, denn häufig dringen moderne systematische Überlegungen in die Exegese ein. So vertritt S. Schulz (im Gefolge E. Käsemanns) die Auffassung, die Charismenlehre des Paulus sei die „bewußte und bleibende Alternative zum Amts-, Rechts- und Ordnungsdenken der religiösen Antike (Judentum, Judenchristentum, Heidentum und Frühkatholizismus) . . .“[150] Das ist ebenso kontextwidrig wie die Behauptung, daß Paulus hier das allgemeine Priestertum aller Gläubigen „begründe“.[151] Umgekehrt hat man oft die Meinung vertreten, die Charismen seien „außerordentliche Manifestationen des Heiligen Geistes , die einzelnen Gliedern der Kirche zum Wohl anderer und vor allem zur Ausbreitung der Kirche verliehen werden . . . Doch gehören die G(eistesgaben) nicht zum Wesen der Kirche. Diese ist nicht in erster Linie charismatisch, sondern institutionell, d.h. auf die Apostel und ihre Autorität aufgebaut“.[152] Ähnlich unzulässig ist die Auffassung von Th. Soiron, Paulus setze hier die hierarchische Ordnung in der Gemeinde voraus; die Mahnung richte sich an die Amtsträger. Von den durch die Amtsträger betreuten Gliedern der Gemeinde sei nicht die Rede.[153] Auch das widerspricht völlig der Intention von Röm 12,4–8.

[149] Besonders die „in Christo“-Formel bringt den Indikativ zur Sprache: F. Neugebauer, In Christus 148f.

[150] S. Schulz, Charismenlehre 454.

[151] E. Käsemann, Röm 322f; vgl. ders., Amt 123f.

[152] H. Haag, Bibel-Lexikon, Einsiedeln 1951, 540f; in der zweiten Auflage von 1968 ist das berichtigt; s. dort 544f.

[153] Th. Soiron, Kirche 186f.

Die wenigen Beispiele zeigen, wie sorgfältig man auf den Kontext achten muß, will man nicht seine eigene theologische Konzeption mit der des Paulus verwechseln.

a. Röm 12,6a: Die Verschiedenheit der Charismen

Zunächst betont Paulus den Geschenkcharakter der Charismen; auf diese Aussage legt er offenbar größten Wert (vgl. 12,3). Der Begriff χάρισμα begegnet im NT fast nur bei Paulus, auffallenderweise nur in Röm und 1/2 Kor.[154] In Röm 5,15f und 6,23 bezeichnet er Gerechtsprechung, Sündenvergebung und ewiges Leben als Gottes Gaben an den Menschen. In Röm 1,11 und 11,29 hat er die Bedeutung „Gabe, Geschenk".[155] Der Geschenkcharakter ist auch in Röm 12,6 ausdrücklich betont. Hier ist χάρισμα „technisch" gebraucht im Sinn der paulinischen Charismenlehre. Charisma meint hier die jedem Christen zugeteilte besondere Begabung, die zugleich seine spezifische Aufgabe im Ganzen der Gemeinde darstellt.[156] Paulus versteht sie ganz und gar als Geschenk, was er durch den ausdrücklichen Hinweis auf die jedem geschenkte χάρις[157] unterstreicht. Das Passiv δοθεῖσαν verstärkt diesen Gedanken: Gott ist es, der die χάρις gibt.[158] Die Charismen werden aus der jedem gegebenen Charis abgeleitet, ein Gedanke, der sich so ausdrücklich in 1 Kor 12 nicht findet;[159] dagegen ist in Röm 12 im Unterschied zu 1 Kor 12 mit keinem Wort vom Pneuma als dem Ursprung der Gaben die Rede.[160]

Wenn Paulus davon spricht, daß die Charismen διάφορα sind, so verbindet er mit diesem Wort „lediglich den Sinn des Mannigfaltigen, nicht des Hervorragenden, Ausgezeichneten,[161], weil er, wie die vorangehenden Verse zeigen, hier wie in 1 K 12 darum bemüht ist, die Geringschätzung einzelner mit weniger hervorragenden Charismen begabter Glieder der Gemeinde zu unter-

[154] Sonst nur noch zweimal in den Pastoralbriefen: 1 Tim 4,14; 2 Tim 1,6 und in 1 Petr 4,10. Dabei bezeichnet χάρισμα in 1 Tim 4,14 und 2 Tim 1,6 schon die mit der Handauflegung vermittelte „Amtsgnade", vgl. E. Käsemann, RGG3 II 1276; H. Conzelmann, ThW IX 397, 1–4.

[155] Vgl. U. Brockhaus, Charisma 130f. 133f; diese Bedeutung steht wohl auch hinter 2 Kor 1,11, wo das Geschenk, für das er die Korinther zum Mitdanken auffordert, die in V 8–10 angedeutete Rettung des Paulus ist, vgl. U. Brockhaus, aaO 137f.

[156] Vgl. G. Eichholz, Gemeinde 8: „Das Charisma ist gemeindebezogen zu verstehen."

[157] Vgl. zu 12,3; κατά hier: gemäß, nach Maßgabe, entsprechend, W. Bauer, Wörterbuch 804f.

[158] Vgl. 1 Kor 1,4–7, wo Paulus den geistlichen Reichtum der Kor-Gemeinde als χάρισμα interpretiert; auch 1 Kor 12,7–11 betont Paulus eindringlich, daß die Charismen vom Geist gegeben werden, der jedem zuteilt, wie er will. Gerade den Korinthern gegenüber muß er diesen Gedanken betonen.

[159] Vgl. J. Herten, Charisma 81.

[160] aaO 83.

[161] διάφορος kann heißen: „verschieden, ungleich; verschiedenartig, mannigfaltig; unerwünscht, unerfreulich; hervorragend, ausgezeichnet; nützlich, vorteilhaft"; K. Weiß, ThW IX 64, 22–28; vgl. W. Bauer, aaO 379.

binden".[162] Das Attribut διάφορα steht betont unmittelbar vor dem Beginn der Charismenliste.[163] Die Charismen sind „Ausdruck des differenzierten Rufes Gottes zum Dienst."[164]

Paulus läßt durch nichts erkennen, daß er die Charismen nur einer herausgehobenen Gruppe in der Gemeinde zuerkennt. Im Gegenteil. Mit dem ἡμῖν greift er die 1. Person Plural der Verse 4f auf, und in der folgenden Aufzählung stellt er sehr verschiedenartige und auch sehr „normale" Dienste in der Gemeinde nebeneinander. Paulus ist überzeugt: Gott hat jedem in der Gemeinde seine je ihm eigene Begabung zugeteilt.[165] Das entspricht ganz dem voraufgegangenen Bild vom Leib.[166] Das auffällige πάντα (V 4) und das für „wir alle" stehende οἱ πολλοί (V 5) machen deutlich, daß Paulus alle Gemeindeglieder einschließen will (vgl. das betonte παντὶ τῷ ὄντι ἐν ὑμῖν in 12,3); „und da ἔχοντες in V. 6 kein anderes Subjekt haben kann als das des vorhergehenden Satzes, ist auch in V. 6–8 die Gesamtheit der Gemeinde gemeint."[167] In der Sicht des Paulus ist jeder Christ Charismatiker,[168] jeder hat seinen unvertretbaren Beitrag in das Ganze der Gemeinde einzubringen.

Exkurs: Der paulinische Begriff des χάρισμα

Der Begriff χάρισμα ist eine der in der Koine beliebten Bildungen mit -μα;[169] die „Hauptwörter auf -μα bezeichnen meist das Ergebnis der Tätigkeit; in unserem Fall das konkrete Resultat des Beschenkens".[170] Er hat im Griechischen die Bedeutung „Gunstbezeugung, Wohltat, Geschenk".[171] Das Wort läßt sich in vorpaulinischer Zeit nicht sicher belegen;[173] Paulus ist der erste, der es innerhalb der uns erhaltenen griechischen Literatur bezeugt.[174]

162 K. Weiß, ThW IX 66, 3–8.
163 Vgl. U. Brockhaus, aaO 204.
164 R. Schnackenburg, Botschaft 33.
165 Vgl. das ἑκάστῳ ὡς in 12,3; 1 Kor 12,7. 11: ἑκάστῳ; 1 Kor 12,6. 12. 13: πάντα/πάντες; vgl. auch 1 Kor 7,7. 17, später 1 Petr 4,10. Im Kontext 1 Kor 7,7 ist freilich nicht betont, daß jeder Christ eine Gabe hat, obwohl Paulus das annimmt, sondern daß Gott die Gaben zuteilt. H. Conzelmann, ThW IX 395, Anm. 22. Zu 1 Kor 12,7. 11 vgl. G. Friedrich, Geist 76.
166 „. . . offenkundig sind auch die geringsten Glieder des Leibes nicht ohne Charisma (1 Kor 12,22f)." H. D. Wendland, Wirken 465.
167 U. Brockhaus, aaO 197.
168 So auch A. Wikenhauser, Kirche 97; J. Hainz, Ekklesia 191f; H. Schlier, Namen 303f; J. Gnilka, Amt 98f.
169 H. Conzelmann, ThW IX 393,7f.
170 G. Hasenhüttl, Charisma 104f.
171 Vgl. H. Conzelmann, aaO 393, 11ff.
172 W. Bauer, Wörterbuch 1737.
173 E. Käsemann, Amt 110, Anm. 2; G. Ruhbach, Charismaverständnis 412f; bes. J. Herten, Charisma 58f.
174 U. Brockhaus, Charisma 128; vgl. S. Schulz, Charismenlehre 445; B. N. Wambacq, Mot 346.

Er hat den Begriff „Charisma“ in die theologische Sprache eingeführt,[175] als Korrektiv schiefer Auffassungen über die Geisteswirkungen, wie sie in der korinthischen Gemeinde im Schwange waren.[176]

Paulus hat seine Auffassung von den Charismen in dem früheren 1 Kor wesentlich ausführlicher und in deutlich polemischem Zusammenhang in aller Breite entfaltet; auch dort wird die richtige Einordnung der Charismen durch das Bild vom Leib motiviert. Die Auseinandersetzung mit enthusiastischen Strömungen in der Korinthergemeinde hat offensichtlich stark zur Klärung seiner eigenen theologischen Position beigetragen. Die Kapitel 1 Kor 12 – 14 geben uns davon ein deutliches Bild.

Paulus betrachtet die in der Korinthergemeinde besonders hoch eingeschätzte Glossolalie[177] mit nüchterner Skepsis; doch denkt er nicht daran, sie zu verbieten. Er hält die Wertung dieser Gabe in Korinth für eine Überschätzung, erkennt ihr aber am richtigen Platz ihr Recht in der Gemeinde zu (1 Kor 14,39). Er scheint sie als eine besondere Art des Gebetes zu verstehen und gelten zu lassen (vgl. 1 Kor 14,2. 14–19).[178] Allerdings zeigt er gar kein Interesse daran, was der Zungenredner erlebte: „er beschäftigt sich ganz allein mit der Frage, was er für die Gemeinde leistete“.[179] Denn die Gaben sind in der Sicht des Paulus keine Privatangelegenheit; sie sind zum Wohl der ganzen Gemeinde gegeben.

Alles soll der Auferbauung der Gemeinde dienen – dieser Gedanke zieht sich wie ein roter Faden durch 1 Kor 14.[180] An diesem Kriterium mißt Paulus auch die ekstatischen Erscheinungen. Mit „Erbauung“ meint er nicht bloß – im abgegriffenen pietistischen Sinn – die Erregung einiger andächtiger Gefühle, „sondern wir haben an das Bild von dem Leib Christi zu denken, der in der Gemeinde wirklich Gestalt gewinnen soll“.[181] Er fragt nicht nur, wie weit der Zungenredner die zum Gottesdienst versammelte Gemeinde in ihrem Glauben fördert (1 Kor 14,2–19), sondern beurteilt in 1 Kor 14,23–25 die Glossolalie auch nach ihrer möglichen Wirkung auf Ungläubi-

[175] E. Bettencourt, Sacramentum Mundi I 713; E. Käsemann, Amt 109f; vgl. E. Käsemann, RGG³ II 1275; S. Schulz, aaO 445.

[176] Vgl. U. Brockhaus, aaO 129f; G. Ruhbach, aaO 418; G. Friedrich, Geist 82.

[177] Vgl. zum Phänomen der Glossolalie G. Delling, Gottesdienst 39–47; O. Kuss, Enthusiasmus 261–263; K. Maly, Gemeinde 182–185; O. Knoch, Geist 113–118; E. Best, Interpretation 47–62, mit ausführlichem Blick auf die heutige Diskussion um die Pfingstbewegung. Vgl. zu 1 Kor 14: G. Bornkamm, Zum Verständnis des Gottesdienstes bei Paulus, in: Das Ende des Gesetzes. Paulusstudien. Gesammelte Aufsätze Band I, München ²1958, 113–132, bes. 113–119.

[178] K. Maly, aaO 178; vgl. G. Dautzenberg, Prophetie 228.

[179] G. Schrenk, Geist 116.

[180] 1 Kor 14,3–6. 12. 17. 26; vgl. auch 1 Kor 12,7. 17f. 22. 25; 8,1: die Liebe „erbaut“. Insofern gehört 1 Kor 13 konsequent in den Zusammenhang von 1 Kor 12–14.

[181] O. Cullmann, Urchristentum 28.

ge: Der Gottesdienst muß so sein, daß ein Ungläubiger von dem innerlich betroffen wird, was er in der Gemeinde hört und erfährt.[182]

Paulus relativiert die in Korinth so hochgeschätzte Glossolalie kräftig. In den Listen 1 Kor 12,8–10 und 12,28–30 setzt er sie betont an den Schluß. Aber daß er in 1 Kor 14,27–32 Maßregeln für ihren Gebrauch im Gottesdienst trifft, zeigt, daß er ihren Wert nicht bestreitet, wenn sie sich nicht ungebührlich in den Vordergrund spielt.

Offenbar waren die Korinther von den außergewöhnlichen ekstatischen Erscheinungen stark fasziniert. Das führte in der Gemeinde zu Überheblichkeit bei den einen, und zu Minderwertigkeitsgefühlen bei den anderen. Mit Hilfe des Bildes vom Leib in 1 Kor 12 versucht Paulus hier Klarheit zu schaffen: In 1 Kor 12,15–18 weist Paulus „resignierende Gemeindeglieder, die angesichts der geringen Geltung ihrer Gabe meinen, sie gehörten nicht zu den Begabten, darauf hin, daß auch sie eine vollwertige Gabe und eine wichtige Funktion in der Gemeinde haben". Und umgekehrt fordert er in 12, 21–25 allzu selbstbewußte Gemeindeglieder auf, sich klarzumachen, daß sie auch auf schlichtere Mitchristen angewiesen sind.[183] Jedes Gemeindeglied hat als Christ am Wirken des Geistes teil; in dieser grundlegenden Beziehung kann es zwischen den Christen keine qualitativen Unterschiede geben. „Der Geist ist nicht das Vorrecht einiger Auserwählter, sondern das grundlegend Gemeinsame aller."[184] Keiner geht leer aus – und keiner ist in der Gemeinde überflüssig.[185]

In *diesem* Zusammenhang gebraucht Paulus den sonst ungebräuchlichen Begriff Charisma. Er scheint den in Korinth gebräuchlichen Terminus *πνευματικά* bewußt zu vermeiden[186] und ihn konsequent durch *χαρίσματα* zu ersetzen.[187] Aufschlußreich ist, daß er später in Röm 12,3–8 den Terminus *πνευματικά* nicht mehr gebraucht. Sein Anliegen bei der Wahl des Begriffs *χάρισμα* ist ganz deutlich: Durch dieses Wort werden die in der Gemeinde aufgetretenen Geisteswirkungen als Gaben, als freie Geschenke Gottes interpretiert.[188] Gott ist es, der sie gibt (1 Kor 12,6; vgl. Röm 12,3.6), der Geist ist es, der sie gibt (1 Kor 12,8f), der in ihnen wirkt und sie zuteilt (1 Kor 12,11). Diese Sicht sollte jede Überheblichkeit ausschließen. Zugleich bedeutet die Wahl dieses Terminus eine Ausweitung: Nicht nur außergewöhnliche Erscheinungen (wie die Korinther meinen), sondern jeder

182 E. Lohse, Grundriß 103. Das hat aktuelle Konsequenzen: Für Paulus ist „der von außen Kommende, der Randsiedler oder Heide der Maßstab, an dem die ganze Verkündigung gemessen werden muß (1. K. 14,16f. 23–25). Eben darum ist eine Sprache, die nur die Eingeweihten ‚erbaut', unmöglich". E. Schweizer, Gemeinde 206.

183 U. Brockhaus, Charisma 152f.

184 J. Herten, Charisma 63.

185 E. Käsemann, Amt 120.

186 1 Kor 2,13. 15; 12,1; 14,1; vgl. E. E. Ellis, „Spiritual" Gifts in the Pauline Community, NTS 20 (1974) 128–144.

187 S. Schulz, Charismenlehre 454f; vgl. J. Herten, aaO 60f. 64; J. Roloff, Theologische Realenzyklopädie II 520.

188 Vgl. U. Brockhaus, aaO 190f; L. Goppelt, Theologie II 452.

Dienst, der die Gemeinde fördert, ist Charisma, Gottes Geschenk, für das Funktionieren der Gemeinde unverzichtbar und darum der Achtung aller wert.

Daß Paulus auch die profane, alltägliche Dienstleistung als Charisma versteht, sofern sie gemeindebezogen ist und dem Aufbau der Gemeinde dient, berechtigt allerdings nicht dazu, den Begriff des Charisma so weit zu fassen, wie E. Käsemann das tut,[189] der alles Handeln der christlichen Gemeinde als charismatisch charakterisiert[190] und dementsprechend auch Röm 12, 9–21 unter die Überschrift stellt: „Die charismatische Gemeinde". Zwar ist deutlich zu sehen, warum ihm dieses Anliegen so wichtig ist: „Die gesamte Wirklichkeit unseres Lebens soll miterfaßt werden, und zwar deutlich in Polemik gegenüber einem Schwärmertum, welches sich mit Ausschnitten dieser Wirklichkeit oder mit einer illusionären Innerlichkeit begnügt . . ."[191] Aber es fragt sich, ob Käsemann hier nicht eine Linie der paulinischen Gedanken weiter auszieht, als Paulus dies getan hat.[192]

Paulus versucht sein Anliegen in 1 Kor 12 – 14 auf verschiedene Weise zu verdeutlichen: Durch das Bild vom Leib, durch die Wahl des Wortes Charisma, durch den Gedanken der „Erbauung", den man geradezu „das Argumentationszentrum von 1 Kor 14"[193] nennen kann, wie schließlich mit dem Hohen Lied der Liebe in 1 Kor 13: „Das, was die theologische Strategie des Paulus mit dem Wort Charisma und dem Vergleich der Gemeinde mit einem Leib erreichen will, das läßt sich ebenso mit dem Wort Liebe und dem Lob ihrer Eigenschaften erreichen."[194] Die „Zungen" sind in 1 Kor 13,1 das erste, was an der Liebe gemessen wird. Ohne die Liebe müssen selbst die höchsten Charismen leer und fruchtlos bleiben.

In Röm 12,3–8 fehlt der polemische Ton, doch wirken die Hauptgedanken von 1 Kor 12 – 14 nach: Wie dort betont Paulus auch hier die eindeutige Priorität der Initiative Gottes (Röm 12,3. 6); daher warnt er vor Überheblichkeit (Röm 12,3).[195] Daß alles der gegenseitigen Auferbauung dienen soll, fordert er später, in der Auseinandersetzung mit den „Starken" und den „Schwachen" (Röm 14,19; 15,2). Wenn Paulus hier bestimmte Elemente seiner den Korinthern erteilten Weisung wieder aufgreift, dann nicht wegen der Ähnlichkeit der Verhältnisse in Korinth und Rom, auch nicht, weil er (irrtümlich) in Rom dieselben Verhältnisse voraussetzt wie in Korinth, sondern deshalb, weil er diese Weisungen für grundsätzlich und allgemeingültig hielt.[196] Nicht auszuschließen ist, daß dieser Punkt auch sonst ein wichtiger Bestandteil seiner Lehre war.[197]

189 E. Käsemann, Amt 109–127.
190 E. Käsemann, Gottesdienst 204.
191 E. Käsemann, Amt 116; vgl. 117f.
192 U. Brockhaus, Charisma 222; vgl. 222–226; vgl. zur Kritik an Käsemann O. Merk, Handeln 160.
193 J. Herten, Charisma 71.
194 aaO 70.
195 Vgl. bes. 1 Kor 12,18. 24. 28: Gott hat die Glieder eingesetzt.
196 U. Brockhaus, Charisma 196.
197 E. Best, Interpretation 55.

Gott hat jedem in der Gemeinde seine Aufgabe zugedacht. Und eben die soll jeder zu erfüllen suchen: das will Paulus mit den Wiederholungen in Röm 12,7. 8a sagen. Jeder soll mit der ihm zugeteilten Gabe an seiner Stelle zum Wohl des Ganzen beitragen.

Paulus empfiehlt diese Einstellung den Römern nicht nur, er bemüht sich selber um sie: In Röm 1,11 kündigt er der Gemeinde seinen Besuch an, um ihr etwas an „geistlicher Gnadengabe" mitzuteilen. Doch verbessert er sich sofort: auch er erwartet von der Gemeinde etwas: gegenseitige Stärkung im Glauben (Röm 1,12). Es ist wohl nicht nur liebenswürdige Höflichkeit, wenn Paulus sich so mit den Adressaten auf die gleiche Stufe stellt;[198] hier wirkt sich seine Grundeinstellung aus, wie sie in 1 Kor 12 – 14 und Röm 12,3–8 sichtbar wird: Er betrachtet die Gnade nicht als eine exklusive Sache. Sie ist allen gegeben. Und so sehr er von seiner apostolischen Autorität überzeugt ist (Röm 1,1. 5f. 11), so sehr rechnet er auch damit, daß die Gemeinde ihm, dem Apostel, etwas geben kann: Stärkung im Glauben (Röm 1,12).[199] Charisma impliziert bei Paulus Kommunikation. Die Charismen sind gerade in ihrer Verschiedenheit aufeinander verwiesen.

b. Röm 12,6b–8: Aufzählung wichtiger Charismen

Nun folgt in 6b – 8 eine *Aufzählung der verschiedenen Charismen.* Dabei fällt auf, daß V 6b. 7a Begabungen, V 7b – 8 begabte Personen genannt werden.[200] Man sollte daraus nicht zu weitgehende Schlüsse ziehen, etwa in dem Sinn, es gebe „Geistesgaben, die ihren Träger existentiell oder doch in seinen Funktionen dauernder und damit charakteristisch bestimmen . . ."[201] Denn ein Blick auf andere Charismentafeln bei Paulus zeigt eine große Mannigfaltigkeit und Vielfalt.[202] Einerseits ist die Situation in den einzelnen Gemeinden sehr verschieden, andererseits geht es Paulus nirgends um eine vollständige Inventur aller Charismen.[203] Die unterschiedlichen Listen zu kombinieren und aus ihnen eine erschöpfende Charismenliste zusammenzustellen,[204] ist nicht möglich. Ein solcher Versuch übersieht, daß Paulus jeweils

198 So meint O. Kuss z. St.
199 Vgl. Röm 14,19.
200 Vgl. 1 Kor 12,28–30, wo die ersten drei Glieder der Aufzählung die begabten Personen, die folgenden die Gaben bezeichnen.
201 H. Schürmann, Geistesgaben 252.
202 Vgl. 1 Kor 12,4–10; 12,28–30; eine vollständige Synopse bei H. Schürmann, aaO 250f. Durchgehend in allen Charismentafeln findet sich einzig die Prophetie.
203 Vgl. K. Maly, Gemeinde 188; J. Wobbe, Charis-Gedanke 65; sehr zutreffend P. Feine, Theologie 264.
204 Eine phantastische Konstruktion findet sich bei B. Hennen, Ordines 443–463, der in den Charismen die komplette Hierarchie der katholischen Kirche entdeckt: Bischöfe und Priester, Diakone und Subdiakone, bis hin zu den Ostiariern. Er setzt gleich: Propheten = Bischöfe 443f; Lehrer = Priester 445–447; παρακαλῶν = Subdiakon 450–452 usw. Mit Recht bezeichnet E. Käsemann, Röm 327f diese Konstruktion als „absurd".

einige Charismen exemplarisch herausgreift, um an ihnen sein Anliegen zu verdeutlichen. Die verschiedenen Charismenlisten weichen stark voneinander ab. „Diese Sorglosigkeit ist weit entfernt von aller planmäßigen Aufzählung."[205]

Auffällig ist, daß in der Liste Röm 12 ekstatische Gaben, auch Heilungsgaben und Wunderkräfte,[206] ganz fehlen. Das zeigt noch einmal die Nüchternheit des Apostels. Im Gegensatz zu seiner Auseinandersetzung mit der korinthischen Gemeinde, die solchen Erscheinungen einen allzu hohen Stellenwert einräumt,[207] erwähnt er sie hier nicht.[208] Was zählt, ist die Bewährung im christlichen Alltag, wie er dann in den folgenden Mahnungen in den Blick kommt.

Zweifellos spricht sich in der Reihenfolge, in der Paulus jeweils die Charismen aufzählt, auch ein gewisses Werturteil aus.[209] So hat etwa die Prophetie in seinen Augen besonderen Rang. Doch muß man für den Zusammenhang von Röm 12,6–8 beachten, daß es ihm gerade nicht darum geht, die Charismen in ihrer Bedeutung zu werten, sondern jeden Christen aufzufordern, die ihm zugewiesene Aufgabe im Gesamtgefüge der Gemeinde schlicht zu erfüllen; und er zeigt sich bemüht, Bestrebungen, mehr sein zu wollen als andere, kräftig zu bremsen (12,3. 10b). Es ist ihm alles daran gelegen, „irgendwelche egoistischen Bestrebungen um die Festsetzung von Rang- und Gradunterschieden unter den Christen zu beseitigen . . ."[210]

Eine systematische Einteilung der Charismenliste Röm 12,6–8 ist nicht feststellbar. Man hat solches immer wieder versucht – mit wechselndem Ergebnis. So hat man gemeint, die ersten vier Begabungen seien eher seelsorglicher Art, während die drei letzten den weltlichen Bereich beträfen; der neue Gedanke sei auch durch einen Konstruktionswechsel markiert.[211] Oder man meint, Paulus zeige bei den ersten vier Gnadengaben die „Grenze" an, die der jeweilige Charismatiker beachten muß; bei den letzten drei gebe er die Art und Weise an, in der die jeweilige Aufgabe ausgeübt werden soll.[212]

205 H. Greeven, Geistesgaben 119.

206 Daß diese Gaben in der Prophetengabe Röm 12,6 praktisch „inbegriffen" sind (H. Schürmann, Gnadengaben 240, Anm. 19 und 253), ist kaum zu belegen. Vgl. auch zu 12,7.

207 In der Charismenliste 1 Kor 12,28–30 stellt Paulus die Trias Apostel – Propheten – Lehrer (wohl bewußt) vor die außergewöhnlichen Gaben. Vgl. H. Schürmann, aaO 257. Beachten sollte man auch die (wertende) Zählung: erstens – zweitens – drittens.

208 Vgl. aber Röm 15, 19; Gal 3,2.5; 1 Thess 1,5, wo Paulus unbefangen von solchen Erscheinungen spricht. Vgl. dazu J. Jervell, Der schwache Charismatiker, in: Rechtfertigung. Festschrift für Ernst Käsemann, Tübingen-Göttingen 1976, 185–198, bes. 189f.

209 Vgl. H. Schürmann, aaO 252. Daraus darf man jedoch nicht zu weitgehende (aktualisierende) Schlußfolgerungen ziehen, wie es Schürmann, aaO 257 tut: Paulus bevorzuge in den Aufzählungen Röm 12,6ff und 1 Kor 12,28. 29f sichtlich die Unterweisungsfunktionen vor den karitativen und verwaltenden: „Eine wichtige paulinische Wertung, die zu bedenken wäre!"

210 J. Brosch, Charismen 82.

211 M. J. Lagrange, Rom 300.

212 J. Huby z. St.

Auch eine Unterscheidung zwischen allgemein-öffentlichen und mehr privaten Funktionen[213] scheint nicht beabsichtigt zu sein.

Es ist unsachgemäß, mit „systematischen" Erwartungen an die Charismenliste heranzugehen. Es geht Paulus hier nicht um den Entwurf einer Ekklesiologie, sondern um Paränese.[214] Die Wiederholungen in 7 – 8a zeigen, in welche Richtung die Paränese geht: Das ist deine Gabe, das ist dein Platz im Gesamtgefüge der Gemeinde – nun nimm diesen deinen Platz an und fülle ihn aus! Im Blick auf V 3 wird man vermuten können, daß Paulus die verschiedenen Charismenträger auch mahnen will, sich auf *ihr* „Metier" zu beschränken.

Eine nähere inhaltliche Bestimmung und Abgrenzung der angeführten Charismen ist oft schwierig. Daß die Liste „die ersten vagen Ansätze von amtlich werdenden Gemeindefunktionen widerspiegelt",[215], ist sehr wahrscheinlich. Doch wird man im einzelnen sehr behutsam fragen müssen.

Als erste der Gnadengaben nennt Paulus *die Prophetie.* Sie hat nach seiner Überzeugung in der Gemeinde besonderen Rang. 1 Kor 12,28 nennt er die Propheten unmittelbar nach den Aposteln; in Röm 12,6 steht die Prophetie sogar an erster Stelle.[216] Auch 1 Kor 14,1 läßt deutlich erkennen, daß sie nach seiner Überzeugung einen besonderen Platz einnimmt.[217] Paulus wendet sich in 1 Kor 14 gegen die Überbewertung ekstatischer Phänomene in der korinthischen Gemeinde. Ihr gegenüber hat die prophetische Rede deutlichen Vorrang; denn sie erbaut die Gemeinde (1 Kor 14,5).

Was mit der Prophetie präzis gemeint ist, ist schwer zu ermitteln. Der Blick auf die Umwelt ergibt ein recht buntes Bild. Das Verb *προφητεύω* kann im Griechischen Verschiedenes bedeuten: „Verkünder, Sprecher sein; verkünden"; auch „Orakelprophet sein; das Amt eines Orakelpropheten bekleiden".[218] Entsprechend hat *προφήτης* die Bedeutung „Verkünder, Spre-

[213] So z. B. S. Schulz, Charismenlehre 456: Die Anweisung an die herausgehobenen Charismatiker V 6–8a gehe mit 8b in allgemeine ethische Weisungen über. Wieder anders, aber kaum überzeugend, A. Grabner-Haider, Paraklese 16.

[214] Das gilt a fortiori für 1 Kor 12–14. Dies hat schon J. Brosch deutlich erkannt, wenn er auch nicht die Konsequenzen daraus zog: „Der nächstliegende Sinn dieser Stellen kann nur ein pädagogischer sein." J. Brosch, Charismen 82.

[215] So vermutet J. Herten, Charisma 82; zurückhaltend F. S. Gutjahr, Röm 402, Anm. 2 zu der ganzen Charismenliste: „Von ordentlichen kirchlichen Ämtern und Ständen ist wenigstens direkt nicht die Rede."

[216] In 1 Kor 12,8–10 allerdings nennt er die Prophetengabe völlig unbetont neben vielen anderen Gaben erst an 6. Stelle.

[217] Auch sie steht freilich unter dem Vorzeichen der Vergänglichkeit (1 Kor 13,8); sie bleibt immer Stückwerk (13,9). Und sie bleibt der Liebe untergeordnet (13,2). Natürlich muß man beachten, daß Paulus in 1 Kor 12–14 kritisch in eine ganz bestimmte Gemeindesituation hineinspricht, so daß man seine Aussagen dort nicht voreilig systematisieren darf. Daß er sie hier so hoch wertet, hängt auch damit zusammen, daß er sie betont der Glossolalie gegenüberstellen und überordnen will; vgl. J. Brosch, Charismen 83, Anm. 242.

[218] H. Krämer, ThW VI 784, 13–19.

cher".[219] προφητεία kommt in der außerjüdischen griechischen Literatur erst seit dem 2. Jh. n. Chr. vor.[220] Die Wortgruppe ist im religiösen Bereich beheimatet.[221] Beachtenswert ist die Tatsache, daß bis ins 2. nachchristliche Jahrhundert „das Präfix προ – nirgends die Zukunft meint; erst in spätester Zeit bekommt προφήτης, wohl unter christlichem Einfluß, die moderne Bedeutung Verkünder der Zukunft".[222]

In der Umwelt des NT beherrschten Wunderglaube und Orakelglaube das gesamte öffentliche und private Leben. In diesem Milieu hat der Seher, der Prophet,[223] nur die eine Aufgabe, Vermittler eines sonst unzugänglichen Wissens zu sein, besonders bezüglich der Zukunft.[224] In der LXX und im NT fällt auf, daß man es geflissentlich vermeidet, die Ausdrücke der griechischen Orakelsprache auf die wahren Propheten anzuwenden;[225] auch die kirchlichen Schriftsteller der ersten zwei Jahrhunderte vermeiden die Bezeichnung μάντις oder das Verbum μαίνεσθαι, wo es um die Propheten geht.[226]

Hinter der weiten Verbreitung von Orakel- und Wunderglaube steckt deutlich Angst und Ungeborgenheit und die Suche nach Sicherheit und Vergewisserung. Wie wir sehen werden, hat prophetische Rede bei Paulus zwar auch diesen Aspekt der Ermutigung; doch ist bei ihm prophetische Rede genauso kritische, dem Menschen Maßstäbe setzende Rede.

Die Funktion der Propheten im AT ist nicht auf einen einheitlichen Nenner zu bringen.[227] Doch „schält sich in zunehmendem Maße *ein* gemeinsames Kennzeichen heraus: das Reden im Auftrag Jahwes".[228] Die deuteronomistische Prophetenvorstellung sah das Wirken der Propheten als Gesetzesbelehrung und Ermahnung an.[229] Dieses Prophetenbild hat auch auf das spätere Judentum eingewirkt.[230]

Für das Judentum der hellenistisch-römischen Zeit ergibt sich ein recht buntes Bild.[231] In der rabbinischen Tradition gelten die Propheten der klas-

219 aaO 783, 24–31.

220 aaO 784, 19–24: „das Vermögen der Verkündigung (des göttlichen Willens) dh der Orakelgebung"; „Verkündigung (des göttlichen Willens), Orakelantwort"; „Prophetenamt".

221 aaO 794,47 – 795,4.

222 aaO 795,14–18; vgl. E. Fascher, ΠΡΟΦΗΤΗΣ 53: προφητεύω hat nie die Bedeutung „weissagen"; dafür wird μαντεύεσθαι gebraucht. Auch das Wort προφητεία kommt im Profangriechischen in der Bedeutung „Weissagung" nicht vor, aaO 148.

223 H. Bacht, Prophetentum 240–251 entwickelt ein anschauliches Bild des heidnischen Prophetentums im Umkreis des frühen Christentums. Zur Funktion des Propheten an den griechischen Heiligtümern vgl. G. Delling, Gottesdienst 36.

224 H. Bacht, aaO 258.

225 Vgl. E. Fascher, aaO 167.

226 H. Bacht, aaO 254.

227 Vgl. R. Rendtorff, ThW VI 796–813, bes. 800–801; R. Meyer/J. Fichtner, RGG³ V 614–627; A. Deissler, Sacramentum Mundi III 1289–1314.

228 R. Rendtorff, aaO 800,41 – 801,1.

229 Vgl. U. B. Müller, Prophetie 38f.

230 aaO 39f.

231 Vgl. R. Meyer, ThW VI 813–828.

sischen Zeit als nichts anderes als „in der Vollmacht des Geistes redende Interpreten des ‚Gesetzes', die nur das zu entfalten haben, was jenes bereits enthält".[232] Auch das Judentum zur Zeit Jesu und der Apostel scheint das prophetische Charisma gekannt zu haben,[233] wobei im Palästina des 1. Jahrhunderts nach Christus offenbar „der Boden für prophetisch-charismatische Bewegungen eschatologischer Prägung besonders fruchtbar war".[234] Bei Philo hat die Auffassung von der Prophetie stark ekstatische Züge.[235] Das gilt auch für Test Hiob.[236]

Daß Paulus – wie das gesamte NT – den „Propheten" der christlichen Gemeinde den gleichen Würdenamen beilegt, wie den großen Propheten des AT, muß man auf dem Hintergrund der spätjüdischen Anschauung sehen, „daß die Prophetie seit den letzten Schriftpropheten erloschen sei und erst in der Endzeit wieder auftreten werde".[237] Überhaupt ist die urchristliche Prophetie eine mit der gleichzeitigen jüdischen Apokalyptik traditions- und geistesgeschichtlich vielfach verflochtene Größe.[238]

Angesichts der Mannigfaltigkeit der religionsgeschichtlichen Voraussetzungen sind wir bei der Frage, was Paulus in Röm 12,6 mit der Prophetie meint, auf sonstige Aussagen in seinen Briefen angewiesen. Am ehesten dürfte ein Blick auf 1 Kor 12 – 14 weiterhelfen, wo Paulus ebenfalls im Zusammenhang mit den Charismen und wesentlich ausführlicher auf die Prophetie zu sprechen kommt. Er setzt dort die Kenntnis dessen, was Prophetie ist, bei seinen Zuhörern voraus, so daß sich aus seinen Aussagen nur sehr vorsichtige Rückschlüsse ziehen lassen. Erschwerend kommt hinzu, daß die Erforschung der urchristlichen Prophetie noch ganz in den Anfängen steckt[239] und oft durch moderne theologische Fragestellungen in ganz bestimmte Bahnen gelenkt wurde.[240] Vor allem versuchte man, durch die Annäherung der Prophetie an die Wortverkündigung[241] „ihre fremden, pneu-

[232] aaO 818, 40–44.
[233] aaO 820,1–11.
[234] M. Hengel, Nachfolge und Charisma. Eine exegetisch-religionsgeschichtliche Studie zu Mt 8,21f und Jesu Ruf in die Nachfolge, Berlin 1968, 23; vgl. aaO 23–27.
[235] Vgl. U. B. Müller, aaO 32.
[236] aaO 36.
[237] H. Greeven, Propheten 14f; vgl. 1 Makk 4,46; 9,27; 14,41; Sach 13,2–6; syr. Bar. 85,3; Billerbeck I 127. Der Gedanke findet sich schon Ps 74,9 angedeutet.
[238] G. Dautzenberg, Prophetie 301; doch dürfte die These von den „urchristlichen Propheten als Träger urchristlicher Apokalyptik" (J. Baumgarten, Paulus 43; vgl. 43–53; 228) eine willkürliche Zuspitzung auf einen Aspekt sein.
[239] Vgl. G. Dautzenberg, Prophetie 15f u.ö.; Dautzenberg beurteilt die bisherige Forschungslage mit gesunder Skepsis: aaO 18–24.
[240] Etwa: Propheten als Gemeindeleiter, G. Dautzenberg, aaO 19f.
[241] V. Taylor z. St.: „inspirierte Predigt"; zuletzt U. B. Müller, aaO 15f; Paulus „schwebte wohl die entfaltete Predigt als notwendige Äußerung der Prophetie vor", wenn man auch den traditionellen Begriff von Predigt auf die urchristliche Prophetie nicht anwenden kann; sie ist geistgewirkte Rede, aaO 16; vgl. 26. U. B. Müller zieht bei seiner Untersuchung auch viele Texte heran, die nicht explizit als prophetische Texte bezeichnet sind. Das wirft natürlich Fragen auf. Vgl. X. Jacques, NRTh 107 (1975) 986.

matischen oder ekstatischen Züge nach Möglichkeit als weniger wesentlich zu erklären".[242] Doch verliert das Bild der urchristlichen Prophetie auf diese Weise seine historischen Konturen.[243]

Die Prophetie spielte im Gottesdienst der korinthischen Gemeinde offenbar eine zentrale Rolle. Wie man aus 1 Kor 11,4–5 entnehmen kann, war es in Korinth üblich, daß sich Männer und Frauen[244] in der Gemeinde erhoben (vgl. 1 Kor 14,30), um prophetisch zu reden. Offensichtlich traute Paulus die Gabe der Prophetie nicht nur einigen Spezialisten in der Gemeinde zu. Wie 1 Kor 14,29–33 zeigt, war das prophetische Element in Korinth so stark verbreitet und von solcher Spontaneität geprägt, daß Paulus sich gezwungen sieht, auf Ordnung und gegenseitige Rücksicht zu drängen.

Die Prophetengabe ist nicht allen gegeben (1 Kor 12,29); sie ist auf einen bestimmten Personenkreis beschränkt.[245] Daß sich in 1 Kor 14,5 das „Ideal allgemeinen Prophetentums" abzeichne,[246] läßt sich nur behaupten, wenn man den polemischen Zusammenhang außer acht läßt. Das gilt entsprechend für 1 Kor 14,1.39,[247] wo Paulus die Korinther generell dazu auffordert, nach der Prophetengabe zu streben. Dort geht es vor allem darum, den Vorrang der Prophetie vor dem Zungenreden zu betonen. Paulus macht zwischen diesen beiden Erscheinungen einen deutlichen Unterschied: 1 Kor 14,1–5. In Korinth scheinen sie eng miteinander verbunden gewesen zu sein.[248] Paulus stellt für die Einordnung beider Charismen in den Gemeindegottesdienst eine ähnliche Regel auf (vgl. 1 Kor 14,27 mit 14,29f).[249] Es ist möglich, „daß die begeisternde prophetische Rede in Zungenrede überging, aber ebenso fest steht, daß es gesonderte Begabungen gewesen sind".[250] Paulus ist ekstatischen Erscheinungen gegenüber, wie sie auch im AT beson-

242 G. Dautzenberg, aaO 22. So bemüht sich U. B. Müller, aaO 23–42, das ekstatische Moment möglichst auszublenden. Paulus denkt in 1 Kor 14 an die eigentliche prophetische Predigt, aaO 26. Prophetie beinhaltet vor allem Ermahnung und Tröstung, aaO 41f; vgl. zu letzterem 232f. Die ekstatischen Elemente sind bei den Korinthern im Blick – nicht aber bei Paulus, aaO 28–32.

243 G. Dautzenberg, aaO 233, Anm. 23; zurückhaltend bezüglich der Gleichsetzung Prophet = Prediger auch E. Best, Prophets und Preachers, SJTh 12 (1959) 129–150; vgl. E. Best, Interpretation 46.

244 1 Kor 11,5 steht in gewisser Spannung zu 1 Kor 14,34f; diese Spannung ist nicht klar aufzulösen; vgl. W. Schrage, Einzelgebote 126; O. Merk, Handeln 146f, Anm. 434; G. Dautzenberg, Prophetie 257–273 hält 1 Kor 14,33b–36 für eine Interpolation aus der Zeit der Sammlung der Paulusbriefe, bes. 270–273. Vgl. 1 Tim 2,11–15; anders G. Strecker, Glaube 20f. W. Schrage, Korreferat 406: 1 Kor 11,5 bleibt unter dem Niveau von Gal 3,28 und ist von dort her zu korrigieren; vgl. auch O. Knoch, Geist 194f.

245 Vgl. H. Greeven, Propheten 5–8.

246 U. B. Müller, aaO 21f.

247 Vgl. 1 Kor 14,24.

248 Vgl. auch G. Dautzenberg, aaO 226–230 zu 14,1–25; U. B. Müller, aaO 28–31: die Korinther setzen Prophetie und Glossolalie gleich, betrachten die Glossolalie als prophetisch, was Paulus ihnen auszutreiben sucht; zur Kritik an dieser Position vgl. G. Dautzenberg, BZ 22 (1978) 125f.

249 K. Maly, Gemeinde 184.

250 E. Fascher, ΠΡΟΦΗΤΗΣ 185; vgl. auch J. J. Meuzelaar, Leib 37.

ders in älterer Zeit häufig mit der Prophetie verbunden waren,[251] recht zurückhaltend; aber er lehnt sie nicht einfach in Bausch und Bogen ab. Entscheidend für ihn ist die Frage, ob etwas dem Aufbau der Gemeinde dient.[252] So mahnt er die Propheten in Korinth, bei der prophetischen Rede nicht sich, sondern die Gemeinde im Auge zu haben (1 Kor 14,31). Die Prophetie äußert sich nicht ekstatisch, sondern in vernünftiger Rede (1 Kor 14,2f. 4 u.ö.).

Der Inhalt der Prophetie ist schwer zu bestimmen. Nach 1 Kor 14,3f sind Aufbau der Gemeinde, *παράκλησις* und *παραμυθία* Ziel (nicht Inhalt!) prophetischer Rede.[253] „Die beiden letzten Wörter bezeichnen offenbar den Zuspruch, aber hier kaum im Sinne des Trostes, sondern vielmehr in dem der Ermahnung (in dieser Bedeutung stehen die beiden zugehörigen Verben auch sonst nebeneinander).“[254] In den weiteren Ausführungen des Paulus in 1 Kor 14 wird deutlich: die Prophetie hat überführende, bekehrende, das Leben verändernde Kraft (1 Kor 14,24f).

G. Friedrich dürfte am ehesten den Gegenstand der urchristlichen Prophetie, wie er auch in 1 Kor greifbar wird, zutreffend beschreiben: „. . . die urchristliche Prophetie besteht nicht nur in der Enthüllung bevorstehender Ereignisse.[255] Sie erschöpft sich auch nicht darin, die Parusieerwartung in der Gemeinde lebendig zu erhalten,[256] sondern der Prophet ergreift zu ganz konkreten Fragen der Gegenwart das Wort . . . Er sagt nicht nur, was Gott zu tun beabsichtigt, sondern er verkündigt auch, was Gott von den Menschen getan haben will.“[257]

Prophetie beinhaltet also auch eine kritische Stellungnahme zum Bestehenden, nicht aufgrund eigener Einsicht, sondern aufgrund der Einsicht in Gottes Willen.[258] Aufgabe des Propheten ist es vor allem, die Gemeinde mit dem Willen Gottes im Hier und Heute zu konfrontieren. Ob es damit zusammenhängt, daß Paulus in 1 Thess 5,20 die Thessalonichergemeinde ermahnen muß, die Prophetie nicht geringzuschätzen? Das läßt auf eine Minder-

[251] Vgl. H. Gross, LThK² VIII, 795–798 passim; R. Meyer, RGG³ V 613–618 passim; J. Fichtner, RGG³ V 622f; A. Deissler, Sacramentum Mundi III 1289–1314 passim. Auch bei Philo hängen prophetisches Erleben und Ekstase eng zusammen, vgl. R. Meyer, ThW VI 822,41 – 823,16; zur sonstigen Religionsgeschichte R. Lanczkowski, LThK² VIII 794f; J. Behm, ThW I 723f.

[252] Diese streng gemeindebezogene (vgl. auch 2 Chr 20,14) und an dem Kriterium der Förderung der Gemeinde gemessene Prophetie unterscheidet sich natürlich grundlegend von der Erscheinung der zeitgenössischen Orakel- und Wanderpropheten. Zu diesen vgl. E. Fascher, aaO 190–208.

[253] Vgl. 1 Kor 14,31.

[254] G. Delling, Gottesdienst 38; Delling verweist vor allem auf 1 Thess 2,12; vgl. auch Phil 2,1.

[255] Vgl. z. B. Apg 11,27f; zu den „Propheten“ in Apg vgl. G. Delling, Gottesdienst 37; G. Stählin z. St.; E. Haenchen zu Apg 11,27–30.

[256] U. B. Müller, Prophetie 140: Die Prophetie wollte die Überzeugung wachhalten, am Ende der Zeiten zu leben „und darüber hinaus ein sittliches Verhalten einschärfen, das dieser Überzeugung gemäß ist“.

[257] G. Friedrich, ThW VI 850, 1–7.

[258] K. Kertelge zu Röm 12,6.

bewertung dieser Gabe in der Gemeinde schließen. Ob man sich die Propheten, die den unbedingten Willen Gottes zu vertreten hatten, vom Halse halten wollte, indem man sie abwertete?

Wie 1 Kor 14,29f zeigt, beruht Prophetie in den Augen des Paulus auf Offenbarung.[259] Die Propheten sind nicht Träger der christlichen Tradition; sie reden aufgrund der ihnen zuteilgewordenen *ἀποκάλυψις* (1 Kor 14, 26).[260] Inhalt dieser Offenbarung sind die „Geheimnisse" (1 Kor 13,2),[261] womit Paulus den Heilsplan Gottes mit den Menschen meint (1 Kor 2,7).[262] Solche „Offenbarung" nimmt Paulus auch für sich selber in Anspruch: Gal 1,12. 16; 2,1. Welchen konkreten Inhalt sie haben kann, zeigen Stellen wie Röm 11,25f; 1 Kor 15,51f; Gal 5,21; 1 Thess 3,4.[263] An diesen Stellen geht es einerseits um Ankündigung der Zukunft, die Gott dem Menschen bereiten wird, andererseits um kritisches Wort in die Gegenwart.

So hoch Paulus in Röm 12,6 die Prophetie einschätzt – sie ist nicht absolut zu setzen. Sie hat *κατὰ τὴν ἀναλογίαν*[264] *τῆς πίστεως* zu geschehen. Was er mit diesem rätselhaften Ausdruck meint, ist schwer zu sagen, ähnlich wie Röm 12,3, wo er vom *μέτρον πίστεως* sprach.[265] Klar ist, daß er in beiden Fällen eine Begrenzung angeben will. Aber er drückt sich so knapp aus, daß man bei der näheren inhaltlichen Bestimmung des Ausdrucks über Vermutungen kaum hinauskommt.

Die Prophetie ist auffälligerweise die einzige Gabe, die Paulus mit einer solchen Einschränkung versieht. Bei den folgenden Charismen drängt er entweder darauf, die jeweilige Gabe als Aufgabe zu akzeptieren, oder er gibt die rechte Haltung an, in der das Charisma ausgeübt werden soll. Bei der Prophetie aber scheint er der Meinung zu sein, daß ihr eine klare Grenze gesetzt werden müsse: die Prophetie soll „in Übereinstimmung mit dem Glauben"[266] geschehen. Offensichtlich hat Paulus seine Erfahrungen mit der Korinthergemeinde im Hinterkopf, wo das Prophetische überzuborden drohte (1 Kor 14,29–31). Er ist der Meinung, daß die prophetische Rede der Beurteilung bedarf (1 Kor 14,29).[267]

Was aber meint der Ausdruck „in Übereinstimmung mit dem Glauben"? Er ist in der Exegese sehr unterschiedlich gedeutet worden. Vor allem hat man häufig gefragt, ob hier eher die subjektive Seite des Glaubens gemeint

[259] Vgl. 1 Kor 14,6; vgl. auch U. B. Müller, aaO 233.
[260] Vgl. G. Friedrich, ThW VI 854,38 – 855,4.
[261] Vgl. zu 1 Kor 13,2 G. Dautzenberg, aaO 152–159.
[262] Röm 11,25 und 1 Kor 15,51 sind jeweils eschatologische Wirklichkeiten gemeint, die Paulus den Gemeinden mitteilt; vgl. auch O. Knoch, Geist 120.
[263] Vgl. Ph. Vielhauer, RGG³ V 633.
[264] Hapaxlegomenon im NT: „das richtige Verhältnis", „die Proportion"; W. Bauer, Wörterbuch 113; G. Kittel, ThW I 350,23–27.
[265] Diese Ratlosigkeit hat auch der Übersetzer der syrischen Peschitta empfunden, indem er *ἀναλογία* und *μέτρον* mit demselben Wort übersetzte. Vgl. G. Kittel, ThW I 350, Anm. 3.
[266] W. Bauer, Wörterbuch 113.
[267] Vgl. auch 1 Thess 5,19–21 und die „Unterscheidung der Geister" in 1 Kor 12,10. Zu 1 Kor 12,10 vgl. H. Greeven, Geistesgaben 117; G. Dautzenberg, Prophetie 147; O. Knoch, Geist 139–141.

sei, das Maß des Glaubens, wie es jedem von Gott zugeteilt ist,[268] die persönliche Glaubenseinsicht[269] oder Glaubenskraft – oder eher der objektive Glaubensinhalt, der als Maß an alles prophetische Reden anzulegen ist? Oder muß man damit rechnen, daß Paulus solche systematischen Unterscheidungen gar nicht bewußt macht? Das scheint auf den ersten Blick einleuchtend. Doch bleiben die Deutungen, die sich auf keine der beiden Positionen festlegen wollen, recht vage. So meint z. B. P. Feine, „Glaube" sei hier weder die subjektive Bestimmtheit des Menschen, noch das Glaubensbekenntnis der Gemeinde, sondern „der die Gemeinde beseelende Glaube".[270] Ähnlich erwägt G. Dautzenberg die Deutung, die *ἀναλογία τῆς πίστεως* meine die Zuordnung des prophetischen Wortes zum „Glaubens- und Erwartungshorizont der Gemeinde"[271] – was immer das heißen mag.

Der Kontext, vor allem die offensichtliche Parallele zu *μέτρον πίστεως* in V 3[272] und der Hinweis auf die je nach der verliehenen Gnade unterschiedlichen Gaben in V 6a, spricht zunächst für die subjektive Deutung.[273] Doch scheint ein Verständnis, wonach der Prophet sich nach seinem eigenen Glauben zu richten habe, schlechterdings unsinnig zu sein.[274] Vor allem fragt sich, ob damit der Prophetie ein brauchbarer Maßstab für ihre Ausübung an die Hand gegeben wird. Zudem ist es durchaus möglich, daß *πίστις* in 12,3 und 12,6 eine verschiedene Nuance hat. Nach M. Meinertz ist in Röm 12,3 die persönliche Glaubenskraft gemeint; dagegen könne in Röm 12,6 „nur die objektive Glaubenslehre gemeint sein", wenn *πίστις* hier „auch nicht gerade den technischen Sinn von Glaubensregel zu haben braucht".[275]

Diese Deutung auf den objektiven Glaubensinhalt scheint die einzig sinnvolle zu sein.[276] Die vielen in die paulinischen Briefe eingestreuten Bekenntnisformeln (z. B. Röm 1,3f; 4,25) zeigen, daß es für Paulus schon verbindliche Grundaussagen des Glaubens gibt, an denen sich der Christ orientieren soll. Besonders deutlich wird das 1 Kor 12,1–3 und 15,1–11. Solche Grundaussagen des Glaubens sind dem Propheten vorgegeben. Mit ihnen muß sich seine Prophetie in Einklang befinden: das scheint am ehesten den Sinn von Röm 12,6b zu treffen. Damit wird die Prophetie der Willkür des einzelnen entzogen.[277]

Man darf diesen Gedanken nicht dahin zuspitzen, der Prophet solle „sich an die ‚objektive' Glaubensnorm halten, wie sie im Glaubensbekenntnis der

268 So W. Sanday – A. C. Headlam, J. Huby z. St.
269 So H. W. Schmidt z. St.
270 P. Feine, Theologie 265f, unter Hinweis auf 1 Kor 14,29–31.
271 G. Dautzenberg, Prophetie 125.
272 Th. Zahn z. St. hält beide Ausdrücke für synonym.
273 So G. Kittel, ThW I 350,28 – 351,8.
274 E. Käsemann z. St.
275 M. Meinertz, Theologie II 120f.
276 Vgl. U. B. Müller, Prophetie 187: Röm 12,6 meint die Übereinstimmung mit dem überlieferten Glauben; vgl. aaO 113; vgl. W. Schrage, Einzelgebote 185.
277 Vgl. U. B. Müller, aaO 27.

Kirche zum Ausdruck kommt".[278] Ein solches allgemein verbindliches Glaubensbekenntnis der Kirche in unserem heutigen Sinne[279] gab es für Paulus noch nicht. Wohl gab es Ansätze dazu. Und es gab für Paulus eine unverzichtbare Mitte des Glaubens, die sich in verschiedenen Bekenntnisformeln zu artikulieren beginnt. Mit dieser Mitte des Glaubens soll die Prophetie übereinstimmen.

Paulus läßt nun nicht wie in 1 Kor 12,28 auf die Propheten die Lehrer folgen, sondern nennt zunächst die *Gabe der Diakonie.* Daß διακονία hier wie in 1 Kor 12,5 Oberbegriff für die folgenden Gaben sei, Paulus also neben die Prophetengabe die Gruppe der übrigen Gemeindedienste (unter dem Sammelbegriff „Diakonie") stelle, mit der deutlichen Tendenz, diese Gruppe aufzuwerten,[280] läßt sich dem Zusammenhang Röm 12 schlechterdings nicht entnehmen.

διακονέω bedeutet im Profangriechischen „bei Tisch aufwarten, für den Lebensunterhalt sorgen, dienen".[281] διακονία „bezeichnet durchweg die im διακονεῖν ausgeübte Tätigkeit".[282] Dabei hat διακονεῖν bedeutungsverwandten Wörtern gegenüber die Nuance, „daß es die ganz persönlich einem anderen erwiesene Dienstleistung bezeichnet".[283] In den Augen des klassischen Griechentums ist solches Dienen etwas Minderwertiges.[284] Das Judentum dagegen sieht im Dienen etwas Wertvolles.[285] Paulus greift ein in seiner Umwelt z. T. negativ geprägtes Wort auf und gibt ihm – wie das gesamte NT[286] – eine durch und durch positive Bedeutung.

Daß Paulus hier an das Amt des Diakons[287] denkt, ist unwahrscheinlich. Er verwendet hier nicht die Amtsbezeichnung διάκονος, sondern das Substantiv διακονία.[288] Damit liegt der Akzent nicht auf dem „Amt", sondern auf der Tätigkeit bzw. der Haltung der διακονία. Hinzu kommt, daß bei Paulus διάκονος als Amtsbezeichnung nur in Phil 1,1 begegnet.[289] Dort ist ganz

278 O. Knoch, Geist 122.
279 So könnte man O. Knoch zumindest (miß-)verstehen.
280 So H. Schürmann, Gnadengaben 240.
281 H. W. Beyer, ThW II 81, 24–42.
282 aaO 87, 4
283 aaO 81, 19–21.
284 aaO 81, 43ff.
285 aaO 82, 33ff.
286 Vgl. aaO 83–88.
287 So H. Lietzmann z. St.
288 Die Lesart ὁ διακονῶν einiger Handschriften dürfte Angleichung an die folgenden Glieder der Aufzählung sein.
289 Allenfalls käme noch Röm 16,1 in Betracht, wo Paulus die Phoebe als „Dienerin der Gemeinde in Kenchreae" bezeichnet. „Ob damit irgendeine feste Amtsbezeichnung oder nur eine Kennzeichnung ihrer Verdienste um die Gemeinde ausgedrückt werden soll, steht freilich dahin." H. W. Beyer, ThW II 93, 20f. Nach U. Brockhaus, Charisma 98–100 ist διάκονος an beiden Stellen feste Amtsbezeichnung.

ohne Zweifel ein festes Amt gemeint.[290] Das heißt keineswegs, daß es dieses Amt in allen paulinischen Gemeinden gegeben haben müsse (so daß der Apostel es dementsprechend auch in der ihm fremden römischen Gemeinde voraussetzen könnte). Die Entwicklung der Gemeindestrukturen kann in den einzelnen Gemeinden je nach ihren Voraussetzungen sehr verschieden gelaufen sein, so daß wir uns die langsame Herausbildung von Ämtern nicht differenziert genug vorstellen können.[291]

Was meint Paulus mit der Diakonie? Er versteht sein Apostelamt als Dienst: Röm 11,13. Er weiß sich in seiner gesamten Tätigkeit als Diener Gottes (2 Kor 6,4),[292] Diener Christi (2 Kor 11,23), Diener am Glauben der Gemeinde (1 Kor 3,5).[293] Sein Dienst an der Gemeinde besteht darin, daß er ihr das „Wort der Versöhnung" ausrichtet (2 Kor 5,18–20). Auch im Zusammenhang der Kollekte für Jerusalem, die dem Apostel ein besonderes Anliegen war, taucht die Wortgruppe häufig auf: Röm 15,25. 31; 2 Kor 8,4; 8,19f; 9,1. 12. 13; Paulus versteht die Geldsammlung als Dienst an den Mitchristen in Jerusalem.

Unserer Stelle besonders nahe steht 1 Kor 12,5, wo die διακονίαι genau so wie die χαρίσματα in 1 Kor 12,4 und die ἐνεργήματα in 1 Kor 12,6 wie Oberbegriffe über die in 1 Kor 12,7–10 aufgezählten Gaben wirken.[294] Welche Gaben welchem Oberbegriff zuzuordnen sind, dürfte sich kaum ausmachen lassen, zumal die Sprachregelung für die verschiedenen Dienste in der Gemeinde noch im Fluß ist. Die verschiedenen[295] διακονίαι in der Ge-

[290] Was wir Phil 1,1 vorfinden, „sind amtliche Bezeichnungen, Titel für Personen, die in der Gemeinde von Philippi verantwortliche Tätigkeiten wahrnahmen. Deren Näherbestimmung ist nicht möglich . . . weder eine Begrenzung auf die gottesdienstlichen Versammlungen noch auf den Bereich der Gemeindeverwaltung läßt sich begründet vornehmen". J. Hainz, Die Anfänge des Bischofs- und Diakonenamtes, in: J. Hainz (Hrsg.), Kirche im Werden. Studien zum Thema Amt und Gemeinde im Neuen Testament, München 1976, 91–107, hier 107.

[291] Vgl. J. Gnilka, Phil, Exkurs „Die Episkopen und Diakone", zu Phil 1,1; vgl. auch J. Gnilka, Amt 103f.

[292] Vgl. 1 Thess 3,2, wo Paulus den Timotheus (jedenfalls nach einigen wichtigen Handschriften) als „Gottes Diener" bezeichnet. Obwohl dieser Ausdruck (in verschiedenen Variationen) handschriftlich besser bezeugt ist als die Lesart „Gottes Mitarbeiter", könnte doch der Ausdruck „Gottes Diener" spätere Abschwächung sein, wie A. Oepke z. St. vermutet.

[293] Vgl. 2 Kor 3,6–9; 4,1; 5,18; 6,3; 11,8; auch 2 Kor 3,3, wo mit dem ungewöhnlichen Bild vom „Brief" vom Dienst an der Gemeinde die Rede ist. In 2 Kor betont Paulus den Dienstcharakter des Amtes besonders kräftig. Das liegt an der Situation in Korinth. Gegenüber seinen Gegnern, die ihm ein wenig imponierendes Auftreten vorwarfen (2 Kor 10,10) und sich in der Gemeinde unverhältnismäßig stark in den Vordergrund spielten (2 Kor 10,12; 11,5), setzt Paulus einen deutlichen Akzent auf das „Dienen".

[294] Vgl. H. Schürmann, Gnadengaben 238–242. Bemerkenswert ist in 1 Kor 12,4–6, „daß alltägliche Dienstleistungen jetzt den anerkannten, supranaturalen Geistphänomenen gleichgestellt werden". H. Conzelmann z. St.

[295] Man kann διαίρεσις auch mit „Zuteilung" übersetzen; dafür könnte 1 Kor 12,11 sprechen. Vgl. H. Conzelmann z. St. Doch würde dadurch die Klimax der Verse 1 Kor 12,4–6 viel von ihrer Wirkung verlieren. Möglich ist auch, daß Paulus bewußt mit beiden Bedeutungen von διαίρεσις spielt.

meinde, das will Paulus in 1 Kor 12,5 sagen, haben ihren Kristallisationspunkt in demselben Herrn, der sie bewirkt (vgl. 1 Kor 12,6), für den sie geschehen. Das schließt aus, die verschiedenen Dienste gegeneinander auszuspielen; es wäre ein Bruch der durch den gleichen Herrn gewirkten Einheit.[296]

Der reichhaltige paulinische Sprachgebrauch läßt es nicht zu, die διακονία in Röm 12,7 inhaltlich präzis zu bestimmen. Man sollte aus der sparsamen Andeutung nicht zu viel herauslesen wollen. Daß vorwiegend Taten helfender Fürsorge gemeint sind,[297] läßt sich schwerlich belegen. Immerhin kann Paulus in 2 Kor 5,18–20 vom „Dienst der Versöhnung" sprechen, vom Wort der Versöhnung, das der Apostel im Auftrag Christi auszurichten hat.[298] So werden wir bei der διακονία in Röm 12,7 an Dienste für die Gemeinde im weitesten Sinne zu denken haben.[299]

Ein Blick auf die spätere Entwicklung könnte – bei aller gebotenen Vorsicht – das gewonnene Ergebnis bestätigen. In dem späteren Eph wird in 4,1f, einer Stelle, an der deutlich Gedanken aus Röm 12,4–8 und 1 Kor 12 aufgegriffen werden, jede für den Aufbau der Gemeinde bedeutsame Tätigkeit als Dienst bezeichnet,[300] nicht nur die Eph 4,11 genannten Ämter.[301] Auch in 1 Petr 4,10f (deutliche Anklänge an Röm 12,6–8) scheint das διακονεῖν zumindest in V 10[302] nicht ein bestimmtes Amt zu meinen, sondern die Grundhaltung, die jede Aufgabe in der Gemeinde bestimmen muß, sei es nun die Verkündigung des Wortes oder der Dienst der helfenden Tat (1 Petr 4,11).

Die Diakonie steht auffällig zwischen Prophetie und Lehre, die in der Liste 1 Kor 12,28–30 ganz betont vorangestellt sind. Propheten und Lehrer sind ganz offensichtlich festumrissene Personengruppen in der Gemeinde. Ob man schon von „Ämtern" sprechen kann, muß angesichts der knappen Aufzählung offenbleiben.[303] Im übrigen ist der Kontext scharf im Auge zu behalten: Es geht Paulus nicht um hierarchische Abstufungen und Unterschiede, es geht ihm nicht um eine Aufteilung in „amtliche" und mehr „private" Funktionen, sondern gerade um das Zusammenspiel aller zum Wohl der Gemeinde und die Gleichrangigkeit und Unverzichtbarkeit aller in der Gemeinde wahrgenommenen Aufgaben.

[296] Der Gedanke der Einheit ist das Hauptanliegen des Paulus in 1 Kor 12,4–6. Das zeigt die Klimax: derselbe Geist – derselbe Herr – derselbe Gott.

[297] So H. W. Beyer, ThW II 87, 26ff; ähnlich P. Althaus z. St.: „es ist wohl im besonderen an die Pflege der Armen und Bedürftigen in der Gemeinde gedacht."

[298] Vgl. Apg 6,4: Dienst des Wortes.

[299] H. Conzelmann zu 1 Kor 12,4–6.

[300] H. W. Beyer, aaO 87, 18ff.

[301] Vgl. J. Gnilka z. St.

[302] Nach K. H. Schelkle z. St. hat διακονεῖν in 4,11 einen engeren Sinn als in 4,10.

[303] Vgl. H. Schlier zu Röm 12,7: Das Lehren „ist noch nicht ein festes Amt, aber es ist, meint Zahn mit Recht, ‚ein Stand', dessen regelmäßiger Dienst eben das Lehren ist".

Was mit dem „*Lehren*“[304] inhaltlich gemeint ist, wird weder an unserer Stelle noch in 1 Kor 12,28 präzis gesagt. Paulus spricht vom Lehren in sehr verschiedenartigen Zusammenhängen. So etwa in der für unsere Begriffe recht nebensächlichen Aussage, daß doch schon die Natur einen belehren könne, es sei eine Schande für den Mann, lange Haare zu tragen (1 Kor 11, 14). Röm 2,21 meint *διδάσκειν* die Belehrung über das richtige sittliche Verhalten des Menschen. Diese Bedeutung legt sich auch 1 Kor 4,17 nahe.[305] In Phil 4,9 bezieht sich das „Lernen“ auf ethische Fragen. Dagegen bezieht sich *διδάσκειν* in Gal 1,12 auf das Evangelium, das Paulus den Galatern verkündet hat. Er hat es nicht von anderen empfangen oder „gelernt“, sondern durch eine direkte Offenbarung Jesu Christi empfangen. Im gleichen Sinn bezeichnet das verwandte Wort *διδαχή* in Röm 16,17[306] die christliche Lehre im umfassenden Sinn, wie sie die Gemeinde empfangen hat. Ähnlich ist die Bedeutung von *διδαχή* in dem (umstrittenen) Vers Röm 6,17.[307]

Angesichts dieses Befundes ist es unsachgemäß, die Lehre auf die ethische Unterweisung zu beschränken.[308] Die Lehre hat es mit dem Überlieferungsgut der Gemeinde zu tun;[309] das zeigt sich daran, daß die Wörter der Wurzel *διδακ* – oft in unmittelbarer Nachbarschaft der Ausdrücke *παράδοσις* und *παραλαμβάνειν* stehen, die die rabbinischen termini technici für das Tradieren vertreten.[310] Ein gutes Beispiel dafür ist Gal 1,12: Hier steht der Empfang der Überlieferung und die Lehre parallel. „Lehre“ ist überdies terminus technicus für die Schriftauslegung im Synagogengottesdienst;[311] auch die jüdischen Schriftgelehrten haben es „ganz überwiegend mit der Weitergabe geformten Stoffes zu tun“.[312] So spricht vieles dafür,

[304] Die Lesart *διδασκαλίαν* in A ist Angleichung an das vorausgehende *διακονίαν*. *διδάσκω* bedeutet sowohl im Profangriechischen wie in LXX und NT „lehren, belehren“. Vgl. K. H. Rengstorf, ThW II 138–141; W. Bauer, Wörterbuch 381. *διδασκαλία* ist die „Lehre“, die „Lehrtätigkeit“, oder das „Belehrtwerden“. K. H. Rengstorf, aaO 163, 8–11; W. Bauer, aaO 380.

[305] Vgl. dort das Stichwort von den „Wegen“, ein im AT geläufiger Ausdruck für den Willen und die Forderungen Gottes, die das Verhalten des Menschen bestimmen sollen. H. D. Wendland z. St.

[306] Wie weit Röm 16 zum ursprünglichen Brief gehört, ist umstritten. Paulinisch ist es in jedem Fall.

[307] Für eine Streichung von V 17b, wie Bultmann sie vorschlägt, liegt kein zwingender Grund vor, vgl. O. Kuss z. St.

[308] Die Zuordnung der Lehre zur Paränese geht auf M. Dibelius zurück: Formgeschichte 240f; vgl. auch W. Schrage, Einzelgebote 137f; V. P. Furnish, Theology 107. Daß es sich in Röm 12,7 um Männer (?) handele, „die von der Schrift aus Anweisungen für die Lebensgestaltung gaben“ (K. H. Rengstorf, ThW II 149, 25ff) und es sich bei der Lehre „um die at.liche Willensoffenbarung Gottes überhaupt“ handele (aaO 164, 32f), ist reine Vermutung.

[309] H. Greeven, Propheten 22.

[310] aaO 19f.

[311] G. Dautzenberg, Prophetie 254, Anm. 4, vgl. Philo prob 82; contempl 76; Mk 1,21f; 6,2; Joh 6,59.

[312] H. Greeven, aaO 28.

daß die Bezeichnung „Lehrer“ auf einen in der Diaspora-Synagoge „technisch“ gebrauchten Begriff zurückgeht.[313]

Dieser Hintergrund macht es vollends sicher, daß Paulus bei der „Lehre“ nicht nur an die christliche Lebensführung denkt, sondern an die christliche Überlieferung im ganzen. „Paulus selbst steht schon in einer solchen Lehrüberlieferung, wenn er sich 1 Kor 7,10; 9,14; 11,23; 1 Thess 4,15 auf ‚ein Wort des Herrn‘ bzw. das ‚Vermächtnis des Herrn‘ bezieht, das er seinerseits ‚überliefert‘. Nach 1 Kor 15,3 weiß er sich und seine Gemeinde sogar an einen formulierten Bestand christlicher Überlieferung gebunden, der den Grund des christlichen Glaubens betrifft.“[314] In den christlichen Gemeinden bildete sich schon recht bald die Praxis einer Unterweisung im Glauben heraus. Der „Sitz im Leben“ solcher Unterweisung ist vor allem die Taufe (vgl. Röm 6,17) und die Gemeindeversammlung (1 Kor 14,26). Gal 6,6 könnte auf einen eigenen, berufsmäßigen Lehrstand in der Gemeinde hinweisen, der u. a. für den Taufunterricht zuständig war.[315]

Prophetie und Lehre repräsentieren die beiden Komponenten Geist und Tradition. Sie müssen „immer streng aufeinander bezogen bleiben: Prophetie ohne Lehre entartet zur Schwärmerei, Lehre ohne Prophetie erstarrt zum Gesetz“.[316]

Bei dem großen Bedeutungsreichtum des Wortes ist der Inhalt der *παράκλησις* schwierig zu bestimmen. Der Begriff läßt sich im Deutschen kaum sachgemäß mit einem einzigen Wort wiedergeben. Vieles schwingt in ihm mit: Mahnung, Trost, Ermutigung.[317] In 1 Thess 2,3 bezeichnet Paulus seine eigene Tätigkeit in der Gemeinde als *παράκλησις*, wobei er zweifellos an die Verkündigung des Evangeliums denkt, wie 2,2. 4 zeigen. 1 Thess 5,11 bezeichnet er es als Aufgabe der Christen, einander zu „trösten“[318] und zu erbauen. In der Bedeutung „Trost“ begegnet *παράκλησις* auch Röm 15,4f: Geduld und Trost stehen nebeneinander. Die Bedeutung „trösten“ herrscht auch in 2 Kor 2,7 vor, doch geht die Bedeutung offensichtlich schon in Richtung „ermutigen“, „ermuntern“: Ein Gemeindemitglied hat den Apostel schwer gekränkt. Möglicherweise ist er der Anführer einer unerfreulichen Agitation in der Gemeinde gegen Paulus gewesen. Nun, da die Gemeinde wieder hinter dem Apostel steht (2 Kor 7,9ff), droht sie den Betreffenden völlig zu isolieren. Paulus setzt sich für ihn ein: Die Gemeinde sollte ihm vergeben und ihm „Mut zusprechen“, ihn „ermuntern“ (2 Kor 2,7). In 1 Kor 14,3 ist die *παράκλησις* Wirkung der prophetischen Rede, neben *οἰκοδομή* und *παραμυθία*.

Die *παράκλησις* ist also etwas Positives, Aufbauendes.[319] Auch wenn der Ton des „Mahnens“ vorherrscht (wie in Röm 12,1), so liegt doch nichts

313 aaO 25f.
314 K. Kertelge, Gemeinde 122f.
315 O. Knoch, Geist 135f.
316 H. Greeven, aaO 29.
317 Vgl. oben zu Röm 12,1.
318 Da 4,18 unmittelbar vorausgeht, legt sich hier die Bedeutung „trösten“ nahe.
319 Vgl. 1 Thess 5,11; 1 Thess 2,11f erinnert Paulus die Thessalonicher daran, daß er sie „wie ein Vater seine Kinder“ ermahnt hat.

Scharfes, Polemisches, Kritisches darin.[320] Die παράκλησις versucht den anderen weiterzubringen, ihn auf seinem Weg zu ermuntern. So ist die παράκλησις in Röm 12,8 wohl im Sinne des ermutigenden, tröstenden, ermunternden seelsorglichen Zuspruchs gemeint, den einander zu leisten Paulus die Christen in seinen Gemeinden auch sonst öfter aufruft. Den ernsten Ton des „Ermahnens" darf man dabei nicht überhören. Das Charisma des seelsorglichen Zuspruchs wird 1 Kor 14,3. 31 der Prophetie zugeordnet; es gibt also offensichtlich Überschneidungen.

Auf die durch ein vorangestelltes εἴτε miteinander verknüpften Charismen folgen nun drei weitere asyndetisch aufgereihte Gaben. Dabei gibt Paulus jeweils eine positive Anweisung über die Einstellung, in der die jeweilige Gabe ausgeübt werden soll.

Der folgende Hinweis auf die *Freigebigkeit* ist in seiner Bedeutung umstritten. Denn das Verb μεταδίδωμι bezeichnet in LXX und im Profangriechischen nicht nur die Wohltätigkeit gegenüber den Armen.[321] Seiner Bedeutungsbreite wird am ehesten die Übersetzung gerecht: „Einen anderen an etwas sehr Kostbarem teilnehmen lassen, das man besitzt."[322] Diese kostbaren Güter können materielle Dinge sein, aber meist sind sie immateriell: Status, Information, Erziehung, besonderes Wissen.[323] Oft begegnet das Wort im Kontext religiösen Wissens, das geheim ist und mitgeteilt wird.[324] In der jüdischen paränetischen Tradition begegnet das Verb oft im Sinne der materiellen Wohltätigkeit.[325]

Die Freigebigkeit soll „in Einfalt" erfolgen. ἁπλότης bedeutet „Einfalt Schlichtheit, Gradheit".[326] Das Wort wird öfter im Sinne der schlichten, verständlichen Rede gebraucht, die jedermann verstehen kann.[327] In der LXX lassen sich je nach dem Kontext verschiedene Bedeutungsnuancen unterscheiden: ἁπλότης „meint einmal jene Arglosigkeit, die nichts Übles ahnt, ohne Verdacht ist, bzw. nichts Übles sinnt, ohne Hintergedanken ist . . . Sie ist aber auch Geradheit im Reden und Handeln überhaupt gegenüber allem Einkalkulieren von Vorbehalten. ‚Einfachheit' besagt weiter Einfalt und steht im Gegensatz zur astutia sophistischen Räsonierens und gewandtem, selbstherrlichem Denken. In diesen Zusammenhang gehört auch . . . die ἁπλότης des Königs, der ohne Restriktion seine öffentliche Spende leistet und in Uneigennützigkeit – Lauterkeit herrscht . . . Schließlich bezeichnet ἁπλότης die ‚Integrität' des Frommen, der ganz, ungeteilt und vorbehaltlos Gott gehört in Gehorsam und Ergebenheit".[328] Für unse-

320 O. Schmitz, ThW V 794, 18–22.
321 Belege bei W. C. v. Unnik, Interpretation 175–178.
322 aaO 177.
323 aaO 182.
324 aaO.
325 Hiob 31,17; Spr 11,26; Epist Jer 27 (= Bar 6,27); Test Iss 7,5; Test Zab 6,4. 6; vgl. Lk 3,11; Eph 4,28.
326 W. Bauer, Wörterbuch 169; Röm 12,8: die schlichte Güte, die sich ohne Hintergedanken entäußert, aaO 170; vgl. O. Bauernfeind, ThW I 385f.
327 Beispiele bei W. C. v. Unnik, aaO 179f.
328 J. Amstutz, ΑΠΛΟΤΗΣ 40f; Beispiele 18–38.

ren Zusammenhang ist besonders 1 Chr 29,17 beachtenswert: König David erklärt in seinem Dankgebet, daß er für den Tempelbau ἐν ἁπλότητι καρδίας gespendet habe. Hier liegt der Akzent auf Freiwilligkeit und Bereitschaft. Die Spende erfolgt „ohne Restriktion, aus vollem Herzen".[329] Auch in der jüdisch-hellenistischen Literatur kann ἁπλότης „die vorbehaltlose Spontaneität, die Einfachheit im Geben" bezeichnen.[330] In den Testamenten der Zwölf Patriarchen ist ἁπλότης ein Inbegriff für die Haltung des Frommen und bezeichnet die offene Geradheit dem Mitmenschen gegenüber.[331] Das Testament des Issachar trägt in wichtigen Handschriften die Überschrift περὶ ἁπλότητος.[332] In dieser Schrift findet sich die Aussage: „Denn Armen und Notleidenden gab ich alles von den Gütern des Feldes in Lauterkeit des Herzens."[333]

Paulus gebraucht das Verb μεταδιδόναι nur noch Röm 1,11 und 1 Thess 2,8. Röm 1,11 geht es um ein Mitteilen geistlicher Gaben (χάρισμα (!) πνευματικόν). 1 Thess 2,8 ist vom „Mitteilen" des Evangeliums Gottes die Rede; es steht parallel zum Verkünden des Evangeliums in 1 Thess 2,2. 9. ἁπλότης begegnet im NT nur im Corpus Paulinum.[334] In 2 Kor 8,2; 9,11. 13 steht es im Zusammenhang mit der Kollekte für Jerusalem.[335] Hier meint es die selbstlose, großzügige Güte, mit der die Gemeinden Mazedoniens sich für die Jerusalemer Gemeinde einsetzten (8,2); zu solcher selbstverständlichen Hilfsbereitschaft ruft Paulus nun auch die Korinther auf (9,11. 13). Dabei ist diese selbstlose Haltung in seinen Augen nicht menschliches Verdienst, sondern Wirkung der Gnade Gottes (8,1).

Der aufgeführte Befund macht die Interpretation nicht leicht, zumal der Kontext wenig Hilfe bietet. Der sonstige Gebrauch von μεταδιδόναι bei Paulus spricht zunächst dafür, daß hier vom Mitteilen geistlicher Gaben die Rede ist.[336] Da das Verb in Röm 12,8 in einem religiösen Kontext steht, meint es nach W. C. v. Unnik mit aller Wahrscheinlichkeit die Teilnahme an den Reichtümern des Evangeliums.[337] So könnte Röm 12,8 meinen: Der die Reichtümer des Evangeliums mitteilt, soll sein Charisma in Einfachheit ausüben – ohne Selbstüberhebung.[338] Dazu würde auch ausgezeichnet der weitere Kontext von Röm 12,3 passen.[339]

329 aaO 20; vgl. 19f.
330 aaO 51; Josephus, ant. 7, 332.
331 aaO 72; vgl. 64–72.
332 aaO 72.
333 Test Iss 3,8 J. Becker.
334 Vgl. neben den oben genannten Stellen Eph 6,5; Kol 3,22; ἁπλοῦς: Mt 6,22; Jak 1,5.
335 2 Kor 11,3 meint es „die Ausschließlichkeit, mit der die Gemeinde dem einen Christus gehören soll". J. Amstutz, aaO 113.
336 Vgl. W. C. v. Unnik, Interpretation 174; M. J. Lagrange z. St. hält hier die Beziehung auf die Mitteilung geistlicher Güter für ausgeschlossen, weil Lehre und Ermahnung bereits erwähnt seien. Doch darf man den unsystematischen Charakter der Aufzählung nicht vergessen.
337 aaO 183.
338 aaO.
339 aaO 180.

Die meisten Ausleger denken allerdings an die materielle Freigebigkeit. Das ist in der Tat wahrscheinlicher. Dafür spricht der sonstige Gebrauch von ἁπλότης bei Paulus. Auch das spontane Verständnis der Stelle legt diese Deutung nahe. Paulus knüpft offensichtlich an das traditionelle Thema „Einfachheit im Geben"[340] an. Er mahnt die Römer, in selbstverständlicher, offener Güte dem anderen mitzugeben. „Das Geben bedarf der Einfalt, die ohne Hintergedanken und Nebenabsichten auf Gewinn oder Verdienst[341] ganz der Not der anderen zugewandt ist und keine andere Rücksicht kennt, als ihr abzuhelfen."[342] Der religiöse Kontext von Röm 12,8 ist kein Gegenargument. Die διακονία, das μεταδιδόναι und das ἐλεεῖν lassen eher an die Tat der Liebe denken. Metadidonai begegnet dann allerdings nur hier bei Paulus im karitativen Sinn. Es handelt sich „offensichtlich um eine Gemeindeaufgabe, die dafür geeignete Menschen im Dienst und Auftrag der Gemeinde wahrnehmen."[343]

Schwierig ist auch eine präzise Umschreibung des Aufgabenfeldes des „*Vorstehers*". προΐστημι begegnet in zweierlei Bedeutung: 1. vorstehen, leiten, verwalten, 2. sich kümmern um, sorgen für, sich annehmen.[344] Da es in Röm 12,8 zwischen μεταδιδούς und ἐλεῶν steht, hat man häufig die zweite Bedeutung vorgezogen.[345] Doch rechtfertigt dieser Hinweis allein die Deutung auf „Fürsorge" keineswegs.[346] Es fragt sich, ob sich beide Bedeutungen gegenseitig ausschließen.[347] So ist B. Reicke[348] der Meinung, an den meisten Stellen scheine προΐστημι zunächst die Bedeutung „leiten" zu haben, doch zeige der Kontext in jedem Fall, daß man zugleich die Bedeutung „sorgen für" einbeziehen müsse. „Das erklärt sich dadurch, daß gerade die Fürsorge den leitenden Gliedern der jungen Kirche oblag."[349]

Vom Zusammenhang her ist zu vermuten, daß die hier angesprochene Tätigkeit einer Reihe von Leuten in der Gemeinde zugeschrieben wird (in

340 Vgl. J. Amstutz, aaO 103.
341 Vgl. den Vorwurf Mt 23,5 gegen Schriftgelehrte und Pharisäer; auch Mt 6,17. 18.
342 P. Althaus z. St.
343 O. Knoch, Geist 166; daß diese Gemeindefunktion im eigentlichen Sinn nicht mehr charismatisch genannt werden könne, aaO 166f, ist nicht einzusehen.
344 W. Bauer, Wörterbuch 1402; B. Reicke, ThW VI 700f; H. v. Campenhausen, Amt 70: Der Sinn des Wortes bei Paulus „hält zwischen diesen beiden Bedeutungen sachlich ungefähr die Mitte ein. Das Wort bezeichnet außerhalb des Neuen Testamentes die Tätigkeit der Fürsorge und ‚Betreuung', wie sie namentlich Höherstehende gegenüber den ihnen anvertrauten und untergebenen Personen ausüben. Aber Paulus meint damit kein bestimmtes ‚leitendes' Gemeindeamt, sondern ganz allgemein jede ratende und helfende Tätigkeit, die innerhalb der Gemeinde geschieht." Das Verb begegnet im NT sonst nur noch in den Past. Röm 16,2 begegnet προστάτις eindeutig im zweiten Wortsinn: Beschützerin, Patronin, Beistand, W. Bauer, Wörterbuch 1425.
345 z. B. E. Kühl, M. J. Lagrange z. St.
346 Vgl. W. C. v. Unnik, Interpretation 182, Anm. 49.
347 Vgl. U. Brockhaus, Charisma 106f.
348 ThW VI 701, 35ff.
349 aaO 701, 37ff; vgl. 40ff.

1 Thess 5,12 begegnet der Plural!). Die Hinzufügung „mit Eifer“[350] zeigt, daß hier an einen Einsatz für andere gedacht ist.[351] Jedenfalls liegt der Ton nicht auf der leitenden Funktion, dem Vorrang oder der Vollmacht, sondern auf dem Engagement für andere. Doch sollte man im Blick auf 1 Thess 5,12[352] die leitende Funktion dieser Personengruppe nicht bestreiten. Auch hier wären beide Übersetzungen möglich: „die bei euch leitende Funktionen haben“ oder „die für euch sorgen“.[353] Daß Paulus die Gemeinde in 5,13 mahnt, diese Leute wegen ihrer Arbeit in Liebe hochzuschätzen, weist darauf hin, daß ihre Stellung nicht unangefochten war. Jedenfalls wäre die Mahnung des Paulus kaum verständlich, wenn es sich nur um Leute gehandelt hätte, die sich in der Fürsorge für andere auszeichneten; offensichtlich hatten sie als solche eine leitende Stellung in der Gemeinde[354] und waren daher besonders der Kritik ausgesetzt, eine für die Anfangszeit der Gemeinden bei der langsamen Herausbildung der Gemeindeämter sehr verständliche Sache. Doch steht auch in 1 Thess 5,12 eindeutig nicht die Autorität dieser Gruppe im Vordergrund, sondern ihre Mühe um die Gemeinde.[355] Eben aus diesem Engagement begründet sich ihre Autorität.

Man sollte die Leitungsfunktion allerdings nicht überpointieren.[356] Die unbetonte Stellung des *προϊστάμενος* in Röm 12,8 macht es unwahrscheinlich, daß Paulus schon an ein speziell herausgehobenes Amt des Gemeindeleiters (oder der Gemeindeleiter) denkt. Zwar darf man aus der Reihenfolge der aufgezählten Charismen nicht unbedingt eine Rangfolge machen; das würde dem vorangestellten Bild vom Leib widersprechen. Doch dürfte die Reihenfolge nicht ganz zufällig sein. Wenn der Apostel hier ein wirkliches

[350] *ἐν σπουδῇ* = *μετὰ σπουδῆς*, W. Bauer, Wörterbuch 1513.

[351] *σπουδή*: „Eile; Eifer, Bemühung, Ernst, Einsatz“, G. Harder, ThW VII 561; auch „Engagement“, aaO 563, 39 (Philo); vgl. W. Bauer, aaO 1513.

[352] Vgl. U. Brockhaus, aaO 105–109; A. Wikenhauser, Kirche 78f entscheidet sich für die Deutung auf die „Gemeindeleiter“. Ein guter Überblick bei J. Hainz, Ekklesia 37–47; zu 1 Thess 5,12 vgl. 1 Kor 16,15f.

[353] So A. Oepke z. St. Die ganze Schwierigkeit einer präzisen Beschreibung der Funktion dieser Gruppe wird bei J. Hainz, Ekklesia, deutlich. 40: „Es bestimmt die Eigenart des paulinischen Amtsverständnisses, daß sich ‚Vorstehen‘ als ein ‚Fürsorgen‘, nicht aber als ein Befehlen aus ‚Amtsvollmacht‘ darstellen und verstehen muß, wie andererseits der geforderte Glaubensgehorsam nicht in Unterwerfung und Unterordnung, sondern nur in Anerkennung und liebender Hochachtung bestehen kann.“ 45: „. . . von ‚Amtspersonen‘ wird man an dieser Stelle noch nicht sprechen dürfen.“

[354] „. . . auch wenn die Übersetzung ‚Fürsorgende‘ besser begründet werden könnte, als es der Fall ist, so zeigen doch alle bisher beigebrachten Parallelen (sofern ein persönliches Objekt gegeben ist), daß es sich ausnahmslos um die Fürsorge von seiten Übergeordneter handelt . . . Auch der Sprachgebrauch der Umwelt . . . erlaubt es nicht, die leitende Funktion der *προιστάμενοι* zu bestreiten.“ H. Greeven, Propheten 32, Anm. 74; Beispiele aus dem spätgriechischen Genossenschaftswesen aaO 38, Anm. 91.

[355] Zu beachten wäre auch die Zusammenfassung der drei Funktionen 1 Thess 5,12 mit einem Artikel, vgl. H. Schürmann, Gnadengaben 259, Anm. 132.

[356] Vgl. K. Kertelge, Gemeinde 117, Anm. 76.

Leitungsamt im Auge hätte, würde er es kaum so nebenordnen. Nicht unerheblich dürfte die Beobachtung sein, daß προΐστημι in den späteren Pastoralbriefen, außer 1 Tim 5,17, eine allgemeine Bedeutung hat und keineswegs zum terminus technicus für das Amt des Gemeindeleiters geworden ist.[357]

Paulus beschließt die Reihe der Charismen mit dem Hinweis auf das *Üben von Barmherzigkeit.* ἐλεέω bedeutet „Mitleid haben, Barmherzigkeit üben, sich jemandes annehmen".[358] Gemeint ist hier die Barmherzigkeit, die sich dem anderen mit der Tat zuwendet.[359] In der zeitgenössischen stoischen Philosophie hatte der Begriff des ἔλεος einen negativen Beigeschmack. Das Mitleid wird hier unter die Krankheiten der Seele gerechnet; als πάθος ist es des Weisen nicht würdig.[360] Im klassischen Griechisch hat der Begriff diesen negativen Akzent noch nicht.[361] Im AT[362] wird das Erbarmen ebenso wie im späteren Judentum[363] hoch geschätzt. Die Rabbinen mahnen häufig zur Barmherzigkeit, nicht selten unter Hinweis auf Gottes Erbarmen.[364] Ein besonders ausführlicher Aufruf zur Barmherzigkeit findet sich in den Testamenten der Zwölf Patriarchen.[365]

Paulus gebraucht das Verb ἐλεέω nur hier in Röm 12,8 vom menschlichen Erbarmen. Sonst bezeichnet es ausschließlich das Erbarmen Gottes, das dem Menschen widerfährt.[366] Das gleiche gilt für das Substantiv ἔλεος.[367] Wenn Paulus es an unserer Stelle auch nicht ausdrücklich sagt,[368] so muß man hier doch seinen sonstigen Sprachgebrauch mitbeachten: Das Erbarmen, das der Christ übt, gründet im Erbarmen, das er selber empfing. Christliche Liebestätigkeit ist Antwort, Reaktion auf das Erbarmen Gottes, von dem der Christ sich selber getragen weiß.

Die rechte Grundhaltung beim Üben der Barmherzigkeit ist die Freude. ἱλαρότης bedeutet „Heiterkeit, Fröhlichkeit, Freundlichkeit".[369] Es begeg-

[357] Vgl. Tit 3,8. 14; in 1 Tim 3,4. 5. 12 begegnet es bei der Aufzählung der Amtsanforderungen an Episkopen und Diakone; sie sollen ihrer eigenen Familie gut „vorstehen", bzw. gut für sie „sorgen"; vgl. 1 Tim 5,8.

[358] W. Bauer, Wörterbuch 494f.

[359] Vgl. Lk 10,37: ποιεῖν ἔλεος, eine Wendung, die in LXX öfter begegnet: R. Bultmann, ThW II 476, Anm. 22; vgl. auch 478, Anm. 67; 479, 14ff.

[360] Vgl. aaO 475 20ff; Beispiele bei A. Vögtle, Tugend- und Lasterkataloge 88. 200. 219. Epiktet Diss I 18,3.9 gestattet zwar ein natürliches Mitleid. Aber es gilt – und das ist aufschlußreich – dem lasterhaften Menschen.

[361] R. Bultmann, aaO 474, 14ff, bes. 25f. Doch findet sich die Hochschätzung des Mitleids auch später, etwa bei Vettius Valens, vgl. A. Vögtle aaO 88: hier spricht, entgegen der stoischen Tradition, „die Ethik des unverbildeten Volkes".

[362] Vgl. R. Bultmann, aaO 475,31 – 478,3.

[363] Vgl. aaO 478,4 – 479,6; Billerbeck IV 536ff Exkurs „Die altjüdische Privatwohltätigkeit"; vgl. auch aaO I 203–205; A. Nissen, Gott 267–277.

[364] R. Bultmann, aaO 478,7–8 und Anm. 60.

[365] Test Zab 5–8.

[366] Röm 9,15. 16. 18; 11,30. 31. 32; 1 Kor 7,25; 2 Kor 4,1; Phil 2,27.

[367] Röm 9,23; 11,31; 15,9; Gal 6,16.

[368] doch vgl. Röm 12,1.

[369] W. Bauer, Wörterbuch 742.

net im NT nur an unserer Stelle, neben ἱλαρός in 2 Kor 9,7, wo Paulus Spr 22,8a frei zitiert: einen fröhlichen Geber liebt Gott.[370] „An beiden Stellen soll die Freiheit und Echtheit gütigen Schenkens durch ihr Symptom, die Heiterkeit, charakterisiert werden."[371] Der Sinn der Mahnung ist also: Wer Erbarmen übt, tue es mit selbstverständlicher, gelöster Heiterkeit. „Daß die Heiterkeit zur inneren Freiheit des Gebens gehört, hat wie das Judentum[372] und Christentum auch das Heidentum[373] gewußt . . . Christlich ist nicht der Gedanke an sich, sondern seine neue Motivierung."[374] Diese wird Röm 12,8 und 2 Kor 9,7[375] durch den Zusammenhang deutlich ausgesprochen: Die Freigebigkeit des Menschen gründet in der Freigebigkeit Gottes, das Erbarmen des Menschen im zuvor erfahrenen Erbarmen Gottes.

4. Zusammenfassung

So schwierig es ist, die einzelnen genannten Charismen klar voneinander abzugrenzen und inhaltlich zu bestimmen, so deutlich ist auf der anderen Seite die Zielrichtung der Mahnung, und das ist für unseren Zusammenhang entscheidender: Paulus zählt eine Reihe ihm für das Leben der Gemeinde wichtig scheinender Aufgabenbereiche auf und mahnt, die dem einzelnen geschenkten Gaben ganz in den Dienst der Gemeinde zu stellen. Die Wiederholungen in V 7 und 8a sollen ganz offensichtlich sagen: Wer diese spezifische Gabe hat, der soll eben darin seinen Beitrag zum Aufbau und Leben der Gemeinde sehen. Er soll sich ganz auf ihre Ausübung konzentrieren, ohne die ihm zufallende Funktion mit der der anderen zu vergleichen, sie zu überschätzen (V 3) oder aber umgekehrt mit ihr unzufrieden zu sein und etwas besseres zu wollen.

Das Bild vom Leib bereitet die Mahnung vor (12,4f). Es steht ganz im Dienst der Paränese. Paulus will nicht „dogmatisch" über das Wesen von

370 Vgl. Spr 22,9 LXX: ὁ ἐλεῶν.
371 R. Bultmann, ThW III 299, 41–43.
372 Vgl. neben Spr 22,8 auch Sir 35,7–9 (von der Erstlingsgabe an Gott). Bei den Rabbinen finden sich folgende Aussprüche: „R. Jicchaq (um 300) hat gesagt: Die Tora will dich gute Sitte lehren, daß ein Mensch, wenn er Almosen gibt . . ., sie mit fröhlichem Herzen . . . geben soll." Billerbeck III 296; „Schammai (um 30 v. Chr.) sagte: Nimm jeden Menschen mit freundlichem Gesicht auf . . . Das lehrt: wenn jemand einem andren alle Geschenke der Welt gäbe, sein Angesicht aber blickte mißmutig zur Erde, so rechnet ihm das die Schrift so an, als hätte er ihm nichts gegeben. Aber wenn er den andren mit freundlichem Angesicht aufnimmt, so rechnet es ihm die Schrift, auch wenn er ihm nichts gegeben hätte, so an, als hätte er ihm alle guten Gaben gegeben." aaO III 524. Es ist also eine ungerechte Fehleinschätzung, wenn J. Brosch schreibt: „Die Fröhlichkeit christlicher Barmherzigkeit steht in einem wohltuenden Gegensatz zu dem kalten Formalismus jüdischer berechnender Hilfe bei fremder Not." J. Brosch, Charisma 128, vgl. 129.
373 Vgl. Seneca, Ben II 1,1f; 7,1.
374 R. Bultmann, aaO 299,50 – 300,1.
375 2 Kor 8,9; 9,8f.

Kirche spekulieren. Es geht ihm um die Mahnung an jeden einzelnen, in nüchterner Einsicht in die ihm eigenen Möglichkeiten und Grenzen (12,3) seinen Aufgabenbereich in der Gemeinde zu akzeptieren und sein Charisma für die Gemeinde fruchtbar zu machen. Das Charisma, das der einzelne hat, ist Geschenk der Gnade Gottes (12,3.6); es gibt dem einzelnen die Chance, seinen spezifischen Beitrag für das Ganze der Gemeinde zu leisten.

III. Röm 12,9 – 21: Christliche Gemeinde in nichtchristlicher Umwelt

Ab 12,9 sind die Mahnungen locker aneinandergefügt. Zunächst geht es noch deutlich um das Leben innerhalb der Gemeinde, besonders in 12,10 – 13. 16. Doch tritt ab 12,14 auch das Verhalten der Christen zu ihrer oft feindlichen Umwelt in den Blick. In 12,17–21 ist es das durchgehende Thema. Angesichts der Tatsache, daß die römische Gemeinde eine Minderheit ist, die in einer andersdenkenden und z. T. feindselig eingestellten Umwelt lebt, erhalten die Mahnungen zur Bruderliebe und zum Zusammenhalt innerhalb der Gemeinde besonderes Gewicht (12,10.13.15.16).

1. Röm 12,9: Die Liebe und das Tun des Guten

An der Spitze der paränetischen Spruchreihe steht die Mahnung zur Liebe. Sie erhält dadurch eine besondere Betonung. Nur die biblische (und ihr folgend die kirchliche) Literatur kennt das Hauptwort ἀγάπη[1], während das Verb ἀγαπᾶν auch in der profanen Gräzität vorkommt.[2] Paulus gebraucht als Bezeichnung für die Nächstenliebe nie den in seiner Umwelt üblichen[3] Terminus φιλανθρωπία[4]; die führende Bezeichnung für die Nächstenliebe „ist die den Popularphilosophen gänzlich unbekannte ἀγάπη".[5] Man sollte vorsichtig sein, aus diesem Sprachgebrauch allein die „Neuheit" christlicher Liebe gegenüber allem Vorherigen abzuleiten.[6]

1 Vgl. E. Stauffer, ThW I 37, 24ff; C. Spicq, Agape. Prol. 32–37; V. P. Furnish, Love Command 220–222; K. H. Schelkle, Theologie III 131; zum LXX-Sprachgebrauch G. Quell, ThW I 20f; R. Völkl, Botschaft 9.

2 Vgl. G. Strecker, Strukturen 143f; auf einen eingehenden Vergleich mit dem griechischen Sprachgebrauch müssen wir hier verzichten; vgl. zu ἐρᾶν C. Spicq, Agape. Prol. 7–11; zu φιλεῖν 12–32; zu ἀγαπᾶν 32–63.

3 z. B. Philo virt 51ff.

4 Auch das übrige NT ist hier sehr zurückhaltend: Tit 3,4 braucht es von der Menschenliebe Gottes; Apg 28,2 meint es die Menschenfreundlichkeit, die Paulus und die übrigen Schiffbrüchigen auf Malta erfahren; vgl. Apg 27,3.

5 A. Vögtle, Tugend- und Lasterkataloge 144.

6 Schon F. Kattenbusch hat davor gewarnt, „das Wort als solches zu überschätzen, ihm gar im Sprachgebrauch von Hause aus oder in der Entwicklung eine exklusive Nüance beizumessen". Feindesliebe 13; vgl. V. P. Furnish, aaO 222.

Die Liebesforderung hat für den Apostel zentrale Bedeutung.[7] An unserer Stelle geht es darum, daß die Liebe „ungeheuchelt“[8] sein soll. ἀνυπόκριτος begegnet im Profangriechischen erst in nachneutestamentlicher Zeit,[9] zum ersten Mal bei Marc Aurel, „dem großen Apostel der Aufrichtigkeit“.[10] Es hat die Bedeutung „frei von Heuchelei bzw. Verstellung, ohne (verstellende) Schauspielerei“.[11] Der ὑποκριτής ist der Schauspieler, dessen Maske seine wahre Identität verbirgt.[12] ἀνυπόκριτος ist in hellenistisch-christlicher paränetischer Tradition festes Attribut der Agape.[13] Der Kampf gegen die ὑπόκρισις gehört zu den großen Themen der syn Jesusverkündigung; es ist gut möglich, daß er hier in der urchristlichen Paränese nachwirkt.[14]

Es geht um die Authentizität, um die Echtheit christlicher Existenz, um eine Liebe, die nicht etwas vortäuscht, was in Wirklichkeit nicht da ist, bei der Inneres und Äußeres übereinstimmen. Liebe kann sehr leicht unlauter werden, wenn sie zur Schau gestellt wird – sei es, daß man vor anderen eine gute Figur machen will, sei es, daß man vor sich selber gut dastehen will. „Liebe und Wahrheit gehören zusammen.“[15] Die Verbindung „ungeheuchelte Liebe“ begegnet auch in 2 Kor 6,6, wo Paulus von seinem selbstlosen, entbehrungsreichen Dienst für die Gemeinden spricht und in 6,3–10 wesentliche Grundhaltungen aufzählt, die seinen Dienst bestimmen. Ähnliches meint er auch an unserer Stelle: Die Liebe soll aufrichtig sein, soll sich uneigennützig für die anderen engagieren und nicht (wenn auch in noch so subtilen Formen) auf sich selbst bezogen sein. Die Tatsache, daß bei Paulus zweimal die Verbindung „ungeheuchelte Liebe“ begegnet, legt den Gedanken nahe, daß er sich hier der Gefahr der Täuschung – und vor allem der Selbsttäuschung – deutlich bewußt war.[16]

V 9b fügt sich locker an: Verabscheut das Böse, hängt dem Guten an. Das Gute[17] und das Böse[18] spielen in der Reflexion über das rechte sittliche Handeln eine große Rolle; gut und böse werden in der ethischen Mahnung gern kontrastiert als die beiden Möglichkeiten, die der Mensch wählen kann.

[7] Vgl. unten unter C IV 3.
[8] W. Bauer, Wörterbuch 10. 152.
[9] In LXX begegnet es Weish 5,18; 18,15. An beiden Stellen ist es von Gottes heilsgeschichtlich-endzeitlichem Tun ausgesagt und hat „den Sinn der unverstellten Eindeutigkeit des Unwiderruflich-Endgültigen“. U. Wilckens, ThW VIII 569, 30f.
[10] M. J. Lagrange z. St.
[11] U. Wilckens, aaO 569, Anm. 1.
[12] C. Spicq, Théologie I 288f, Anm. 6.
[13] U. Wilckens, aaO 569, 32f; vgl. 2 Kor 6,6; 1 Petr 1,22: φιλαδελφία; 1 Tim 1,5.
[14] Vgl. 2 Tim 1,5: πίστις ἀνυπόκριτος; Jak 3,17
[15] J. J. Meuzelaar, Leib 73.
[16] C. E. B. Cranfield, Commentary 39: die modernen Verfechter der Parole „nicht Gesetz, sondern Liebe“ seien sich dieser Gefahr wohl nicht so bewußt.
[17] Vgl. zu 12,2; zum Begriff des Guten in der Stoa vgl. H. Hübner, Das ganze und das eine Gesetz. Zum Problemkreis Paulus und die Stoa, KuD 21 (1975) 239–256.
[18] Vgl. W. Grundmann, ThW III 470–476 pass; für das AT 479f.

Die Gegenüberstellung findet sich auch bei Paulus öfter.[19] In der atl.-jüdischen Tradition spielt sie eine große Rolle. Am 5,15 findet sich die Mahnung: „Hasset das Böse, liebet das Gute."[20] Test Benj 8,1 heißt es: „Und ihr nun, meine Kinder, entflieht dem Bösen, dem Neid und dem Bruderhaß und hängt der Güte und der Liebe an!"[21] Paulus steht hier in einer breiten ethischen Tradition.

Der Christ soll sich mit eindeutiger Entschiedenheit vom Bösen lossagen; das wird mit dem starken Ausdruck „verabscheuen"[22] unterstrichen. Auch im positiven Teil der Mahnung gebraucht Paulus ein sehr eindringliches Verbum;[23] es findet sich bei ihm nur noch 1 Kor 6,16f, wo es die Intensität der geschlechtlichen Bindung meint; gegen allzu großzügige, gnostisch infizierte Freiheitsparolen setzt er die klare Alternative: entweder an der Hure hängen – oder am Herrn hängen. Auch hier, in Röm 12,9, geht es um eine enge Bindung: um die entschiedene Bindung des Christen an das Gute, das sein gesamtes Verhalten prägen und bestimmen soll. Der Christ soll sich an das Gute geradezu klammern. Gut und Böse sind hier zweifellos neutrisch zu verstehen und meinen das sittlich Böse bzw. Gute.[24]

Die Mahnung ist sehr allgemein gehalten und bedarf einer konkreten inhaltlichen Füllung. Diese geschieht in Röm 12,17 (Gegensatz *κακόν – καλά*) und Röm 12,21 (Gegensatz *κακόν – ἀγαθόν*): dort geht es um das Verhalten gegenüber Gegnern und Feinden. Da muß sich zeigen, ob der Christ auf der Seite des Guten steht und bereit ist, das Böse, das der andere ihm antut, aufzufangen. Ähnlich steht es Röm 15,2: dort geht es um das Verhalten von Christen in einer Konfliktsituation; das geforderte Gute ist die Rücksicht auf den andersdenkenden Mitchristen. Das Tun des Guten ist gerade in solchen Konfliktsituationen für Christen keine Selbstverständlichkeit. Daher die breite Mahnung Röm 12,17–21. Schon Röm 7,18f hatte Paulus von der Zerrissenheit des Menschen gesprochen, der wohl das Gute will, oft aber nicht die Kraft zum Guten aufbringt. Er weiß ganz realistisch darum, wie sehr der Widerspruch zwischen Wollen und Vollbringen dem Menschen persönlich zu schaffen machen kann. So muß auch der Christ immer wieder zum Tun des Guten aufgefordert werden.

[19] Röm 2,9f; 7,19; 16,19; 1 Thess 5,21f; vgl. auch Mk 3,4; 1 Petr 3,17; 3 Jo 11.
[20] Vgl. Jes 1,16f.
[21] J. Becker; vgl. Test. Dan 6,10; Test. Gad 5,2; vgl. auch Gen 50,20 LXX.
[22] Hapaxlegomenon, W. Bauer, Wörterbuch 199; die Lesart *μισοῦντες* in G dürfte aus dem lateinischen Text (odientes) entstanden sein, vgl. H. Lietzmann z. St.
[23] *κολλάω*: „zusammenfügen"; *κολλᾶσθαι*: „an etwas haften, sich eng anschließen an, feste Verbindung eingehen mit". W. Bauer, aaO 872f; vgl. K. L. Schmidt, ThW III 822. Das Verb wird „weitaus am häufigsten von dem engen und innigen Anschluß an Personen gebraucht". Th. Zahn z. St.
[24] G. Harder, ThW VI 562, 24ff; anders Th. Zahn z. St.

2. Röm 12,10 – 13: Christliche Brüderlichkeit und gelebter Glaube

Die Mahnungen in 12,10–13 betreffen vor allem das Leben innerhalb der Gemeinde.[25] Dabei geht es einerseits um Brüderlichkeit und Hilfsbereitschaft (12,10.13), andererseits um einen gelebten Glauben (12,11f). Ab 12, 13 geht der Blick allmählich über die Grenzen der eigenen Gemeinde hinaus: In 12,13 geht es um die Gastfreundschaft gegenüber Christen aus fremden Gemeinden, in 12,14 kommt das Verhältnis zu den Verfolgern der Gemeinde ins Blickfeld.

Zunächst mahnt Paulus zu herzlicher gegenseitiger Bruderliebe: Seid „einander in brüderlicher Liebe zugetan".[26] φιλαδελφία ist die Bruderliebe, die Geschwisterliebe;[27] das Wort, das sonst die Liebe zu wirklichen Geschwistern bezeichnet, meint im NT stets im übertragenen Sinn die Liebe zum christlichen Glaubensbruder.[28] Daß sie auch hier gemeint ist, zeigt der Hinweis auf ihre Gegenseitigkeit.[29] Auch in 1 Thess 4,9, der einzigen Stelle, an der Paulus das Wort noch verwendet, hat er das Verhalten der Christen zueinander im Blick: Gott selbst hat die Gemeinde (durch die Predigt des Apostels: 1 Thess 2,13) über die Bruderliebe belehrt; sie ist für Christen im Grunde eine Selbstverständlichkeit. Die Mahnung zur Bruderliebe findet sich auch in den späteren Schriften des NT,[30] wobei 1 Petr 1,22 und Hebr 13,1 besonders stark an Röm 12 erinnern:[31] Entweder wirken dort die Mahnungen aus Röm 12 kräftig nach; wahrscheinlicher wird eine gemeinsame paränetische Tradition in der frühen Christenheit sichtbar, die hier wie dort ihren Niederschlag gefunden hat.

„Bruder" ist ein in der Antike häufig gebrauchter Freundestitel.[32] Die Mitglieder orientalischer Religionsgemeinschaften nannten sich „Brüder".[33] Im AT kann „Bruder" neben dem leiblichen Bruder den Glaubens- und Volksgenossen bezeichnen,[34] ein Sprachgebrauch, der im NT übernommen wird, etwa, wenn in Apg die Apostel die Juden als „Brüder" anreden.[35] Doch haben sich die Christen bald als Bruderschaft im ausschließlichen Sinn verstanden. Die aus dem religiösen Sprachgebrauch des Judentums über-

[25] Auffallend sind die zahlreichen Dative; sie zeigen die mannigfache Verwendung des Dativs bei Paulus und werden z. T. verschieden gedeutet; vgl. L. Radermacher, Grammatik 125.

[26] W. Bauer, Wörterbuch 1703.

[27] τῇ φιλαδελφίᾳ ist wie τῇ τιμῇ Dativ der Beziehung, F. S. Gutjahr z. St.

[28] W. Bauer, Wörterbuch 1697; vgl. H. von Soden, ThW I 146.

[29] Die „Gegenseitigkeit" der Liebe wird oft betont: Röm 13,8; Gal 5,13; 1 Thess 3,12; 4,9.

[30] Vgl. neben den in der folgenden Anm. genannten Stellen auch 2 Petr 1,7.

[31] 1 Petr 1,22; εἰς φιλαδελφίαν ἀνυπόκριτον (vgl. Röm 12,9); Hebr 13,2 entspricht Röm 12,13.

[32] K. H. Schelkle, RAC II 631f.

[33] aaO 633f.

[34] Die Mitglieder der Gemeinde von Qumran verstanden sich trotz aller Rangunterschiede als „Brüder": 1 QS VI 10. 22; 1 QM XIII 1; XV 4. 7; vgl. K. H. Schelkle, Theologie III 127.

[35] K. H. Schelkle, RAC II 635f; vgl. noch Röm 9,3.

nommene Bezeichnung der Mitchristen als „Brüder" findet sich in allen neutestamentlichen Schriften[36] und zeigt das starke Zusammengehörigkeitsgefühl der ersten Christen, das freilich von Anfang an immer wieder Gegenstand der Ermahnung sein mußte. Auch die stoische Ethik weiß davon, daß die Menschen mit Gott verwandt und darum untereinander Brüder sind[37]; dieser Gedanke einer Weltbrüderschaft steht auf dem Hintergrund einer pantheistischen Gottesauffassung und ist dadurch vom NT scharf geschieden.

Die Mahnung zur Bruderliebe gewinnt durch den Hinweis auf ihre Herzlichkeit besonderen Nachdruck. φιλόστοργος bedeutet „innig liebend"[38] und bezieht sich im klassischen Griechisch auf die Verwandtenliebe;[39] es hat den Ton einer besonders zärtlichen, herzlichen Liebe.[40] In LXX begegnet φιλοστοργία 2 Makk 6,20 und 2 Makk 9,21. Im ersten Fall bedeutet es die in der Natur eingewurzelte Liebe zum Leben, im zweiten Fall ist es eher eine diplomatische Floskel – der König Antiochus versichert die Juden seiner herzlichen Sympathie.[41] Bei Philo begegnet φιλοστοργία im Sinn des klassischen Griechisch: die Liebe von Vater oder Mutter zu ihren Kindern.[42] In den Papyri beschränkt sich die φιλοστοργία nicht auf die Elternliebe; sie bezieht sich darüber hinaus auf Freunde und Sklaven und beinhaltet auch den aktiven Einsatz für andere.[43] Die Inschriften rühmen häufig die φιλοστοργία bestimmter Personen; vor allem ist es die großzügige Wohltätigkeit, etwa eines Königs gegenüber einer Stadt,[44] die solches Lob auslöst.[45] Doch kann die φιλοστοργία in den Inschriften auch einen wärmeren persönlichen Ton annehmen.[46] In der hellenistischen Epoche verbindet man offenbar mit dem Begriff die Vorstellung des persönlichen Einsatzes und der Großzügigkeit wie auch der Herzlichkeit und Fürsorge.[47]

Die christliche Gemeinde, gleichsam eine große Familie, wird zur Bruderliebe aufgerufen. Zwischen den Gemeindemitgliedern soll ein herzliches Verhältnis herrschen, wie es zwischen Familienangehörigen besteht. Solche Wärme und Zuneigung zueinander war in den frühen christlichen Gemeinden

[36] H. von Soden, ThW I 145,7–34; eine übertragene Bedeutung von φιλαδελφία ist dagegen außerhalb der christlichen Literatur nicht belegt; aaO 146, 20f.

[37] Beispiele bei A. Vögtle, Tugend- und Lasterkataloge 139.

[38] W. Bauer, Wörterbuch 1703; Hapaxlegomenon im NT.

[39] Vgl. A. Bonhöffer, Epiktet 134; C. Spicq, Théologie II 789f, Anm. 3. Das gilt auch für das Substantiv στοργή: H. Sladeczek, φιλαδελφία 274.

[40] Vgl. C. Spicq, φιλόστοργος 497, Anm. 2; C. Spicq, Agape. Prol. 4, Anm. 2.

[41] C. Spicq, φιλόστοργος 498.

[42] aaO; das gilt auch für Epiktet: aaO 500.

[43] aaO 500–502.

[44] oder eines Arztes, der sich um Arme und Reiche in gleicher Weise bemüht: aaO 504.

[45] aaO 502–505.

[46] aaO 505.

[47] aaO 507f; Spicq macht vor allem auf die häufige Verbindung von φιλοστοργία mit ποιεῖν aufmerksam. Angesichts des sprachlichen Befundes ist die Auskunft von K. Barth z. St. schon einigermaßen erstaunlich: „Zärtlich" (φιλόστοργος) „heißt im Römerbrief, heißt existentiell verstanden dienlich, sachlich, aufs Ziel gerichtet, kritisch."

besonders wichtig; denn die Bekehrung zur christlichen Gemeinde bedeutete oft den Bruch mit der eigenen Familie.[48] In der Gemeinde soll der Christ Geborgenheit finden.

Die Mahnung zur Brüderlichkeit ist auch auf dem Hintergrund von 12, 3–8 zu hören: Daß die Gemeinde ein Leib in Christus ist, darf nicht fromme Theorie bleiben. Es muß sich in der herzlichen Brüderlichkeit zeigen, mit der Christen einander begegnen, wie auch in der Achtung voreinander, in einer Achtung, die das Charisma des anderen anerkennt.

Ob man die folgende Mahnung übersetzt „in Ehrerbietung sucht einander zuvorzukommen", oder „was die Ehre anlangt, schätze jeder den anderen höher ein (als sich selbst)"[49], oder „übertrefft den anderen in der Ehrerweisung",[50] ändert am Sinn der Aussage nichts: Der Christ soll seinem Mitchristen mit Achtung begegnen; er soll den anderen höher einschätzen als sich selbst.[51] Das Stichwort τιμή begegnet auch in 1 Kor 12,23. 24, wo Paulus sich deutlich gegen die Überheblichkeit einer bestimmten Gruppe in der Gemeinde von Korinth wendet: Gerade den Christen, denen kein in die Augen fallendes Charisma geschenkt ist, soll die Gemeinde eine besondere Wertschätzung entgegenbringen. „Durch die ihnen erwiesene τιμή werden sie den anderen Gemeindegliedern gleichgestellt."[52] Allen in der Gemeinde kommt Achtung zu,[53] nicht etwa nur Amtsträgern[54] oder besonders herausgehobenen Leuten, oder wie in Röm 13,7, den Trägern der staatlichen Gewalt.[55]

Paulus liegt hier auf der Linie atl. Frömmigkeit, die ein deutliches Gespür für die Würde des Menschen hat. Ehre kommt nicht nur Gott zu (Jes 29,13; Spr 3,9), dem König (Weish 14,17), den Eltern (Ex 20,12;[56] Dt 5,16), dem Greis (Lev 19,32), dem Arzt (Sir 38,1),[57] dem Tempel (2 Makk 3,2. 12; 13,23);[58] wir stoßen im AT auch auf die Mahnung zur Ehrerbietung den Armen (Spr 14,31)[59] oder den treu dienenden Sklaven gegenüber (Spr 27,

48 Vgl. E. Best z. St.

49 W. Bauer, Wörterbuch 1400; so auch F. Büchsel, ThW II 910f unter Hinweis auf 2 Makk 10,12; Bl.-Debr.-Rehkopf § 150. Zum reichen Bedeutungsgehalt von τιμή vgl. W. Bauer, aaO 1617f; J. Schneider, ThW VIII 170f. Hier meint es zweifellos die Ehrerbietung, Wertschätzung, Ehre. προηγέομαι ist Hapaxlegomenon im NT und bedeutet „vorangehen, den Vorsitz führen", W. Bauer, aaO 1400.

50 O. Michel z. St.

51 Vgl. Phil 2,3; dort lesen wichtige Handschriften: ἀλλήλους προηγούμενοι. Offensichtlich haben die Abschreiber eine innere Beziehung zwischen Phil 2,3 und Röm 12,10 gesehen.

52 J. Schneider, ThW VIII 177.

53 1 Petr 2,17 dehnt die Forderung weiter aus: Ehret alle.

54 So später Did 4,1; 1 Clem 21,6; Ign. Sm. 9,1.

55 Vgl. 1 Tim 6,1, wo die Sklaven zur Ehrerbietung gegenüber ihren Herren aufgerufen werden.

56 Vgl. Eph 6,2; Mk 7,10.

57 Sir 38,1 könnte freilich auch das Zahlen des Honorars gemeint sein, schon damals eine wichtige Sache! Vgl. J. Schneider, ThW VIII 173, 19f.

58 Vgl. J. Schneider, aaO 173,45ff.

59 Die Armen nehmen im AT ohnehin eine bevorzugte Stellung ein, vgl. aus der Spruchweisheit: Spr 14,21; 19,17; 22,9; 28,3.27; 29,7; 31,9; Hiob 24,4; 29,12–16; 31,16.19f; Sir 4,1–10; 7,32; 29,9.

18), und Ps 8,6 spricht die Überzeugung aus, daß den Menschen Ehre von Gott her zuteil wird: Gott hat den Menschen mit δόξα und τιμή, mit Herrlichkeit und Ehre gekrönt:[60] „Der Mensch hat seine Ehre als Geschöpf Gottes."[61]

Im Gegensatz dazu hat die griechische Ethik einen eher „aristokratischen" Grundzug: In der frühen Zeit ist die Ehre eines Menschen in seinem Reichtum, seinem sozialen Einfluß, seiner körperlichen Tüchtigkeit begründet, später in seiner sittlichen Haltung.[62] Für Aristoteles ist die Ehre ein hohes Gut; sie ist die „auch äußerlich bekundete Achtung, Anerkennung und Bewunderung, die jemandem wesentlich für etwas gezollt wird, was ihm ‚zuinnerst zugeordnet und nicht leicht ablösbar ist',[63] für seine ἀρετή, seine Tugend und Trefflichkeit."[64] Besonders in der Stoa liegt die Ehre eines Menschen in seinen inneren Qualitäten.[65]

Paulus dagegen betont: In der Gemeinde soll jedem Achtung und Ehrerbietung zukommen, ja, man soll einander in diesem Punkt zu übertreffen versuchen.[66]

Die folgende Mahnung, im Eifer[67] nicht träge[68] zu werden, klingt auf den ersten Blick blaß und formal, kann aber durch den Kontext etwas Profil gewinnen.[69] Die Warnung vor der Trägheit begegnet öfter auch in der atl. Weisheitsliteratur,[70] die hierin ihrerseits wieder von altorientalischer Weisheit abhängig ist.[71] Der Hang zur Trägheit, zur Gemächlichkeit kann auf allen Lebensgebieten den Eifer, die Einsatzbereitschaft bei der dem Christen zugeteilten Aufgabe (vgl. Röm 12,8), langsam absterben lassen. Die Mah-

[60] Vgl. J. Schneider, aaO 173,4–6.
[61] K. H. Schelkle, Theologie III 309.
[62] Vgl. J. Schneider, aaO 171,27–35; das letztere gilt besonders für Plato und Aristoteles, aaO 172,4–21.
[63] Nik. Eth. I 3, 1095 b 26.
[64] W. Korff, Ehre, Prestige, Gewissen, Köln 1966, 14.
[65] Vgl. J. Schneider, aaO 172,21–27.
[66] Möglicherweise hat Paulus dabei die römische Situation im Blick: „Verliebt in die eigenen Erkenntnisse und ‚aufgebläht' in einer Art snobistischen Christentums, nehmen sich in Rom die Erkenntnisstarken der ‚Schwachheit der Schwachen' nicht an (Röm 14,1; 15,1f), geschweige, daß sie dem anderen und gerade dem religiös Unterlegenen ‚an Ehrerbietung zuvorkommen' (Röm 12,10)." H. Schlier, Einheit 190; vgl. auch O. Michel z. St.
[67] Zu σπουδή vgl. zu Röm 12,8; der Dativ ist wie in Röm 12,10 Dativ der Beziehung: mit Bezug auf den Eifer, vgl. G. Harder, ThW VII 566, 16f.
[68] ὀκνηρός: „saumselig, träge, faul", W. Bauer, Wörterbuch 1114.
[69] Man sollte sich allerdings vor Überinterpretationen hüten. So F. Hauck, ThW V 168, 15ff: „In R 12,11 ordnet Paulus bedeutsam die Warnung vor Trägheit neben die Mahnung, sich vom Geist durchglühen und bestimmen zu lassen. Nachgeben gegenüber Regungen fleischlicher Trägheit ist für den Christen Versündigung gegen den Geist, der ihn zur Selbstüberwindung befähigt und verpflichtet." Eine solche Interpretation ist zu deutlich ein Kind ihrer Zeit und in den Text hineingelesen.
[70] Spr 6,6.9; 20,4; 21,25; 26,13–16; vgl. auch 31,27; Sir 22,1f; 37,11; vgl. im NT Mt 25,26.
[71] Vgl. F. Hauck, aaO 168, Anm. 2.

nung zielt darauf, der Christ solle im Engagement für die ihm aufgetragene Sache nicht nachlassen. Im Blick auf Röm 12,8 wird man am ehesten an die „eifrige Tätigkeit für die Gemeinde"[72] denken.

Christen sollen in ihrem Eifer nicht nachlassen. Solche Lässigkeit, die sich dahintreiben läßt, wird vermieden, wenn sie sich vom Geist „anstekken" lassen.[73] Die Verbindung *τῷ πνεύματι ζέειν* scheint spezifisch neutestamentlich zu sein.[74] *ζέω* hat im Griechischen nicht nur die Bedeutung „glühen". Die Grundbedeutung ist „wallen, sprudeln"; dementsprechend überwiegt weithin die Vorstellung stürmischer Bewegung.[75] Es wird auch im übertragenen Sinn „von den menschlichen Leidenschaften, dem Zorn, der Herrschsucht, der Liebe, gebraucht";[76] bei Philo findet sich *ζέων* von Mose, der über die Übertreter des Gesetzes empört ist.[77] Die Mahnung Röm 12,11 geht dahin, sich vom Geist anstoßen und in Bewegung setzen zu lassen, wobei wohl die bildliche Vorstellung des Feuers im Hintergrund steht, das in der Bibel ein geläufiges Bild für die reinigende und verzehrende Gewalt des Geistes Gottes ist.[78]

Mit dem Stichwort *πνεῦμα* greift Paulus einen Zentralbegriff seiner Theologie auf. Zwar kann das Wort bei ihm anthropologische Bezeichnung sein und den Geist des Menschen meinen.[79] An der überwiegenden Zahl der Stellen hat es jedoch zentrale theologische Bedeutung: der Geist Gottes, der dem Menschen durch Christus geschenkte göttliche Geist, die in der Gemeinde wirksame göttliche Kraft.[80] Der Geist ist Gottes Gabe an den Menschen, er ist „Medium der Liebe Gottes" (Röm 5,5).[81] Auch in Röm 12,11 meint *πνεῦμα* den dem Christen geschenkten heiligen Geist.[82] Dafür spricht das emphatische Partizip *ζέοντες*,[83] ferner der voraufgehende Ab-

[72] H. Greeven, Propheten 33; vgl. H. Schlier z. St. Die Wortgruppe um *σπουδή* erscheint oft im Zusammenhang mit der Kollekte für Jerusalem: 2 Kor 8,7. 8. 16. 17. 22; Gal 2,10; vgl. auch 2 Kor 7,11f.

[73] Vgl. H. Schlier z. St.

[74] A. Oepke, ThW II 878, 15f. Im NT begegnet sie nur noch Apg 18,25 (über Apollos).

[75] A. Oepke, ThW II 877, 24ff.

[76] H. Schlier z. St.; vgl. W. Bauer, Wörterbuch 667.

[77] Mos II 280.

[78] O. Michel z. St., unter Hinweis auf Jes 4,4f; Mt 3,11; Lk 3,16; Apg 2,3; 1 Thess 5,19; Offbg 3,15. Auch E. Haenchen denkt an das Bild des Feuers (zu Apg 18, 25). So auch W. Bauer, aaO: Die Aufforderung Röm 12,11 bezieht sich darauf, „sich v. göttl. Geist durchglühen zu lassen".

[79] W. Bauer, Wörterbuch 1339f, Abschn. 3; E. Schweizer, ThW VI 433–435. Natürlich ist auch er von Gott gegeben, vgl. aaO 433, 23–25.

[80] W. Bauer, aaO 1341–1344, Abschn. 5–6.; E. Schweizer, aaO 413–433.

[81] V. P. Furnish, Love Command 104.

[82] R. Bultmann, Theologie 207. Das dürfte auch für Apg 18,25 zutreffen. So A. Oepke, ThW II 878, 24–29. Anders W. Bauer, Wörterbuch 1339 (Abschnitt 3b). Die Bedenken gegen eine solche Bedeutung von *πνεῦμα* in Apg 18,25 richten sich meist darauf, im Fall des Apollos könne doch nur vom natürlichen Geist die Rede sein, nicht jedoch von christlichem Geistbesitz. Das kann kaum überzeugen.

[83] E. Käsemann z. St.

schnitt über die Charismen und die Tatsache, daß gleich im nächsten Glied[84] ein weiterer paulinischer Zentralbegriff folgt: Kyrios.

Der Geist ist nicht einfach bequemer Besitz. Paulus mahnt die Gemeinde, sich vom Geist, der jedem gegeben ist, ergreifen und bewegen zu lassen. Denn man kann den Brand des Geistes auch auslöschen (1 Thess 5,19). Das Leben der Gemeinde soll von der dynamischen Kraft des Geistes zeugen. Die Gemeinde darf nicht stagnieren und in lässige Routine verfallen; sie soll die Impulse des Geistes aufgreifen und so in lebendiger Bewegung bleiben.

Der Vers 11c ist in der Auslegung umstritten, weil die Frage, ob man der Lesart *κυρίῳ* oder *καιρῷ* den Vorzug geben soll, kaum sicher zu entscheiden ist.[85] Für die Lesart *κυρίῳ* spricht: Sie wird von den wichtigeren Handschriften vertreten;[86] die Lesart *καιρῷ* könnte durch einen einfachen Abschreibfehler entstanden sein.[87] Die Lesart *κυρίῳ* würde sich gut an das vorhergehende Glied *τῷ πνεύματι ζέοντες* anschließen.[88] Auch für die Lesart *καιρῷ* sprechen gewichtige Gründe: Sie ist zweifellos die schwierigere Lesart,[89] von der her sich das *κυρίῳ* als Korrektur verstehen ließe.[90] Das Stichwort *καιρός* wird in 13,11 wieder aufgegriffen; 13,8ff aber schließt sachlich unmittelbar an Röm 12,21 an. Diese Lesart wird von manchen neueren Exegeten bevorzugt.[91] M. J. Lagrange[92] erwägt, ob der ursprüngliche Text nicht geheißen haben könne: *τῷ κυρίω οὐ τῷ καιρῷ δουλεύοντες*; die Abschreiber hätten dann ausgewählt, weil sie die Paronomasie nicht verstanden. Das ist zu sehr eine Verlegenheitslösung.

Daß *καιρῷ* die schwierigere Lesart ist, ist zweifellos das stärkste Argument:[93] „So begreiflich es ist, daß man jene LA, welche einen originellen Gedanken in einem in der Bibel beispiellosen und dem christlichen Bewußtsein leicht anstößigen Ausdruck bietet, durch einen unanstößigen Gemein-

[84] Wenn die Lesart *κυρίῳ* der Lesart *καιρῷ* vorzuziehen ist. Das ist das Wahrscheinlichere.

[85] Viele Kommentare referieren beide Auslegungen; so auch V. P. Furnish, Love Command 104f.

[86] H. Schlier z. St.; sie hat ein hohes Alter: Th. Zahn, Röm 550, Anm. 43.

[87] H. Lietzmann z. St.; u.U. auch durch eine Reminiszenz an Eph 5,16, W. Sanday – A.C. Headlam z. St.

[88] Auch im folgenden Vers 12 folgen zentrale paulinische Begriffe. Wegen des Zusammenhangs plädiert auch H. Lietzmann z. St. für die Lesart *κυρίῳ*.

[89] E. Gaugler z. St. bemerkt, das sei jedenfalls das einzige, was für diese Lesart spricht. Er entscheidet sich daher für *κυρίῳ*.

[90] E. Kühl z. St. Nicht einsichtig ist Kühls weitere Begründung, die allgemeine Ermahnung, dem Herrn zu dienen, passe nicht in den Zusammenhang, vgl. Th. Zahn z. St. Das ist nach *πνεύματι* kaum einzusehen. Ähnlich K. Barth z. St., nach dessen Meinung die Lesart *κυρίῳ* „fad" zu nennen ist. Auch E. Käsemann z. St. findet sie „ungewöhnlich blaß".

[91] Auch M. Luther hat so gelesen: „Schicket euch in die Zeit", vgl. P. Althaus z. St., der sich selber für die Lesart *κυρίῳ* entscheidet. Für die Lesart *καιρῷ* entscheidet sich K. H. Schelkle, K. Kertelge, E. Käsemann z. St.; W. Schrage, Einzelgebote 40, Anm. 118; A. Feuillet, Fondements 374f.

[92] Rom 400.

[93] C. E. B. Cranfield, Commentary 44 bezeichnet die LA *καιρῷ* nicht nur als lectio difficilior, sondern auch als lectio impossibilis.

platz ersetzte und diese ‚Emendation' durch die graphisch so naheliegende Annahme eines Schreibfehlers rechtfertigte, so unverständlich wäre die Änderung von ursprünglichem κυρίῳ in καιρῷ."[94] Doch scheint aufs Ganze gesehen die Lesart κυρίῳ wahrscheinlicher.[95] Die Wendung τῷ καιρῷ δουλεύειν wäre für Paulus singulär; dagegen finden sich dem τῷ κυρίῳ δουλεύειν entsprechende Wendungen häufig:[96] Gott dienen (1 Thess 1, 9),[97] Christus dienen (Röm 14,18),[98] Diener Christi (Röm 1,1),[99] Diener des Herrn (1 Kor 7,22).[100] Die wichtigsten Argumente für diese Lesart sind ihre bessere Bezeugung und der unmittelbare Kontext.

Der Kyrios-Titel,[101] von Paulus bereits übernommen,[102] reicht sicher in die palästinensische Gemeinde zurück,[103] wahrscheinlich sogar in das Leben Jesu selbst.[104] In der LXX ist κύριος durchgehend die Übersetzung für den atl. Gottesnamen Jahwe.[105] Mit diesem Titel erkennt die Gemeinde Jesus eine einmalige Stellung zu. Der Kyrios ist der auferstandene, erhöhte Christus,[106] den die Gemeinde als den endzeitlichen Richter erwartet. Im

94 Th. Zahn z. St.; auch C. Spicq, Agape II 142, Anm. 2 entscheidet sich für die schwierigere Lesart καιρῷ. Spicq verweist vor allem auf Röm 13,10f; vgl. auch C. Spicq, aaO 147, Anm. 1. Doch vgl. C. Spicq, Théologie II 521, Anm. 4! Dort weist er auf die Lesart κυρίῳ hin, unter ausdrücklichem Hinweis, daß die Mehrzahl der Handschriften so liest. Dagegen entscheidet er sich auch aaO I 58, Anm. 1 und II 511, Anm. 2 für καιρῷ. Er ist offensichtlich selbst unsicher.

95 So F. S. Gutjahr, O. Bardenhewer, E. Gaugler, J. Sickenberger, C. K. Barrett; W. Sanday – A. C. Headlam; H. Schlier z. St. Schon Origenes und Hieronymus plädieren für diese Lesart, vgl. H. Lietzmann z. St.

96 Es sei nicht verschwiegen, daß auch der umgekehrte Schluß möglich wäre: daß ein späterer Abschreiber das schwierige καιρῷ durch die geläufigere paulinische Wendung ersetzt hat.

97 Vgl. Röm 6,18.

98 Vgl. Röm 16, 18.

99 Vgl. Phil 1,1; Gal 1,10.

100 1 Kor 7,22b: δοῦλος Χριστοῦ.

101 Vgl. L. Goppelt, Theologie II 406–414 (Lit.); zum Wort W. Bauer, Wörterbuch 907–911; ein knapper Überblick bei O. Kuss, Paulus 360; vgl. auch W. Thüsing, Per Christum 8–10; K. H. Schelkle, Theologie II 222–226; G. Delling, Zeit 84–88.

102 Das zeigt deutlich der von Paulus übernommene Hymnus Phil 2, 6–11. Vgl. J. Gnilka z. St.; J. Gnilka, Jesus Christus nach frühen Zeugnissen des Glaubens, München 1970, 90–93.

103 J. Gnilka, aaO 83–84. „Das ist vor allem durch den von Paulus übernommenen Ruf Maranatha (1 Kor 16,22) gesichert." W. Thüsing, aaO 9, Anm. 6; vgl. K. H. Schelkle, Theologie II 224f; W. G. Kümmel, Theologie 99–102; E. Schweizer, Gottesdienst 269f; J. A. Fitzmyer, Der semitische Hintergrund des neutestamentlichen Kyriostitels, in: G. Strecker (Hrsg.), Jesus Christus in Historie und Theologie. Festschr. f. H. Conzelmann, Tübingen 1975, 267–298. Dort auch ein ausführlicher Bericht über die neuere Diskussion und eine Auseinandersetzung mit H. Conzelmann, der die hellenistische Herkunft des Kyrios-Titels vertritt. Vgl. H. Conzelmann, Grundriß 101–103.

104 J. Gnilka, aaO 84–87.

105 J. Gnilka, aaO 87–88; G. Quell, ThW III 1056–1058; anders R. Bultmann, Theologie 127–130, der den Kyrios-Titel aus hellenistischen Prämissen ableitet.

106 So schon der Phil-Hymnus: Phil 2,9–11; vgl. Röm 10,9.

gleichen Sinn erscheint der Titel bei Paulus[107]. Das Bekenntnis zu Jesus als dem Kyrios wird 1 Kor 12,3 zum Kriterium christlichen Glaubens; das Bekenntnis „Herr ist Jesus“ ist „das kürzeste Glaubensbekenntnis“.[108] Die Herrschaft Christi hat kosmische Dimensionen (Phil 2,10); ihr Schwerpunkt liegt allerdings im Herrsein der Menschheit gegenüber (Röm 14,9).[109] Aber nicht bloß Überlegenheit klingt in diesem Titel an, sondern vor allem vertraute Nähe (2 Kor 12,8). Das Bild des Kyrios trägt für Paulus nicht orientalisch-despotische Züge. Vielmehr: Sich diesem Herrn anzuschließen, bedeutet, Grund zum Vertrauen zu haben, bedeutet Befreiung von der Daseinsangst, die viele Menschen der hellenistischen Epoche beherrschte.[110]

Dem Kyrios-Titel entspricht der Begriff des *δοῦλος*.[111] Mit *δουλεύειν* greift Paulus ein in seiner Umwelt belastetes Wort auf. Als Sklave zu dienen, ist griechischem Denken zuwider; das gilt für Plato wie für die Stoiker.[112] Sklaverei wird als so entwürdigend und dem Ideal des freien Menschen so tief widersprechend angesehen, daß sie als Bild für die religiöse Abhängigkeit überhaupt nicht in Frage kommen konnte.[113] Im Rahmen der kynisch-stoischen Diatribe etwa wäre eine Formel wie „Knecht Gottes“ völlig undenkbar.[114] Ganz anders ist die Grundeinstellung des AT[115] wie überhaupt der orientalischen Religionen.[116] Obgleich Sklaverei natürlich auch im AT als belastend empfunden wird,[117] kann *δουλεύειν* in LXX zum häufigsten Ausdruck für den Gottesdienst werden, „und zwar im Sinne totaler Bindung an die Gottheit“.[118] Paulus liegt hier also auf der Linie des AT, die sich deutlich von griechischer Mentalität unterscheidet,[119], wenn er dazu auffordert, dem Herrn zu dienen.

„Was das Vorkommen dieses Verbums im Römerbrief angeht, ergibt sich der interessante Sachverhalt, daß es nur im paränetischen Teil (Kap. 12–16) den Dienst für Christus bezeichnet, dagegen in den lehrhaften Kapiteln den Dienst für Gott (Röm 7,25; vgl. 6,6; 7,6 . . .). Diese Möglichkeit, den Christen sowohl als den Sklaven Gottes wie auch als den Sklaven Christi anzusehen, ist . . . ein Hinweis auf die enge, ja engste Verknüpfung

107 1 Kor 1,8; 5,5; 2 Kor 1,14; 1 Thess 5,2; Phil 1,6. 10 und 2,16: „Tag Christi (Jesu)“.
108 K. H. Schelkle, Theologie II 225.
109 W. Foerster, ThW III 1089, 35–38.
110 Vgl. J. Gnilka, aaO 91–92.
111 Vgl. W. Thüsing, aaO 9f; W. G. Kümmel, Theologie 141.
112 Vgl. K. H. Rengstorf, ThW II 264–268.
113 Vgl. aaO 267–268; anders ist es später in den Mysterienreligionen: aaO 271, 39–272,7; vgl. 267,9–16.
114 aaO 266,32–39.
115 aaO 268–271.
116 aaO 271, 10ff.
117 aaO 268,39 – 269,22.
118 aaO 270,37f.
119 Bei Philo zeigt sich, wie dieses Denken auch in das zeitgenössische Judentum eingesickert war. Vgl. aaO 266,50 – 267,6; 272,8–38.

dieser beiden Verhältnisse."[120] Wenn Paulus sich einen Diener Gottes oder Christi nennt, und wenn er Röm 12,11 dazu aufruft, dem Herrn zu dienen, ist das für ihn keine leere Floskel. Daß er sich als Diener seines Herrn begreift, hat für ihn tief in sein Leben eingreifende Konsequenzen. Sieht man sein eigenes entbehrungsreiches Wirken als Hintergrund seiner Mahnung, gewinnt sie Leben: Es geht um die völlige Bindung an den Herrn – der den Menschen nun allerdings gerade nicht versklavt, sondern frei macht.

Sollte die Lesart *καιρῷ* die ursprüngliche sein, wäre die Bedeutung von 11c schwerer zu ermitteln.[121] Der *καιρός*[122] spielt in der verantwortungsbewußten Ethik des Stoikers Epiktet eine entscheidende Rolle: es gilt, dem Anspruch des *καιρός* zu gehorchen.[123] Im Sprachgebrauch des Paulus ist *καιρός* „eschatologisch gefüllte Zeit, Zeit der Entscheidung".[124] So könnte die Aufforderung des Paulus darauf zielen, den gegenwärtigen, entscheidenden Zeitpunkt ernstzunehmen.[125]

Die in der Antike verbreitete Bedeutung von *δουλεύειν τῷ καιρῷ* im Sinne von „der Zeit ihren Tribut zollen", „Opportunist sein", eine Bedeutung, um deretwegen manche Kirchenväter die Lesart *καιρῷ* energisch abgelehnt haben,[126] kommt natürlich für unsere Stelle nicht in Betracht. Eine solche Anpassung an die Zeitverhältnisse widerspräche dem, was Paulus gerade in Röm 12,2 gefordert hat. Eher könnte man E. Kühls Deutung zustimmen, „daß der Christ in seiner glühenden Begeisterung nicht taub und blind sein soll gegen die bestimmten Forderungen und Bedürfnisse, die durch die jedesmaligen Zeitverhältnisse in jedem Augenblick bedingt sind."[127] Gibt man der Lesart *καιρῷ* den Vorzug, könnte die Mahnung dahin gehen, die gegenwärtige, eschatologisch gefüllte Zeit zur brüderlichen Liebe zu nutzen; auch Gal 6,10 hat *καιρός* diese Bedeutung.[128] So stünden sich in 12,11c und 12,12a das Verhalten des Christen zur Gegenwart und das hoffende Verhalten zur Zukunft gegenüber.[129]

In Röm 12,12 umschreiben Hoffnung, Anfechtung und Gebet exemplarisch das christliche Leben.[130] Zum Leben eines Christen gehört notwendig die Freude. Sie gründet in der Hoffnung, die ihn vor der Trostlosigkeit einer

[120] W. Thüsing, aaO 34.
[121] H. W. Schmidt z. St.: Paulus fordert, dem Gebot der gegenwärtigen Stunde zu gehorchen und der Situation des Augenblicks gerecht zu werden; die Mahnung geht auf wache Nüchternheit und pflichtbewußten Wirklichkeitssinn. E. Käsemann z. St. übersetzt: „jeden Augenblick zum Dienst bereit!"
[122] „Zeit, Zeitpunkt, Zeitabschnitt", wobei oft der Gedanke des entscheidenden gegenwärtigen Zeitpunktes mitklingt; vgl. W. Bauer, Wörterbuch 779–781.
[123] Vgl. G. Delling, ThW III 458, 11–20.
[124] J. Baumgarten, Paulus 187.
[125] Vgl. zu Röm 13,11.
[126] W. Bauer, Wörterbuch 406–407; C. E. B. Cranfield, Commentary 44 hat die antiken Beispiele gut zusammengestellt.
[127] E. Kühl z. St.
[128] Vgl. V. P. Furnish, Love Command 105, der im übrigen die Lesart *κυρίῳ* zu bevorzugen scheint.
[129] K. H. Schelkle z. St.
[130] E. Käsemann z. St.

vergänglichen, sich selbst überlassenen Welt bewahren kann. τῇ ἐλπίδι und χαίροντες qualifizieren und interpretieren einander. Die Verbindung meint nicht „sich über die Hoffnung freuen", sondern „sich freuen vermöge der Hoffnung, in Hoffnung, von Hoffnung erfüllt".[131] Die Mahnung ist schon im Blick auf 12b zu hören: Der Christ soll inmitten der bedrängenden Erfahrungen seines Lebens an der Hoffnung festhalten. Mehr noch: von solcher Hoffnung erfüllt, soll er auch angesichts von Widerständen die Freude nicht verlieren. Das ist eine anspruchsvolle Forderung.

Der Begriff θλίβειν/θλῖψις[132] spielt in der philosophischen Sprache des Hellenismus keine große Rolle. Lediglich bei Epiktet gewinnt er in der Lehre von der Selbstbehauptung des Menschen eine gewisse Bedeutung: die Bedrängnisse des Lebens müssen vom Philosophen überwunden werden.[133] Dagegen weiß das Alte Testament von der Bedrängnis des Volkes und des Frommen. Besonders häufig ist in den Psalmen von der Bedrängnis des Gerechten die Rede und von der Hoffnung, daß Gott aus solcher Bedrängnis rettet.[134]

Das Wort ὑπομονή, das wir meist mit „Geduld"[135] übersetzen, bezeichnet schon im Griechischen nicht so sehr eine passive Tugend, etwa die Bereitschaft zum Erleiden und Tragen des dem einzelnen auferlegten Geschicks, sondern die aktive Standhaftigkeit. Entsprechend meint ὑπομένειν[136] das tapfere Standhalten; es hat anders als das deutsche Wort „Geduld" einen aktiven Inhalt und schließt den tätigen Widerstand gegen die bedrängenden Mächte ein.[137] Es geht also nicht um eine passive Haltung, die alles einfach resigniert hinnimmt; es geht um tapfere Standfestigkeit.

Die christliche Hoffnung ermöglicht ein tapferes Standhalten in bedrängenden Erfahrungen. Zu solcher Standhaftigkeit muß Paulus zugleich mah-

131 Bl.-Debr.-Rehkopf § 196; W. Bauer, Wörterbuch 1727f; auch H. Conzelmann, ThW IX 359, Anm. 91. Die Dative in Röm 12,12 sind jeweils verschieden zu deuten: „τῇ ἐλπίδι nennt das Mittel, wodurch, die Kraft, vermöge deren die Freude zustande kommt; τῇ θλίψει die Sache, in bezug auf welche die Geduld geübt wird; τῇ προσευχῇ ist schlichtes Objekt zu προσκαρτερεῖν." Th. Zahn z. St. H. Lietzmann z. St. deutet τῇ θλίψει als dat. temporis; E. Kühl z. St. (ausdrücklich gegen Lietzmann) als Dativ der Beziehung; Bl.-Debr. § 196 denken an Angleichung an die umgebenden Dative; Marcion liest τὴν θλίψιν, Bl.-Debr. aaO.

132 θλῖψις: Druck, Bedrückung, Bedrängnis, Drangsal. W. Bauer, Wörterbuch 715f; vgl. H. Schlier, ThW III 139.

133 H. Schlier, aaO 139, 40–45.

134 aaO 141,48 – 142,31.

135 Wortbedeutung nach W. Bauer, aaO 1673f:
1. Ausharren, Geduld, Ausdauer, Standhaftigkeit.
2. Erwarten, Erwartung; vgl. F. Hauck, ThW IV 585, 23f.

136 ὑπομένειν: 1. zurückbleiben, 2. bleiben, standhalten, durchhalten, aushalten. W. Bauer, aaO 1672f; vgl. F. Hauck, aaO 585,11–22.

137 Vgl. F. Hauck, aaO 585, 30–36. Die ὑπομονή nimmt in der Reihe der griechischen Tugenden eine hervorragende Stelle ein, aaO 31f.

nen. Denn auch der Christ steht in der Gefahr, angesichts belastender Erfahrungen zu resignieren. Bei der „Bedrängnis" denkt Paulus sicher auch an die in 12,14 angesprochene Verfolgung der Gemeinde.[138] In dem geduldigen, ausharrenden Auf-Sich-Nehmen der Bedrängnis erweist sich die Hingabe, zu der das Erbarmen Gottes ruft.[139]

In der folgenden Mahnung geht es um das Gebet, den Grundvollzug des religiösen Menschen. Paulus mahnt zu anhaltendem, beständigen, beharrlichen Beten.[140]. Das dem Verb *προσκαρτερέω*[141] zugrunde liegende Simplex *καρτερέω* enthält in sich das Moment des starken, mutigen Standhaltens und Aushaltens.[142] Ähnlich klingt die Mahnung in 1 Thess 5,17: Betet ohne Unterlaß.[143] Nach dem späteren Bericht der Apg ist das gemeinsame, anhaltende Gebet ein Charakteristikum der christlichen Gemeinde.[144] Paulus wird an unserer Stelle in erster Linie an das gemeinsame Gebet der Gemeinde denken. Dafür spricht jedenfalls der Zusammenhang der Mahnungen in Röm 12, die sehr stark gemeindebezogen sind.[145] Doch kennt er auch das beständige, beharrliche Beten des Einzelnen. Von sich selbst sagt er 1 Thess 3,10, daß er „Tag und Nacht" inständig darum bitte, die Gemeinde wiederzusehen.

Daß die Mahnung zum unbeirrbaren Gebet unmittelbar auf die zum Standhalten in Bedrängnis folgt, ist sicher nicht zufällig. Der Aufblick zu Gott im Gebet ist es, der solche Standfestigkeit geben kann. Röm 12,12 „bietet einen schönen Dreiklang. Des Christen Grundstimmung ist die Freude, die auf Hoffnung ruht. Solche Freude gibt ausharrende Tragkraft für die Trübsal und lebt ihrerseits mit solcher Geduld aus dem Quell anhaltenden Gebetes".[146] Die christliche Hoffnung muß sich immer wieder des Grundes versichern, auf dem sie steht. Das geschieht im Gebet. Es ist für Christen unverzichtbar und bedarf der ausdauernden, anhaltenden Übung.

Der Aufruf in 12,13, an den Bedürfnissen[147] der Heiligen Anteil zu nehmen, bleibt zunächst recht allgemein; er wird durch den Hinweis auf die

[138] Auch in 1 Thess 1,6; 3,3f (vgl. 2,14f) ist mit *θλῖψις* die Verfolgung der Gemeinde gemeint.

[139] H. Schlier z. St.

[140] Die Mahnung kehrt später Eph 6,18; Kol 4,2 wieder; vgl. auch Lk 18,1.

[141] beharren bei, ausdauern bei, bleiben bei; mit Dat. der Sache: 1) sich emsig beschäftigen mit etwas, dauernd bedacht sein auf etwas, b) festhalten an etwas, W. Bauer, aaO 1419; vgl. W. Grundmann, ThW III 620, 24–34.

[142] F. Hauck, ThW IV 586,2–4.

[143] Vgl. Phil 4,6; 1 Thess 5,18; auch 1 Kor 1,4; 1 Thess 2,13: Danksagen ohne Unterlaß.

[144] Apg 1,14; 2,42; vgl. 6,4; 2,46.

[145] Daraus schließt G. P. Wiles, Prayers 289f, daß Paulus hier speziell an das fürbittende Gebet denke; das ist eine unzulässige Einengung.

[146] P. Althaus z. St.; vgl. auch 1 Thess 5,16f, wo die Mahnung zu steter Freude und unablässigem Gebet unmittelbar aufeinander folgen; ähnlich Phil 4,4–7.

[147] *χρεία*: Bedürfnis, Notwendigkeit, Mangel, Not, W. Bauer, Wörterbuch 1749f. Die schwächer bezeugte Lesart *μνείαις* wird in neueren Kommentaren nicht mehr vertreten. W. Sanday – A. C. Headlam sind der Meinung, sie müsse in einer Zeit entstanden sein, als mit den „Heiligen" nicht mehr die Mitglieder der christlichen Gemeinde, sondern die Heiligen der Vergangenheit bezeichnet wurden, an

Gastfreundschaft konkretisiert. Mit dem Ehrentitel ἅγιοι bezeichnet Paulus die Mitglieder der christlichen Gemeinden.[148] Er findet sich besonders in den Briefeingängen und -schlüssen.[149] Die Kennzeichnung der Christen als der „Heiligen“ steht eindeutig in einer jüdischen[150] bzw. judenchristlichen Tradition.[151] „Heiligkeit“ der Gemeinde bedeutet in atl.-jüdischer Tradition zunächst: ihr Erwähltsein durch Gott.[152] Entsprechend ist die Heiligkeit der Christen bei Paulus in der Heiligung durch Jesus Christus begründet: die Christen sind Heilige „in Christus Jesus“ (Phil 1,1). Die den Christen zugesprochene „Heiligkeit“ ist nicht eine von ihnen erworbene persönliche Qualität; sie ist von Gott geschenkt, die Christen sind „berufene“ Heilige (Röm 1,7; 1 Kor 1,2).[153] Wenn Paulus auf die Kollekte für die Jerusalemer Gemeinde zu sprechen kommt, nennt er die Jerusalemer Christen gern die „Heiligen“.[154] Ähnlich werden in Röm 16,2 die Römer aufgefordert, Phoebe aufzunehmen, „wie es der Heiligen würdig ist“ und ihr in jeder Sache beizustehen, wo sie der Hilfe bedarf.

Wenn Paulus die Römer mahnt, an den Bedürfnissen der Mitchristen „Anteil zu nehmen“ so schwingt möglicherweise die theologisch gefüllte Bedeutung mit,[155] die das Verb κοινωνέω und das Substantiv κοινωνία sonst bei ihm haben:[156] Die Christen sind zur Gemeinschaft mit dem Sohn

deren Leben man sich „erinnert“. Ähnlich E. Käsemann z. St.: Die Lesart ist kaum durch mechanisches Verschreiben entstanden, „bekundet vielmehr die Sitte der Fürbitte für die Verstorbenen, wenn nicht sogar beginnenden Heiligenkult“. Th. Zahn z. St. hält die Lesart für ursprünglich und versteht darunter ein Gedenken im Gebet, „aber ebensowohl ein tatsächliches, in freundlicher Unterstützung zum Ausdruck gebrachtes Gedenken“. Des näheren denkt Zahn an die Kollekte für Jerusalem, von der Paulus in Röm 15,25–28.31 mit großem Nachdruck redet.

148 Vgl. A. Wikenhauser, Kirche 21–29; G. Delling, Merkmale 377f.

149 2 Kor 13,12; Phil 4,21f; vgl. auch Röm 16,15, wo möglicherweise das Schlußstück eines anderen Paulusbriefes erhalten ist; ἅγιος als Bezeichnung für die Christen begegnet sonst noch Röm 8,27; 1 Kor 6,1f; 1 Kor 14,33; 16,15; Phm 5. 7. Die einzige Stelle, an der Paulus das Wort im Sinne des heutigen Sprachgebrauchs verwendet, ist 1 Thess 3,13.

150 Vgl. H. Conzelmann, Grundriß 51; ders., Der erste Brief an die Korinther, Göttingen 1969, 36, Anm. 33.

151 H. F. Weiß, Volk 412f.

152 aaO 417; vgl. Ex 19,6.

153 Dieser Gedanke findet auch in den passivischen Formen von ἁγιάζω seinen Ausdruck: Röm 15,16; 1 Kor 1,2; 6,11; Gott ist es, der die Heiligkeit verleiht: 1 Thess 5,23.

154 Röm 15,25. 26. 31; 1 Kor 16,1; 2 Kor 8,4; 9,1.12. In Gal 1/2 fehlt dieser Ehrentitel übrigens, verständlich aus der gespannten Situation. Zur Kollekte für Jerusalem vgl. K. Berger, Almosen für Israel. Zum historischen Kontext der paulinischen Kollekte, NTS 23 (1976/77) 180–204.

155 Das Bild vom Leib liegt ja noch nicht weit zurück: Röm 12,4f.

156 Die Grundbedeutung von κοινωνέω ist „teilnehmen oder teilhaben an, haben oder handeln gemeinsam mit“. M. McDermott, Doctrine 65; vgl. auch W. Bauer, Wörterbuch 867; F. Hauck, ThW III 798, 28–31. Bei Paulus findet sich κοινωνέω

berufen (1 Kor 1,9).[157] Diese Gemeinschaft wird vor allem im Herrenmahl begründet: es schenkt Teilhabe am Blut und am Leib Christi (1 Kor 10,16). Die im Herrenmahl gestiftete Gemeinschaft mit Christus muß sich auf das Zusammengehörigkeitsbewußtsein der Christen auswirken: Das eine Brot schließt die Glieder der Gemeinde zu einem Leib zusammen (1 Kor 10,17). Auf diese ihre Zusammengehörigkeit spricht Paulus die Gemeinden bzw. einzelne Christen ganz konkret an.[158] In Phil 1,7; 4,14f dankt er der Gemeinde ausdrücklich für die ihm erwiesene Anteilnahme.[159] Die Kollekte für die Jerusalemer Gemeinde ist Ausdruck solcher Verbundenheit.[160] Daß Paulus sie hier in Röm 12,13 ausschließlich im Blick hätte, ist unwahrscheinlich.[161] Sicher aber ist: Das Anteilnehmen an den Nöten der Heiligen ist für ihn eine sehr konkrete Sache.[162]

Das zeigt sich gleich in der folgenden Mahnung. Die Gastfreundschaft ist eine in der gesamten Antike und im Judentum[163] hochgeschätzte Tugend.[164] Daß sie in den christlichen Gemeinden nicht immer selbstverständlich war und bisweilen als Last empfunden wurde, zeigen 1 Petr 4,9 und Hebr 13,2;[165] immerhin konnte sie leicht mißbraucht und ausgenützt werden.[166] 1 Tim 3,2 und Tit 1,8 wird sie unter den Amtsanforderungen an den Bischof genannt.[167]

Mit dem dynamischen Verb διώκω verleiht Paulus seiner Mahnung Nachdruck: eine Sache eifrig erstreben.[168] Denn für die frühen Christengemeinden

viermal in der dynamischen Bedeutung „teilhaben lassen an, jemanden zum Teilhaber machen“ (Gal 6,6; Röm 12,13; Phil 4,15.16), die, allerdings selten, auch im Profangriechischen vorkommt, M. McDermott, aaO 71. Auch das Substantiv κοινωνία kann diesen dynamischen Aspekt haben, aaO 71; vgl. 2 Kor 8,4; 9,13; Phil 1,5 und vor allem Röm 15,26f: aaO 71f; vgl. auch W. Bauer, aaO 867–869; F. Hauck, aaO 798,48.

157 Vgl. im Schlußgruß des 2 Kor „die Gemeinschaft des heiligen Geistes“ 2 Kor 13,13; vgl. Phil 2,1. Phil 3,10 begegnet der Gedanke der Leidensgemeinschaft mit Christus.

158 Phm 6.17; Phil 2,1–4.

159 Vgl. 2 Kor 1,7: Solidarität miteinander in Leiden und Trost.

160 Röm 15,26.27; 2 Kor 8,4; 9,13. So bedeutet κοινωνία in Röm 15,26 so viel wie „Kollekte“, vgl. O. Michel z. St. (bes. Anm. 4).

161 Nach K. Haacker, Exegetische Probleme des Römerbriefes, NovT 20 (1978) 1–21, spielt die Kollekte für Jerusalem eine entscheidende Rolle in der Frage nach dem Abfassungszweck des Röm.

162 Vgl. Gal 6,6; Phil 4,15.

163 Vgl. bes. Lev 19,34; Dt 10,19; Hiob 31, 32.

164 Vgl. G. Stählin, ThW V 16–19.

165 Mt 25,35.43 wird sie eindringlich eingeschärft; vgl. 3 Joh 5–8; auch Did 11,5.

166 Auch die Rabbinen versuchen, dem Mißbrauch der Gastfreundschaft einen Riegel vorzuschieben: Billerbeck IV 1, 569f (besonders aufschlußreich: allzu große Gastfreundschaft könnte sich schnell herumsprechen!).

167 In 1 Tim 5,10 erscheint sie unter den Bedingungen zum Eintritt in den Witwenstand.

168 Vgl. A. Oepke ThW II 232–233, bes. 233, 21ff. Phil 3,12.14 braucht Paulus das Verb im Zusammenhang mit dem Ziel, dem er als von Christus Ergriffener nachjagt; vgl. auch 1 Kor 14,1, wo neben dem διώκετε ein ζηλοῦτε steht. διώκειν im Sinne der Mahnung zu eifrigem Streben sonst noch Röm 14,19; 1 Thess 5,15; vgl. auch Röm 9,30f; vgl. dazu R. Bultmann, Theologie 226.

war die Gastfreundschaft besonders wichtig, weil sie notwendige Voraussetzung für missionarisches Wirken war.[169] So dürfte hier die Aufforderung zur Gastfreundschaft primär die gegenseitige Gastfreundschaft der Christen meinen; gerade war ja noch von den „Heiligen“[170] die Rede. Zwar geht anschließend der Blick auf die Verfolger der Gemeinde; doch schließt unsere Mahnung die Reihe der in Partizipialform aneinandergereihten Mahnungen ab, die deutlich gemeindebezogen sind. Mit der folgenden Mahnung setzt Paulus – schon von der Satzkonstruktion her – neu an.

Daß Paulus die Gastfreundschaft gerade im Brief nach Rom erwähnt,[171] dürfte mit der besonderen Situation der Gemeinde in der Weltstadt Rom zusammenhängen. In Rom herrschte ein besonders starker Reiseverkehr; möglicherweise gehen die ersten Anfänge der römischen Gemeinde überhaupt auf zugereiste Christen aus den östlichen Gebieten des römischen Reiches zurück.[172]

3. Röm 12,14: Güte gegen die Verfolger

Die Situation der Gemeinde kommt in den Blick: sie ist verfolgte Gemeinde. Das Verhalten der Christen zu Verfolgern und Gegnern wird ab V 17 noch einmal ausführlich zur Sprache gebracht. Daß Paulus es hier schon kurz anspricht, ist durch das Stichwort διώκω bedingt. Unser Vers „zeigt besonders deutlich, daß die sittlichen Weisungen des Apostels aus dem Geist der Bergpredigt Jesu kommen“.[173] Die Mahnung, die Verfolger[174] zu „segnen“, erhält durch ihre Wiederholung starkes Gewicht: Segnet und flucht nicht. Sie erinnert deutlich an das Jesuswort Lk 6,28: Segnet, die euch verfluchen.[175] Dieses Wort gehörte offensichtlich zur festen katechetischen Tradition.[176] Auffallend ist, daß Paulus es nicht als Jesuswort kenntlich macht.[177]

Das Wort zeigt deutlich atl.-jüdischen Hintergrund. Segen und Fluch stehen im AT oft als Alternativen gegeneinander.[178] Dabei hat das AT die ursprünglich mit dem Begriffspaar verbundenen magischen Vorstellungen,

169 Mt 10,11–15; Lk 10,5–12; Mt 10,40; vgl. Apg 9,43; 10,6.18.23.32.48; 16,15.34; 17,6; 18,2f; 21,8.16; 28,7; Röm 16,23; 3 Joh 8; Phm 22. Vgl. auch W.D. Riddle, Hospitality, bes. 145f.

170 Vgl. 1 Tim 5,10, wo sich die Gastfreundschaft ganz ausdrücklich auf die ἅγιοι bezieht und 1 Petr 4,9; vgl. auch Gal 6,10.

171 In seinen anderen Briefen findet sich diese Mahnung nicht.

172 Vgl. W. Schmithals, Römerbrief 63–69.

173 H. W. Schmidt z. St.

174 ὑμᾶς, handschriftlich gut bezeugt, dürfte eine naheliegende (vielleicht aus Lk 6, 28/Mt 5,44 eingedrungene) Verdeutlichung sein, deren Hinzufügung leichter verständlich ist als ihre Streichung. Überdies stört ὑμᾶς den Fluß des metrisch gut gebauten Satzes.

175 Vgl. Mt 5,44 v.l.

176 Vgl. neben Lk 6,28/Mt 5,44 auch 1 Petr 3,9. In Röm 12,14 geht Paulus plötzlich in den Imperativ über!

177 anders als in 1 Kor 7,10; 11,23; 1 Thess 4,15.

178 Vgl. bes. Dt 11,26–29; 30,1; Jer 17,5.7; Sir 3,9. Im NT vgl. Jak 3,9f.

in denen man das Aussprechen von Segen und Fluch als eine aus sich selbst wirksame Handlung ansieht,[179] mehr und mehr überwunden.[180] Doch bleibt das Bewußtsein lebendig, daß Segen und Fluch nicht leere Formeln, sondern mit hoher Wirksamkeit geladene Worte sind.

Vieles spricht dafür, daß das Wort Röm 12,14 auf den mit einer Verwünschung verbundenen vollständigen Ausschluß aus der Synagogengemeinschaft anspielt, wie er gegenüber Abtrünnigen und Häretikern geübt wurde.[181] In – freilich späteren – rabbinischen Texten finden sich Beispiele für eine Verfluchung der Häretiker. Um 90 n. Chr. wird die ausdrückliche Verfluchung der Christen fester Bestand des Synagogengottesdienstes.[182] Man darf die Praxis des Synagogenbannes schon für die Zeit des Paulus vermuten.[183] Auch Gal 1,8f könnte auf dem Hintergrund dieser Praxis formuliert sein: Den, der ein anderes Evangelium predigt, belegt Paulus mit dem Fluchwort *ἀνάθεμα*, der Formel, die den Ausschluß aus der Synagoge vollzieht.[184] Schon Dt 28,18–20 findet sich eine Fluchandrohung gegen die Gesetzesbrecher;[185] eine ausführliche Verfluchung der Abtrünnigen findet sich in Qumran.[186]

Die christliche Gemeinde setzt den atl.-jüdischen Brauch des Segens fort, den des Fluchens nicht.[187] Das angemessene Verhalten den Verfolgern gegenüber ist nicht Haß, Verwünschung, Fluch. Christen dürfen ihrem Vergeltungsbedürfnis nicht freien Lauf lassen. Sie sollen selbst die, die sie verfolgen, „segnen",[188] das heißt, ihnen von Gott Heil erbitten, ihnen von innen her Gutes wünschen.[189] Und Paulus „verschärft das durch Wiederholung und Ausschluß des möglichen Gegenteils".[190] Damit wird die natürliche Reaktion des Menschen aufgebrochen, der dazu neigt, Unrecht nachzutragen und heimzuzahlen. Dabei soll sich nicht nur das äußere Verhalten gegenüber dem Feind ändern; es geht um eine Änderung der Gesinnung, um ein aufrichtiges Wohlwollen – auch gegenüber dem Feind. Diese Ein-

179 Vgl. F. Büchsel, ThW I 449f; W. Beyer, ThW II 752,42 – 753,8.

180 Vgl. W. Beyer, aaO 752–757. Der Segen wird in Gen 49,25 in Form einer Bitte an Gott übermittelt, vgl. aaO 753,30–33; Segens- und Fluchspruch werden zu Wunsch und Bitte um Segen und Fluch, F. Horst, RGG³ V 1650.

181 Vgl. H. Schürmann zu Lk 6,22; W. Schrage, ThW VII 845–850; O. Michel z.St.

182 Vgl. W. Schrage, aaO 848,4–18; Billerbeck IV 1, 212f.

183 Immerhin läßt der literarische Niederschlag einer solchen Praxis darauf schließen, daß sie schon längere Zeit besteht.

184 Vgl. H. Schlier zu Gal 1,8.

185 Vgl. G. v. Rad z.St.; F. Mußner zu Gal 1,8.

186 1 QS II 5–17.

187 Vgl. H. Köster, RGG³ V 1652. Gegen den Fluch wendet sich später neben 1 Petr 3,9 auch Jak 3,9f.

188 Vgl. Billerbeck I 370, ein Beispiel, daß auch die Rabbinen das Gebet für die Frevler kennen, in diesem Fall das Gebet des Rabbi Meir für die Nachbarn, mit denen er viel Ärger hat.

189 Vgl. F. Kattenbusch, Feindesliebe 18f.

190 aaO 22.

stellung ist die Lebensmaxime des Apostels selbst, wie ein Blick auf 1 Kor 4, 12 deutlich zeigt.[191]

Paulus bringt hier ein Problem zur Sprache, das für die frühen Gemeinden sehr bedrängend war. Er wird es in 12,17–21 noch einmal ausführlich aufgreifen; es ist ihm offenbar ein großes Anliegen. Christen sollen den Gefühlen von Haß und Rache nicht freien Lauf lassen. Sie sollen solche Gefühle nicht unterdrücken oder verdrängen, sondern sie von innen her überwinden, indem sie dem Bösen die Kraft des Guten entgegensetzen und so auch die Feinde für sich gewinnen (12,17–21).

4. Röm 12, 15–16: Solidarität – Eintracht – Demut

Paulus läßt das Thema des rechten Verhaltens zu den Verfolgern und Feinden zunächst noch liegen und schließt die aphoristisch kurze Aufforderung an: „Freut euch mit den Fröhlichen, weint mit den Weinenden.“ Die Infinitive haben imperativische Bedeutung,[192] wie wir es in der Gesetzessprache bei allgemeinen Vorschriften finden.[193] Die knappe Sentenz erinnert an Sir 7,34: „Entzieh dich nicht den Weinenden, und mit den Trauernden traure auch du.“ Die Aufforderung, sich in Freude[194] und Leid[195] auf die Situation des Mitmenschen einzulassen, findet sich später häufig bei den Rabbinen.[196]

Paulus läßt durch nichts erkennen, daß er hier nur an das Verhältnis der Christen zueinander denkt.[197] Die Sentenz ist sicher nicht als Ausdruck des Opportunismus zu verstehen, etwa in dem Sinn „Hängt den Mantel nach dem Wind!“[198] Sie ist vielmehr Aufruf zur solidarischen Teilnahme am Leben der anderen in allen Lebenssituationen, wobei Freude[199] und Weinen sozusagen die äußersten Extreme der ganzen Skala menschlicher Befindlichkeit sind. Nicht unbetroffene Distanz, sondern solidarisches Sich-Einlassen auf die menschliche Situation des anderen soll die Haltung des Christen zum Mitmenschen bestimmen. Christen sollen am Schicksal der anderen inneren Anteil nehmen. Freude und Weinen, Glück und Trauer, Hoffnung und Verzweiflung ihrer Mitmenschen können ihnen nicht gleichgültig sein.

191 Vgl. 1 Kor 6,7. Freilich bleibt eine Spannung zum Verhalten zu Gegnern innerhalb der Gemeinde, die Paulus mit dem ἀνάθεμα belegt: 1 Kor 12,3; 16,22; Gal 1,8f.
192 Bl.-Debr.-Rehkopf § 389.
193 Vgl. L. Radermacher, Grammatik 179f.
194 Vgl. Phil 2,17f, wo Paulus die Mitfreude als seine eigene Haltung beschreibt.
195 Vgl. Test Iss 7,5; Test Jos 17,7.
196 Billerbeck III 298.
197 Anders ist es 1 Kor 12,26, wo der Gedanke mit dem Bild vom Leib verbunden ist.
198 Vgl. dazu H. Conzelmann, ThW IX 360, Anm. 93.
199 Vgl. auch Epikt. Ench. 25,1, wo Epiktet erklärt, man solle sich freuen, wenn dem Mitmenschen Gutes geschenkt würde, auch wenn man es selber nicht erhielt; vgl. A. Bonhöffer, Epiktet 331.

In V 16 nimmt Paulus noch einmal das Verhältnis der Christen zueinander in den Blick. Die Mahnungen in V 16 werden durch Stichworte zusammengehalten: φρονοῦντες – φρονοῦντες – φρόνιμοι. Zunächst mahnt Paulus zur Eintracht. Schon die Formulierung zeigt,[200] daß Paulus immer noch das Verhältnis der Mitglieder der Gemeinde zueinander im Auge hat.[201] Die Wendung τὸ αὐτὸ φρονεῖν begegnet auch bei Josephus, um die Übereinstimmung in der Gesinnung auszudrücken.[202] Die Eintracht der Gemeinde ist dem Apostel wichtig. Mit fast den gleichen Worten wie in Röm 12,16 mahnt er in Röm 15,5; 2 Kor 13,11 und Phil 2,2[203] die Gemeinden, und in Phil 4,2 zwei zerstrittene Gemeindemitglieder zu einträchtigem Zusammenhalten. Ähnlich ruft er in 1 Kor 1,10 die zerstrittene Korinthergemeinde zur Eintracht auf.

Die Warnung vor dem Hochmut in 16b erinnert an Röm 12,3 und signalisiert eine Gefahr für die Einheit der Gemeinde. Sie klingt deutlich an Röm 11,20 an. Doch hat die Mahnung in 12,16 eine andere Stoßrichtung als in 11,20,[204] wie aus ihrem Fortgang hervorgeht: die Warnung vor überheblicher Gesinnung bildet hier die Folie für die positive Aufforderung, sich den unscheinbaren, geringen Aufgaben (bzw. Menschen) zuzuwenden.[205]

Im einzelnen sind zu Röm 12,16b zwei Fragen zu diskutieren: 1. Was genau ist mit τὰ ὑψηλά gemeint? 2. Ist τοῖς ταπεινοῖς Maskulinum oder Neutrum? Wegen des folgenden Verbs συναπάγω,[206] das den Gedanken an ein ekstatisches Fortgerissenwerden nahelegt, hat man daran gedacht, τὰ ὑψηλά weise auf die Offenbarungen und geheimen Gedanken hin, wie sie in gnostizierenden Kreisen erstrebt werden.[207] Dann würde durch den Gegensatz

200 Akk. ἀλλήλους: einander, wechsel-, gegenseitig, W. Bauer, Wörterbuch 78; vgl. Röm 12,5.

201 Anders D. Daube, New Testament 341–346, der auch Röm 12,15f auf das Verhältnis zu den Außenstehenden bezieht, im Sinne missionarischen Entgegenkommens. Er bezieht sich dabei auf rabbinische Parallelen, die nicht überzeugen können.

202 G. Bertram, ThW IX 225,8f. In diesem Sinn begegnet sie stets bei Paulus: Röm 15,5; 2 Kor 13,11; Phil 4,2; besonders deutlich Phil 2,2.

203 Vgl. Phil 3,16 v.l.

204 Dort richtet sie sich an die Adresse der Heidenchristen, die in Gefahr stehen, sich über die Juden zu erheben: Die Juden haben den Glauben verweigert, die Heiden sind zum Glauben gekommen; so sagt es Paulus mit dem Bild vom Ölbaum und den ausgebrochenen und an ihrer Stelle aufgepfropften Zweigen (Röm 11,16–20). Schon in V 18 hatte Paulus die Heidenchristen vor Überheblichkeit gewarnt mit der Begründung: „Nicht du trägst die Wurzel, sondern die Wurzel trägt dich" (V 18b). In 11,20 wiederholt er die Warnung: Überhebe dich nicht; und er fügt hinzu: sondern fürchte. Die Begründung ist anders als in V. 18: Die für den Heidenchristen angemessene Reaktion auf seine Erwählung ist nicht Überheblichkeit, sondern Furcht. Denn die kommende Geschichte ist völlig offen; für den Heidenchristen besteht die Gefahr des Abfalls, für den Juden die Chance der Bekehrung (11,21–24).

205 Vgl. auch 1 Kor 13,4.

206 Auch Gal 2,13 gebraucht Paulus dieses Verb: Barnabas läßt sich durch die Heuchelei des Petrus und der Judenchristen „mitreißen"; vgl. auch 2 Petr 3,17.

207 Vgl. W. Grundmann, ThW VIII 20, 19f und dort Anm. 56; H.W. Schmidt z.St.

τοῖς ταπεινοῖς ein eindringlicher kritischer Akzent gesetzt: Nicht von hohen Offenbarungen soll der Christ sich fortreißen lassen; was ihn bewegen und hinreißen sollte, ist der Dienst an den Geringen. Christlichkeit zeigt sich nicht im Überschwang überwältigender religiöser Erlebnisse, sondern im nüchternen täglichen Einsatz. Doch liegt es näher, τὰ ὑψηλά allgemeiner zu verstehen: „nach den hohen Dingen streben“;[208] daß dabei wie in Röm 11,20 speziell an den „Hochmut der Heidenchristen gegenüber Israel“[209] gedacht ist, scheint fraglich. Paulus warnt in Röm 12,16 allgemein vor einer Gesinnung, die auf hohe Dinge, auf Ehre und Ansehen aus ist, und die niedrigen, unscheinbaren, aber notwendigen Aufgaben dabei übersieht.

Schwerer zu entscheiden ist, ob τοῖς ταπεινοῖς maskulinisch oder neutrisch zu verstehen ist. Für das erste spricht, daß ταπεινός sonst im NT nie im Neutrum gebraucht wird,[210] während die Parallelität τὰ ὑψηλά – τοῖς ταπεινοῖς eindeutig für das zweite spricht. Allerdings macht es unsicher, wenn die alten Übersetzungen den Ausdruck maskulinisch verstehen.[211] Doch dürfte der Gegensatz zu τὰ ὑψηλά im ganzen stärker wiegen. Wie man hier auch entscheidet, die Konsequenzen der Mahnung sind die gleichen. Die Aufforderung, sich zu den geringen Dingen „hinreißen“ zu lassen, bedeutet letztlich, zu geringen Diensten an den Menschen bereit sein.[212] Das dynamische Verb will den Gedanken nahelegen, daß es den Christen im Grunde unwiderstehlich dazu drängen müsse. Ist τοῖς ταπεινοῖς neutrisch zu verstehen, so stünde mehr der Dienst im Vordergrund, ist es maskulinisch zu verstehen, so wäre auf die hingewiesen, denen dieser Dienst gilt. Christen sollen nicht auf die Steigerung des eigenen Ansehens, auf Ehre und Prestige aus sein; ihre Aufgabe ist der Dienst an den Armen, Geringen, Unscheinbaren.

In 16c verstärkt Paulus seine Mahnung mit einem atl. Zitat, das sich gegen eine sich selbst zelebrierende Weisheit richtet: Spr 3,7.[213] Paulus bringt es nicht wie dort im Singular, sondern im Plural; er hat nicht den Einzelnen, sondern die Gemeinde als Adressaten seiner Mahnung vor Augen. Die gleiche Mahnung begegnete schon in Röm 11,25 unmittelbar, nachdem Paulus in 11,17–24 die Heidenchristen vor Überheblichkeit gegenüber den Juden gewarnt hat.

208 So W. Bauer, Wörterbuch 1681: φρονέω hier in Bedeutung 2: „den Sinn richten auf, bedacht sein auf“, aaO 1713.
209 So erwägt W. Grundmann, ThW IX 20, 20f.
210 Das gilt, außer Ps 137,6, auch für LXX, wobei der hebr. Text auch hier das Maskulinum hat.
211 W. Bauer, Wörterbuch 1554. Auch das συν – in dem Verb könnte auf Personen deuten, vgl. O. Michel z. St. M. J. Lagrange z. St. zieht das Maskulinum vor; der Parallelismus werde nicht immer streng durchgeführt, ähnlich E. Käsemann z.St.
212 So sind z. B. 1 Kor 1,27f mit den Neutra auch Personen gemeint, K. Thieme, ταπεινοφροσύνη 24.
213 Spr 3,7 LXX: μὴ ἴσθι φρόνιμος παρὰ σεαυτῷ; vgl. Jes 5,21; Spr 26,5. 12 LXX. γίνομαι in Röm 12,16 ersetzt die entsprechende Form von εἰμί, vgl. W. Bauer, Wörterbuch 317; φρόνιμος hat die Bedeutung: verständig, klug, einsichtsvoll, aaO 1714; παρά mit Dativ hier in der Bedeutung II, 2b: nach dem Urteil jemandes, aaO 1210.

Die Kritik an einer selbstsicheren, ihrer eigenen Grenzen nicht bewußten Weisheit ist ein wichtiges Thema des AT, besonders der Weisheitsliteratur.[214] Als Beispiel stehe der hier von Paulus zitierte Vers Spr 3,7: „Dünke dich nicht weise! Fürchte Jahwe und weiche vom Bösen!“ (G. v. Rad.)[215] Allerdings geht es im Zusammenhang von Spr 3,7 um das falsche Vertrauen auf die eigene menschliche Weisheit, dem die Gottesfurcht als angemessene Haltung gegenübergestellt wird;[216] bei Paulus geht es um die Kritik an einer unbrüderlichen Selbstgefälligkeit.

5. Röm 12,17 – 21: Verzicht auf Rache – Friedensliebe

Der Abschnitt Röm 12,17–21 wird durch ein einheitliches Thema bestimmt: Es geht um das rechte christliche Verhalten zu Verfolgern und Feinden. Der Aufruf zum Verzicht auf Rache und Vergeltung spielt dabei eine wichtige Rolle.

a. Röm 12,17 – 19

Zunächst wendet sich Paulus in Röm 12,17 noch einmal (vgl. 12,14) gegen die Neigung des Menschen, das Böse mit gleicher Münze heimzuzahlen. Die Mahnung, niemandem Böses[217] mit[218] Bösem zu vergelten,[219] findet sich ähnlich 1 Thess 5,15 und 1 Petr 3,9.[220] Eine sachliche Parallele begegnet in den Antithesen der Bergpredigt: Mt 5,38–42. Wie in 1 Thess 5,15 und 1 Petr 3,9 ist die Mahnung nicht nur negativ formuliert; es schließt sich die positive Aufforderung an, auf das Gute bedacht zu sein. Diese positive Grundeinstellung soll nicht bloß das Verhalten der Gemeindemitglieder zueinander bestimmen, sondern überhaupt das Verhalten zu den Menschen; so ist es auch in 1 Thess 5,15. Die Warnung vor der Wiedervergeltung des Bösen wird in Röm 12,19. 21 noch einmal aufgegriffen.

214 Vgl. G. v. Rad, Weisheit in Israel, Neukirchen 1970, 131–148, bes. 137–140.
215 Auch der prophetischen Predigt ist das Thema wichtig: vgl. Jes 5,21; Jer 9,22f.
216 Vgl. H. Ringgren z. St.
217 κακός bedeutet einerseits „sittlich schlecht, böse“, andererseits „schlimm, verderblich, schädlich, gefährlich“. An unserer Stelle schwingt beides mit: die böse Gesinnung, die Schlimmes zufügt. W. Bauer, Wörterbuch 785f; vgl. auch W. Grundmann, ThW III 470f.
218 ἀντί 1. anstatt; hier Bedeutung 2., um zu bezeichnen, „daß eine Größe einer anderen gleichwertig ist“: anstelle, für; W. Bauer, aaO 145f.
219 ἀποδίδωμι 1. abgeben, herausgeben 2. übergeben, zurückgeben 3. (im guten und schlimmen Sinn) vergelten, aaO 178f.
220 1 Petr 3,9 findet sich auch das imperativische Partizip.

Der Warnung vor der Vergeltung entspricht die positive Aufforderung, vor[221] allen Menschen auf das Gute[222] bedacht zu sein. Das Verb προνοέω[223] läßt dabei an Voraussicht denken, an vorausblickendes, sorgsames Denken, das dem Handeln vorausgeht.[224] Paulus formuliert deutlich in Anlehnung an Spr 3,4 (LXX), wie vor allem ein Blick auf 2 Kor 8,21 zeigt, wo der LXX-Text vollständig zitiert ist.[225] 2 Kor 8,21 steht in Zusammenhang mit der Kollekte für Jerusalem. Paulus hat, um jeden Verdacht abzuwehren, bei der Verwaltung der großen Spende für die Jerusalemer Gemeinde könne es zu Unregelmäßigkeiten kommen, von den Gemeinden einen (uns namentlich unbekannten) Mann ihres Vertrauens als seinen Begleiter wählen lassen (2 Kor 8,19f). Dann folgt 2 Kor 8,21; hier geht es Paulus also darum, daß auf ihn kein schlechtes Licht fällt.

Wie soll man nun Röm 12,17b verstehen? Im Sinne von „seid bedacht auf das, was gut ist in der Sicht aller Menschen“[226] oder „sinnt auf Gutes gegen alle Menschen“?[227] Der Kontext spricht eindeutig für das zweite: Auf dem Hintergrund der Mahnung, nicht Böses mit Bösem zu vergelten, geht die Aufforderung 12,17b nicht darauf, vor den Menschen einen guten Eindruck zu machen bzw. nicht unnötig Anstoß zu geben,[228] sondern darauf, den Menschen Gutes zu tun. Das entspricht auch dem folgenden V 18; dort

221 ἐνώπιον, Grundbedeutung „vor“, hier in Bedeutung 3. „nach d. Meinung, nach d. Urteil“ oder 5 b: „in Beziehung auf“, aaO 535f.

222 Paulus gebraucht τὸ καλόν synonym mit τὸ ἀγαθόν; vgl. W. Grundmann, ThW III 551, 6ff. In Röm 12,17 steht es in Gegensatz zu κακόν, vgl. Röm 7,21; 2 Kor 13,7; Röm 7,21 braucht Paulus es abwechselnd mit ἀγαθόν.

223 vorher bedenken, vorsorgen 1. sorgen für, versorgen, 2. Vorsorge treffen für, Bedacht nehmen auf, W. Bauer, Wörterbuch 1405.

224 F. J. Leenhardt z. St.

225 Spr 3,4 LXX: προνοοῦ καλὰ ἐνώπιον κυρίου καὶ ἀνθρώπων. Röm 12,17: προνοούμενοι καλὰ ἐνώπιον πάντων ἀνθρώπ. 2 Kor 8,21: προνοοῦμεν γὰρ καλὰ οὐ μόνον ἐνώπιον κυρίου ἀλλὰ καὶ ἐνώπιον ἀνθρώπων. Entsprechend haben einige Handschriften den Text Röm 12,17 nach 2 Kor 8,21 (nicht nach LXX) aufgefüllt, wobei in zwei verschiedenen Varianten statt κυρίου die Worte τοῦ θεοῦ stehen. Das könnte damit zusammenhängen, daß Paulus die Präposition ἐνώπιον durchgehend in Verbindung mit θεός gebraucht: Röm 14,22; 1 Kor 1,29; 2 Kor 4,2; 7,12; Gal 1,20; auch Röm 3,20 bezieht sich ἐνώπιον αὐτοῦ auf τῷ θεῷ 3,19. Einzige Ausnahmen: Röm 12,17 und 2 Kor 8,21. Umgekehrt ist προνοούμενοι aus Röm 12,17 in einige Handschriften von 2Kor 8,21 eingedrungen.

226 Vgl. Phil 4,8; so V.P. Furnish, Love Command 107.

227 So H. Lietzmann z. St.

228 So deutet man bisweilen unter Verweis auf Mt 5,16, z. B. A. T. Hanson, Studies 128f; auch C. E. B. Cranfield, Commentary 55. Das Motiv der Rücksicht auf die Reaktion der Nichtchristen spielt auch bei Paulus schon eine Rolle: 1 Thess 4, 11f; vgl. W. C. v. Unnik, Die Rücksicht auf die Reaktion der Nicht-Christen als Motiv in der altchristlichen Paränese, in: W. Eltester (Hrsg.), Judentum Urchristentum Kirche, Festschrift f. J. Jeremias, Berlin 1960, 221–234. Röm 12,17 gehört für v. Unnik zu jenen Stellen, „wo stark die Liebe allen Menschen ohne Ausnahme gegenüber unterstrichen wird . . .“ aaO 228, Anm. 27.

findet sich die Wendung „mit allen Menschen" noch einmal. Paulus fügt zum LXX-Text (und auch über 2 Kor 8,21 hinaus) πάντων hinzu. Er ist bemüht, den Blick der Leser über die Grenzen der eigenen Gemeinde hinauszulenken.[229] Dem entspricht auch das μηδενί am Anfang des Verses.

In V 18 fordert Paulus, „mit allen Menschen" Frieden zu halten.[230] Er macht zwei bemerkenswerte Einschränkungen: „wenn es möglich ist"[231] und: soweit es von euch abhängt.[232] Es ist klar, woran Paulus hier denkt: an das Verhältnis der christlichen Gemeinde zu ihren Verfolgern, das er schon in 12,14 angesprochen hat. Es ist eines der großen Anliegen des Paulus, die Gemeinden zu Eintracht und Frieden zu rufen.[233] Hier in Röm 12,18 wird die Mahnung zum Frieden ausgedehnt: Der Christ soll Einmütigkeit und Frieden mit allen erstreben,[234] auch mit den Gegnern der Gemeinde, soweit er es in der Hand hat. Daß Paulus hier an ein Jesuswort anknüpfe,[235] scheint unwahrscheinlich; dazu ist der Bezug zu Mk 9,50 oder erst recht zu Mt 5,9 nun doch zu locker.

Paulus sieht nüchtern, daß dem Bemühen um Frieden durch das Verhalten der anderen Grenzen gesetzt sind. Der Vorstoß der Christen zum Frieden kann an unüberwindlichen Schwierigkeiten scheitern.[236] Diese Nüchternheit berührt sympathisch. Man sollte sie dem Apostel nicht übelnehmen: „ . . . daß dem Gebot der Liebe Röm 12,18 ein ‚wenn' vorausgesetzt wird, deutet leise an, daß der Glaube, der in der Liebe die alles überwindende, umgestaltende und unaufhaltsame Gottesgewalt sieht, ganz vorsichtig eingeschränkt wird."[237] Ein positives Verständnis der paulinischen Aussage liegt näher: „Der Friedenswille des Christen soll unbegrenzt sein, aber nicht utopisch meinen, er könne auf jeden Fall Frieden schaffen."[238] Umgekehrt sollte der Christ nicht allzu schnell meinen, er habe schon alles getan, was in seiner Macht steht. Die Mahnung gewinnt an Dringlichkeit dadurch, daß Gott für Paulus der „Gott des Friedens" ist.[239] „Der von Gott her mit Frieden beschenkte Mensch muß diesen Frieden weitergeben . . ."[240]

229 Vgl. 1 Thess 3,12; 5,15; Phil 4,5; auch Gal 6,10.

230 Häufig wird an dieser Stelle Epikt Diss IV 5,24 zitiert; doch hat bei ihm die Mahnung eine ganz andere Richtung: „Warum willst du also noch aufgebracht sein . . .? Solltest du nicht eher gehen und auf offenem Platze ausrufen, daß du mit allen Menschen in Frieden lebst, sie mögen tun, was sie wollen . . ." Hier geht es deutlich um die Unerschütterlichkeit des Weisen.

231 W. Bauer, aaO 414.

232 aaO 466: ἐκ Bedeutung 3f.

233 2 Kor 13,11; 1 Thess 5,13, dazu W. Foerster, ThW II 416, 35–42, bes. Anm. 3; vgl. auch Röm 14,17. 19; vgl. auch unten unter C IV 4b.

234 Vgl. später Hebr 12,14.

235 So C. H. Talbert, Tradition 87.

236 Vgl. U. Duchrow, Christenheit 128.

237 H. Preisker, Ethos 184; ähnlich C. H. Ratschow, Agape 175.

238 H. Schlier z. St.

239 Röm 15,33; 16,20; 2 Kor 13,11; Phil 4,9.

240 H. W. Schmidt z. St.

Dreimal wendet sich Paulus in unserem Kapitel gegen Groll und Rache (12,14.17.19, vgl. auch 21). Hier scheint er eine besondere Gefährdung für die Gemeinde zu sehen. In V 19 beruft er sich zur Unterstützung seiner Mahnung ausdrücklich auf die Autorität der Schrift; das Thema ist ihm offenbar besonders wichtig.

Die Aufforderung „rächet euch nicht selbst" in 12,19 wird durch die bei Paulus häufige Anrede „Geliebte" kräftig unterstrichen. Die Anrede findet sich bei Paulus häufig,[241] meist in paränetischem Zusammenhang. Sie ist Ausdruck der brüderlichen Verbundenheit im gleichen Glauben. Die Gemeinschaft der Christen hat ihren tiefsten Grund darin, daß sie „Geliebte Gottes" sind.[242] Eine sachliche Parallele zur Aufforderung, nicht Böses mit Bösem zu vergelten (V 17), sich nicht selbst zu rächen (V 19), findet sich in 1 Kor 6,6f. Auch dort ist der Geist der Bergpredigt spürbar. Zugleich wird deutlich, wie die „Feindesliebe" schon sehr früh auch ein Problem innerhalb der christlichen Gemeinden wurde.

Die Wendung τόπον δίδωμι, wörtlich „Raum gewähren",[243] bedeutet „Gelegenheit, Anlaß geben".[244] Der Sprachgebrauch ist im hellenistischen Griechisch unter dem Einfluß des Lateinischen („locum dare") entstanden;[245] er findet sich auch im biblischen Griechisch.[246] Dort ist damit nicht nur eine Gelegenheit im profanen Sinn gemeint (vgl. Sir 4,5), sondern vor allem die von Gott gegebene Gelegenheit (Weish 12,10; 12,20; Sir 16,14).[247] Paulus fordert in Röm 12,19 dazu auf, nicht durch eigenmächtiges Handeln dem eschatologischen Gericht vorzugreifen, sondern dem göttlichen Zorn das Wirken möglich zu machen.[248]

Das folgende Schriftzitat zeigt deutlich, daß ὀργή hier den Zorn Gottes und nicht den menschlichen Zorn meint. Es ist ein θεοῦ mitzuhören.[249] Einige altkirchliche Exegeten haben ernsthaft die Deutung auf den menschlichen Zorn erwogen;[250] mit Recht bezeichnet F. S. Gutjahr z. St. eine Deu-

[241] 1 Kor 10,14; 15,58; 2 Kor 7,1; 12,19; Phil 2,12; 4,1; Auch sonst hat Paulus beim Gebrauch von ἀγαπητός entweder die Gemeinde (Röm 1,7; 1 Kor 4,14; 1 Thess 2,8) oder einen einzelnen Christen (1 Kor 4,17; Phm 16) im Auge.

[242] Röm 1,7; vgl. 1 Thess 1,4.

[243] W. Bauer, aaO 383.

[244] τόπος 2. c. die Möglichkeit, die Gelegenheit, der Anlaß, W. Bauer, aaO 1628. Röm 12, 19 übersetzt Bauer: „gebt dem (göttlichen) Zorn Gelegenheit, sich zu entladen", aaO 1629; vgl. auch Billerbeck III 300. 603f.

[245] H. Köster, ThW VIII 191,2–15, bes. Anm. 28 und 30.

[246] aaO 200, 30–43; dort ist der übertragene Sprachgebrauch allerdings „nicht einfach aus der Übernahme der entsprechenden übertr Bdtg aus dem Griech zu erklären. Er setzt gleichzeitig die at.liche Ortsvorstellung insofern fort, als er von der durch Gott gegebenen Stätte redet, in der die glaubende Existenz ihren Grund hat." aaO 37–40.

[247] aaO 32–36; vgl. Röm 15,23 und dazu aaO 206,10f.

[248] aaO 206,24–26.

[249] Chrysostomus hat in Röm 12,19 das fehlende θεοῦ ergänzt, ebenso tun es einige Handschriften zu 1 Thess 2,16: vgl. G. Stählin, ThW V 424, Anm. 298.

[250] H. Köster, aaO, Anm. 144.

tung in dem Sinne „weicht dem Zorne des Feindes aus“ als kontextwidrig. Paulus denkt eindeutig an das eschatologische Zorngericht Gottes, wie vor allem der Fortgang in 19b zeigt. „Die Gewißheit, daß Gott richtet, zwingt den Christen, als Richter in eigener Sache abzudanken.“[251]

Mit einem Schriftzitat bekräftigt Paulus seine Mahnung.[252] Er beruft sich häufig auf die Autorität der Schrift; oft benutzt er dabei das Passiv γέγραπται,[253] um das Schriftzitat ausdrücklich als solches zu kennzeichnen. Die Formel γέγραπται „ist nicht weniger Bezeichnung der griechischen Rechtssprache bei der Berufung auf die unverbrüchliche Autorität des Gesetzes, als auch Ausdruck für die Geltung, die Israels Schrift hat ... Was als γέγραπται zitiert wird, ist normativ, weil durch die bindende Gewalt Jahwes, des Königs und Gesetzgebers, beglaubigt“.[254]

Ob Paulus in seinem Schriftzitat den Text Dt 32,35 frei zitiert[255] oder aber zu Dt eine von der LXX abweichende Übersetzung zur Hand hatte,[256] ist nicht sicher auszumachen.[257] Die Frage, welcher Text des AT dem Paulus vorgelegen hat, hängt mit vielen offenen Fragen der LXX-Forschung zusammen; ihr kann hier nicht nachgegangen werden.[258] Oft hat man vermutet, daß es in der hellenistischen Synagoge Testimonienbücher mit atl. Zitaten gab.[259] Die Florilegienhypothese hat durch die Qumranfunde eine interessante neue Beleuchtung erfahren.[260] In Qumran hängen diese Sammlungen mit dem Schulbetrieb zusammen; ähnliche Sammlungen werden für den urchristlichen Lehrbetrieb vermutet. Ob man den Gebrauch solcher Sammlungen auch für Paulus vermuten kann, „der ja seine Unabhängigkeit von jeder Schultradition betont, ist nicht gewiß“.[261] Möglich ist ebenso,

251 H. W. Schmidt z. St.; vgl. G. Schrenk, ThW II 442, 1–4; G. Stählin, ThW V 421, 18–21; 434,11ff; vgl. auch Röm 14,10; 1 Kor 4,5.

252 „Häufig haben Schriftworte bei Paulus die Funktion, das letzte, autoritative Wort in einer strittigen Sache zu sagen, über das hinaus sich jedes weitere Wort erübrigt.“ G. Bornkamm, Geschichte und Glaube, Zweiter Teil. Gesammelte Aufsätze Band IV, München 1971, 144.

253 in der Form γέγραπται γάρ: Röm 14,11; 1 Kor 1,19; Gal 3,10; weitere Zitationsformeln mit γέγραπται s. G. Schrenk, ThW I 747f; vgl. auch W. Schrage, Einzelgebote 233; eine ausführliche Liste der Einleitungsformeln bei O. Michel, Paulus 72.

254 G. Schrenk, ThW I 747, 19–24.

255 Man könnte auch an Lev 19,18 denken, das sich gegen Rache und nachtragenden Zorn wendet (mit dem anschließenden: du sollst deinen Nächsten lieben wie dich selbst); eher noch an Ps 94, der mit einem Appellationsruf an Jahwe, den Richter beginnt (Ps 94,1), vgl. H. J. Kraus z. St.

256 So vermutet O. Michel z. St.; vgl. G. Schrenk, ThW II 443, Anm. 4. Dt 32,35 LXX: ἐν ἡμέρᾳ ἐκδικήσεως ἀνταποδώσω.

257 Daß das Zitat in der gleichen Textform in Hebr 10,30 wiederkehrt, könnte darauf hinweisen, „daß Paulus den Wortlaut nicht selbständig verändert hat, sondern in einer so von ihm bereits vorgefundenen Fassung tradiert hat“. E. Synofzik, Gerichts- und Vergeltungsaussagen 48. Anders O. Michel, Paulus 195.

258 Vgl. O. Michel, Thema 117–119.

259 Vgl. H. Thyen, Stil 65f.

260 Vgl. 4 Q flor und 4 Q test.

261 O. Michel, aaO 115.

daß sich das Zitat an Dt 32,35 Mas anschließt. Paulus benutzt normalerweise die griechische Übersetzung, doch scheint er den hebräischen Text gekannt zu haben.[262] Noch näher steht dem paulinischen Text die Paraphrase zu Dt 32,35 im Targum Onkelos: „Vor mir ist die Strafe und ich, ja ich werde vergelten."[263] Auch in der Damaskusschrift[264] finden wir „ein ausdrückliches Verbot der Rache und des Grolls gegen den Volksgenossen mit Hinweis auf Lev 19,18 und auf Gottes Eigenrecht (vgl. Jes 59,17f): ‚Gott nimmt Rache an seinen Widersachern und er bewahrt Groll seinen Feinden' ".[265]

Wie weit hier eine direkte Abhängigkeit vorliegt, muß offenbleiben. Die angeführten Stellen zeigen deutlich, daß Paulus in einer breiten atl.-jüdischen Tradition steht,[266] wenn er in Röm 12,19 unter Berufung auf die Schrift auf das allein Gott[267] zustehende Recht[268] verweist, zu vergelten,[269] ein Recht, das sich der Mensch nicht eigenmächtig anmaßen darf. Der Imperativ, von der Rache zu lassen, gründet auf dem Indikativ, daß Gott das Unrecht sühnen werde.[270] AT und NT stimmen darin überein, daß sie „die Vergeltung weit überwiegend nicht von Menschen, sondern von Gott erwarten. Spr 20,22 und Röm 12,19 wollen im Grunde nur erreichen, daß es von dieser Regel keine Ausnahmen mehr gibt".[271] Paulus denkt ohne Frage an das eschatologische Gericht Gottes und nicht an den sich schon im Hier und Jetzt auswirkenden Zorn Gottes.[272]

Das abschließende, an die Sprache der Propheten[273] erinnernde λέγει κύριος[274] geht über den atl. Text hinaus, obwohl es von Paulus zweifellos

262 Vgl. A. T. Hanson, Studies 196–200; anders O. Michel, Paulus 68.
263 Billerbeck III 300; vgl. O. Michel z. St.; O. Michel, Paulus 65.
264 9,2–8; vgl. auch 1 QS 10,17f.
265 O. Michel, z. St.
266 Vgl. ferner Spr 20,22; Test. Gad 6,7.
267 betont: ἐμοί – ἐγώ.
268 ἐμοὶ ἐκδίκησις: die Bestrafung kommt mir zu, W. Bauer, Wörterbuch 473; vgl. 1 Thess 4,6; zum LXX-Sprachgebrauch vgl. W. Dietrich, Rache 455.
269 Das vorausgesetzte ἀντί verstärkt gegenüber ἀποδίδωμι den Gedanken der Gegenleistung, F. Büchsel, ThW II 171,22f. Das Verb kann, wie seine hebräischen Entsprechungen, Vergeltung im Bösen (Röm 12,19; 2 Thess 1,6) wie im Guten bedeuten (Röm 11,35; 1 Thess 3,9; vgl. Lk 14,14). W. Dietrich, aaO 468.
270 W. Dietrich, aaO.
271 aaO 468f.
272 Darauf weist das Futur ἀνταποδώσω; Dt 32,35 LXX spricht deutlich von der ἡμέρα ἐκδικήσεως. Das Bild von Gott als dem eschatologischen Weltrichter ist im AT weit verbreitet; vgl. H. J. Kraus zu Ps 94,1. Vor allem aber weist der vorausgegangene Hinweis auf den Zorn Gottes auf eschatologischen Zusammenhang hin, vgl. die ἡμέρα ὀργῆς Röm 2,5.
273 Vgl. z. B. Jes 1,11. 18 LXX u.ö.; Am 1,6. 9. 11 LXX u.ö.; vgl. O. Michel, Thema 115.
274 Vgl. 1 Kor 14,21; Röm 14,11 (kombiniert Jes 49,18 und 45,23); 2 Kor 6,17f.

als Glied des Zitats und nicht als Einführungsformel gemeint ist.[275] Es bekräftigt noch einmal die Autorität der Mahnung. Mit dem κύριος[276] ist hier nicht, wie meist bei Paulus, Christus gemeint,[277] sondern, da atl. Zitat,[278] Gott, der sich das Gericht vorbehält und den Menschen davor warnt, das Gericht eigenmächtig vorwegzunehmen.

Die Forderung, auf Rache zu verzichten, erhält durch den Hinweis auf Gottes Zorngericht den Charakter letzter Verbindlichkeit. Nicht dem Menschen, sondern Gott steht das letzte Urteil zu. Damit spricht Paulus ein entscheidendes Motiv seiner Paränese an: die eschatologische Erwartung. In 13, 11–14 wird er es noch einmal aufgreifen. Das Reden von Gottes „Zorn" bereitet unserem heutigen Verstehen große Schwierigkeiten. Darum soll im folgenden Exkurs auf die Vorstellung von Gottes Zorn und Gericht etwas näher eingegangen werden.

Exkurs: Zorn Gottes und Gericht

Daß Paulus hier so unbekümmert vom Zorn Gottes und von der Vergeltung durch Gott redet,[279] wirkt auf den heutigen Leser befremdlich. Freilich liegt der Akzent auf der Aufforderung, im menschlichen Miteinander auf Rache zu verzichten und das letzte Urteil Gott zu überlassen. Überdies hat Paulus hier das Verhalten der Gemeinde zu ihren Feinden und Verfolgern im Blick, wie V 14 deutlich macht. Mit der Aufforderung, die Verfolger zu „segnen" (Röm 12,14), schlägt Paulus einen ganz anderen Ton an, als der von ihm frei zitierte Text Dt 32, 35, bei dem die Erwartung im Hintergrund steht, „daß sich Jahwe seines nur ihm zustehenden Richter- und Rächeramtes erinnert, kraft dessen er in Kürze gegen die Völker einschreiten wird."[280]

Die uns heute so befremdliche Vorstellung vom Zorn der Götter ist in fast allen Religionen lebendig,[281] sie findet sich bei den Griechen[282] wie bei den Römern.[283] Im AT nimmt der Gedanke des Zornes Gottes einen er-

[275] Die Einführungsformel γέγραπται γάρ geht voraus; vgl. G. Kittel, ThW IV 113, 17–26. Die Formel λέγει κύριος wird „nur dann angewandt, wenn wirklich schon das A.T. sagte, Gott habe dies Wort gesprochen", O. Michel, Paulus 128.

[276] κύριος ist in der LXX über 6000 mal die Übersetzung des Gottesnamens „Jahwe", vgl. H. Gross, LThK² VI, 713; W. Foerster, ThW III 1081f. Im NT kann es Bezeichnung Gottes sein, W. Bauer, Wörterbuch 908, 2.a., als auch in Beziehung auf Jesus verwendet werden, aaO 908f, 2.c.

[277] Vgl. W. Foerster, aaO 1087–1094.

[278] Vgl. Röm 4,8; 9,28f; 11,34; 15,11: alles atl. Zitate; in 11,3 ist das κύριε zum atl. Zitat von Paulus hinzugefügt.

[279] Vgl. auch 1 Thess 4,6.

[280] G. v. Rad z. St.

[281] N. J. Hein, RGG³ VI 1929f.

[282] H. Kleinknecht, ThW V 384–388.

[283] aaO 388–392.

staunlich breiten Raum ein;[284] entsprechend häufig findet er sich im Spätjudentum[285] und im rabbinischen Schrifttum.[286] Auch im NT spielt er eine große Rolle,[287] vor allem in den Briefen des Paulus.[288]

Man hat schon sehr früh die Problematik eines solchen Redens vom „Zorn“ Gottes bzw. der Götter zu spüren begonnen, in der philosophischen Kritik am Volksglauben bei den großen griechischen und römischen Philosophen,[289] in der Auflehnung des Hiob gegen den Zorn Gottes, der ihn nach seiner Meinung unverdient trifft,[290] oder in der Frage des Psalmisten, ob Gott denn sein Erbarmen im Zorn verborgen habe (Ps 77,10), in der gewagten rabbinischen Bemerkung, die Sünde „mache den Barmherzigen (= Gott) grausam“,[291] in der Anschauung Philos von Alexandrien, dem die entsprechenden Stellen des AT ein ziemliches Problem sind, weil sie im Grunde seiner vom Hellenismus beeinflußten Anschauung widersprechen, bei Gott gebe es kein wirkliches *πάθος*,[292] in der Theologie Marcions, der in Röm 1, 18 den Genetiv unterdrückt, weil er nicht in sein Gottesbild paßt,[293] in der Auseinandersetzung des Origenes mit dem Philosophen Celsus über das Reden vom „Zorne Gottes“,[294] bis hin zur Aufklärung; sie sieht „in den betreffenden Schriftaussagen ‚bloß grelle Anthropopathismen eines ungebildeten Zeitalters . . ., welche die göttliche Gerechtigkeit nach menschlichen Affekten schildern‘ (so z. B. Wegscheider)“.[295] Auch unsere Zeitgenossen

[284] J. Fichtner, ThW V 395–410; W. Eichrodt, RGG³ VI 1930 f; G. Herold, Zorn 276–286; auch die zahlreichen Begriffe des AT für den Zorn Gottes weisen darauf hin, daß der Gedanke weit verbreitet ist, vgl. O. Grether / J. Fichtner, ThW V 392–394.

[285] E. Sjöberg / G. Stählin, ThW V 413–416.

[286] E. Sjöberg, ThW V 417f.

[287] Vgl. G. Stählin, ThW V 422–448.

[288] Er fehlt – auffallend – in der Botschaft Jesu, in der freilich der Gedanke des Gerichts Gottes eine wichtige Rolle spielt. Mt 3,7 par. Lk 3,7 ist in der Predigt des Täufers vom „kommenden Zorn“ die Rede; sonst erscheint der Begriff bei den Syn nicht, außer Lk 21,23. Mk 3,5 spricht vom menschlichen Zorn Jesu.

[289] Vgl. H. Kleinknecht, ThW V 385,33 – 388,32; H. Conzelmann, ThW IX 366, 7–10; M. Pohlenz, Vom Zorne Gottes 5–7.

[290] Hiob 16,9; 19,11.

[291] E. Sjöberg, ThW V 417,44; vgl. die Umdeutung des „Zornes Gottes“ bei den Rabbinen: Billerbeck III 30f.

[292] „Er deutet sie schließlich als eine Anpassung des göttlichen Wortes an die Aufnahmefähigkeit der Unverständigen“, E. Sjöberg / G. Stählin, ThW V 418,26–28; vgl. M. Pohlenz, Stoa I 372; aus ähnlichen Erwägungen hat die LXX an einigen Stellen die Vorstellung vom Zorn Gottes durch andere Vorstellungen ersetzt; vgl. O. Grether / J. Fichtner, ThW V 412f; vgl. Arist. 254; M. Pohlenz, aaO 7–9.

[293] G. Stählin, ThW V 424, Anm. 298; vgl. dort Anm. 312; vgl. zu Marcion M. Pohlenz, aaO 20–22.

[294] Orig Cels IV 71–73; vgl. zu Origenes M. Pohlenz, aaO 13; 31–36. Origenes teilt die Auffassung Philos, das Reden vom Zorn Gottes sei pädagogisch zu verstehen, dem menschlichen Auffassungsvermögen angepaßt, aaO 32f; 35f.

[295] R. Kübel, A. Rüegg, Realencyklopädie für protestantische Theologie und Kirche³, Band 21, Leipzig 1908, 719.

haben mit dem Gedanken vom Zorn Gottes und vom Gericht ihre großen Schwierigkeiten. So fragt man etwa, „ob die Vorstellungen von Gesetz, Zorn und Verdammnis noch in die eschatologischen Aussagen hineingehören . . . Muß man nicht theologisch zu dem Ergebnis kommen, daß die durchschlagende Predigt von der Liebe bis hin zur Feindesliebe dann ihre Kraft verliert, wenn sie sich durch die Gerichtspredigt selbst wieder in Frage stellt"?[296]

All diese Stimmen – sie stehen exemplarisch für viele andere[297] – haben großes Gewicht. Sie warnen davor, das Reden vom Zorn Gottes allzu selbstverständlich zu übernehmen. Doch ist es andererseits die Frage, ob man das Reden vom Zorn Gottes ohne weiteres als überholte Vorstellung einer vergangenen Epoche eliminieren kann; das brächte die biblische Botschaft möglicherweise um ihren Ernst. Vor allem fragt sich, ob sich in einer so verbreiteten religiösen Vorstellung nicht menschliche Grunderfahrungen niedergeschlagen haben, die es verdienen, auch heute bedacht und ernstgenommen zu werden.

Beim Begriff „Zorn Gottes" empfindet man die vermenschlichende Redeweise stärker als etwa bei der Rede von Gottes Liebe, Erbarmen oder Eifer. Doch sind die biblischen Aussagen über den Zorn Gottes keineswegs mehr anthropomorph als die von der Vaterliebe Gottes; beide gehören unaufgebbar zum biblischen Bild des persönlichen Gottes.[298]

Das Reden vom Zorn Gottes und die Überzeugung von der Liebe und Bundestreue Gottes stehen im AT nicht einfach unverbunden und unausgeglichen nebeneinander. Die tiefste Wurzel des Zorngedankens ist für das AT das Wissen um die verletzte heilige Liebe Gottes, was durch die im AT häufige Verbindung der Vorstellung vom Eifern Jahwes um Israel mit der seines Zürnens noch verdeutlicht wird.[299] Der zürnende Gott ist zugleich der um sein Volk werbende und ringende Gott.

Wenn die Propheten den Zorn Gottes „ohne Scheu vor der unzulänglichen Redeweise des Anthropopathismus" in grellen Farben ausmalen,[300] so geht es wie in den Aussagen von Gottes Eifersucht[301] „um den radikalen Ernst, mit dem Gott seine Erwählung verwirklicht, nicht in kühler Unbewegtheit, sondern in stärkster Energie der Selbstdurchsetzung, die gerade so den Menschen ganz ernst nimmt".[302] Der Gott des AT ist nicht ein Gott philosophisch-abstrakter Reflexionen, sondern der persönlich und leiden-

[296] H. Lutze, Ein strafender Gott, Evangelische Kommentare 7 (1974) 373.
[297] Vgl. f. die ersten christlichen Jahrhunderte M. Pohlenz, aaO 16–57 und 105–128, wo deutlich wird, wie sehr man mit dem Problem der Rede vom „Zorn Gottes" gerungen hat.
[298] G. Stählin, ThW V 425, Anm. 311.
[299] J. Fichtner, ThW V 404, 10–16.
[300] Jes 30,27f; Am 8,9ff; Hos 13,7f.
[301] Jos 24,19; Zeph 1,18; Dt 32,21f.
[302] W. Eichrodt, RGG^3 VI 1930.

schaftlich sich für den Menschen engagierende Gott.[303] Sein Zorn über den Sünder ist sein Widerwille gegen die Sünde, die den Menschen seiner ursprünglichen Bestimmung entfremdet.[304]

Die Rede vom Zorn Gottes ist im AT häufig mit der Volksklage verbunden.[305] Gerade die unverständlichen, absurd erscheinenden Katastrophen in der Geschichte Israels lassen Gott immer wieder als den rätselhaften Gott erscheinen.[306] Doch führt das keineswegs zur Aufkündigung des Glaubens. Im Gegenteil! Texte wie Bar 2,9. 20 und Dan 9,11. 13 zeigen „den Gluthauch eines Glaubens, der auch im Kreuz und gerade im Kreuz sich an Gottes Treue klammert“.[307] Gegenüber allen Einwänden wird man bedenken müssen, daß hinter der Rede vom Zorn der Götter bzw. Gottes ganz konkrete Erfahrungen mit der Wirklichkeit der Welt stehen, die man oft als bedrohlich und unheimlich empfindet. Man wird fragen müssen, ob sich die Wirklichkeit einer Welt, die faszinierende wie erschreckende Seiten hat, ob sich die vielfältigen und widersprüchlichen menschlichen Erfahrungen mit dieser Welt nicht doch einer allzu glatten Deutung widersetzen, ob ein allzu problemloses Gottesbild, das einseitig die Güte Gottes betont und nicht mehr genug um den rätselhaften Gott weiß, diesen bedrängenden Erfahrungen mit der Welt überhaupt gewachsen ist.

Das Reden vom Zorn Gottes bzw. der Götter hat sich an ganz konkreten Erfahrungen mit der Welt entzündet. Es steht in innerem Zusammenhang mit der Theodizee-Frage, die gerade den heutigen Menschen bedrängt, wenn er glauben will – angesichts einer rätselhaften, bedrohten Welt, angesichts der in den Blick geratenen Möglichkeit, daß der Mensch diese Welt zerstören könnte.[308] Das Reden vom „Zorn Gottes“ verdient ernstgenommen zu werden. Es kann daran erinnern, daß sich die Wirklichkeit Gottes nicht in ein „handliches“ theologisches System einfangen läßt. Die Wirklichkeit Gottes entspricht nicht den Idealvorstellungen, in denen sich der

303 „Trotzdem tritt der Z. nie als gleichberechtigter Wesenszug Gottes neben Heiligkeit, Liebe und Macht. Die Gewißheit, daß das Erbarmen immer wieder über den Z. hinweggreift (Ex 20,5f; 2 Sam 12,13; 24,16; Jes 40,2; 51,22 . . .), daß die Sühnemittel der Fürbitte und des Sühnopfers von Gott selbst anerkannt sind, daß Jahwe nicht nachträgt (Jes 57,16; Mi 7,18; Ps 103,8ff), sondern in Langmut zuwartet und warnt (Ex 34,6f; Num 14,18; Jes 48,1), vor allem aber die Ausblicke auf eine die Zeit des Z.es abschließende Heilszeit lassen die Begrenztheit des Z.es gegenüber dem göttlichen Heilswillen stärker hervortreten und bahnen den Weg zu einer Heilsgewißheit, die den Z. als das Mittel zur Heilsbeschaffung positiv zu würdigen wagt (Hos 11,8f; Jer 31,20; Jes 53,4f; 54,8–10; Jes 12,1).“ W. Eichrodt, RGG[3] VI 1930f. Sehr eindrucksvoll stellt Hos 11,8f die Spannung zwischen dem Ernst des Gerichtes und der suchenden Liebe Gottes dar, die menschlich gesehen als völlige Gegensätze erscheinen müssen. Vgl. A. Weiser z.St.

304 Vgl. H. Bandt, RGG[3] VI 1932f.

305 Vgl. G. Herold, Zorn 277; 279–282; 286.

306 So spricht z. B. P. Volz vom „Dämonischen in Jahwe“, P. Volz, Das Dämonische in Jahwe, Tübingen 1924.

307 G. Herold, aaO 283.

308 Vgl. G. H. C. Macgregor, Wrath 101. 106–108.

Mensch einen Gott nach seinem Bilde schafft. Gott bleibt auch für den Gläubigen der rätselhafte Gott, der sich letztlich menschlichem Begreifen entzieht.

In Israel werden zunächst die unerklärlichen geschichtlichen Katastrophen im Leben des Volkes, vor allem das Exil, als Ausdruck des Zornes Gottes gedeutet.[309] Doch tritt bei den Propheten der Gedanke des endzeitlichen Zorngerichts immer mehr in den Vordergrund, wenn sie etwa vom „Tag Jahwes", dem „Tag des Zornes" reden (Am 5,18–20; Jes 2,6–21; Zeph 1,15. 18).[310] Hier knüpft Paulus unmittelbar an, wenn er Röm 2,5 vom „Tag des Zornes" spricht,[311] oder wenn er 1 Thess 1,10 Jesus als den bezeichnet, der uns vom „kommenden Zorn" rettet: An beiden Stellen ist deutlich an das eschatologische Gericht gedacht.[312] Doch weiß er auch davon, daß der Zorn Gottes sich schon in der Gegenwart zeigen kann (Röm 1,18; 1 Thess 2,16).[313]

Paulus hat die Vorstellung vom „Zorn" bzw. vom „Tag des Zorns" aus der atl.-jüdischen Tradition übernommen. Zwar fehlen die im AT so häufigen Ausdrücke wie „Gott ergrimmte" fast ganz[314] (einzige Ausnahme: Röm 2,8) und tritt der Gedanke eines Affektes Gottes stark in den Hintergrund.[315] Trotzdem hat es oft befremdet, daß Paulus so unbekümmert den atl.-jüdischen Lohn- und Strafgedanken übernommen hat, und man hat gemeint, daß ihm die Integration solcher Vorstellungen in seinen Christusglauben nicht voll gelungen sei; so bemerkt z. B. H. Weinel, daß Paulus „noch manche Schlacken in seinem Wesen" hatte.[316] H. Windisch sieht in den Gerichtsaussagen des Paulus offenbar eine gewisse „Inkonsequenz": Paulus hätte sie eigentlich zurückdrängen müssen.[317] Doch wird man so den paulinischen Aussagen kaum gerecht. Man kann die Gerichtsparänese des Paulus nicht einfach als ein Relikt aus einer grundsätzlich überwundenen Vergangenheit paulinischen Denkens betrachten. Sie gehört wesentlich in seine Botschaft und ist nicht ein versehentlich stehengebliebener Rest aus seiner jüdischen Vergangenheit; vor einer solchen Behauptung „sollte

309 J. Fichtner, ThW V 397, 32–401,13.
310 J. Fichtner, aaO 401, 14–38.
311 Vgl. Röm 2,16.
312 Ebenso deutlich Röm 2,8; 3,5 (vgl. 3,6); 5,9; 1 Thess 1,10; 5,9; auch Röm 9,22 scheint Paulus an das Endgericht zu denken.
313 Vgl. Röm 13,4f, wo vom „Zorn Gottes gegen die Übeltäter in den Strafgerichten irdischer Obrigkeiten" die Rede ist, W. Bauer, Wörterbuch 1147f. Röm 4,15 könnte man mit der Entscheidung schwanken, ob hier an das künftige oder an das bereits in der Gegenwart einsetzende Zorngericht Gottes gedacht ist, O. Kuss zu Röm 1,18.
314 Vgl. M. Pohlenz, Vom Zorne Gottes 14f.
315 Vgl. auch E. Schweizer und E. Lohse zu Kol 3,6.
316 H. Weinel, Paulus 95; vgl. 94 und 260.
317 Vgl. H. Windisch, Problem 273f.

schon die Tatsache warnen, daß der Gerichtstag von Paulus ausdrücklich die ἡμέρα Χριστοῦ Ἰησοῦ genannt wird".[318]

Man kann den Gerichtsgedanken aus dem paulinischen Denken nicht eliminieren.[319] Röm 2,6 spricht Paulus deutlich, wenn auch im atl. Zitat, vom Gericht Gottes, „der jedem nach seinen Werken vergelten wird". Man darf diese Aussage nicht dadurch ermäßigen, daß man erklärt, Paulus rede hier hypothetisch: etsi Christus non daretur. Paulus redet nicht hypothetisch, sondern kategorisch von einer Möglichkeit, die auch für den Christen gilt.[320] In Röm 2,6ff geht es zweifellos um die volle Heilsentscheidung; „hier wird Gewinnen und Verlieren des Ganzen von dem Tatertrag des Lebens abhängig gemacht".[321]

Man darf den Gerichtsgedanken allerdings auch nicht überpointieren. Er ist stets auf dem Hintergrund einer unbeirrbaren Heilszuversicht zu hören.[322] Der Gerichtsgedanke hat bei Paulus „nicht mehr die zentrale und überwiegende Bedeutung wie im Judentum. Die Tatsächlichkeit des Endgerichtes erscheint bei Paulus vielmehr als Hintergrund der Gnadenpredigt und als ein Motiv, aber auch nur *ein* Motiv der Paränese".[323] Der Gerichtsgedanke steht im Dienst der Paränese; das zeigt sich u.a. daran, daß mehrfach am Ende von Lasterkatalogen auf das künftige Gericht hingewiesen wird.[324] Die Rede vom Gericht will zur sittlichen Anstrengung anspornen,[325] sie will an das Verantwortungsbewußtsein des Menschen appellieren und nicht bloße Information über die „Letzten Dinge" sein. Sie will daran erinnern, daß die Lebensentscheidungen des Menschen eine Sache von letztem Ernst sind. Sie hat appellativen Charakter und will den Menschen vor einem letzten Scheitern bewahren. Der angemessene Ort der Rede vom Gericht ist der ethische Appell, der dem Menschen die Unwiderruflichkeit seiner Lebensentscheidungen vor Augen führt.[326]

318 E. Jüngel, Paulus und Jesus. Eine Untersuchung zur Präzisierung der Frage nach dem Ursprung der Christologie, Tübingen ⁴1972, 67; vgl. Phil 1,6; 1 Kor 1,8; auch 2 Kor 5,10. Die von E. Jüngel, aaO 66–70 versuchte Verhältnisbestimmung von Rechtfertigung und Gericht nach den Werken bedürfte einer eigenen Diskussion, die hier nicht geleistet werden kann; vgl. den kurzen Forschungsüberblick bei E. Synofzik, Gerichts- und Vergeltungsaussagen 9–12.

319 Wie tief er im Denken des Paulus verwurzelt ist, zeigt die Übersicht bei O. Kuss, Paulus 420–422, Anm. 1; vgl. auch R. Schnackenburg, Botschaft 223–226. 242f; zum Gedanken von Lohn und Strafe vgl. K. H. Schelkle, Theologie III 68–75; vgl. E. Synofzik, aaO 106: „daß Paulus den Gerichts- und Vergeltungsgedanken an so zahlreichen Stellen und in so verschiedenen inhaltlichen und formgeschichtlichen Zusammenhängen seiner Briefe verwendet, sollte zu denken geben."

320 Vgl. W. Joest, Gesetz 165f; vgl. aaO 167f.

321 aaO 171; vgl. W. G. Kümmel, Theologie 203.

322 Vgl. Röm 5,9; 8,31–39; 1 Kor 1,7f; 1 Thess 5,9.

323 K. Kertelge, Rechtfertigung 123, Anm. 64; vgl. 255f.

324 1 Thess 4,3–6; 1 Kor 5,10–13; 6,9f; Röm 1,18–32; vgl. E. Lohse zu Kol 3,6.

325 R. Schnackenburg, Botschaft 226.

326 Bemerkenswert ist in diesem Zusammenhang der Fall des Blutschänders in 1 Kor 5. Selbst wo Paulus in seiner Gemeinde einem so krassen Fall menschlicher

Häufig wird der Vorwurf erhoben, die Kirche habe mit der Rede vom Zorn Gottes und Gericht oft Mißbrauch getrieben und Menschen geängstigt.[327] Wo solches geschehen ist und geschieht, kann man sich nicht auf Paulus berufen. Die Kirche darf den Zorn Gottes nicht „als pädagogisches Mittel benutzen, um durch Furcht in den Glauben zu stoßen. Mit dem Zorn Gottes ist nicht zu spielen, auch nicht seelsorgerlich. Die Predigt hat das Heil in der Bedingungslosigkeit anzubieten, in der es im Kreuz da ist. Die Angst, dann werde die Gnade zu billig, ist unbegründet. Sie entsteht nur, wenn Gnade nicht präzise als Gnade bestimmt ist, wenn sie zur Nachsicht des lieben Gottes depraviert wird".[328]

Doch kann die Konsequenz nicht sein, in der Verkündigung die Themen „Zorn Gottes" und „Gericht" zu übergehen oder zu streichen.[329] Wohl sind sie auf dem Hintergrund seines gesamten theologischen Denkens zu sehen. Dabei will eine reibungslose Einordnung nicht gelingen. „Es ist letztlich die den biblischen Gottesglauben beherrschende Antinomie, daß Gott gerecht und gnädig ist, die in dem formalen Widerspruch zwischen Rechtfertigung aus Glauben und Gericht nach dem Werk bei Paulus sichtbar wird, und wir können diesen Widerspruch als auch für uns gültig und darum sachgemäß bejahen oder ablehnen, nicht aber in ein logisch widerspruchsloses System auflösen."[330] Noch einmal wird deutlich, daß sich die Wirklichkeit Gottes nicht in ein menschliches Denksystem einfangen läßt, sondern solche Schemata sprengt. So hat der heutige Leser sein eigenes Gottesbild immer wieder an den biblischen Aussagen zu prüfen. Ein allzu strenges Gottesbild, in dem der Gedanke des Zornes und des Gerichtes Gottes im Vordergrund steht, entspricht nicht dem Gottesbild des Paulus. Ein allzu harmloses Gottesbild freilich auch nicht. Das Sprechen vom Zorn Gottes ist anthropomorphe Rede und bleibt damit immer unzureichende Rede. Paulus selbst ist sich der Unangemessenheit seines Sprechens bewußt, wenn er Röm 3,5 hinzufügt: κατὰ ἄνθρωπον λέγω, ich spreche nach Menschenweise, auf Menschenart.

Schuld begegnet und von der Gemeinde ein hartes Durchgreifen fordert, geht es ihm letztlich um das Heil des Betreffenden. Die Strafe, die die Gemeinde verhängt, soll ein „Schuß vor den Bug" sein, um dem Betroffenen den Ernst seiner Lage klarzumachen, ihn zum Nachdenken zu bringen und ihn so vor der letzten Verwerfung durch Gott zu bewahren. Vgl. zu 1 Kor 5 W. Schrage, Einzelgebote 159f; H. v. Campenhausen, Amt 145–148; G. Friedrich, Christus 245f; E. Käsemann, Sätze heiligen Rechtes im Neuen Testament, in: Exegetische Versuche und Besinnungen, II. Band, Göttingen ²1965, 69–82, hier 72–75.

327 Vgl. z. B. H. Lutze, Ein strafender Gott, Evangelische Kommentare 7 (1974) 373; T. Moser, Gottesvergiftung, Frankfurt 1976.

328 H. Conzelmann, Grundriß 265.

329 H. Lutze, aaO, allerdings in Form von Fragen an die heutige Theologie. Auch H. Conzelmann, aaO, scheint dies nahezulegen; doch ist – bei seiner verknappten Sprache – ein Mißverständnis möglich.

330 W. G. Kümmel, Theologie 206.

Man hat oft den Vorschlag gemacht, den Zorn nicht als Attribut Gottes zu verstehen, sondern als Schicksal, das der Sünder notwendigerweise sich selbst bereitet.[331] Mit der Vorstellung von Gottes Zorn und Vergeltung gebe Paulus „der Tatsache Ausdruck, daß wenn Gott die Macht des Guten ist und die Menschen zum Guten bestimmt, auch das Gute der Menschen ihr Heil ist, von dem sie allein leben können, und folgerichtig auch das Böse der Menschen ihr Unheil, an dem sie zugrunde gehen müssen".[332] Das Gericht bestehe in der tragischen Tatsache, daß menschliche Schuld normalerweise aus sich selbst ihre Strafe nach sich zieht; Gott hat uns in eine solche Welt versetzt, daß seine Liebe uns nicht mechanisch vor den Konsequenzen unserer Sünde bewahrt.[333] Ein gutgemeinter Versuch, den Gedanken von Gottes Zorn und Gericht modernem Denken zugänglich zu machen. Allerdings entfernt er sich zu weit von den paulinischen Denkvoraussetzungen. Überdies ist uns das Vertrauen, daß die Weltgeschichte das Weltgericht sei, inzwischen gründlich abhanden gekommen.

Wir müssen abschließend den Blick noch einmal auf den Zusammenhang zurücklenken, in dem Paulus vom Gericht Gottes spricht: Christen müssen dem natürlichen Drang nach Vergeltung und Rache widerstehen. Sie sollen darauf verzichten, sich selbst zu rächen. Sie sollen das Gericht Gott überlassen, dem es allein zusteht.[334] Daß diese Mahnung sich an eine verfolgte Gemeinde richtet (Röm 12,14), erhöht ihre Eindringlichkeit.

b. Röm 12,20 – 21

Der Rache, auf die Christen verzichten sollen, setzt Paulus in Röm 12,20 eine positive Alternative entgegen.[335] Zweifellos hat diese positive Aufforderung, dem hungernden und dürstenden Feind zu helfen, das stärkere Gewicht gegenüber der Warnung von 12,19.

Das Zitat[336] stammt fast wörtlich aus Spr 25,21f LXX.[337] Den Hinweis auf die göttliche Belohnung aus Spr 25,22b läßt Paulus weg, möglicherweise,

331 Vgl. die bei G. Herold, Zorn 2f zitierten Stimmen.

332 R. Liechtenhan, Paulus. Seine Welt und sein Werk, Basel 1928, 119f; vgl. ders., Gebot 66.

333 G. H. C. Macgregor, Wrath 105f; vgl. C. H. Dodd zu Röm 12,19.

334 Vgl. 1 Kor 4,1–5; Röm 14,10–13.

335 „Hinzukommendes wird stark eingeführt durch ἀλλά . . . ‚und nicht nur dies, sondern auch', ‚ja sogar'." Bl.-Debr.-Rehkopf § 448,6. Die Lesart ἀλλὰ ἐάν ist die wahrscheinlichste. Anders Th. Zahn z. St.: Paulus fügt den V 20 wahrscheinlich ohne jede verbindende Partikel an V 19 an. Seine Begründung: das ἀλλά müßte sich nicht nur über das vorige ἀλλὰ δότε . . . ὀργῇ hinweg an μὴ ἑαυτοὺς ἐκδικοῦντες anschließen; vor allem sei verdächtig, daß daneben noch 3 andere Lesarten überliefert sind.

336 Paulus macht es nicht ausdrücklich als solches kenntlich.

337 einzige Abweichung: statt τρέφε findet sich bei Paulus ψώμιζε. Die Lesart ψώμιζε in LXX, Codex B dürfte von Röm 12,20 beeinflußt sein, so auch A. Rahlfs.

weil zwei wichtige Stichworte aus 22b schon in Röm 12,19 aufgetaucht sind,[338] wenn auch in umgekehrter Bedeutung als Hinweis auf die göttliche Strafe.[339] Möglicherweise will Paulus auch einen allzu vordergründigen Lohngedanken abwehren: Der Christ liebt seinen Feind nicht deshalb, um später von Gott Gutes zu empfangen.[340] Mit dem Zitat nimmt Paulus einen Höhepunkt atl. Ethos auf. Spr 25,21 geht weit über die in der heidnischen Antike[341] und auch im Judentum[342] sehr häufig begegnende Forderung hinaus, dem Durstigen zu trinken zu geben und den Hungrigen zu speisen. Spr 25,21 wird die Forderung erhoben, daß man auch dem notleidenden Feind zu Hilfe kommen soll. Ein Beispiel dafür, welch hohes Ethos im Rahmen des AT möglich ist.[343] Auch in der Antike finden wir erstaunlich viele Beispiele für eine großzügige Haltung gegenüber den Feinden.[344]

Sind in Spr 25,21 eher die persönlichen Feinde des einzelnen gemeint, so legt der Zusammenhang von Röm 12,20 nahe, an die Verfolger der Gemeinde zu denken. Der Christ soll ihnen gegenüber nicht auf Vergeltung bedacht sein, sondern ihnen in positiver, hilfsbereiter Einstellung begegnen und im übrigen das letzte Urteil Gott überlassen. Er soll in gastfreier Weise den hungernden Feind speisen, dem dürstenden Feind zu trinken geben, ihm also das Lebensnotwendige nicht vorenthalten. Natürlich sind Hunger und Durst hier nur Beispiele für die Not des anderen, die das Engagement des Christen herausfordert. Die Mahnung ist sinngemäß auf andere Situationen der Not zu übertragen. Es genügt für den Christen nicht, dem Feind gegenüber lediglich passiv zu bleiben, nicht zurückzuschlagen. Gefordert ist vielmehr das aktive Engagement – auch für den Feind.

Der zweite Teil des Zitats, das Bildwort von den feurigen Kohlen, die man auf das Haupt des Feindes häufen soll, ist in der Interpretation umstritten.[345] Paulus hat es aus Spr 25,22a LXX wörtlich übernommen. Die beiden Hauptstränge der Interpretation gehen bis in die patristische Zeit zurück:[346] Auf Chrysostomus geht die Deutung zurück, die feurigen Kohlen seien ein Bild für das göttliche Gericht; wer solchen guten Taten widersteht, hat ein um so härteres Gericht zu erwarten.[347] Demgegenüber beziehen

338 Nicht ganz auszuschließen ist, daß durch den Gleichklang der Worte ein Zitat das andere nach sich gezogen hat, vgl. O. Michel, Paulus 86.

339 Spr 25,22b LXX: *ὁ δὲ κύριος ἀνταποδώσει σοι ἀγαθά.*

340 E. Best z. St.

341 Beispiele bei L. Goppelt, ThW VI 13,1–18; J. Behm, ThW II 230, 19–27.

342 Beispiele bei J. Behm, ThW II 230, 22ff; Billerbeck IV. 1, 565–571: Aufnahme von Wanderern und Gastfreundschaft.

343 Vgl. auch Ex 23,4f; Spr 24,17. H. Ringgren z. St. meint, daß die Mahnung zur Feindesliebe Spr 25,21f bei der nüchternen Haltung der Sprüche „auffallend" sei.

344 Solche Zeugnisse aus der Antike sind sehr brauchbar (wobei man manches unterschiedlich beurteilen wird) zusammengestellt bei E. Stauffer, Die Botschaft Jesu damals und heute, Bern 1959, 119–124.

345 Vgl. die Übersicht bei W. Klassen, Coals 338–341.

346 Vgl. K. Stendahl, Hate 346.

347 PG 51, 181; 60, 612; dazu M. Waldmann, Feindesliebe 148; „Das hieße aber offenbar nichts anderes als dem Feinde Gutes erweisen aus Feindeshaß."

Augustinus und Hieronymus das Wort auf die Beschämung des Feindes durch Wohltaten; sie führt zu Reue und Umkehr.[348] Beide Deutungen werden bis heute vertreten.

M. J. Dahood entscheidet sich für eine andere Übersetzung des hebräischen Textes Spr 25,22a: „So wirst du feurige Kohlen von seinem Haupt entfernen."[349] L. Ramaroson schlägt eine Korrektur des hebräischen Textes vor, so daß sich als Sinn von Prov 25,22a ergibt: „Wenn du selber Kohlenglut für sein Feuer herbeibringst"; Prov 25,21f würden als Wohltaten für den Feind aufgezählt: Brot, Wasser, Feuer.[350] Beide Vorschläge ändern an der Interpretation von Röm 12,20b nichts, denn Paulus zitiert den LXX-Text, der Prov 25,22a anders versteht als die obigen Korrekturen.

Die Herkunft des Sprichworts in Spr 25,22 ist ungewiß. Am plausibelsten ist die Erklärung von S. Morenz; er verweist auf eine ägyptische Geschichte um ein gestohlenes Zauberbuch,[351] in der das Tragen des Kohlebeckens auf dem Haupt Ritus der Sinnesänderung ist.[352] Spr 25,22 fordert dazu auf, den Gegner durch Wohltaten zur Sinnesänderung zu bewegen.[353] „Es ist ganz gewiß so, daß der alttestamentliche Spruch allenfalls in sekundärer Assoziation die Hoffnung auf göttliche Bestrafung des Feindes impliziert, primär aber auf seine Sinnesänderung abzielt, die man durch Wohltaten ihm gegenüber, und zwar geradezu zwangsweise, erreicht."[354] Daß Spr 25,22 ironisch gemeint sei,[355] ist kaum einzusehen. Doch ist damit die Frage noch nicht beantwortet, in welchem Sinne Paulus das Sprichwort in Röm 12,20 zitiert, denn er hat schwerlich noch von jenem ägyptischen Sühneritus gewußt. Diese Frage wird vor allem vom Kontext her zu entscheiden sein.

C. Spicq[356] vertritt die Deutung auf das göttliche Gericht. Er behauptet (zu Unrecht), daß die feurigen Kohlen im AT immer[357] ein Symbol des göttlichen Zorns,[358] der Bestrafung der Frevler[359] oder der bösen Leidenschaft sind.[360] Daher könnten die Kohlen hier in Röm 12,20 kaum eine positive

348 Augustinus PL 39, 2254; 34, 75; 36, 1018; 38, 807; Hieronymus PL 22, 983: Röm 12,20 ist „in bonam partem" zu interpretieren.

349 Quotations 20–22: Prov 25,22 stimmt, sensu malo verstanden, weder mit dem unmittelbaren Kontext überein noch mit Prov 20,22; 24,17f. 29; Sir 28,1–7.

350 L. Ramaroson, Charbons 231–234.

351 S. Morenz, Kohlen 188–192.

352 aaO 190; ihm folgen G. v. Rad, Weisheit in Israel, Neukirchen 1970, 177, Anm. 25; H. Ringgren z. St.; F. Lang, ThW VI 944, 26–36; ders., ThW VII 1092, 6–21.

353 F. Lang, ThW VI 944, Anm. 86.

354 S. Morenz, aaO 190.

355 So vermutet O. Merk, Handeln 161.

356 Agape II 155f.

357 Für Jes 6,6f stimmt das sicher nicht: dort sind die feurigen Kohlen ein Mittel der Reinigung.

358 2 Sam 20,9. 13 = Ps 18,9. 13; doch handelt es sich hier um eine Theophanieschilderung! vgl. H. J. Kraus zu Ps 18.

359 Ps 140,11; hinzuweisen ist auch auf 6 Esr 16,54.

360 Sir 8,10; 11,32; Spr 6,27–29; hier zwängt Spicq drei verschiedene Stellen unter ein nicht auf alle passendes Stichwort.

Bedeutung haben. Überdies verweist Spicq auf Joel 4,4.7, wo sich die Wendung „ich lasse euer Tun auf euer Haupt zurückfallen“[361] deutlich auf die Vergeltung im Gericht Gottes bezieht. Christliche Liebe sei ebensosehr Abscheu vor dem Bösen wie Liebe zum Guten (Röm 12,9). Auch K. Stendahl entscheidet sich für die Deutung auf das eschatologische Gericht, da Paulus mit LXX ein Futur setzt: *σωρεύσεις*;[362] der Verzicht auf Wiedervergeltung werde V 19 im Blick auf Gottes bevorstehendes Gericht motiviert, die Zitate aus Dt 32 und Spr 25 könnten von den Lesern des Paulus gar nicht anders verstanden worden sein, als daß es darum gehe, das Maß der Sünden des Feindes zu vergrößern.[363] Ähnlich deutet H. Preisker unsere Stelle; nach seiner Meinung klingt in dem Bild von den feurigen Kohlen „ein ganz befremdlicher Ton“ an. Er urteilt über Röm 12,19f, hier sei die urchristliche Haltung in ihrem Herzstück getroffen; denn es werde eine Haltung empfohlen, „die nach Liebe aussehen soll und doch alles andere als Liebe ist“.[364]

Zwar kann diese Interpretation auf den Kontext in Röm 12,19 verweisen, wo von der göttlichen Vergeltung die Rede ist. Doch hat der unmittelbare Kontext in 12,20a und 12,21 einen so positiven Akzent, daß auch 12,20b in diesem positiven Sinn zu vertehen ist: „Du wirst ihn durch deine Großmuth dahin bringen, daß sein Verfahren ihn reue (oder wie wir mit einem ähnlichen bildlichen Ausdrucke sagen: ihm auf der Seele brenne), und dieses Gefühl ihm keine Ruhe lasse, bis er sein Unrecht wieder gut gemacht hat. Denn, wie Augustin sagt: ‚nulla est maior provocatio ad amandum, quam praevenire amando.‘ Fassen wir den Sinn so, dann schließt sich V 21 ungezwungen an . . .“[365]

Es geht Paulus in diesem Bildwort nicht, wie man oft gemeint hat, um die Beschämung des Feindes,[366] schon gar nicht um „die Beschämung des Feindes durch den eigenen Edelmut“.[367] A. Juncker bemerkt zu einer solchen Deutung, daß sie auf eine „feine und feinste Rache hinausliefe“.[368] Der Apostel will mit diesem Bildwort dazu aufrufen, den Feind durch das Tun des Guten zu gewinnen, ihn durch solche Großzügigkeit zu versöhnen und gleichsam zu „entwaffnen“.[369]

361 Vgl. auch Ob 15; u. U. auch 1 QM 11,13–14.
362 K. Stendahl, Hate 348.
363 aaO 354; dagegen E. Gaugler z. St.: „Unmöglich ist dagegen die Deutung der Feuerkohlen auf die göttliche Strafe. Was wäre das für eine Feindesliebe, die sich darüber freute, daß der Feind so erst recht seine Strafe empfinge.“ Augustinus zu dieser Deutung: „Gott möge uns vor einer solchen Gesinnung bewahren.“ PL 39,2254.
364 H. Preisker, Ethos 184.
365 A. Bisping z. St. Ähnlich G. Dehn, Leben 65f; K. Benz, Ethik 165; S. Morenz, Kohlen 191.
366 E. Gaugler z. St.: Es ist „ausgeschlossen, daß an ein wirkliches Beschämen zu denken ist. Den anderen zu beschämen, ihn vor anderen bloßzustellen, galt in Israel als besonders schwere Sünde . . .“
367 R. Völkl, Botschaft 130; nach Völkl wirkt in Röm 12 die Gesinnung von Spr 25,21f nach.
368 A. Juncker, Ethik 231.
369 Vgl. M. J. Lagrange z. St.

Es dürfte nicht unerheblich sein, wie die Rabbinen Spr 25,22 ausgelegt haben. Statt „Jahve wird es dir vergelten“ lesen sie dem Targum entsprechend „Jahve wird ihn dir übergeben“ oder „wird ihn dir zum Freunde machen“.[370] Die Rabbinen „interpretieren also das Häufen der feurigen Kohlen Prv 25,22 missionarisch im Sinn der Überwindung u. Gewinnung des Feindes durch freundliches Verhalten . . .“[371] Meist deuten sie den Feind von Spr 25,21f auf den bösen Trieb, der durch das Speisen und Tränken mit dem Brot und Wasser der Tora im Zaum gehalten wird; auch dann heißt es zu 25,22b: „Jahwe wird dir Frieden schaffen“ bzw. „wird ihn mit dir versöhnen“.[372] Auch hier zielt das Sprichwort auf Versöhnung, nicht aber auf Bestrafung.[373]

Christen sollen auf die Herausforderung der Feindschaft positiv reagieren, durch das unbeirrte Tun des Guten. Das abschließende Wort Röm 12,21 spricht das noch einmal prägnant aus;[374] zugleich bringt V 21 den Zusammenhang 12,17–21 zum Abschluß. Es gilt nicht nur, auf Vergeltung des Bösen zu verzichten (V 17), sondern es geht um die Aufgabe, dem Bösen die Kraft des Guten entgegenzusetzen. Der Christ soll sich nicht vom Bösen überwinden lassen, sondern durch das Gute das Böse überwinden. Das Gute (vgl. Röm 12,2.9) und das Böse (vgl. Röm 12,9.17) stehen hier, wie häufig in der Paränese, als Kontraste nebeneinander.[375] Dabei meint das „Böse“ hier nicht nur das sittlich Verwerfliche; im Zusammenhang mit den vorhergehenden Versen hat es auch die Bedeutung des Schlimmen, Schädlichen, das den Menschen, dem es angetan wird, hart trifft.[376] Entsprechend meint das „Gute“ nicht nur das innerlich Wertvolle, das sittlich Gute, sondern es ist auch der Mensch im Blick, der das ihm erwiesene Gute als erfreulich, als lebensfördernd erfährt.[377]

Der Christ soll sich nicht von seinem Gegner das Gesetz des Handelns aufzwingen lassen; er soll das Böse nicht mit Bösem vergelten (V 17), sondern es durch das Gute überwinden. Hinter unserem Vers steht die Zuversicht, daß das Gute dem Bösen letztlich überlegen ist. So wird die positive Deutung des Bildes von den feurigen Kohlen in V 20 durch den abschließenden V 21 bestätigt. Und umgekehrt wird die sehr formale Aufforderung des V 21 von V 20 her mit konkretem Inhalt gefüllt: Auch seinem Feind soll der Christ in der Not beistehen. Mehr noch: Er soll grundsätzlich das ihm zugefügte Böse mit dem unbeirrten Tun des Guten beantworten.

370 Billerbeck III 302.
371 F. Lang, ThW VII 1092, Anm. 5.
372 aaO; Beispiele auch bei Billerbeck III 302.
373 Vgl. V. P. Furnish, Love Command 108.
374 Die Anrede in der 2. Person Singular ist dem voraufgehenden Zitat angepaßt; gemeint sind, wie in der gesamten Paränese von Röm 12, alle Christen.
375 Vgl. Röm 16,19.
376 Vgl. W. Grundmann, ThW III 470,19 – 471,4.
377 τὸ ἀγαθόν: das Gute; a) das innerliche Wertvolle, das sittlich Gute; b) der Vorteil, der Nutzen; W. Bauer, Wörterbuch 6. Zur Bedeutung b) vgl. bei Paulus Röm 8,28; 15,2, wobei die Übersetzung mit „Vorteil“ oder „Nutzen“ zu vordergründig wäre.

Die Mahnung richtet sich an eine verfolgte Gemeinde. Dadurch wird sie sehr konkret: Die Aufforderung, das Böse durch das Gute zu überwinden, ist nicht nur eine allgemeine fromme Sentenz; sie muß in den Konflikten, in die der Christ durch seine Lebensumstände hineingestellt ist, verwirklicht werden. Mit dieser abschließenden Forderung ist Paulus wieder sehr dicht an der Verkündigung Jesu.[378] Sie ist „eine bewundernswerte Zusammenfassung der Lehre der Bergpredigt über das, was man ‚Nicht-Widerstand-Leisten' nennt, und sie drückt das am meisten schöpferische Element christlicher Ethik aus".[379] H. Weinel spricht von Röm 12,21 als dem „tapfersten Wort in der Welt".[380] Es steht als Schlußpunkt der Paränese von Röm 12 an zentraler Stelle.

6. Zusammenfassung

Paulus stellt den Aufruf zur Hingabe der eigenen Existenz an Gott programmatisch an den Beginn seiner Paränese (12,1). Ein solches, dem Willen Gottes entsprechendes Leben fordert eine Abkehr vom Lebensstil dieser Welt und eine Erneuerung des Menschen in seiner Gesinnung, in seinem innersten Wesen (12,2). Die Mahnung ergeht im Namen des Erbarmens Gottes. Sie will nicht eine lästige Aufzählung moralischer Pflichten sein, sondern entspringt der Sorge Gottes um den Menschen, die der Apostel zu Gehör bringt.

Zunächst entfaltet Paulus in 12,3–8, was diese grundlegende Perspektive für das Zusammenleben in der Gemeinde mit ihren vielen unterschiedlichen Charismen bedeutet. Jeder soll – entsprechend dem ihm von Gott zugeteilten Glaubensmaß – sein Charisma akzeptieren und selbstlos in die Gemeinde einbringen, die als der eine Leib in Christus auf die verschiedenen Begabungen ihrer Glieder angewiesen ist. Ein selbstgefälliges Genießen der eigenen Möglichkeiten und Gaben: das wäre ein Verhalten nach dem Stil dieser Welt. Das selbstvergessene Einsetzen dieser Möglichkeiten und Gaben im Dienst an den anderen: das ist ein Ausdruck erneuerter Gesinnung und verwirklicht zugleich die rechte Hingabe an Gott.

Dann fügt Paulus eine Reihe von Mahnungen an, an deren Spitze der Aufruf zu ungeheuchelter Liebe steht (12,9–21). Paulus setzt voraus, daß die Gemeinde schon die Feindseligkeit ihrer Umwelt zu spüren bekommt. Ein

378 Vgl. Mt 5,38f; 5,44f: Gott läßt seine Sonne aufgehen über „Böse" und „Gute".

379 C. H. Dodd z. St. L. Goppelt hält Röm 12,21 für eine sachlich richtige Auslegung der fünften Antithese der Bergpredigt (Mt 5,38f; Lk 6,27–29): „Sinn des Nichtwiderstehens ist es, wie Paulus in Röm 12,21 richtig interpretiert, das Böse mit Gutem zu überwinden." Vgl. ders. Theologie des Neuen Testaments. 1. Jesu Wirken in seiner theologischen Bedeutung, Göttingen 1975, 165. „Das ist zunächst sogar noch mehr als Jesu Wort Mt 5,39", P. Feine, Theologie 306.

380 Paulus 253.

großer Teil der Mahnungen gilt diesem Thema (12,14. 17–21); das Zurechtkommen mit der Situation der Verfolgung war für die frühen christlichen Gemeinden nicht leicht. Für eine Gemeinde, die als Minderheit in einer andersdenkenden Umgebung lebt, ist der Zusammenhalt und die Brüderlichkeit innerhalb der Gemeinde besonders wichtig (12,10.16). Aber auch die Lebendigkeit eines gelebten Glaubens (12,11f) ist notwendig, um in einer solchen Situation als christliche Gemeinde bestehen zu können. Die Mahnungen haben jedoch nicht nur die Gemeinde und ihre innergemeindlichen Probleme im Blick: Christen sollen Gastfreundschaft üben (12,13), an Freude und Leid ihrer Mitmenschen Anteil nehmen (12,15), sich den Geringen zuwenden (12,16), auf das Gute „allen“ Menschen gegenüber bedacht sein (12,17) und mit „allen“ Frieden halten (12,18). Ein solcher brüderlicher, mitmenschlicher Lebensstil, der auch den Feind in die mitmenschliche Sorge einbezieht (12,14. 17–21): das ist das wahre Opfer, das Gott wohlgefällt.

IV. Röm 13,8 – 14: Abschließende Motivation der Mahnung

In Röm 13,1–7 behandelt Paulus das Verhältnis der Christen zu den politischen Gewalten.[1] Obwohl der Text deutlich ein Zwischenstück ist und den Zusammenhang von 12,9–21 mit 13,8–10 unterbricht, besteht kein Grund, ihn als späteren Einschub in den Röm zu betrachten;[2] er gehört zweifellos zum ursprünglichen Bestand des Briefes. Der Abschnitt wird hier übergangen, weil er so viele Probleme aufwirft und in den letzten Jahrzehn-

[1] Paulus übernimmt hier Tradition, u. U. aus der jüdischen Diasporasynagoge, vgl. E. Käsemann, Röm 342, zum jüdischen Hintergrund O. Michel, Röm 316f. Daß Paulus Tradition übernimmt, heißt natürlich auch, daß er sich ihre Aussagen zu eigen macht. Mit seiner Forderung, sich den politischen Gewalten unterzuordnen, ist der Text dem Staat gegenüber erstaunlich loyal. Nicht auszuschließen ist, daß seine positiven Aussagen über den Staat als ein „Signal nach oben“ aufzufassen sind (solches begegnet dann in der späteren christlichen Apologetik häufiger): Die Christen sind loyale Staatsbürger, ihre Verfolgung ist unsinnig. Immerhin folgt der Abschnitt unmittelbar auf 12,14. 17–21, wo vom Verhältnis der Christen zu ihren Verfolgern und Gegnern die Rede war und Paulus die Römer aufgefordert hat, mit „allen Menschen“ Frieden zu halten (12,18). Vgl. L. Schottroff, Gewaltverzicht 220. Für ein sachgemäßes Verständnis des Textes ist zu bedenken, daß er nicht alles sagt, was zum Verhältnis der Christen zum Staat zu sagen wäre. Paulus schweigt über mögliche Konflikte und die Grenzen der irdischen Autorität, E. Käsemann, Röm 341. Das Problem eines möglicherweise christlich gebotenen Widerstandes gegen eine notorisch ungerechte Staatsgewalt berührt er überhaupt nicht; vgl. aaO 346; H. Schlier, Röm 393.

[2] 13,8 schließt mit dem Stichwort ὀφείλετε an τὰς ὀφειλάς in 13,7 an.

ten so breit diskutiert worden ist,[3] daß eine Darstellung den Umfang der vorliegenden Arbeit sprengen würde.[4]

Röm 13,8–14 schließt die allgemeine Paränese von Röm 12f ab. Paulus benennt zwei gewichtige Motive, mit denen er die Mahnung von Röm 12f nachdrücklich unterstreicht: In Röm 13,8–10 ist es die Liebe, die alles christliche Handeln bestimmen soll. Alles, was von Christen verlangt wird, ist im Grunde Entfaltung, Konsequenz der einen Forderung der Liebe. Wer liebt, hat das Gesetz erfüllt (13,8). In 13,11–14 folgt der Hinweis auf den eschatologischen Kairos, durch den die Mahnung ihren Ernst gewinnt. Christen müssen um die Situation der Stunde wissen, in der sie leben und dementsprechend handeln.

1. Röm 13,8 – 10: Die Liebe: Erfüllung des Gesetzes

Zunächst spricht Paulus das für ihn zentrale Thema der Liebe an. In V 8a ergeht zunächst die negative Mahnung, niemandem etwas schuldig zu bleiben; es folgt die positive Mahnung, einander zu lieben. Der scheinbar einfache Satz Röm 13,8a bereitet Schwierigkeiten; denn Paulus formuliert nicht: μηδενὶ μηδέν . . . ἀλλά, sondern: μηδενὶ μηδέν . . . εἰ μή. Wörtlich übersetzt hieße das: „Bleibt niemandem etwas schuldig, außer daß ihr einander liebt.“ Entscheidet man sich für diese wörtliche Übersetzung, könnte der Sinn etwa sein: die Liebesforderung greift so tief, daß der Christ dem anderen die Liebe stets schuldig bleibt. Er bleibt hinter dem Liebesgebot immer zurück, erfüllt es jeweils nur unvollkommen. Diese Auslegung wird zwar häufig vertreten,[5] doch fragt sich, ob hier nicht ein moderner Gedanke in den Text eingetragen wird. Wenn Paulus das wirklich meint: Warum drückt er es so verklausuliert aus?[6] Vor allem aber: Wie paßt eine solche Aussage in den Kontext?

Es liegt näher, das εἰ μή entsprechend dem ἀλλά in 12,2. 3. 16. 19. 21 im adversativen Sinn zu verstehen;[7] dann würde Paulus es im Sinn des

[3] Vgl. O. Michel, Röm 321–323; die neuere Lit. bei E. Käsemann, Röm 337f.

[4] Ohne Zweifel könnte der Text heutigen Christen manchen Denkanstoß geben; die Mitgestaltung des politisch-gesellschaftlichen Raumes gehört zu den Aufgaben, an denen Christen heute nicht vorbeigehen dürfen.

[5] „Rechtspflichten kann man erstatten. Die Liebespflicht ist nie abzutragen. Sie ist ‚unsterbliche Schuldigkeit‘. Hier ist man nie fertig, sondern bleibt immer schuldig.“ P. Althaus z. St. „Das Werk der Liebe ist unabschließbar.“ H. W. Schmidt z. St. „Die Schuld der Liebe ist unabtragbar; nach jeder Erfüllung der Liebespflicht liegt die Forderung der Liebe wieder als eine noch erst zu erfüllende Verpflichtung auf dem Gewissen des Christen.“ Th Zahn z. St. ähnlich V. P. Furnish, Love Command 109.

[6] Auch A. Fridrichsen, Exegetisches 296, meint, daß Paulus sich dann sehr „kurz und gedrängt“ geäußert habe.

[7] E. Käsemann z. St. verweist auf 1 Kor 7,17, wo εἰ μή ebenfalls den Sinn von ἀλλά hat.

aramäischen אלא als Überleitung benutzen: „sondern es gilt der Grundsatz: sich untereinander zu lieben."[8] Freilich bereitet das *τό* bei dieser Übersetzung Schwierigkeiten.

Möglich wäre zwar auch ein indikativisches Verständnis der Stelle: Ihr seid niemandem etwas schuldig, außer daß ihr einander liebt. Das würde besser in den Kontext passen: alles, was ihr dem anderen schuldig seid, ist im Gebot der Liebe mit enthalten. Die betonte Negation spricht allerdings eindeutig für einen Imperativ. Die doppelte Negation bewirkt eine kräftige Verstärkung: „seid niemandem nichts schuldig" bedeutet hier: „seid niemandem (auch nur) etwas schuldig."[9] Der Stil ist kategorisch: auf gar keinen Fall soll der Christ sich seinen Verpflichtungen gegenüber den Mitmenschen entziehen; allein die gegenseitige Liebe soll das Verhältnis zum anderen bestimmen.

Das Verb *ὀφείλω* ist durch den Stichwortanschluß an V 7 bedingt; es bedeutet „schuldig sein" und wird im eigentlichen Sinn von Geldschulden gebraucht; im übertragenen Sinn bedeutet es dann „jemandem etwas schuldig sein", aber auch „verpflichtet sein, müssen".[10] Möglich ist, daß Paulus bewußt mit dieser doppelten Bedeutung spielt: schulden und verpflichtet sein:[11] „Also entweder: Keine Schuld soll unerledigt bleiben außer der (unabtragbaren) Schuld der gegenseitigen Liebe; oder: Keine Schuld soll unerledigt bleiben; nur die Schuldigkeit (Pflicht) zur gegenseitigen Liebe (soll bleiben)."[12] A. Fridrichsen entscheidet sich für die zweite Möglichkeit, obwohl in der Geschichte der Auslegung die erste Deutung fast allein herrschend ist.[13]

Man muß bei der Deutung den Kontext von V 7 mitbedenken. Der Christ soll den Verpflichtungen gegenüber seinen Mitmenschen in jeder Weise nachkommen. Doch steht sein Verhältnis zu den Mitmenschen nicht nur unter dem Gesichtspunkt der zu leistenden Pflicht und Schuldigkeit. Umfassender ist der Aufruf zur Liebe.

Eine bemerkenswerte Parallele zu Röm 13,8a findet sich auf einer Grabinschrift, die das bürgerlich rechtschaffene Leben einer Römerin würdigt und das Fazit ihres Lebens so beschreibt: *καλῶς βιώσασα, μηδενὶ μηδὲν ὀφείλουσα*. Diese Frau kann, wie die Einleitung der Inschrift zeigt, keine Christin gewesen sein.[14] Was Paulus in Röm 13,8a fordert, entspricht also offenbar einem allgemein geltenden bürgerlichen Ideal. Er erweitert und überbietet dieses bürgerliche Ideal durch die Liebesforderung, die er im

[8] So erwägt O. Michel z. St.; ihm folgt H. Schlier; auch C. K. Barrett übersetzt im Sinne eines *ἀλλά*.
[9] Bl.-Debr.-Rehkopf § 431,2.
[10] W. Bauer, Wörterbuch 1187.
[11] Vgl. A. Fridrichsen, aaO 296.
[12] aaO 294.
[13] aaO 294; 296f.
[14] Vgl. Näheres bei A. Strobel, Zum Verständnis von Rm 13, ZNW 47 (1956) 67–93, hier 92, Anm. 129.

folgenden als die Grundnorm christlichen Verhaltens überhaupt bezeichnet. Das Liebesgebot hebt die bürgerlichen Verpflichtungen nicht auf, geht aber weit darüber hinaus.

Paulus denkt bei der Mahnung in 8a zunächst offenbar an die Liebe innerhalb der Gemeinde („einander"). Allerdings muß man das μηδενί beachten: es meint alle Menschen ohne Ausnahme.

V 8b begründet Paulus die Liebesforderung: „Wer nämlich den Nächsten liebt, hat das Gesetz erfüllt." Die Übersetzung konkurriert mit der möglichen anderen: „Wer nämlich liebt, hat das andere Gesetz erfüllt." Diese Übersetzung, bei der man ἕτερος als Adjektiv zu νόμος zieht,[15] ist mehrfach vertreten worden,[16] doch hat sie zu recht wenig Beifall gefunden.[17] πληρόω, ein Verb mit vielfältigem Bedeutungsgehalt,[18] hat hier den Sinn „eine Forderung, einen Anspruch erfüllen"; es wird im NT immer auf den Willen Gottes bezogen, nie auf ein Verlangen des Menschen.[19] Also: „Wer nämlich den

[15] Zwar findet sich die Wendung ἕτερος νόμος auch in Röm 7,23; doch hätte sie in Röm 13,8 eine von 7,23 extrem unterschiedene Bedeutung: In 7,23 steht das „andere Gesetz", das „Gesetz in den Gliedern", dem guten Gesetz Gottes diametral entgegen; in 13,8 dagegen läge es deutlich auf der Linie des Willens Gottes. Vgl. auch W. Marxsen, Röm 13,8, 234.

[16] Th. Zahn z. St. hat folgende Gesichtspunkte dafür geltend gemacht: 1. Man würde bei der üblichen Übersetzung nicht ἕτερον, sondern πλησίον oder ἀδελφόν erwarten; kritisch dazu W. Marxsen, aaO 232. 2. νόμον stünde sonst ohne Artikel da; doch verfährt Paulus mit dem Setzen und Weglassen des Artikels durchaus uneinheitlich; in V 10 fehlt er auch, W. Marxsen, aaO. W. Marxsen fügt zwei weitere Argumente hinzu: 1. in Verbindung mit ἀγαπᾶν begegnet τὸν ἕτερον bei Paulus nicht als Objekt; es begegnen nur ἀλλήλους (1 Thess 4,9; Röm 13,8) und τὸν πλησίον (Gal 5,14; Röm 13,9). 2. ἕτερος werde ungleich häufiger adjektivisch als substantivisch gebraucht. aaO 232f.

[17] Gewichtige Gründe sprechen für die übliche Übersetzung: 1. ἕτερος begegnet bei Paulus häufig in der Bedeutung „der Nächste, der Andere": Röm 2,1. 21; 1 Kor 6,1; 10,24. 29; 14,17; Gal 6,4; Phil 2,4 (Plural), vgl. W. Bauer, Wörterbuch 623; H. W. Beyer, ThW II 701f. 2. Paulus zitiert unmittelbar im nächsten Vers Lev 19, 18: Du sollst deinen Nächsten lieben wie dich selbst; dort steht freilich πλησίον. 3. ἀγαπᾶν wird bei Paulus offenbar nie ohne Objekt gebraucht; daß ἀγαπᾶν τὸν ἕτερον im NT sonst nicht vorkommt, kann die Verbindung ἕτερος νόμος kaum begründen, vgl. O. Michel z. St. 4. Schließlich gehen bei den Befürwortern der ungewöhnlichen Übersetzung „das andere Gesetz" die Deutungen extrem auseinander: a) das „andere Gesetz" sei das Gebot der Nächstenliebe (gegenüber dem der Gottesliebe), so W. Gutbrod, ThW IV 1069, 15f; b) es sei das „übrige Gesetz", so Th. Zahn z. St.; doch ist der Gebrauch von ἕτερος = λοιπός ungewöhnlich, wie E. Kühl z. St. feststellt; vgl. zur Kritik auch W. Marxsen, aaO 233f. c) es sei das Gesetz des Mose (im Gegensatz zum römischen Staatsrecht), wie W. Marxsen vermutet, der davon ausgeht, daß der ἕτερος νόμος einem vorher genannten Gesetz gegenübergestellt wird. Da V 8 für ihn den Charakter einer Überleitung von 13,1–7 zum folgenden hat, handelt es sich bei dem „anderen Gesetz" um das Gesetz des Mose im Gegensatz zu den Gesetzen im staatlichen Bereich, zu den bürgerlichen Verpflichtungen, vgl. W. Marxsen, aaO 234–237.

[18] Vgl. dazu W. Bauer, Wörterbuch 1330 – 1333.

[19] G. Delling, ThW VI 291, 17ff.

Anderen liebt, hat das Gesetz erfüllt", hat seine Forderung verwirklicht. Der Anspruch des Gesetzes ist durch die Nächstenliebe ganz erfüllt. Das Perfekt drückt die Dauer des Vollendeten aus,[20] kann aber auch die Allgemeingültigkeit der These unterstreichen:[21] „das Gesetz ist immer dann erfüllt, wenn das Liebesgebot erfüllt wird."[22] Zu beachten ist der Tempuswechsel: Wer liebt (part. präs.), hat das Gesetz erfüllt (perf.): „Die Erledigung liegt im andauernden Tun!"[23]

Das „Gesetz" ist für Paulus das Gesetz des AT bzw. das ganze als Gesetz aufgefaßte AT.[24] Es ist hier ganz ohne Zweifel als eine positive, auch den Christen verpflichtende Größe verstanden. Wenn Paulus dem atl. Gesetz hier eine so wichtige Bedeutung für den Lebensvollzug der Christen zuerkennt, setzt er dabei natürlich voraus, was er im 1. Teil des Briefes über das Gesetz ausgeführt hat: es hat keinerlei Funktion mehr als Heilsweg.[25] Nachdem er in den früheren Kapiteln des Röm so scharf die begrenzte Funktion des Gesetzes gegenüber dem Gnadenhandeln Gottes betont hat, kann er jetzt von der bleibenden Verbindlichkeit des im Gesetz Geforderten sprechen.[26] Die Erfüllung des Gesetzes durch die Liebe ist nicht eine vom Menschen als Bedingung des Heils geforderte Leistung; sie ist Antwort auf das von Gott in Jesus Christus gewährte Heil.[27]

20 Vgl. Bl.-Debr.-Rehkopf § 340.
21 Vgl. aaO § 344; H. Schlier z. St.
22 F. Mußner zu Gal 5,14.
23 W. Marxsen, aaO 236.
24 R. Bultmann, Theologie 260.
25 Vgl. F. Hahn, Gesetzesverständnis 51.
26 Daß Paulus hier wie in 8,4 so unbefangen von einer „Erfüllung des Gesetzes" spricht, im Gegensatz zu Kapitel 7 und 10,4, ist nach H. Lietzmann z. St. „charakteristisch für seine unschematische Art zu reden"; doch fragt sich, ob die positiven Aussagen über das Gesetz nur eine Inkonsequenz im Denkgebäude des Paulus sind. Vgl. zur Problematik des Gesetzesbegriffs bei Paulus die z. T. unterschiedlich akzentuierten Referate bei H. Schlier, Der Brief an die Galater, Göttingen [12]1962, 176–188; F. Mußner, Der Galaterbrief, Freiburg 1974, 188–204. Die positiven Aussagen über das Gesetz in Gal 5,14 und Röm 13,8–10 u.ö. scheinen in die Ausführungen von F. Mußner nicht so recht integriert zu sein; sie erscheinen eher als ein unverbundener Anhang: aaO 204. Jedenfalls müßten sie bei einer Diskussion des paulinischen Gesetzesbegriffes kräftig mitbedacht werden. Das tut H. Schlier, indem er von diesen positiven Aussagen ausgeht, aaO 179–181. Wenn Paulus das „Gesetz" auch oft auf die Seite der Vergangenheit stellt, so erfährt es in Röm 13,8–10 eine positive Bewertung im Sinn der bleibenden Verbindlichkeit des in ihm niedergelegten Willens Gottes.
27 Röm 3,20–28, vgl. A. van Dülmen, Theologie 61 zu Gal 5, 14: Auch für den Christen ist das Gesetz verbindlich; in der Liebe ist es ihm möglich, das Gesetz zu erfüllen. „Hier gilt, daß das ganze Gesetz dann erfüllt ist, wenn nur das einzige Gebot der Nächstenliebe gehalten wird. Die Liebe aber ist eine Frucht des Geistes (vgl. 5,22), ein Charisma. Somit ist die Gesetzeserfüllung für den Glaubenden ein Geschenk. Da solche Gesetzeserfüllung keine Leistung ist, bleibt sie auch ohne Einfluß auf die Gerechtsprechung. Diese geschieht allein auf Grund von Glauben. Allerdings ist nur das der wahre Glaube, der durch die Liebe tätig ist und somit auch das Gesetz erfüllt." vgl. aaO 226. Die Liebe ist die Frucht des Geistes (Gal 5,22), die „Energie des Glaubens" (Gal 5,6), H. Schlier zu Gal 5,13.

Daß die Erfüllung des Liebesgebotes die Erfüllung des ganzen Gesetzes in sich schließt, wird nun in V 9 an Beispielen aus dem Dekalog illustriert. Paulus zitiert wörtlich Dt 5,17 – 19. 21a LXX B.[28] Die angeführten Verbote des Dekalogs[29] – nicht Ehebruch begehen, nicht töten, nicht stehlen, nicht begehren[30] – sind als Beispiele gemeint;[31] auch alle anderen Gebote sind für Paulus in dem einen Wort zusammengeschlossen: Du sollst deinen Nächsten lieben wie dich selbst. Das zeigt deutlich der Zusatz: *καὶ εἴ τις ἑτέρα ἐντολή*.[32] *ἐντολή* bedeutet „Anordnung, Auftrag, Befehl"; es wird bevorzugt in der Bedeutung „Gebot eines Mächtigen" verwendet.[33] In der LXX und im hellenistischen Judentum bezeichnet es die Einzelgebote des atl. Gesetzes.[34] In diesem Sinn ist es offenbar auch Röm 13,9 gebraucht. Paulus denkt nicht nur an die Gebote des Dekalogs, denn er formuliert sehr allgemein: irgendein anderes Gebot. Daß Paulus hier lediglich an die sittlichen Gebote des Gesetzes denkt, während er (unausgesprochen) das Zeremonialgesetz als abgetan betrachtet,[35] deutet Paulus jedenfalls an unserer Stelle nicht an. Gemeint sind ganz allgemein die – auch im Bewußtsein des Paulus mit göttlicher Autorität ausgestatteten – Gebote der Schrift: Was immer es an Geboten gibt, sie sind in dem einen Wort zusammengefaßt: Du sollst deinen Nächsten lieben wie dich selbst.

ἀνακεφαλαιόομαι bedeutet „summieren, summarisch zusammenfassen", seltener „etwas in Hauptabschnitte zerlegen".[36] Hier ist es ohne Zweifel in der ersten Bedeutung gebraucht:[37] Die Einzelgebote werden im Liebesgebot

[28] Viele Handschriften ergänzen den fehlenden Vers 20a – sicher eine spätere Hinzufügung. Paulus hält sich an die von Ex 20,13–17 geringfügig abweichende Reihenfolge von Dt 5,17–21.

[29] Auswahl und Reihenfolge der Gebote variieren auch an den entsprechenden syn Stellen, vgl. Mk 10,19; Mt 19,18; Lk 18,20 und dazu J. T. Sanders, Ethics 51f.

[30] Die Verkürzung dieses Gebotes auf ein einfaches *οὐκ ἐπιθυμήσεις* findet sich ähnlich schon 4 Makk 2,6, F. Büchsel, ThW III 171, 12–15. Eine solche Abkürzung entspringt wohl katechetischer Gewohnheit, vgl. O. Michel z. St.

[31] Vgl. ähnlich Gal 5,21; 1 Thess 4,6.

[32] Aus der Tatsache, daß Paulus in Röm 13,8–10 nicht mehr wie in Gal 5,14 vom „ganzen Gesetz" spricht, darf man nicht so weitgehende Schlüsse ziehen; denn der Sache nach meint Paulus auch in Röm 13,9 das ganze Gesetz, wie dieser Zusatz deutlich zeigt. gg H. Hübner, Gesetz 76f, der in seinem Buch zu zeigen versucht, daß der paulinische Gesetzesbegriff im Röm sich gegenüber dem im Gal gewandelt habe; zu einem etwas anderen Ergebnis kommt dagegen F. Hahn, Gesetzesverständnis.

[33] G. Schrenk, ThW II 542, 7ff.

[34] aaO 542,41 – 543,8.

[35] So H. Hübner, Gesetz 77. Dagegen ist F. Hahn, Gesetzesverständnis 62, bezüglich dieser Unterscheidung für Paulus skeptisch: „Kult- und Sittengesetz, wenn man die Bezeichnungen schon verwendet, beziehen sich ja auf das Verhältnis des Menschen zu Gott und dem Nächsten. Das eine wie das andere behält seine konstitutive Bedeutung . . ."

[36] H. Schlier, ThW III 681.

[37] Vgl. W. Bauer, Wörterbuch 111; O. Michel z. St. vermutet, daß es im Schulbetrieb der hellenistischen Synagoge eine Rolle spielte.

zusammengefaßt. λόγος οὗτος meint hier wie in Röm 9,9 eine bestimmte Einzelstelle des AT,[38] Lev 19,18; sie wird nach LXX wörtlich zitiert:[39] Du sollst deinen Nächsten lieben wie dich selbst. Hier wird die vorausgesetzte Selbstliebe zum Maß für das Verhalten gegenüber dem anderen gemacht.[40] Das verdeutlichende ἐν τῷ[41] vor dem Schriftzitat ist nicht in allen Handschriften überliefert. Eine Entscheidung ist schwierig zu fällen – allerdings auch ohne sachlichen Belang.

Die Nähe zur Predigt Jesu ist unverkennbar; umstritten ist nur, ob Paulus hier bewußt an ein Wort Jesu anknüpft. Dafür könnte sprechen, daß er hier wie Gal 5,14 den Terminus λόγος gebraucht, mit dem er 1 Thess 4,15 ausdrücklich ein „Wort des Herrn" einführt; außerdem stimmt Röm 13,9 auffallend mit Mt 19,18f überein.[42] Jedenfalls ist sicher, daß sich hier Jesus – Überlieferung zu Wort meldet und Paulus „die Gemeinde einfach auf ihr vertraute Tradition verweist".[43] Auffällig bleibt, daß Paulus sich wie in Röm 12,14 nicht ausdrücklich auf die Autorität Jesu beruft, wie er das in 1 Kor 7,10; 11,23; 1 Thess 4,15 tut.

In 10a verdeutlicht Paulus seine These noch einmal: Die Liebe tut dem Nächsten nichts Böses.[44] Alle Gebote sind implizit im Gebot der Liebe enthalten. Denn wer den Nächsten wirklich liebt, wird ihm kein Unrecht tun. Das Stichwort „Liebe" steht chiastisch am Anfang und am Ende von V 10 und erhält dadurch besondere Betonung. ὁ πλησίον, im Griechischen „der räumlich Benachbarte, der Nebenmann, der Andere",[45] wird in LXX zur häufigen Bezeichnung für den Mitmenschen, den Nächsten, so in dem eben von Paulus zitierten Text Lev 19,18.[46] Im NT wird es meist im Anschluß an Lev 19,18 gebraucht.[47] Biblisch meint der Begriff des „Nächsten" nicht den Mitmenschen im allgemeinen, sondern den konkreten Mitmenschen, „mit dem man durch die Lebensumstände zusammengeführt ist und zusammenlebt".[48] In 10b zieht Paulus den Schluß:[49] die Erfüllung des Gesetzes ist also die Liebe. πλήρωμα steht betont am Anfang. Es hat eine Fülle von Bedeutungen: der Inhalt, die Vollständigkeit, die Fülle, die Gesamtheit, das Vollmaß, die Menge, die Vollendung, die Zusammenfassung.[50] An unse-

38 Vgl. Gal 5,14: das ganze Gesetz ist in einem Wort (ἐν ἑνὶ λόγῳ) erfüllt.
39 Lev 19,18 wird auch sonst im NT häufig zitiert: Mt 5,43; 19,19; Mk 12,31 parr; Gal 5,14; Jak 2,8.
40 Vgl. M. Noth z. St.
41 Es könnte aus Gal 5,14 eingedrungen sein.
42 Mt wie Paulus bringen die Verbote mit οὐ (Mk und Lk: μή), dem LXX-Text entsprechend, und beide bringen im Anschluß an die Liste das Liebesgebot. Mt freilich ordnet es in die Reihe der Gebote ein, während Paulus es über diese Reihe stellt!
43 E. Käsemann z. St.
44 Vgl. 1 Kor 13,4ff.
45 H. Greeven, ThW VI 309f.
46 Vgl. J. Fichtner, ThW VI 310–314.
47 H. Greeven, aaO 314,6–11.
48 M. Noth zu Ex 20,16.
49 οὖν.
50 G. Delling, ThW VI 297.

rer Stelle bedeutet es nicht formal „die Summe", sondern „die Erfüllung": Das Tun der Liebe „ist ganze, restlose Erfüllung dessen, was Gott im Gesetz fordert".[51]

2. Röm 13,11 – 14: Die Dringlichkeit der „Stunde"

Paulus beendet die allgemeine Paränese der Kapitel 12 – 13 mit einem Hinweis auf die Bedeutung der gegenwärtigen Stunde. Die erwartete Nähe des eschatologischen „Tages" gibt der Gegenwart ihr Gewicht. Sie fordert von Christen ein verantwortungsbewußtes, waches Leben. Der Ausblick auf die eschatologische Zukunft steht im Dienst der Paränese und gibt den Mahnungen von 12f ihren Ernst.

a. Röm 13,11 – 12: Die Nähe des „Tages"

Paulus beginnt mit einer Ansage der „Stunde", in der die angesprochenen Christen sich befinden: Sie „wissen" realistisch um die Nähe des Tages und ihre daraus folgende Verantwortung. *καιρός* meint schon im außerbiblischen Griechisch nicht nur allgemein die „Zeit". Die Grundbedeutung des Wortes ist „das Entscheidende, der wesentliche Punkt". Im zeitlichen Sinne meint es dann den „entscheidenden Augenblick, Zeitpunkt", wobei es bisweilen eine religiöse Färbung annimmt; eine bedeutende Rolle spielt der Begriff in der verantwortungsbewußten Ethik der Stoa.[52] In LXX überwiegt die rein zeitliche Bedeutung: Zeitpunkt, Termin; bisweilen tritt der religiöse Hintergrund des Terminus deutlicher ins Bewußtsein: die religiös entscheidende Zeit, die von Gott gegeben ist, auch die Gerichts- und Endzeit.[53] In Röm 13,11 meint *καιρός* natürlich nicht nur „den gegenwärtigen Zeitabschnitt, die Gegenwart".[54] Der *καιρός*, um den die Christen wissen, ist hier zweifellos „die eschatologische Entscheidungszeit, die jetzt angebrochen ist und in der sie jetzt leben".[55] Paulus spricht die römischen Christen darauf

[51] aaO 303,8–12; *πλήρωμα* meint hier die „Erfüllung" und nicht die inhaltliche „Fülle" des Gesetzes. Das entspricht dem *πεπλήρωκεν* in V 8. Ein weiterer Gesichtspunkt kommt hinzu: die Begründung in 9–10a „wäre schlecht durchgeführt, wenn *πλήρωμα* die gleiche Bdtg hätte wie *ἀνακεφαλαιοῦται*, das dem Beweisgang selbst angehört. Also ist *πλήρωμα* nicht Zusammenfassung, sondern vollständige Erfüllung des Gesetzes durch die Tat . . ." aaO 16–18. Anders A. Feuillet, Loi 797: nirgends in den paulinischen Briefen habe *πλήρωμα* den aktiven Sinn von *πλήρωσις*. Doch dürfte der Kontext von größerem Gewicht sein.

[52] G. Delling, ThW III 456–459.

[53] aaO 459f.

[54] So W. Bauer, Wörterbuch 780.

[55] H. Schlier z. St.

an, daß sie die Bedeutung der Gegenwart als entscheidende Zeit „kennen" – es gilt, aus solchem Wissen[56] die praktischen Folgerungen zu ziehen.

Die „Stunde" wird nun durch den Wächterruf V 11b – 12 näher charakterisiert. Der Ruf hat eine deutlich paränetische Zielrichtung. Indikativ und Imperativ sind durch ein *οὖν* lose verbunden, allerdings inhaltlich aufs engste miteinander verzahnt: die Nacht ist vorgerückt – laßt uns ablegen die Werke der Finsternis; der Tag hat sich genaht – laßt uns anlegen die Waffen des Lichts. Paulus verstärkt dann den paränetischen Teil des Rufes in V 13f. Ob man den Wächterruf als „prophetisch" bezeichnen soll und Röm 13, 11–14 als Beleg für das prophetische Selbstbewußtsein des Paulus werten darf,[57] scheint fraglich, vor allem wegen der (auch von Müller nicht bestrittenen) Tatsache, daß Röm 13,11–14 Taufparänese ist,[58] was sich im folgenden noch deutlich zeigen wird.

Das Drängende der gegenwärtigen Situation wird auf doppelte Weise zum Ausdruck gebracht: 1. *ἤδη* kann allgemein bedeuten: „schon, bereits", aber auch „jetzt".[59] 2. *ὥρα* meint in seiner Grundbedeutung „die echte, für etwas bestimmte, günstige Zeit"; auch die Übersetzer der LXX verstanden das Wort offenbar vor allem als „die bestimmte Zeit".[60] In diesem Sinn der entscheidenden Zeit und Stunde steht *ὥρα* in Röm 13,11: Die „Stunde" beschreibt die von Gott gegebene geschichtliche Situation.[61] Die Gegenwart der Christen ist gekennzeichnet durch die Wirklichkeit des anbrechenden Tages, „die das Wachsein fordert; es ist hohe Zeit, aufzuwachen und wach zu handeln . . ."[62]

Wie im Deutschen wird die sich aus der „Zeit" ergebende Forderung mit dem Infinitiv ausgedrückt:[63] Es ist Zeit, vom Schlaf aufzustehen. Der Schlaf

[56] Ob man aus dem *εἰδότες* schließen kann, daß Paulus „voraussetzen kann, daß das Gläubigwerden auch bei den römischen Christen die Übernahme der Naherwartung einschloß" – so A. Vögtle, „Nah"-Erwartung 568 –, sollte man besser offenlassen. Möglich ist, daß der Hinweis auf das von seinen Lesern geteilte „Wissen" der jüdisch-christlichen Apokalyptik oder der urchristlichen Prophetie zuzuordnen ist, vgl. dazu G. Dautzenberg, Naherwartung 365–367.

[57] So U.B. Müller, Prophetie 142–148; wie in Röm 13,11f könne letztlich nur jemand sprechen, der in prophetischer Vollmacht verkündigt, aaO 144. Müller verweist auf Jes 43,19; 55,6; Mt 3,10 par: solche Sätze proklamieren neue Wirklichkeit. Er sieht selbst die Schwierigkeit, daß nach Auffassung des Paulus die Gemeinde von dieser neuen Wirklichkeit schon „weiß" (Röm 13,11a): aaO 145. Auch daß eine ausdrückliche Botenformel fehlt, beirrt Müller nicht: aaO 146; vgl. zur Kritik an Müllers Position G. Dautzenberg, BZ 22 (1978) 130f.

[58] aaO 147f; daß hier prophetische Verkündigung (11 – 12a) und Taufparänese (12b – 14) verbunden wurden, ist kaum eine überzeugende Lösung. Denn auch in 11 – 12a tauchen Taufanspielungen auf, auf die Müller, aaO 147, ausdrücklich hinweist. aaO 238 bezeichnet er Röm 13,11ff als „Variation einer ursprünglichen Taufparänese", näher begründet 165–167.

[59] W. Bauer, Wörterbuch 680.

[60] G. Delling, ThW IX 675–677.

[61] Vgl. O. Michel z. St.

[62] G. Delling, aaO 678, 19–21.

[63] Vgl. aaO 678, 21f.

ist hier ein Bild für die existentielle Trägheit des Menschen. ἐγείρω bedeutet „aufwecken" (vom Schlaf), im Passiv „erwachen";[64] an unserer Stelle ist das Erwachen vom Schlaf bildlich gemeint im Sinne des Aufwachens aus gedankenloser Trägheit, bzw. dem Kontext entsprechender aus einem der Sünde verfallenen Leben. ὕπνος kann schon im Griechischen sowohl den natürlichen Schlaf meinen als auch eine (oft euphemistische) Umschreibung für den Tod sein;[65] schließlich kann der Schlaf ein Bild für den unvollkommenen Zustand der Seele sein.[66] In diesem letzteren Sinn ist vom Schlafen auch in LXX die Rede.[67] Spr 7,9 bringt Schläfrigkeit und Faulheit miteinander in Verbindung: „Wie lange noch, Fauler, willst du liegenbleiben? Wann willst du aufstehen vom Schlafe?" (ἐξ ὕπνου ἐγερθήσῃ); die mit Röm 13,11 gleichlautende Formulierung fällt sofort auf. Sir 22,9f ist der Schlaf Bild für die Torheit des Menschen.[68] Philo verwendet das Wort vom „Schlaf" häufig zur Charakterisierung derer, die fern von Erkenntnis sind.[69] Ähnlich ist später das „Schlafen" in Jud 8 bildliche Umschreibung einer „träumerischen und nächtigen Blindheit gegenüber der Wahrheit des Glaubens".[70] In der späteren christlichen Gnosis schließlich ist der Schlaf ein Bild für die Unwissenheit und Selbstvergessenheit des Menschen, für seine Unwissenheit über die Welt Gottes; er ist Zeichen der Weltverfallenheit des Menschen.[71] Der spätjüdischen Apokalyptik ist das Bild des Schlafes ein Gleichnis für die Zeit dieses Äons:[72] „Der Schlaf in der Nacht ist gleich dieser Welt und das Erwachen am Morgen ist gleich der kommenden Welt."[73]

Der Wächterruf „Es ist hohe Zeit, daß ihr[74] vom Schlaf aufsteht . . ." verwendet das Erwachen aus dem Schlaf als Bild für das Aufgeben des Verhaftetseins an den alten Äon.[75] Wie in 1 Thess 5,4–8 warnt Paulus vor der Weltverfallenheit. Auch dort ist der Schlaf in 5,6f neben der Trunkenheit ein Bild für die Haltung jener Menschen, die an der Realität vorbeileben, weil sie nicht damit rechnen, daß der Tag des Herrn bald kommt.[76]

V 11b unterbricht deutlich den Wächterruf,[77] indem er ihn im Blick auf die Eigenart der gegenwärtigen christlichen Existenz begründet: jetzt näm-

[64] A. Oepke, ThW II 332, 11–14.
[65] H. Balz, ThW VIII 545–548.
[66] aaO 547, 17ff.
[67] aaO 550, 22–33.
[68] Vgl. die Warnung vor dem „Geist des Schlafs" Test Rub 3,1. 7f.
[69] H. Balz, aaO 551, 26ff.
[70] aaO 553, 19.
[71] aaO 555f.
[72] aaO 551, 12–15.
[73] PREl 34 (p 253f), zit aaO 551, 13–15; vgl. auch Billerbeck IV 853–855.
[74] Zwar ist auch die Lesart ἡμᾶς recht gut bezeugt; doch dürfte ὑμᾶς zur Form des Wächterrufes besser passen, während ἡμᾶς Angleichung an ἡμῶν in 11b ist, das deutlich den Wächterruf unterbricht.
[75] H. Balz, aaO 554, 8–11.
[76] Vgl. G. Friedrich z. St.; vgl. 1 Petr 5,8: Seid nüchtern und wachet.
[77] Ob 11b paulinisches oder vorpaulinisches Gut enthält, muß nach J. Baumgarten, Paulus 211, offenbleiben.

lich ist unser Heil näher, als damals, als wir zum Glauben kamen. Dieses erläuternde Zwischenstück gibt der Exegese manche Probleme auf. νῦν γάρ ist nicht nur eine sachliche Zeitangabe „denn jetzt"; es hat wohl wie in 2 Kor 6,2 einen feierlichen Ton und unterstreicht die entscheidende Bedeutung des gegenwärtigen Kairos: Das „Heil" ist nähergekommen.

σωτηρία, „die Rettung, die Erhaltung, das Heil",[78] in der LXX „Rettung, Erhaltung, Schutz, Wohlergehen, Heil",[79] ist bei Paulus Inbegriff des dem Menschen von Gott in Jesus Christus geschenkten Heils; dabei muß man sich bewußt sein, daß die Vokabel „Heil" für Paulus noch nicht jenen abgenutzten formelhaften Charakter hatte, der diesem Wort heute anhaftet. Wenn Paulus „Heil" sagt, steht für ihn nicht so sehr das von Christus gebrachte gegenwärtige Heil im Vordergrund – in dieser Bedeutung begegnen σῴζω/σωτηρία nur selten;[80] an den meisten Stellen meint es die endgültige eschatologische Rettung, die noch aussteht, die der Christ noch erwartet:[81] die „Erlösung unseres Leibes" (Röm 8,23f; vgl. Phil 3,20f),[82] die Befreiung des ganzen Menschen. Dieses Heil ist letztlich Gottes, durch Christus vermittelte,[83] Gabe. Das heißt allerdings nicht, daß der Mensch es einfach passiv zu erwarten hätte. 1 Thess 5,8f spricht Paulus im Zusammenhang mit dem erwarteten Heil von der Nüchternheit und Einsatzbereitschaft des Christen in Glaube, Hoffnung und Liebe. Auch in Röm 13,11 steht der Hinweis auf das erhoffte Heil im Zusammenhang der Paränese.

Von diesem erwarteten endgültigen Heil sagt Paulus, daß es jetzt „näher" ist. ἐγγύς ist hier zeitlich gebraucht: „nahe, nahe bevorstehend"; im Komparativ: „das Heil ist uns näher, als . . ." ἐγγύς begegnet bei Paulus sonst nur noch in der kurzen eschatologischen Botschaft „der Herr ist nahe" Phil 4,5 und Röm 10,8 im atl. Zitat. Es unterstreicht noch einmal den Entscheidungscharakter der Gegenwart. Fraglich ist, ob ἡμῶν zu ἐγγύτερον oder zu σωτηρία gehört: Jetzt ist uns das Heil näher[84] – oder jetzt ist unser Heil näher.[85] Sachlich ist diese Frage von nur geringem Gewicht.

Der Vergleichspunkt zur Situation des „Jetzt", in der das Heil näher ist, wird nun formuliert: es ist näher als „damals, als wir zum Glauben gelangt sind".[86] ὅτε steht hier wie häufig mit dem Aorist Ind.,[87] der hier den Anfangspunkt bezeichnet:[88] ἐπιστεύσαμεν, wir sind zum Glauben gekom-

[78] W. Bauer, Wörterbuch 1586.
[79] G. Fohrer, ThW VII 971, 15ff.
[80] 1 Kor 15,2; 2 Kor 6,2; Röm 8,24, wo Paulus allerdings gleich hinzufügt: „zur Hoffnung".
[81] Vgl. W. Foerster, ThW VII 992–994.
[82] Vgl. Röm 5,9f.
[83] Vgl. Phil 3,20f, wo Christus im Blick auf das erwartete eschatologische Heil ausdrücklich „Retter" genannt wird.
[84] M. J. Lagrange, H. Lietzmann z. St.; C. E. B. Cranfield, Commentary 90.
[85] O. Michel z. St.
[86] W. Bauer, aaO 1166.
[87] Bl.-Debr.-Rehkopf § 382,1.
[88] aaO § 331.

men. πιστεύειν meint hier den den Christenstand begründenden Akt des Glaubenfassens,[89] des Christwerdens; es ist kaum ein Zweifel, daß Paulus auf die Taufe zurückblickt. πιστεύειν im Sinne von „gläubig werden" findet sich 1 Kor 3,5; 15,2; Gal 2,16; auch dort steht jeweils der Aorist.

Wie ist das des näheren gemeint: „jetzt ist unser Heil näher als damals, als wir zum Glauben kamen"? Man hat diese Aussage, auch im Blick auf 12a, meist im Sinn der Naherwartung verstanden, und das ist immer noch die plausibelste Erklärung.[90] Denn daß Paulus lediglich die Binsenwahrheit aussprechen will, daß ein zukünftiger Zeitpunkt mit dem Fortschreiten der Zeit näherrückt, ein vergangener Zeitpunkt dagegen in die Ferne, ist höchst unwahrscheinlich.[91] Man darf den Gedanken der Naherwartung nicht dahin zuspitzen, daß Paulus „brennende Naherwartung" in der Gemeinde voraussetzt;[92] auch das ἐγγύτερον sollte man nicht in dem Sinne deuten, daß hier die paulinische Naherwartung besonders gesteigert sei.[93] Denn bei Licht besehen nennt Paulus in Röm 13,11 keinen Termin, sondern macht nur eine relative Zeitangabe, die anders als in 1 Thess 4,13–18 und 1 Kor 15,51f „nurmehr über ein Datum der Vergangenheit als festen Bezugspunkt verfügt".[94]

12a setzt den eschatologischen Wächterruf fort: „Die Nacht ist vorgerückt, der Tag ist nahe herangekommen." Nacht und Tag haben auch sonst in der Antike wie im AT und Judentum einen starken Symbolwert:[95] Die Nacht ist die Zeit der Finsternis, die Angst macht; das Dunkel der Nacht hat den Charakter des Unheimlichen und läßt das Licht des Tages sehnsüchtig erwarten.[96] An unserer Stelle ist allerdings nicht so sehr an die Nacht als die Zeit des Schreckens und der Angst gedacht, sondern – wie vor allem im folgenden deutlich wird – an das Dunkel der Nacht, in dem der Mensch Dinge tut, die das Licht des Tages zu scheuen haben. „Nacht" wird hier zum Bild für die Verfassung des Menschen, der seine Existenz verfehlt.[97]

[89] Vgl. R. Bultmann, ThW VI 215, 1–8.
[90] Vgl. A. Vögtle, „Nah"-Erwartung 564f.
[91] Vgl. G. Dautzenberg, Naherwartung 362.
[92] wie E. Käsemann z. St. behauptet; kritisch dazu A. Vögtle, aaO 573.
[93] Vgl. dazu J. Baumgarten, aaO 210.
[94] G. Klein, Naherwartung 261; vgl. 257f.
[95] Vgl. besonders Jes 21,11f; daß Paulus bzw. seine Tradition das Bild von der zu Ende gehenden Nacht aus der rabbinischen Auslegung von Jes 21,11f entlehnt habe, G. Stählin, ThW VI 716, 14–18, ist eher unwahrscheinlich. Die in Röm 13,11f verwendeten Kontrastbilder Nacht / Tag, Finsternis / Licht finden sich verbunden mit der Weg-Vorstellung (vgl. Spr 4,18f) oder mit der Gegenüberstellung von Schlafen und Wachen, Nüchtern- und Trunkensein häufig im apokalyptischen und rabbinischen Judentum, oft auch ohne jede eschatologische Ausrichtung; auch der hellenistischen Religiosität sind diese – tatsächlich ja sehr naheliegenden – Bilder geläufig. Sie spielen in der urchristlichen Taufparänese eine bedeutende Rolle. Vgl. A. Vögtle, aaO 562. H. Balz, aaO 554, 11–16; für AT und Judentum E. Lövestam, Wakefulness 8–24; für die Gnosis aaO 25–27.
[96] Vgl. G. Delling, ThW IV 1117; vgl. 2 Petr 1,19.
[97] So kann Aristophanes einen Sokratesschüler in abträglichem Sinne νυκτὸς παῖδα nennen, vgl. W. Bauer, Wörterbuch 684 (ἡμέρα 1b).

Der Tag mit seiner Helle dagegen beschreibt die Verfassung des Menschen, dessen Werke sich sehen lassen können, der bewußt und wach lebt, wie es die Stunde erfordert.[98]

Der Wächterruf macht auf die tatsächliche Situation aufmerksam, daß die Nacht bald zu Ende geht: „die Nacht ist vorgerückt";[99] diese Wendung ist der Sprache des Alltags entnommen.[100] Der Aorist deutet an, daß die Nacht schon weit fortgeschritten, also fast schon vorüber ist.[101] Gedacht ist an jenen Übergang, wo die Nacht zu Ende geht und der Tag unmittelbar bevorsteht: Es ist Zeit, aufzustehen (V 11). Denn der Tag ist „nahe herangekommen".[102] Der feierliche Ton der Gegenüberstellung fällt auf; er erinnert an die Proklamation Mk 1,15.[103] „Eine derartige ‚Proklamation' gehört eigentlich nicht in einen Brief, sondern in die mündliche Verkündigung und in die Liturgie."[104] Sie verlangt geradezu ein Publikum.[105] Zwar ist der „Tag" zunächst bildhaft gemeint, indem Paulus ihn einem ausschweifenden nächtlichen Treiben gegenüberstellt.[106] Doch ist der „Tag" bei Paulus häufig der „Tag des Herrn", der Gerichtstag.[107] Diese Bedeutung schwingt auch hier mit; denn im jetzigen Zusammenhang korrespondiert der „Tag" dem erwarteten endgültigen „Heil" in 13,11b.

Die Aussagen in Röm 13,11f sind auf dem Hintergrund der jüdischen Apokalyptik zu hören, die grundlegend durch die Naherwartung geprägt ist:[108] Die Welt eilt mit Macht ihrem Ende zu (4 Esr 4,26); das erwartete Endheil steht unmittelbar bevor (syr Bar 23,7).[109] Die Erwartung des baldigen Endes ist oft verbunden mit der pessimistischen Vorstellung vom zunehmenden Greisenalter der Welt: „. . . die Schöpfung ist schon alt und

[98] Vgl. 1 Thess 5,5. 8.

[99] W. Bauer, Wörterbuch 1082; vgl. 1404.

[100] G. Stählin, ThW VI 712,1–4.

[101] aaO 716, 20–26; daß hier an jene Zeit der Nacht gedacht sei, in der das vor dem Einbruch der Dämmerung besonders tiefe Dunkel herrscht, Sinnbild der vor dem Ende sich steigernden Nöte, aaO, ist reine Spekulation und findet keinen Anhalt am Zusammenhang.

[102] Vgl. W. Bauer, aaO 422f.

[103] Vgl. Mt 3,2; 4,17; 10,7; Lk 10,9. 11; vgl. syr Bar 23,7; aeth. Hen 51,2. Auch im Ruf Jesu von der nahen Herankunft der Gottesherrschaft findet sich das Perfekt ἤγγικεν. Im Zusammenhang von Röm 13,11–14 ist von der Gottesherrschaft nicht die Rede. So sollte man den Gedanken hier nicht eintragen; das tun z. B. H. Preisker, ThW II 331, 10ff; G. Delling, ThW IV 1119, 32–36.

[104] O. Michel z. St.

[105] U. B. Müller, Prophetie 144.

[106] Vgl. E. Kamlah, Form 192.

[107] 1 Kor 1,8; 5,5; Phil 1,6.10; 2,16; 1 Thess 5,2.4; vgl. Röm 2,16; 2,5.

[108] Zahlreiche Belege bei J. Baumgarten, Paulus 201–204; doch stehen unverbunden daneben Geschichtsspekulationen mit Periodisierungen der Geschichte – und vor allem hat sich schon die spätisraelitische Apokalyptik mit dem Problem des Ausbleibens der Verheißung beschäftigen müssen, vgl. aaO.

[109] Vgl. 82,2; 83,1.

über ihre Jugendkraft hinaus" (4 Esr 5,55).[110] 4 Esr 4,50 spricht die Überzeugung aus, daß das Maß der vergangenen Zeit bei weitem größer ist. Diese Aussagen begegnen in der Apokalyptik oft mit dem Aufruf, angesichts des erwarteten baldigen Endes verantwortungsbewußt zu leben.[111] Dieser kurze Blick auf verwandte Aussagen in der Apokalyptik führt uns noch einmal – verschärft – vor die Frage, ob wir Röm 13,11f im Sinn intensiver Naherwartung zu deuten haben.

Die Frage der paulinischen „Naherwartung" ist nach wie vor umstritten. Umstritten ist, ob mit einer evtl. Entwicklung und Korrektur der paulinischen Anschauungen zu rechnen ist, umstritten ist, welche ethischen bzw. gesellschaftlichen Konsequenzen die Naherwartung hat.[112] Der ganze Problemkreis bedürfte einer gründlichen Neuuntersuchung. Wir müssen uns hier auf die Frage beschränken, was unser Text Röm 13,11–14 tatsächlich hergibt – und was nicht. Folgende Feststellungen dürften von Röm 13,11f und seinem Kontext gedeckt sein:

1. Paulus spricht in Röm 13,11 sicher nicht nur die allgemeine Wahrheit aus, daß jedes Leben auf den Tod zugeht; er rechnet deutlich mit der bald eintretenden Endvollendung. Die Aussage in Röm 13,11b „hat offenbar nur einen Sinn, wenn Paulus den Zeitraum bis zur Parusie als sehr kurz annimmt und hofft, daß seine oder wenigstens die nächste Generation die Parusie erleben wird".[113]

2. Dennoch nennt Paulus keinen Termin.[114] Er macht in V 11 nur eine relative Zeitangabe („näher als"). Versuche, aus dieser relativen Zeitangabe dennoch Termine zu berechnen,[115] dürften den Text überstrapazieren. Das gilt auch für den kurzen Aufruf in 12a.[116] Mit dem Bild des Wechsels von

[110] Vgl. syr Bar 85,10: „Die Jugendzeit der Welt ist ja vergangen, der Schöpfung Vollkraft längst zu End gekommen; der Zeiten Ankunft ist fast da, fast schon vorüber. Denn nahe ist der Krug dem Brunnen, das Schiff dem Hafen, der Stadt die Karawane, dem Abschlusse das Leben." vgl. ferner 4 Esr 14,10–16; auch Philo op 141.

[111] Vgl. syr Bar 85,9–15; 4 Esr 14,10–16, wobei in V 14 auch das Bild vom Ausziehen begegnet: „Zieh aus die schwächliche Natur."

[112] S. Schulz behauptet, sie führe zu einer konservativen Bestätigung des status quo, S. Schulz, Hat Christus die Sklaven befreit? Sklaverei und Emanzipationsbewegungen im Abendland, Evangelische Kommentare 5 (1972) 13–17, hier 15–17; vgl. die heftige Kritik von P. Stuhlmacher, aaO 297–299. Kritisch auch G. Klein, Naherwartung 242–244. Umgekehrt behauptet G. Dautzenberg, die Naherwartung bedeute Kritik an jeder ungerechten Ordnung und Herrschaft unter den Menschen; ihr Aufgeben würde dazu führen, die gesellschaftliche Dimension des Glaubens aus dem Auge zu verlieren. G. Dautzenberg, Naherwartung 371f.

[113] K. H. Schelkle, Eschatologie 358.

[114] Nach J. Baumgarten wird die Terminfrage für die paulinische Theologie überhaupt häufig überschätzt; sie ist nur sehr schwach belegt und für die paulinische Eschatologie kaum konstitutiv, Paulus 224–226.

[115] etwa: Paulus könne unter Zugrundelegung von 20 – 25 Jahren bislang verflossener christlicher Zeit an eine Zeitspanne von nur ein paar Jahren denken, vgl. A. Vögtle, „Nah"-Erwartung 570.

[116] Vgl. aaO 569–571; Vögtle macht aaO 571f ausdrücklich darauf aufmerksam, daß solche Versuche der Bildsprache des Textes kaum gerecht werden.

der Nacht zum Tag benutzt der Wächterruf ein weit verbreitetes (und höchst unterschiedlich angewendetes) Bildmotiv. Schon das verbietet es, das Bild zu sehr auf eine Terminangabe zu befragen. Allzu präzise Zeitangaben werden dem Text nicht gerecht; das gilt etwa für die Behauptung, für Paulus stehe der eschatologische Tag unmittelbar bevor.[117] Die Nähe des Tages „ist ein unberechenbares, schlechthinniges Nahekommen“.[118]

3. Dies gilt um so mehr, als in Röm 13,11–14 nicht die Eschatologie – und schon gar nicht die Terminfrage –, sondern die Paränese das Hauptanliegen des Paulus ist. Er ist nicht an apokalyptischen Spekulationen interessiert; es geht ihm um den eindringlichen Aufruf zu einem dem Christenstand gemäßen Leben. Man kann sogar fragen, ob V 12a mit seinem Kontrastpaar Nacht – Tag, der auf den ersten Blick drängenden Naherwartung zu formulieren scheint, nicht in erster Linie den Charakter eines erleichternden Übergangs zur Paränese der Verse 12b – 14 hat.[119] Auch der drängende Aufruf in V 11 „es ist hohe Zeit, vom Schlafe aufzustehen“ will wachrütteln und steht im Dienst der Paränese. Allerdings kann man nicht übersehen, daß V 11b, der sich an diesen Aufruf mit einem begründenden *γάρ* anschließt, von dem näher gerückten Heil spricht und so ein starkes Gewicht auf den dem Imperativ zugrundeliegenden Indikativ legt.

4. Die Naherwartung spielt sonst im gesamten Röm keine Rolle. Die Thematik klingt lediglich in Röm 13,11f auf und dient dort zur Motivierung der Paränese, erhält allerdings durch ihre Stellung am Schluß der allgemeinen Paränese von Röm 12f einen deutlichen Akzent. Paulus spricht im gleichen Brief von seiner Absicht einer Spanienmission (15,23f). Das wäre kaum sinnvoll, wenn Paulus „die Parusie mit Sicherheit sozusagen in den nächsten Wochen und Monaten erwartet hätte“.[120]

V 12b fordert dazu auf, aus dem Wissen um die Nähe des Tages die entsprechenden Konsequenzen zu ziehen. Die Mahnung – in der 1. Person Plural – ist zunächst negativ: Also laßt uns die Werke der Finsternis ablegen. Im Hintergrund steht das Bild von Kleidern, die man ablegt, auszieht.[121]

[117] So O. Michel z. St.; auch G. Friedrich, 1.Thessalonicher 5,1–11, der apologetische Einschub eines Späteren, ZThK 70 (1973) 288–315, hier 306. 1 Thess 5,1–11 scheine von einem Späteren formuliert, der beide Briefe kannte; er erkläre die Terminfrage für völlig unwichtig, da inzwischen die Probleme der Parusieverzögerung zur Stellungnahme zwingen, aaO 306f; 314f. Vgl. A. Vögtle, aaO 561: „Der Autor von 1 Thess 5,1–11 geht vom unberechenbaren und überraschenden Kommen der Parusie aus, ohne daß die Frage ihrer größeren oder geringeren Nähe eine Rolle spielt.“

[118] H. Schlier z. St.

[119] Vgl. A. Vögtle, aaO 562f; doch vgl. 565f: „Unbeschadet seiner Funktion, den Übergang zur parakletischen Explikation in V. 12b – 14 zu erleichtern, will V. 12a auch auf die zeitliche Nähe der Aufhebung der Nacht durch den Tag abheben.“

[120] A. Vögtle, aaO 572.

[121] Einige Handschriften haben das stärkere Verb *ἀποβάλλω*: abwerfen. Hier liegt u. U. eine Einwirkung des lateinischen Textes vor: abiciamus, H. Lietzmann z. St.; dagegen C. E. B. Cranfield, Commentary 94, Anm. 2. Auch Kol 3,8 und 1 Petr 2,1 wird mit *ἀποτίθεσθαι* ein Lasterkatalog eingeleitet.

Die (sehr naheliegende) Symbolik „Finsternis – Licht" ist in der gesamten Antike weit verbreitet.[122] Das „Dunkel" beschreibt einen ganz bestimmten Aspekt menschlichen Daseins, den Bereich der objektiven Gefahr und subjektiven Angst.[123] Auch im AT kann die Dunkelheit Beschreibung der menschlichen Situation sein (Jer 13,16). „Finsternis bezeichnet die ganze Breite des Unheilvollen, Bösen – sowohl im Sinne der Lebensbedrohung, des für mich Bösen, als des moralisch Bösen –, des Tödlichen."[124] Test Lev 19,1 fordert die eindeutige Entscheidung zwischen Licht und Finsternis, wobei Finsternis Bildwort für das Böse, das Unrecht ist.[125] Besonders nahe steht Test Naph 2,10: „Denn wenn du zum Auge sprichst: Höre! wird es (das) nicht können. So könnt ihr auch nicht in Finsternis Werke des Lichtes tun."[126] In der Apokalyptik intensiviert sich das Reden von der eschatologischen Finsternis.[127]

An unserer Stelle umschreiben die „Werke der Finsternis"[128] die Sünden, die dann im folgenden Lasterkatalog genannt werden. Licht und Finsternis sind nicht nur bildhafte Ausdrücke; es sind vielmehr zwei Mächte, die den Menschen beherrschen können.[129] Die Genetive sind gen. qual.:[130] Licht und Finsternis erscheinen als zwei Sphären, d. h. qualifizierende Mächte.[131] Die „Werke der Finsternis" sind „solche Handlungen, die, von der Finsternis bestimmt, diese in sich tragen und sie verbreiten".[132] Es sind die bösen Taten des Menschen, die das Licht scheuen müssen.[133] Sie entsprechen den „Werken des Fleisches" in Gal 5,19; auch dort folgt ein Lasterkatalog. Daß Paulus mit dem Begriff „Werke" auch an unserer Stelle bewußt den Aspekt der Leistung, der sündigen menschlichen Eigenmächtigkeit verbindet,[134] ist unwahrscheinlich.

Die Vorstellung vom Ab- und Anlegen des Gewandes ist in der Umwelt des NT weit verbreitet.[135] Auch in der ntl. Literatur begegnet sie häufig.[136] Vieles spricht dafür, daß der Sitz im Leben dieses Bildes die Taufliturgie

[122] Vgl. zu σκότος H. Conzelmann, ThW VII 425–439; zu φῶς H. Conzelmann, ThW IX 304–334.
[123] H. Conzelmann, ThW VII 425, 25–28.
[124] aaO 429, 19–22; Dunkel als Ausdruck von Bosheit: Ps 11,2; 74,20; 82,5.
[125] Vgl. aaO 434, 11ff; Test Lev 14,4; vgl. auch H. Conzelmann, ThW IX 318, 25ff.
[126] Übers. J. Becker; vgl. 1 QM 15,9 (E. Lohse): „Denn sie sind die Gemeinde des Frevels, und in der Finsternis geschehen all ihre Werk."
[127] Beispiele bei H. Conzelmann, ThW VII 432, 21ff.
[128] Vgl. die „Wege der Finsternis" Spr 2,13 = die dunklen Wege, gen qual; 1 QS 2,7: „Finsternis deiner Werke".
[129] Vgl. S. Wibbing, Tugend- und Lasterkataloge 114; vgl. 2 Kor 6,14b!
[130] ähnlich Gal 5,19. 22.
[131] H. Conzelmann, ThW IX 337, Anm. 289.
[132] H. Schlier z. St.; vgl. auch Eph 5,11.
[133] Vgl. auch Hiob 24,14–17; Sir 23,18f.
[134] So G. Bertram, ThW II 642, 8–13; vgl. auch J. Becker zu Gal 5,22.
[135] Vgl. O. Merk, Handeln 206.
[136] Gal 3,27; 1 Thess 5,8; Eph 4,22–25; Kol 3,8. 10. 12; Hebr 12,1; 1 Petr 2,1; Jak 1,21.

ist.[137] Das Ausziehen des Nachtgewandes und Anziehen der Tageskleidung steht als Vorstellung höchstens von ferne im Hintergrund,[138] denn das Bild vom Ausziehen bzw. Anziehen taucht auch sonst in der Paränese immer wieder auf, ohne an den Wechsel von Nacht und Tag gebunden zu sein.[139] Im übrigen ist das Bild in Röm 13,12 gleich mit seiner Anwendung durchmischt.

Es folgt die positive Alternative: „laßt uns dagegen[140] anziehen die Waffen des Lichts." ἐνδύω wird schon in der LXX häufig bildlich gebraucht im Sinne der Bekleidung mit ethisch-religiösen Eigenschaften positiver oder negativer Art.[141] Die dann in V 14 folgende Wendung „den Herrn Jesus Christus anziehen" begegnet ähnlich Gal 3,27, dort mit eindeutigem Bezug auf die Taufe. Angesichts des nahenden Tages gilt es, die Werke der Finsternis abzulegen, die Waffen des Lichtes anzuziehen. Der Übergang von ἔργα auf der negativen zu ὅπλα[142] auf der positiven Seite „ist sicher bewußt und unterstreicht den ethischen Appell".[143] Mit dem Bild von den Waffen, die man anlegt[144] – möglicherweise durch Jes 59,17 angeregt[145] – charakterisiert Paulus öfter das Christenleben.[146] Das militärische Bild vergleicht die Existenz des Christen mit der des kämpfenden Soldaten.[147] Christliches Leben erfordert ganzen Einsatz, volles Engagement. Den Wechsel von den „Werken" der Finsternis zu den „Waffen" des Lichtes sollte man allerdings nicht überinterpretieren; etwa die „Waffen des Lichtes" seien gegen die „Werke der Finsternis" gerichtet.[148]

Die Waffen, die der Christ anlegen soll, werden näher charakterisiert als Waffen des „Lichtes". Damit wird ein höchst bedeutungsträchtiges Symbolwort aufgenommen. Wörtliche, bildliche und übertragene Bedeutung sind bei dem Substantiv φῶς seit frühester Zeit belegt.[149] Im AT wie im Judentum kann die Lichtsymbolik auch in der Ethik verwendet werden,[150] etwa in der Preisung des Gesetzes: es erleuchtet die Augen (Ps 19,9), ist Licht auf

[137] Vgl. H. Schlier z. St.; E. Kamlah, Form 35f; 183f. In Kol 3,5. 8–12 begegnet das Bild in Verbindung mit einem Tugend- und Lasterkatalog; dort ist der Bezug zur Taufe offenkundig.
[138] Der Hinweis auf die zeitgenössische Sitte (die gar keinen Wechsel vorsah) bei O. Michel z. St. ist allerdings nicht sonderlich überzeugend, denn er betrifft lediglich die Gepflogenheiten der Oberschicht in Rom.
[139] O. Michel z. St.; vgl. Gal 3,27; Kol 3,12; Eph 4,22–25.
[140] Hier geht die handschriftliche Überlieferung weit auseinander – was für die sachliche Bedeutung ohne Belang ist.
[141] A. Oepke, ThW II 320,6–16.
[142] Einige Handschriften haben angeglichen und auch im zweiten Glied ἔργα.
[143] H. Conzelmann, ThW IX 337, 18–20.
[144] Vgl. A. Oepke, ThW V 293,7f.
[145] A. Viard z. St.
[146] Röm 6,13; 2 Kor 6,7; 10,4; 1 Thess 5,8; vgl. Eph 6,13–17; 1 Petr 4,1.
[147] Auch die Gemeinde von Qumran versteht ihr Sein in der Welt als eine Kampfsituation, vgl. K. G. Kuhn, ThW V 297–300.
[148] so O. Michel z. St.
[149] Vgl. H. Conzelmann, ThW IX 304f.
[150] Vgl. aaO 314f und 315–319 pass.

dem Weg (Ps 119, 105; vgl. V 130). Der Tugend- und Lasterkatalog 1 QS 4,2–14 ist mit der Symbolik „Licht – Finsternis" eng verknüpft. Die „Werke der Finsternis" sind die in Röm 13,13 beispielhaft aufgezählten Laster. Anders als in Gal 5,19–23 folgt in Röm 13,14 auf den Lasterkatalog kein Tugendkatalog mehr; es kann aber kein Zweifel sein, daß mit den „Waffen des Lichtes" die Tugenden, die rechten Grundhaltungen des Christen gemeint sind.[151]

b. Röm 13,13 – 14: Aufruf zum Wandel „wie am Tage"

Die Situation des nahenden Tages fordert einen Lebenswandel „wie am Tage". Das ὡς ist nicht hypothetisch gemeint, sondern meint „als solche, die am Tage leben".[152] Mit der Aufforderung, „wie am Tage" zu wandeln, „wird nicht der Tag selbst antizipiert, sondern das am ‚Tage' zu erwartende Handeln wird schon für die Gegenwart als verbindlich erklärt".[153] περιπατέω bedeutet ursprünglich umhergehen, umherschreiten, sich aufhalten; in diesem Sinn begegnet das Verb auch oft im NT.[154] Die übertragene Bedeutung (Lebenswandel) ist dem klassischen Griechisch fremd; sie begegnet aber bei Epiktet, in der LXX, und im NT vor allem bei Paulus.[155] Bei ihm wird das Verb häufig zur Bezeichnung des Lebenswandels gebraucht.[156] Röm 13,13 macht Paulus es seinen Lesern am Negativbeispiel[157] deutlich, was es heißt, anständig zu wandeln. Die Verpflichtung zu einem solchen Wandel ist bei Paulus eng mit der Taufe verbunden: die Getauften sollen einen neuen Lebenswandel führen (Röm 6,4).

Der Lebenswandel muß „anständig" sein. εὐσχημόνως ist Adverb von εὐσχήμων und bedeutet 1. ehrbar, ordentlich, anständig, 2. vornehm, wohlhabend, angesehen.[158] Wörtlich meint das Adjektiv die gute äußere Haltung und wird dann auf das gesamte äußere und innere Verhalten übertragen. Röm 13,13 muß es neben περιπατεῖν den ehrbaren Lebenswandel meinen.[159] Die gleiche Wortverbindung begegnet 1 Thess 4,12. Dort ergeht die Mahnung an die Christen, einen anständigen Lebenswandel zu führen, so daß die Nichtchristen keinen Grund haben, an ihrer Lebensführung Kritik zu üben;

151 So kann Philo vom „Licht der Tugend" sprechen: all. I, 46, vgl. I, 18; plant 40.
152 H. Schlier z. St.
153 J. Baumgarten, Paulus 212.
154 Vgl. H. Seesemann, ThW V 941,5f; 944,5–13; W. Bauer, Wörterbuch 1287.
155 H. Seesemann, aaO 941,6–9; W. Bauer, aaO 1287f; zu LXX vgl. G. Bertram, ThW V 942,52 – 943,21.
156 Vgl. H. Seesemann, aaO 944,14 – 945,23; vgl. Röm 6,4; 8,4; 14,15.
157 Die folgenden Dative geben die begleitenden Umstände, die Art und Weise an, wie das Wandeln der Christen nicht aussehen soll, vgl. Bl.-Debr.-Rehkopf § 198,5, bes. Anm. 6.
158 H. Greeven, ThW II 768–770.
159 aaO 769,13–16.

gemeint ist ein stilles, um die eigenen Angelegenheiten bemühtes arbeitsames Leben.[160] In 1 Kor 14,40 ist das Adverb mit der Wendung „nach der Ordnung" verbunden.[161] Daß Paulus im eschatologischen Zusammenhang den bürgerlichen Begriff des „anständigen Wandelns" einführt, überrascht zunächst. Er scheint jedenfalls überzeugt, daß „bürgerliche" Sitte und Ordnung auch vom Christen zu respektieren sind.[162]

In einem kurzen Lasterkatalog werden nun beispielhaft einige „Werke der Finsternis" aufgezählt. Zur Aufstellung von systematischen Tugend- und Lasterkatalogen kam es bereits in der Stoa; in der hellenistischen popularphilosophischen Ethik werden solche kürzeren oder längeren Kataloge durch Begriffe aus dem Alltag ergänzt.[163] Das zeitgenössische Judentum wurde von der hellenistischen Ethik stark beeinflußt; andererseits kam auch die stärker vom AT ausgehende Entwicklung der Paränese zu vergleichbaren Aufreihungen von Tugenden und Sünden (1 QS 4,2–14).[164] Die paulinischen Tugend- und Lasterkataloge sind ohne Zweifel von diesen in seiner Umwelt weit verbreiteten Katalogen beeinflußt, vor allem von spätjüdischen Katalogen.[165]

In den Qumrantexten sind die Kataloge oft mit dem Zwei-Wege-Schema und anderen dualistischen Grundbegriffen (z. B. Licht – Finsternis) verbunden[166] und eschatologisch ausgerichtet.[167] Auch in Röm 13,12f findet sich in der Nähe des Katalogs der Gegensatz zwischen Finsternis und Licht als zwei den Menschen bestimmenden Mächten, wobei der Lasterkatalog die Werke der Finsternis veranschaulicht, während der eigentlich zu erwartende Tugendkatalog fehlt.[168] Hier zeigt sich, daß Paulus das vorgegebene Schema nicht sklavisch übernimmt, an ihm wohl auch nicht primär interessiert ist, sondern es der von ihm intendierten Aussage unterordnet.

Der Lasterkatalog ist sechsgliedrig, wobei jeweils zwei Glieder durch ein *καί* miteinander verbunden sind; sie entsprechen sich auch jeweils inhaltlich. Die angesprochenen Laster kehren häufig in anderen neutestamentlichen

160 Vgl. H. Schlier zu Röm 13,13.

161 Das entsprechende Substantiv (1 Kor 12,23) und das Adjektiv (1 Kor 7,35; 12,24) „bedeuten die Ehrbarkeit und Anständigkeit, die Ordentlichkeit im alltäglichen Leben". H. Schlier zu Röm 13,13.

162 Vgl. W. Schrage, Einzelgebote 215f.

163 A. Vögtle, $LThK^2$ VI 806f.

164 aaO 807; ein ausführlicher Überblick bei S. Wibbing, Tugend- und Lasterkataloge 14–76.

165 Eine besonders enge Beziehung besteht zum Lasterkatalog in 1 QS 4,9–14: S. Wibbing, aaO 91–95.

166 A. Vögtle, aaO; vgl. S. Wibbing, aaO 61–76; ein Beispiel: „In der Hand des Fürsten des Lichtes liegt die Herrschaft über alle Söhne der Gerechtigkeit, auf den Wegen des Lichtes wandeln sie. Aber in der Hand des Engels der Finsternis liegt alle Herrschaft über die Söhne des Frevels, und auf den Wegen der Finsternis wandeln sie." 1 QS III 20f, E. Lohse.

167 S. Wibbing, aaO 71–76.

168 anders Gal 5,19–23.

Lasterkatalogen wieder;[169] allerdings ist die Zahl und die Reihenfolge der in den verschiedenen Katalogen aufgezählten Laster höchst unterschiedlich. Natürlich wollen diese Listen nicht erschöpfend sein; sie sind exemplarisch gemeint, wie Paulus Gal 5,21 mit der an den Lasterkatalog angehängten Schlußformel selber betont.[170] Die präzise Bedeutung der einzelnen Laster läßt sich nicht immer sicher feststellen.[171] Gegenüber den Lasterkatalogen in Röm 1,29–31 und Gal 5,19–21 ist der Katalog in Röm 13,13 auffallend knapp.[172] Es geht Paulus darum, einige „Werke der Finsternis" exemplarisch aufzuzählen.

Im ersten Glied nennt der Lasterkatalog die ausgelassenen Gelage und die Trunkenheit. *κῶμοι* und *μέθαι* stehen auch Gal 5,21 im Lasterkatalog nebeneinander, wenn auch in umgekehrter Reihenfolge. *κῶμος*, ursprünglich der Festzug zu Ehren des Bacchus, dann das fröhliche Essen, der Festschmaus, begegnet im NT nur sensu malo:[173] „die ausschweifende Schmauserei, das Gelage".[174] *μέθη* bedeutet im Griechischen Trank, meist aber überreichliches Trinken, Trunkenheit, Rausch.[175] In diesem Sinn begegnet das Wort auch in LXX[176] und bei Philo, der eine eigene Schrift *περὶ μέθης* verfaßt hat.[177] Die Trunkenheit[178] findet sich bei Paulus noch zweimal im Lasterkatalog: 1 Kor 5,11 und 6,10.

Das zweite Glied nennt geschlechtliche Ausschweifung und Zügellosigkeit. *κοίτη*, das Bett, das Ehebett, der Beischlaf, der Samenerguß, meint hier (im Plural) geschlechtliche Ausschweifungen.[179] *ἀσέλγεια*, Zügellosigkeit, Üppigkeit, Schwelgerei meint hier neben *κοίτη* sexuelle Verfehlungen.[180] In diesem Sinne steht es auch Gal 5,19 und 2 Kor 12,21, an beiden Stellen verbunden mit Unzucht und Unreinheit.[181] Es betont mehr das Ausschweifende der Unzuchtsünden und stellt die Zucht- und Zügellosigkeit eines sich hemmungslos an die sexuellen Triebe verlierenden Lebens dar.[182]

169 Vgl. die Tabelle bei S. Wibbing, aaO 87f; lediglich *κοίτη* begegnet nur in Röm 13,13, doch begegnet um so häufiger *πορνεία*.
170 Eine solche Schlußformel wird auch sonst häufig an die Lasterkataloge angehängt, vgl. H. Schlier z. St.
171 Vgl. A. Stumpff, ThW II 884, 9–11.
172 Weitere kurze Kataloge bei Paulus: 1 Kor 5,10f; 6,9f; 2 Kor 12,20f.
173 Vgl. Weish 14,23; 2 Makk 6,4; auch 1 Petr 4,3 im Lasterkatalog, der die heidnische Vergangenheit der Leser charakterisiert, zusammen mit *ἀσέλγεια*.
174 W. Bauer, Wörterbuch 913.
175 H. Preisker, ThW IV 550f; W. Bauer, Wörterbuch 986.
176 H. Preisker, aaO 551, 26–46.
177 aaO 551,47 – 552,11.
178 Vgl. 1 Thess 5,7: die sich berauschen, berauschen sich bei Nacht.
179 W. Bauer, Wörterbuch 870.
180 W. Bauer, aaO 227; O. Bauernfeind, ThW I 488, 18–21.
181 Vgl. 2 Kor 12,21.
182 H. Schlier zu Gal 5,19.

Schließlich werden im dritten Glied[183] Streit und Eifersucht genannt. Beide sind auch 1 Kor 3,3; 2 Kor 12,20; Gal 5,20 miteinander verknüpft. ἔρις, Streit, Hader, Zwiespalt[184] begegnet bei Paulus öfter in Lasterkatalogen: Röm 1,29; 2 Kor 12,20; Gal 5,20.[185] ζῆλος kann im Griechischen sowohl den Eifer (im guten Sinn) als auch die Eifersucht bedeuten.[186] In LXX kann es im guten Sinn (Eifer, der sich auf Gott richtet, wie auch der Eifer Jahwes gegenüber seinem Volk) wie im schlechten Sinn (feindliche, zerstörende Leidenschaft, Eifersucht) gebraucht werden.[187] An unserer Stelle – im Lasterkatalog – kommt natürlich nur die negative Bedeutung in Frage: verderblicher Eifer, Zank, Eifersucht.[188]

Es scheint, als habe Paulus vor allem den gesellschaftlichen Verfall in einer griechisch-römischen Großstadt im Auge[190] und als denke er speziell an die üppigen antiken Gelage. „Der Tag ist nahe gekommen und rückt auch für die nächtlichen Gelage und ihre Ausschweifungen und eifersüchtigen Streitereien heran, mit denen sich die Welt die Zeit vertreiben will."[191]

V 14 geht wieder in die direkte Anrede über. Auf den Lasterkatalog folgt nun nicht, wie man erwarten würde, eine Aufzählung von Tugenden. Es folgt überraschenderweise – durch ein ἀλλά den Lastern entgegengesetzt – die Wendung: „zieht den Herrn Jesus Christus[192] an."

Paulus greift das Bild vom „Anziehen" aus V 12 auf. Die Formulierungen „laßt uns die Waffen des Lichts anziehen" Röm 13,12 und „zieht den Herrn Jesus Christus an" Röm 13,14 stehen parallel zueinander, wobei die letzte Formulierung zunächst fast „grotesk"[193] und unverständlich erscheint. Man hat sie auf verschiedene Einflüsse zurückgeführt: Dahinter stehe die Vorstellung vom Anlegen der Kleidung oder der Maske des Gottes durch den Mysten;[194] andere denken an die Auffassung des Christus als des zweiten Urmenschen;[195] wieder andere an einen Ausdruck aus der Theatersprache: sich in die Rolle eines anderen hineindenken;[196] schließlich hat man an die Vorstellung von Christus als einem für alle bereiteten himmlischen Gewand ge-

183 einige Handschriften haben den Plural.
184 W. Bauer, aaO 612.
185 Vgl. auch 1 Kor 1,11; Phil 1,15.
186 W. Bauer, aaO 667f; A. Stumpff, ThW II 879f.
187 A. Stumpff, aaO 880f; Philo gebraucht es nur in Verbindung mit lobenswerten Eigenschaften, aaO 881, 35ff.
188 H. Schlier zu Gal 5,20; vgl. A. Stumpff, aaO 884, 7–14.
190 Vgl. K. H. Schelkle z. St.
191 H. Schlier z. St.
192 Einige Handschriften haben – fast erwartbar – die Würdetitel in anderer Reihenfolge oder Kombination; der volle Würdetitel ist sicher ursprünglich.
193 E. Gaugler z. St.
194 Vgl. A. Oepke, ThW II 320,41 – 321,2; Oepke bestreitet diese Ableitung. Kritisch auch F. Mußner zu Gal 3,27. Vgl. zu den Mysterienkulten U. Wilckens, ThW VII 688, 3–30.
195 So A. Oepke, aaO 321, 5–7; E. Gaugler z. St.; O. Michel z. St. verweist auf die Adam-Christus-Parallele.
196 Th. Zahn zu Gal 3,27; vgl. A. Oepke, aaO 319,42 – 320,1; zur Kritik H. Schlier zu Gal 3,27.

dacht, dessen „Anziehen" das Eingehen in einen neuen Äon bedeutet.[197] Auch hat man vermutet, das Bildwort knüpfe an den Taufvorgang an, bei dem der Getaufte ein neues Kleid anzog – Sinnbild der an ihm geschehenen Erneuerung.[198] Ob es diesen Ritus schon zur Zeit des Paulus gegeben hat, ist freilich ungewiß.

Es fragt sich, ob man zur Erklärung der Wendung „Christus anziehen" auf eine dieser Ableitungen zurückgreifen muß. *ἐνδύειν* wird in LXX, im NT wie im außerbiblischen Griechisch auf so höchst unterschiedliche Weise bildlich gebraucht,[199] daß Paulus an diese bekannten Metaphern angeknüpft haben kann, zumal er hier eine Wirklichkeit aussagen will, die ohnehin sprachlich nur in Metaphern auszudrücken ist:[200] die enge Verbindung des Getauften mit Christus (Gal 3,27), die sich als eine die ganze Existenz des Getauften prägende Bindung erweisen soll (Röm 13,14).

Röm 13,14a macht vollends deutlich, daß hier Taufsprache vorliegt: Gal 3,27 bezieht sich das Bild vom „Anziehen" Christi eindeutig auf die Taufe. Es meint dort das in der Taufe geschehene intensive Eingehen in das Sein Christi selbst, das den Menschen in seinem innersten Wesen verändert:[201] „die Getauften sind umfaßt und bestimmt von Christi Sein, sie haben teil an dem, was er ist . . ."[202] Doch gibt es einen charakteristischen Unterschied zu Röm 13,14: Gal formuliert im Indikativ: „ihr habt Christus angezogen". Röm dagegen formuliert im Imperativ: „zieht den Herrn Jesus Christus an." Hier fordert das Bildwort dazu auf, sich nun ganz und gar von Christus bestimmen zu lassen. Paulus verwendet die volle Christusbezeichnung „Herr Jesus Christus": Die Getauften stehen zu Jesus Christus in einer Beziehung, in der er ihr Herr ist.[203] Christen sollen so leben, wie es der ihnen in der Taufe geschenkten Christusgemeinschaft entspricht.

V 14b scheint etwas nachzuhinken und wirkt nach der vollen Christusprädikation von 14a unerwartet; er greift noch einmal auf 13b zurück. *πρόνοιαν ποιεῖσθαί τινος* bedeutet „Sorge tragen für etwas" oder „um etwas".[204] *σάρξ*, „Fleisch, Leib",[205] „ist, wie oft bei Paulus, der egoistische Mensch selbst bzw. die ihn bestimmende Macht seines selbstsüchtigen und selbstherrlichen Wesens und Treibens".[206] Paulus gebraucht *σάρξ* und nicht

197 H. Schlier zu Gal 3,27; zu Röm 13,14 verweist H. Schlier auf den (freilich späteren) Text Od Sal 33,11–13.

198 Vgl. P. Althaus z. St.

199 Vgl. die bei C. E. B. Cranfield, Commentary 97f genannten Beispiele; auch F. Mußner zu Gal 3,27.

200 F. Mußner, aaO.

201 Vgl. H. Schlier z. St.

202 A. Oepke z. St.

203 Vgl. W. Grundmann, ThW IX 547–549.

204 W. Bauer, Wörterbuch 1405f; vgl. 1354; Philo, ebr 87: *σαρκῶν . . . ποιεῖσθαι πρόνοιαν*: dem Fleisch Sorgfalt angedeihen lassen.

205 W. Bauer, aaO 1473 – 1475; E. Schweizer, ThW VII 99–101.

206 H. Schlier z. St.; vgl. zu diesem paulinischen Sprachgebrauch E. Schweizer, aaO 129–136.

σῶμα. Er denkt offenbar an die in V 13 geschilderten Verstrickungen in die Welt des „Fleisches". εἰς bezeichnet hier die Wirkung, den Erfolg: zu, so daß.[207] ἐπιθυμία, „Verlangen, Begierde" ist hier (nach Röm 13,13) in negativem Sinn verwandt;[208] die Wendung εἰς ἐπιθυμίας meint: „so daß Begierden entstehen". Gemeint ist die Begierde, „die das Böse, das Sündige und Gottwidrige will".[209] σάρξ und ἐπιθυμία gehören für Paulus eng zusammen: Gal 5,16f. 24. Ein Leben „nach dem Fleisch" ist ein Leben des „Begehrens", „des selbstmächtigen Trachtens".[210]

Röm 13,14b ist nicht zu übersetzen: „Sorgt für das Fleisch nicht so, daß Begierden entstehen",[211] sondern: „Und sorgt nicht für das Fleisch, so daß Begierden entstehen"; das μή bezieht sich auf den ganzen Satz, nicht nur auf ἐπιθυμίας.[212] Dem Fleisch, dem selbstsüchtigen Wesen des Menschen, und seinen Tendenzen darf keinerlei Recht eingeräumt werden.[213] „Hegt und pflegt man das ‚Fleisch', dann kommt es zu den Begierden, die stets auf ein Entgegenkommen lauern."[214]

Mit V 14b schließt Röm 12f erstaunlich abrupt ab.

3. Zusammenfassung

Die Paränese in Röm 12f wird durch die Abschnitte 12,1–2 und 13,8–14 eingerahmt. Die ungeteilte Hingabe der Christen an Gott und der Versuch, seinem Willen zu entsprechen, erfordern die Bereitschaft, sich dem Lebensstil dieser Welt nicht anzupassen (12,1–2). Der Lasterkatalog in 13, 13 illustriert an einigen Beispielen einen solchen der Welt verhafteten Lebensstil, den Christen nicht übernehmen dürfen. Aber auch quer durch die Kapitel 12 – 13 werden immer wieder Haltungen genannt, von denen Christen sich absetzen müssen: Sie sollen sich nicht selbst überschätzen (12,3; vgl. 12,16), sie sollen das Böse verabscheuen (12,9), niemandem Böses mit Bösem vergelten (12,17), sich nicht selbst rächen (12,19; vgl. 12,14), sich nicht vom Bösen besiegen lassen (12,21), sollen niemandem etwas schuldig bleiben (13,8); aber auch die vom Dekalog verbotenen Verhaltensweisen stehen selbstverständlich im Widerspruch mit dem Christsein (13,9), wie auch die Nachgiebigkeit gegenüber dem selbstsüchtigen Begehren des „Fleisches" (13,14).

[207] W. Bauer, Wörterbuch 454, Bedeutung 4 e.
[208] W. Bauer, aaO 580f, R. Bultmann, Theologie 224f; vgl. zum Sprachgebrauch F. Büchsel, ThW III 168–170.
[209] A. van Dülmen, Theologie 108.
[210] R. Bultmann, aaO 242.
[211] So J. Behm, ThW IV 1006, 52; ähnlich A. Sand, Der Begriff „Fleisch" in den paulinischen Hauptbriefen, Regensburg 1967, 148; „Fleisch" kennzeichne hier den Menschen, der „im Fleische" lebt und deshalb um seine irdische Existenz besorgt sein muß, aaO 148f.
[212] Vgl. E. Schweizer, aaO 132, Anm. 268; E. Kühl z. St.; C. E. B. Cranfield, Commentary 98.
[213] E. Käsemann z. St.
[214] H. Schlier z. St.

Statt dessen sollen Christen „den Herrn anziehen" (13,14), die ihnen in der Taufe geschenkte Verbindung mit dem Herrn in ihrer Lebenspraxis bewähren und lebendig halten. Was das konkret bedeutet, hat Paulus den Römern in den Kapiteln 12f an vielen Beispielen gezeigt, indem er auf wichtige christliche Grundhaltungen als positive Richtschnur hingewiesen hat, angefangen von der nüchternen Annahme der eigenen Gaben und Möglichkeiten und ihrem Einbringen in die Gemeinde (12,3–8) bis hin zu Hilfsbereitschaft und Wohlwollen gegenüber den Feinden (12,14. 17–21). All diese Mahnungen aber sind Ausdruck der Sorge Gottes um den Menschen, ergehen im Namen seines Erbarmens (12,1).

Im Grunde ist alles, was Paulus in Röm 12f gesagt hat, eine Entfaltung der einen Forderung der Liebe (13,8–10). Zweifellos will Paulus hier nicht nur die Gebote des atl. Gesetzes eingeschlossen wissen, sondern die Mahnungen von Röm 12f überhaupt: sie sind Konkretisierung dessen, was die Liebe verlangt. Christliche Mahnung kann sich nicht mit dem allgemeinen Aufruf zur Nächstenliebe begnügen: Was die Liebe fordert, muß an konkreten Beispielen verdeutlicht werden.

Alles Handeln der Christen steht unter dem Ernst der eschatologischen Erwartung (13,11–14). Christen haben ihr jetziges Leben angesichts der erhofften eschatologischen Zukunft in Verantwortung vor Gott zu gestalten. Doch ist die christliche Zukunftshoffnung nicht Anlaß zur Angst. Sie ermöglicht ein gelassenes Standhalten und eine zuversichtliche Zustimmung zum Leben, trotz allem, was den Christen gegenwärtig bedrängen und belasten mag (12,12).

C. DIE PARÄNESE VON RÖM 12 – 13: VERSUCH EINER SYSTEMATISCHEN DARSTELLUNG

In einem dritten Teil soll versucht werden, wichtige Themen der Paränese von Röm 12–13 systematischer darzustellen. Dabei werden, soweit es zur Verdeutlichung der paulinischen Position dienlich scheint, vergleichbare Aussagen aus anderen Briefen mitbedacht. Natürlich hat jede Systematik ihre Probleme und Grenzen. Doch scheint es sinnvoll, einige wichtige Grundgedanken aus Röm 12f auf dem Hintergrund des gesamten paulinischen Denkens eingehender darzustellen. Auf diese Weise dürfte am ehesten deutlich werden, an welchen Stellen die paulinische Mahnung uns bei unserer heutigen Suche nach ethischer Orientierung helfen kann.

Zunächst soll, ausgehend von der Stellung der Kapitel 12f im Gesamt des Röm, der Stellenwert der Mahnung dargestellt werden (I). Dabei wird deutlich, wie eng Theologie und Ethik, Glaube und Praxis für Paulus zusammengehören; die Verwirklichung der Liebe ist für Paulus notwendige Konsequenz des Glaubens. Ein zweiter Abschnitt gilt den Motiven der Mahnung (II). Damit das geforderte Gute auch wirklich getan wird und nicht nur theoretischer Vorsatz bleibt, muß die Paränese den Menschen motivieren können. Bei der Darstellung werden nur jene Motive berücksichtigt, die Paulus in Röm 12f ausdrücklich anspricht. In einem dritten Teil wird gefragt, wie sich die heute so häufig diskutierte Frage nach dem Spezifikum christlicher Ethik auf dem Hintergrund von Röm 12f darstellt (III). Schließlich werden in einem vierten Teil – auf ihm liegt der Schwerpunkt – wichtige Grundhaltungen skizziert, die in der Sicht des Paulus für Christen unverzichtbar sind und auf die er die Römer in seiner Paränese in Röm 12f hinweist (IV). Die Darstellung setzt die Ergebnisse der Einzelexegese in Teil B voraus, führt sie aber auch an einigen Punkten weiter.

I. Der Stellenwert der Mahnung

Der letzte Teil des Röm wurde in der Exegese oft recht stiefmütterlich behandelt. Besonders den Kapiteln 12–13 hat man häufig den Vorwurf einer eher brav-hausbackenen Paränese gemacht, die es mit den großen und erregenden Fragen des ersten Briefteils kaum aufnehmen kann und sich im übrigen allzu eng an das anlehnt, was in der Umwelt des Paulus an ethischer Ermahnung üblich war. So meint E. Kühl, die Ermahnungen des Briefes könnten an Originalität und Kraft, an schöpferischer Ursprünglichkeit und Gedankenfülle den Vergleich mit dem ersten Hauptteil des Briefes nicht aushalten. Erst von 14,1 an nehme die Rede wieder individuell-paulinisches Gepräge an.[1] J. A. Heising bemerkt, er habe nie das zwölfte Kapitel im An-

[1] E. Kühl, Röm 412.

schluß an das elfte zu lesen vermocht. Die Diskrepanz sei zu groß. „Vorher Geistesringen, tiefe Theologie – nun Ermahnungen pastoraler Art . . . Es gibt auch nicht allzu viel zu erklären . . .“[2]

Hier sind kräftige Fragezeichen zu setzen. Schon die übliche Einteilung des Röm in einen „dogmatischen“ und einen „ethischen“ Teil ist nicht unbedenklich. Zweifellos ist richtig, daß die Mahnungen im Röm auf die Kapitel 12–15 konzentriert sind. Doch muß man schärfer darauf achten, daß eine säuberliche Einteilung des Röm in einen theologischen und einen paränetischen Teil gar nicht möglich ist. Schon der erste Teil des Briefes enthält eine Fülle von Mahnungen. Liest man die Kapitel 1–11 des Röm unter diesem Aspekt, ist man überrascht, wie viel an Mahnung auch im „dogmatischen“ Teil zwischen den Zeilen steht.[3] Neben den ausdrücklichen Mahnungen in 7,4 und 8,12f ist vor allem auf Röm 6 zu verweisen, wobei auch hier eine säuberliche Trennung von Indikativ der Heilszusage (6,1–11) und Imperativ der Mahnung (6,12–23) nicht recht gelingen will: schon Röm 6,4 bringt die ausdrückliche Mahnung, während in 6,12–23 Indikativ und Imperativ vielfältig ineinander verschlungen sind.

Umgekehrt wird in den Kapiteln 12–15 immer wieder auf das der Paränese zugrundeliegende theologische Fundament verwiesen. In Röm 12,1–6 geschieht das praktisch in jedem Vers; besonders deutlich ist der Hinweis auf das Erbarmen Gottes in 12,1, auf die von Gott geschenkten Charismen in 12,6 (vgl. 12,3), wie auf die Tatsache, daß die Gemeinde „ein Leib in Christus“ ist (12,4f).[4] In 13,11 begegnet der Indikativ im Hinweis auf die Nähe des Heils, und in 13,12 sind Indikativ und Imperativ eng miteinander verbunden:

Die Nacht ist vorgerückt
   – laßt uns ablegen die Werke der Finsternis.
Der Tag hat sich genaht
   – laßt uns anlegen die Waffen des Lichts.

Die Mahnung in 13,14, den Herrn Jesus Christus anzuziehen, ist auf dem Hintergrund der entsprechenden indikativischen Aussage in Gal 3,27 zu hören, wie überhaupt die Taufterminologie in Röm 12,1–2 und 13,11–14 nicht zu übersehen ist.[5]

Die ab Kapitel 12 folgenden Mahnungen sind nicht bloßes Anhängsel, so als folge auf die große Theologie der Kapitel 1–11 nur noch ein wenig nüchterne „Praxis“. „Dogmatik“ und „Ethik“ sind bei Paulus vielmehr aufs engste miteinander verflochten. Paränese gibt es nicht ohne das Evangelium. Umgekehrt kennt Paulus keine vom christlichen Leben isolierte „Dogmatik“. Die „dogmatischen“ Grundaussagen lassen sich offenbar gar nicht an-

[2] J. A. Heising, Reflexionen zum Römerbrief, Düsseldorf 1970, 121

[3] Vgl. V. P. Furnish, Theology 101: der Röm hat von Anfang an einen ermahnenden Aspekt. aaO 110: Mahnung begegnet in eigentlich jedem Kapitel des Röm; die Kategorien „theologisch“ und „ethisch“ bringen eher Verwirrung als Klärung.

[4] Zu bedenken ist auch das Passiv μετα μορφοῦσϑε in 12,2; vgl. oben z. St.

[5] Vgl. ferner die indikativischen Aussagen in 14,3.4.7–9.15.20; 15,3–13.

gemessen zur Sprache bringen, ohne daß zugleich von ihren Konsequenzen in der Lebenswirklichkeit des Menschen die Rede wäre. Für Paulus ist die „Ethik“ nicht nur die (nachträgliche) Konsequenz aus der „Dogmatik“. Für ihn sind Indikativ und Imperativ zwei Dimensionen des Evangeliums, die notwendig zusammengehören. Es wäre zu wenig, zu sagen, daß der Imperativ auf dem Indikativ beruht oder aus ihm hervorgeht; der paulinische Imperativ ist nicht nur Folgerung aus dem Indikativ, sondern gehört wesentlich zu ihm hinzu. Paulus betreibt nicht zwei verschiedene Traktate „Dogmatik“ und „Ethik“, sondern das eine im anderen. Das eine ist ohne das andere nicht angemessen zur Sprache zu bringen: Christliches Handeln ist die notwendige Kehrseite des Glaubens.

Indikativ und Imperativ stehen bei Paulus in einer nicht aufzuhebenden Spannung zueinander.[6] Daß christliches Leben Antwort auf das ist, was Gott zuvor geschenkt hat, ist ein Grundgedanke, der in seinen Briefen immer wieder begegnet. Einige besonders markante Stellen seien genannt: Röm 6,4; Gal 5,25; 1 Thess 2,12. Paränese im Sinne des Paulus ist nicht eine Aufzählung moralischer Pflichten, sondern Aufruf zur Antwort auf das Handeln Gottes. Darum beginnt die Paränese in Röm 12,1 mit dem Hinweis auf das Erbarmen Gottes.

Die Schwierigkeit beginnt bei der Frage, wie man beides miteinander vereinbaren kann: Auf der einen Seite die Aussage, daß Gott das Entscheidende für den Menschen schon getan hat, daß ihm allein die Initiative gehört, und auf der anderen Seite die Tatsache, daß Paulus seine Gemeinden in vielfacher Weise ermahnt, so als komme es nun doch ganz entscheidend auf das Tun des Menschen an. Man darf die Spannung zwischen diesen beiden Aussagen nicht voreilig auflösen. Ein Blick auf zwei untaugliche Versuche, die Spannung nach der einen oder anderen Seite hin zu beheben, kann das Problem schärfer sehen lehren und zugleich die paulinische Position besser verstehen helfen.

Zu Anfang unseres Jahrhunderts bestand in der Exegese die Tendenz, allzu einseitig den Heilsindikativ zu betonen; dabei verfiel man bisweilen in schwärmerischen Enthusiasmus.[7] P. Wernle hatte in seinem 1897 erschienenen Buch „Der Christ und die Sünde bei Paulus“ die These aufgestellt, daß es nach paulinischer Auffassung überhaupt keine Sünde im Christenleben geben könne. Diese Position ist längst überholt. Doch hatte sie eine so starke (oft auch unbewußte) Nachwirkung,[8] daß sie hier etwas ausführlicher dargestellt werden soll.

[6] Eine gute Übersicht bieten O. Kuss, Röm 396–432; W. G. Kümmel, Theologie 199–203; O. Merk, Handeln 34–41.

[7] Dagegen wendet sich schon P. Feine, Theologie 305.

[8] P. Bläser, Mensch 247, erklärt zwar, daß die These Wernles zu weit gehe. „Aber das kann man wohl sagen: Die Sünde im Christenleben ist für Paulus eigentlich ein großes Rätsel; etwas, was mit dem Christsein eigentlich unvereinbar ist. Das Normale ist die Sündlosigkeit, . . . die Erfüllung des Willens Gottes.“

Nach P. Wernle ist Paulus der Meinung, „daß der Christ ein sündenfreier Mensch sei und als solcher vor Gott erscheine am nahen Gerichtstag . . .“[9] Daß Paulus die Sünde „in seine enthusiastische Theorie vom Christenleben nicht aufgenommen hat“,[10] hängt mit seiner Naherwartung zusammen.[11] Entsprechend war die paulinische Missionspredigt „reine Glaubenspredigt, keine Moral“.[12] „Mindestens für feinere Seelen ist gerade die Gewißheit, von Gott berufen und erwählt zu sein, das wirksamste Motiv, seiner würdig zu wandeln.“[13] Doch hat solcher Enthusiasmus auch seine Kehrseite: „Für eine sittlich feine und nüchterne Natur wie Paulus konnte das Evangelium der Rettung nur lauter Motive der Dankbarkeit, der Selbstzucht und Liebe enthalten; leichtfertigen Menschen war es eine Versuchung zu sittlicher Laxheit und Selbstgenügsamkeit.“[14] So ist die „Gleichgültigkeit gegen die sittlichen Grundgebote“, wie Paulus sie in Korinth feststellen muß, „die Folge der einseitig religiösen Missionspredigt von der Rettung durch den Glauben“.[15]

Die Position Wernles[16] hat vielfach nachgewirkt – bis heute. Ein klassisches Beispiel dafür ist das Paulusbuch von H. Weinel, der nach einem Blick auf Röm 6,20–22 die Folgerung zieht, wirkliche Sittlichkeit erblühe „nur in der Sonnenglut des religiösen Enthusiasmus“.[17] Wer begriffen hat, welcher Reichtum ihm in Glauben an Jesus Christus angeboten wird, der bedarf im Grunde der Mahnung nicht mehr.[18] für den ergibt sich das rechte sittliche Verhalten ganz von selbst.[19] Vor solchem Hintergrund muß Weinel fast erstaunt sein, daß Paulus nun doch den Imperativ kennt und seine Mahnungen in Befehlsform und nicht als einfache Aussagesätze auftreten läßt. Er kann es sich nicht anders erklären, als daß Paulus „nicht konsequent ist“.[20]

[9] P. Wernle, Christ 126.

[10] aaO 89.

[11] Paulus „rechnete nur mit seiner Generation; daran, daß die Sünde je in der Gemeinde dauernd wohnen könnte, hatte er keinen Gedanken“. aaO 77; vgl. 115. Ob der Christ auch tatsächlich nicht mehr sündigt, „das kümmert den Paulus gar nicht“. aaO 104; zwar dämmert im Römerbrief das Problem, ob der Christ noch sündige, auf, aber nur, um die Antwort zu erhalten: μὴ γένοιτο, aaO 113.

[12] aaO 35.

[13] aaO 27f.

[14] aaO 39.

[15] aaO 38. So macht Paulus von der „Theorie des Galater- und Römerbriefes, dass die Pneumatiker gar nicht anders können, als gute Früchte hervorbringen, . . . in den Corintherbriefen keinen oder nur spärlichen Gebrauch“. aaO 58.

[16] Im Hintergrund seiner recht zeitbedingten Anschauung steht der Versuch, Paulus von dem Vorwurf zu entlasten, durch ihn sei das Christentum Sündenreligion geworden; aaO 124.

[17] H. Weinel, Paulus 93; weitere Beispiele bei G. Bornkamm, Taufe und neues Leben bei Paulus, in: Das Ende des Gesetzes. Paulusstudien. Gesammelte Aufsätze Band I, München ²1958, 34–50, hier 35; vgl. zur Kritik dieser Position W. Schrage, Einzelgebote 26–29.

[18] H. Weinel, aaO 257f.

[19] „Das Glücksgefühl, welches das neue Leben dem von allem fremden Zwang erlösten Menschen ins Herz gießt, vernichtet alles Streben nach den kleinen Lustgefühlen, die zur Sünde treiben.“ aaO 94.

[20] aaO 258, vgl. 260!

M. Dibelius sieht im Imperativ nicht eine Inkonsequenz des Paulus, sondern ein Zugeständnis an die Unreife der jungen Missionsgemeinden, die „noch" der Mahnung bedürfen.[21] Auch hier steht deutlich die allzu idealistische Sicht im Hintergrund, der Christ brauche „eigentlich" keine konkrete Weisung.[22]

Angesichts solcher Äußerungen wird man vor allem die Frage stellen, ob hier nicht die Beschwernis und Alltäglichkeit, aber auch die Gefährdung des religiösen Lebens allzu schnell übersprungen wird. Es wäre eine Illusion, zu meinen, wer nur genug vom Glauben durchdrungen sei, der tue von selbst, was nötig ist. Denn das Leben des Christen spielt sich nicht nur auf den Höhen religiöser Begeisterung ab, sondern (zumeist) auf der Ebene nüchterner Alltäglichkeit. Paulus hat das wohl gewußt. Seine nüchternen Mahnungen, etwa in Röm 12f, beweisen das zur Genüge. Man kann fragen, ob diese idealistische Sicht nicht einer der wesentlichen Gründe dafür ist, daß die ethische Predigt so sehr vernachlässigt wurde. Dies sei jedenfalls als Vermutung geäußert.

Kommt bei der „enthusiastischen" Lösung[23] der Imperativ bei weitem zu kurz, so scheint umgekehrt S. Heine den dem Imperativ zugrundeliegenden Indikativ zu verwischen,[24] wenn sie den Indikativ bei Paulus interpretiert: „ihr habt den heiligen Geist empfangen, d. h. ihr habt den Jesus-Christus-Glauben als gültige Wirklichkeit an euch erfahren und lebt auch in dieser Wirklichkeit als der Gemeinschaft der Glaubenden. Ihr habt euch zu dem Leben in dieser Gemeinschaft entschlossen und den Entschluß in der Taufe vollzogen."[25] Entsprechend richtet sich dann der Imperativ darauf, in

21 M. Dibelius – W.G. Kümmel, Paulus, Berlin ^{4}1970, 84.

22 Sie scheint auch bei O. Kuss noch von ferne anzuklingen: „Es gibt die Sünde der Glaubenden und Getauften, so bestürzend eine solche Erfahrung sein mochte, und in unzähligen Mahnungen, welche das ganze menschliche Leben umfassen, hat der Apostel hier die rechten Wege zu weisen gesucht." O. Kuss, Paulus 418f; vgl. Röm 410f. Doch sagt er Röm 412 ausdrücklich, daß dies nur cum grano salis gilt.

23 Neuerdings vertritt K. Niederwimmer, wenn auch unter ganz anderen Vorzeichen, die Position, daß Paulus die Voraussetzungen des urchristlichen Enthusiasmus im Ansatz teile, allerdings die vollen Konsequenzen dieses enthusiastischen Ansatzes nicht tragen wolle: K. Niederwimmer, Problem 86f; er versucht das 88f an Röm 6 zu zeigen. Paulus sei nur vom gnostisierenden Enthusiasmus her zu verstehen, dessen Grundansatz er teile, dessen Konsequenzen er aber vermeide, aaO 90. Die Folge ist nach Niederwimmer eine nicht ganz konsequente Theologie; vor allem fehle das Gefühl der Verantwortung für die Bedingungen „draußen" in der „Welt" und desgleichen der Mut, diese Bedingungen zu ändern, aaO 91. Eine zweifellos interessante These, die Niederwimmer aber kaum begründet. Sie zeigt deutlich, wie wenig Einstimmigkeit über die rechte Einordnung des paulinischen Denkens in das geistige Kräftespiel der Urkirche bisher erreicht ist. So meint z. B. E. Käsemann, Gottesgerechtigkeit 184, „daß der Apostel in der Doppelfront gegen Nomismus und Enthusiasmus steht und sich jeweils des einen Gegners mit der Terminologie und Motivation des anderen erwehrt."

24 Vgl. die ähnliche Tendenz bei ihren Aussagen über den „Leib Christi", S. Heine, Glaube 146–150.

25 aaO 172: vgl. aaO: Der Mensch stellt sich durch den Vollzug der Taufe in die Gemeinschaft, „die ihren Glauben an den Auferstandenen zu verwirklichen sucht". Richtig dagegen J. Roloff, Theologische Realenzyklopädie II 519: „ ‚Leib Christi'

dieser Wirklichkeit des Jesus-Christus-Glaubens zu bleiben.[26] Den durch die Taufe erfolgten Existenzwandel des Menschen versteht S. Heine nicht im Sinne einer Ablöse metaphysischer Mächte, sondern als einen „Wechsel des Lebensbereiches auf Grund neu gewonnener Maßstäbe für das Verhalten".[27] Und die Autorin befindet: „Gabe als Macht Gottes interpretiert, ist streng genommen keine geschichtliche Aussage, sondern eine im Sinne schlechter Metaphysik."[28] Denn hier werde mit den Begriffen von „Macht" und „Herrschaft"[29] von Gott ein Handeln ausgesagt, dem man Konsequenzen bis in die Geschichte der Menschen zuschreibe, ohne daß man sich vorstellen könne, wie dieser Brückenschlag von Gott zu Mensch vor sich gehen sollte.[30]

Das Wort von der „schlechten Metaphysik" läßt aufhorchen und mißtrauisch werden. Es ist nun einmal die Crux jeder Theologie, daß sie von etwas reden muß, dem mit menschlichen Worten nur sehr unvollkommen beizukommen ist: dem Handeln Gottes am Menschen. Diese Schwierigkeit ist mit einem Herunterinterpretieren „metaphysischer" Aussagen auf handliche, faßliche Portionen nicht zu lösen.[31] Auch nicht mit dem Vorschlag einer „Arbeitsteilung" zwischen persönlicher Frömmigkeit und theologischer Wissenschaft.[32] Hinter dem Versuch von S. Heine steht das gewiß notwendige Anliegen, die Aussagen des paulinischen Indikativs dem heutigen Menschen zugänglich zu machen. Doch scheint hier keine adäquate Interpretation paulinischer Theologie mehr vorzuliegen, sondern eine kräftige Verdünnung. Zudem stellt sich die Frage, ob der Mensch nicht erheblich überfordert wird, wenn alles auf sein Glauben und Handeln ankommt. Wenn S. Heine auch beteuert, dieser Glaube sei kein Werk des Menschen, so mag man ihr das nicht so recht abnehmen.[33]

ist die Gemeinde bereits durch Jesu heilwirkende Tat (I Kor 10,17); sie braucht sich nicht erst durch eigene Initiative dazu zu entwickeln (I Kor 12,27 . . .)."

26 aaO 174.

27 aaO.

28 aaO 173; hier hat wohl R. Bultmann Pate gestanden, vgl. ders., Problem 136.

29 S. Heine polemisiert hier gegen E. Käsemann, Gottesgerechtigkeit.

30 S. Heine, aaO 173.

31 So wird Gal 2,20 interpretiert: „es ist ein Bildwort, in dem Sinne zu interpretieren: Maßstab meines Handelns bin nicht mehr ich, sondern es ist Christus." S. Heine, aaO 171.

32 „Denn das, was Neues schafft, . . . ‚Realität setzt', ist nicht die göttliche promissio, sondern präzise formuliert: der Glaube an die göttliche promissio, der im gemeinschaftsbezogenen Handeln setzt, was er für richtig hält. Die Aussage, daß die göttliche promissio Realität setze, ist möglich in der Sprache des Glaubens im Sinne eines Bekenntnisses, aber nicht in der reflektierenden Sprache theologischer Wissenschaft. Abgesehen vom jeweils konkreten Glauben eines Menschen läßt sich nicht von Gottes Handeln und Geben reden. Darin zeigt sich wiederum die durch das menschliche Bewußtsein gegebene Begrenztheit der Vorstellungs- und Denkmöglichkeiten." aaO 174.

33 „. . . die massiven Formulierungen wie etwa: der Geist Gottes wohnt in uns, wir sind ein Tempel des heiligen Geistes, wir sind errettet . . . können durch die synonyme Formulierung: im Glauben stehen wir (2. Kor 1,24) ersetzt werden. Der Glaube an Jesus Christus, von Gott auferweckt und für uns gestorben, schafft, indem er durch die Liebe im gemeinschaftsbezogenen Handeln wirksam wird (Gal 5,6), die Wirklichkeit Gottes, das neue Leben. Damit ist der Glaube kein Werk des Menschen,

Die Indikativ-Imperativ-Problematik sperrt sich einer zu glatten Lösung. Nimmt man die paulinischen Aussagen ernst, muß man sowohl am Indikativ wie am Imperativ unvermindert festhalten, die Spannung zwischen beiden als eine sachlich notwendige erkennen und ihr Verhältnis zueinander im Sinne einer echten Antinomie verstehen. Schon R. Bultmann hatte von einer paulinischen „Paradoxie" gesprochen[34] und gefragt, ob es sich hier nicht „um eine *echte* Antinomie handele, d. h. um sich widersprechende und gleichwohl zusammengehörige Aussagen . . ."[35] Das Nebeneinander von Indikativ und Imperativ läßt sich nicht in ein widerspruchsloses theologisches System einordnen, dessen Sätze logisch ineinandergreifen.[36] Ihr Widerspruch läßt sich nicht auflösen, „ohne daß die zugrunde liegende Sache verloren geht".[37] Paulus hat einen spekulativen Ausgleich nicht versucht. Auf der einen Seite gilt: wir sind gerettet, wir sind gerechtfertigt. Auf der anderen Seite aber heißt christliches Leben nicht einfach: passives Hinnehmen dessen, was Gott durch Jesus Christus wirkt. Christliches Dasein „vollzieht sich in der aktiven Bejahung der Gnade, in der vollen Anerkennung des Wortes Gottes, in einem Lebenswandel, durch den der Gerechtfertigte dem Evangelium entspricht . . . Der Indikativ der Rechtfertigungsaussage hat seinen Wert also nur in Verbindung mit dem Imperativ der ganzheitlichen Beanspruchung des Gerechtfertigten."[38]

Es wäre ein gefährliches Mißverständnis, der Mensch habe das von Gott angebotene Heil einfach passiv über sich ergehen zu lassen. Paulus selber muß sich schon mit solchen Mißverständnissen auseinandersetzen: In Röm 6,1 (vgl. 3,8) wird ein Vorwurf greifbar, den man schon damals dem Apostel gemacht hat, daß nämlich seine Rechtfertigungslehre die Ethik zerstöre.[39] Paulus empfindet diesen Vorwurf, aus seiner Gnadenlehre ergebe sich eine Schwächung des ethischen Impulses, geradezu als absurd. Denn er verkündet keineswegs die billige Gnade. „Es gibt keine andere Möglichkeit, Gnade zu bewahren und zu realisieren, als indem man sie dienend bewährt."[40] Seine Theologie verführt keineswegs zur Passivität. An einer ganz unerwarteten Stelle wird das besonders deutlich: in 1 Kor 15,58, am Ende des berühmten Auferstehungskapitels: „Weil es für den Christen echte Zukunft gibt, die Gott ist, weil jener auf diese hin unterwegs ist, deswegen ist sein Leben keinen Augenblick belanglos oder gleichgültig; keine Mühe ist umsonst oder sinnlos; der ganze Ernst des Lebens gilt der Gegenwart."[41]

denn er wird ja vermittelt durch Wort, Sakrament und Taten der Liebe, die Zeichen, mehr noch Träger der Wirklichkeit Gottes sind. Glaube als Motivation des Handelns wird vermittelt durch die Erfahrung des leibhaftigen, im gemeinschaftsbezogenen Handeln sichtbar gestalteten Glaubens einer Gemeinschaft. Der Glaube setzt die ihm entsprechende Wirklichkeit, die wiederum für andere zur Möglichkeit der Erfahrung von Glauben wird." aaO 172.

34 R. Bultmann, Problem 126; vgl. K. Niederwimmer, Problem 82.
35 aaO 123.
36 Vgl. W. Joest, Gesetz 177. 180.
37 K. Kertelge, Rechtfertigung 257.
38 aaO 283.
39 Vgl. N. Gäumann, Taufe 129.
40 E. Käsemann, Grundsätzliches 206.
41 A. Grabner-Haider, Geschichtlichkeit 264f.

Der Imperativ darf nicht ausgeblendet werden. Sonst zieht sich christlicher Glaube den Vorwurf zu, Opium und voreilige Beschwichtigung zu sein. Wird umgekehrt der Indikativ ausgeblendet, steht die Gefahr ins Haus, daß der christliche Glaube überfordert und Angst macht. Hier bewegt sich die Theologie auf einem schmalen Grat. Der Imperativ formuliert nicht die Bedingung, an die Gott die Gewährung des Heils geknüpft hätte. Entscheidend für ein sachgemäßes Verständnis des paulinischen Imperativs ist die Einsicht, daß Gott es ist, der das Wollen und das Vollbringen schafft (Phil 2,13). Das rechte, dem Willen Gottes entsprechende Handeln ist nicht Vorbedingung des Heils, sondern dessen Konsequenz; es ist die letztlich von Gott ermöglichte Antwort auf das, was er zuvor für den Menschen getan hat, eine Antwort, die freilich nicht ausbleiben darf.

II. Motive der Mahnung

Die theologische Grundlegung und Motivierung der Paränese ist kein überflüssiger „frommer Überbau"; sie vermag dem Menschen Anstöße und Motive für sein Handeln zu geben, die ihm eine alle umfassende Menschlichkeit ermöglichen und ihn auch über die Resignation des Mißlingens hinwegtragen können. Wer z. B. in dieser Welt das Böse durch das Gute zu überwinden sucht (Röm 12,21), darf ja keineswegs mit handgreiflichem Erfolg rechnen; er braucht die „Hoffnung gegen alle Hoffnung" des Glaubens Abrahams (Röm 4,18).[1] „Ein auf Ethik reduziertes Christentum wäre nach Paulus ein Torso, und weil dabei die entscheidenden Begründungen und Motive ebenfalls wegfielen, wäre wohl auch die Lebensfähigkeit und überzeugende Durchschlagskraft des so gewonnenen ethischen Restbestandes in Frage gestellt. Denn was soll eine Ethik, die nicht mehr begründen und motivieren kann?"[2]

In den paulinischen Briefen begegnet eine Fülle von ethischen Motivierungen. Im folgenden werden nur jene Motive erwähnt, die in Röm 12f eine Rolle spielen; daß die Motivationen des Paulus wesentlich reichhaltiger sind, darauf sei ausdrücklich hingewiesen.[3] So gewinnen wir hier nicht unbedingt ein repräsentatives Bild.[4]

Das grundlegende Motiv in Röm 12f ist der *Hinweis auf das Erbarmen Gottes* in 12,1. Von diesem erbarmenden Handeln Gottes war im 1. Teil des Röm immer wieder die Rede. Paulus ruft es seinen Lesern noch einmal ausdrücklich in Erinnerung: Gott hat durch Jesus Christus die Initiative zum Heil der Menschen ergriffen; so dürfen sich die an Jesus Christus Glaubenden

[1] Vgl. J. Blank, Problem 361.
[2] J. Blank, Indikativ 145.
[3] Vgl. O. Kuss, Röm 418–426; ein hilfreicher tabellarischer Überblick bei K. Romaniuk, Motifs 202–205.
[4] Die für Paulus zentrale Erinnerung an den Kreuzestod Jesu (vgl. dazu H. Schürmann, Wertungen 243–245) fehlt z. B. in Röm 12f, obwohl sie indirekt im Hinweis auf das „Erbarmen Gottes" in Röm 12,1 enthalten ist.

durch ihn gerechtfertigt wissen (3,21–31; vgl. 1,16f). Als durch den Glauben Gerechtfertigte haben sie neuen Zugang zu Gott, Hoffnung auf die Heilsvollendung, als durch Christus mit Gott Versöhnte haben sie Zuversicht auch angesichts des Endgerichts (5,1–11). Denn Christus hat sein Leben am Kreuz für sie dahingegeben – ein Erweis der den Sündern nachgehenden Liebe Gottes (5,6–11; vgl. 3,25f; 4,25). Durch die Taufe auf Jesu Tod sind die Getauften von der Sündenmacht befreit und dürfen Hoffnung auf ewiges Leben haben (6,1–11). Durch die Sendung seines Sohnes hat Gott die Mächte des Unheils, Sünde und Tod, überwunden und den Glaubenden seinen Geist geschenkt (8,1–11); sie sind Söhne Gottes, und so auch Erben (8,12–17), sie dürfen angesichts der gegenwärtigen Leiden und Bedrängnisse Hoffnung haben (8,18–30), denn, so faßt Paulus in 8,31–39 in großer Zuversicht zusammen: die alles Unheil überwindende Liebe Gottes in Christus Jesus begründet eine unzerstörbare Hoffnung.

An all dies erinnert Paulus die Römer, wenn er zu Beginn seiner Paränese noch einmal auf das Erbarmen Gottes verweist und seine Mahnung im Namen dieses Erbarmens ergehen läßt. Der Hinweis auf das Geschehen des Erbarmen Gottes in der Geschichte Jesu Christi[5] ist das in den paulinischen Briefen verbreitetste Motiv der Mahnung.[6] Christliches Leben ist Antwort auf das, was Gott zuvor am Menschen getan hat. Dieses Motiv steht beherrschend über dem gesamten paränetischen Abschnitt und wird Röm 14f[7] kräftig wieder aufgenommen. Die Botschaft vom Heil dient nicht nur der eigenen religiösen Erbauung. Sie will den Menschen aktivieren[8] und soll sich im Leben des Christen wie der Gemeinde als eine das gesamte Verhalten prägende Wahrheit erweisen.

Von ähnlich zentraler Bedeutung ist *das eschatologische Motiv* des Hinweises auf die Nähe des „Tages", mit dem Paulus in Röm 13,11–14 die Paränese von Röm 12f abschließt. Auch die eschatologische Hoffnung der Christen ist im 1. Teil des Röm immer wieder angeklungen: Christen dürfen sich der Herrlichkeit Gottes rühmen, der sie entgegenleben (5,2; vgl. 5,10f); als Getaufte haben sie Hoffnung, mit Christus zu leben (6,8); der Geist Gottes, der Christus Jesus von den Toten auferweckt hat, wird auch ihren sterblichen Leib lebendig machen (8,11), sie sind Miterben Christi und haben die Gewißheit, da sie mit ihm leiden, auch mit ihm verherrlicht zu werden (8,17). Das Leiden dieser Zeit bedeutet nichts gegenüber der erwarteten Herrlichkeit (8,18). Besonders in 8,18–39 wird dann wieder die zuversichtliche Hoffnung auf die von Gott besorgte Zukunft des Menschen geäußert.

Die Erinnerung an die eschatologische Erwartung in 13,11–14 ist ein entscheidendes Motiv der Mahnung.[9] Die Hoffnung des Christen hat, wo sie zur

[5] Vgl. H. Schlier, Eigenart 351.
[6] Vgl. K. Romaniuk, aaO 193f.
[7] Vgl. Röm 14,1–9. 15; 15,1–13.
[8] Vgl. E. Käsemann z. St.
[9] Daß bei Paulus Motive einer futurischen Eschatologie nicht so häufig begegnen, wie H. Schürmann, Wertungen 243, behauptet, wird man kaum sagen können. Man vgl. nur 1 Thess 2,12; 5,2f. 4f. 6ff; Röm 13,11–13a; 1 Kor 9,24–27; Phil 3,14; 1 Kor 7,29, aber auch Röm 14,10–12, vgl. 2 Kor 5,10.

lebendigen, gelebten Überzeugung wird, eine das gesamte Verhalten prägende Kraft. Die Ansage des eschatologischen Kairos und der Blick auf die Nähe des Tages geschehen nicht aus Lust an eschatologischer Spekulation, sondern stehen ganz im Dienst der Paränese.[10] Der Blick auf die künftige Rettung macht das innerweltliche Engagement keineswegs überflüssig – er fordert es geradezu. Wird die eschatologische Botschaft recht verstanden, führt sie nicht zum Träumen, lähmt sie nicht das Handeln, sondern ist sie stimulierender Antrieb dazu. Sie macht „wach". Sie schärft das Verantwortungsbewußtsein.[11] Sie ist beständiger Aufruf zur Wachsamkeit und Nüchternheit, zu verantwortlichem Handeln in der Welt und zum Kampf gegen die zerstörerischen Kräfte des Bösen.[12] Dem irdischen Tag wird „gerade durch den Blick auf den kommenden himmlischen Gewicht beigemessen, statt daß er entwertet würde".[13] Die eschatologische Erwartung ist für Paulus ein entscheidender Beweggrund für christliches Handeln. Das erwartete Endheil wird nicht in eine ferne und unverbindliche Zukunft entrückt, sondern ist eine die Gegenwart bestimmende, lebendige Erwartung.[14]

Eine spezifische Stoßrichtung hat das eschatologische Motiv in Röm 12,19, wo ausdrücklich der Hinweis auf das kommende Gericht begegnet. Dabei steht nicht der bei Paulus öfter begegnende Gedanke „einer zukünftigen Aufdeckung, Beurteilung und Bescheidung unseres Lebens"[15] im Vordergrund, sondern die Mahnung, im Blick auf Gottes Gericht auf die Wiedervergeltung am Mitmenschen zu verzichten und dem Bösen mit Gutem entgegenzutreten; im Blick auf Gottes Gericht zu vertrauen, daß das Gute die stärkere Wirklichkeit ist (Röm 12,21). Der Blick auf Gottes Gericht soll den Verzicht auf eigene Rache motivieren. Hier dient das eschatologische Motiv der Begründung einer Einzelmahnung.

Neben die grundlegenden Motive der Erinnerung an das Erbarmen Gottes und des Verweises auf die eschatologische Hoffnung treten die beiden Motive des Hinweises auf die Taufe wie auf die Wirklichkeit des einen Leibes „in Christus". Diese beiden Motive entfalten das Grundmotiv des Erbarmens Gottes.

Die *Rückerinnerung an die Taufe*[16] steht in Röm 12f deutlich zwischen den Zeilen. Zwar wird die Taufe in Röm 12f nicht ausdrücklich erwähnt. Doch handelt es sich in Röm 12,1f und 13,11–14 um Taufparänese. Be-

[10] Ähnlich ist es 1 Thess 5,8f.

[11] „Ohne den Auferstehungsglauben wäre es folgerichtig, sich ohne Verantwortung im Genießen auszuleben (1 Kor 15,32)." K. H. Schelkle, Theologie III 49; vgl. 2 Kor 5,9f; Phil 1,10f.

[12] R. Schnackenburg, Botschaft 153.

[13] E. Käsemann, Röm 350.

[14] Vgl. K. Kertelge, Röm 215; vgl. zur eschatologischen Grundstimmung der paulinischen Theologie W. Schrage, Einzelgebote 14–16.

[15] H. Schlier, Eigenart 351.

[16] Vgl. H. Schürmann, Wertungen 243–245.

sonders deutlich wird das in Röm 13,14[17]: Der Getaufte soll in seinem Leben realisieren, „was ihm in der Taufe geschehen ist, und zwar nicht nur mit einzelnen Taten, sondern mit dem ‚immer von neuem eingehen' in das ἐν Χριστῷ εἶναι, in dem er sich bewahren und bewähren soll."[18] Die Erinnerung an die Taufe ist für Paulus wichtige, eigentlich stets vorausgesetzte Begründung christlichen Handelns.[19]

Paulus muß seine Gemeinden immer wieder an die Taufe erinnern, obwohl für die meisten Christen seiner Gemeinden der Taufe ein bewußter Akt der Bekehrung voranging. Er weiß, daß die Bekehrung immer wieder in Frage steht und aktualisiert werden muß. Und so sehr er die Initiative Gottes betont, so sehr weiß er auch, daß der Mensch von Gott nicht automatisch verwandelt, sondern beansprucht wird (vgl. Röm 12,2): Die in der Taufe geschehene Abkehr von der „Welt" muß ständig neu vollzogen werden; es geht um eine Umorientierung des Denkens, eine Änderung des ganzen Wesens, die mit dem Christwerden nicht ein für allemal geleistet ist, sondern ein Leben lang bewährt werden muß.

In engem Zusammenhang mit dem Hinweis auf die Taufe steht die Motivierung des rechten Verhaltens innerhalb der Gemeinde durch *das Bild vom Leib* (Röm 12,4f). Dabei steht – jedenfalls in Röm 12 – nicht das pragmatische Motiv im Vordergrund, daß ein Leib nur funktionieren kann, wenn seine Glieder einträchtig zusammenhalten. Der Ton liegt vielmehr darauf, daß die Vielen – kraft der Taufe – ein Leib „in Christus" sind (Röm 12,5), in ihm eine Gemeinschaft bilden. Darum gehen die Christen einander etwas an.[20] Dieses Miteinander in Christus ist für den Apostel ein entscheidendes Motiv seiner Mahnung: die Mitglieder der Gemeinde sind einander anvertraut; im Nächsten begegnet der „Bruder". Nicht weil wir alle Menschen sind, nicht weil der Mensch gut ist, nicht einmal weil wir alle Geschöpfe Gottes sind, „sondern weil wir alle und ein jeder im Leben und Sterben Christus in Gnade übereignet sind, ist mir der andere und bin ich ihm zur Gerechtigkeit und Liebe überantwortet."[21]

Zwei weitere Einzelmotive sind der Hinweis auf die eigene apostolische Autorität des Paulus wie auch auf die Autorität der Schrift.

Paulus gibt seinen Mahnungen das *Gewicht seiner apostolischen Autorität:* Es sind verbindliche Äußerungen, hinter denen letztlich die Autorität Gottes steht. Wenn er in Röm 12,1 „durch die Erbarmungen Gottes" mahnt, so spricht sich in dieser Wendung die Überzeugung aus, daß das mahnende Wort des Apostels im Auftrag des göttlichen Erbarmens selber ergeht. Paulus beansprucht für sich Autorität; aber gleichzeitig weiß er, daß die Angeredeten seine „Brüder" sind. Daß die Berufung auf seine aposto-

[17] Auch die ntl. Tugend- und Lasterkataloge haben möglicherweise ihren liturgischen Ort in der Taufliturgie gehabt, E. Kamlah, Form 28; vgl. 35f.
[18] H. Schlier z.St.
[19] O. Merk, Handeln 239; vgl. H. Schlier, Eigenart 347f.
[20] E. Fuchs, Du sollst deinen Nächsten lieben 17.
[21] H. Schlier, Eigenart 350.

lische Autorität nicht Ausdruck autoritärer Selbstherrlichkeit ist, zeigt 1 Kor 15,10 (vgl. Gal 1,6.15): seine Sendung ist unverdiente Gnade, das weiß Paulus ganz genau. Schon im Briefeingang des Röm hat Paulus auf seine apostolische Autorität verwiesen (Röm 1,1.5). Doch weiß er zugleich, daß sein Apostelamt Geschenk der Gnade Gottes ist (Röm 1,5). Er verdankt seine Sendung einzig der gnädigen Erwählung durch Gott. Auch sein mühsames, entbehrungsreiches Apostelleben, in dem sich so wenig von Gottes Kraft zu zeigen scheint (und die Korinther haben offensichtlich an der wenig imponierenden Gestalt des Paulus Anstoß genommen – ein Gottesmann müßte sich anders zeigen!), kann er unter diesem Gesichtspunkt sehen: Daß der Apostel äußerlich so wenig zu imponieren vermag, hat seinen tiefen Grund: es soll deutlich werden, daß nicht seine menschlichen Qualitäten den Erfolg seiner Sendung garantieren; der Erfolg kann allein von Gott kommen (2 Kor 4,7.15; vgl. 1 Kor 2,1–5).

Paulus pocht auf seine apostolische Autorität, wo es ihm um der Gemeinde willen notwendig scheint. Doch muß man diese, im Wissen um Gottes unverdiente Erwählung gründende Bescheidenheit mitsehen – ein Zug, der sich in seinen Briefen immer wieder findet. Das Bewußtsein, daß er als Apostel (wie jeder Christ) alles dem verdankt, der ihm seine Gnade „gegeben" hat, prägt zutiefst das theologische Denken des Apostels. Das zeigt sich vor allem daran, daß ihm ähnliche Formulierungen auch an ganz „unverdächtigen" Stellen immer wieder ganz spontan und wie nebenbei in seine Sprache einfließen.[22] Aber er kann auch seine ihm von Gott verliehene Autorität als gewichtiges Motiv der Mahnung ins Spiel bringen.

Schließlich greift Paulus in Röm 12f motivierend auf die *Autorität der Schrift* zurück. Zwar wird nur in Röm 12,19f ausdrücklich auf die Schrift verwiesen, um eine Einzelmahnung zu begründen.[23] Doch ist es kaum richtig, zu sagen, das AT sei in der Sicht des Paulus „als Norm für den Christen erledigt" und komme als Richtschnur für die konkrete sittliche Entscheidung nicht in Betracht.[24] Paulus verweist Röm 12,19f auf die Autorität der Schrift, hinter der für ihn die Autorität Gottes steht.[25] Die Autorität des AT steht für ihn „ganz unbestritten fest. Ohne Zweifel kennt er doch entsprechende Jesusworte (Matth. 5,43–48; Luk. 6,27 bis 36) aber er zitiert sie nicht."[26] Die Gebote des AT haben nach seiner Überzeugung für

[22] Röm 5,5: der heilige Geist, der uns geschenkt worden ist; 1 Kor 3,5: jeder, wie es ihm der Herr gegeben hat; 1 Kor 12,7: jedem ist die Offenbarung des Geistes gegeben; 1 Kor 12,8–10: dem einen wird durch den Geist Weisheitsrede gegeben ...; 2 Kor 1,22: (Gott), der das Angeld des Geistes in unsere Herzen gegeben hat (vgl. 2 Kor 5,5); 2 Kor 5,18: Gott, der uns den Dienst der Versöhnung gegeben hat; 2 Kor 8,16: Gott, der dem Titus Eifer ins Herz gibt; 2 Kor 10,8; Vollmacht, die der Herr zum Aufbau gegeben hat (vgl. 2 Kor 13,10); Gal 3,22: damit die Verheißung den Glaubenden gegeben werde; 1 Thess 4,8: Gott, der euch seinen heiligen Geist gibt (vgl. Ez 36,27; 37,14).

[23] O. Merk, Handeln 244.

[24] Gegen W. G. Kümmel, RGG³ VI 76.

[25] 12,19b fügt er über das atl. Zitat hinaus dazu: „spricht der Herr" (κύριος = Gott).

[26] O. Michel, Paulus 158; vgl. 171: Das Herrenwort „kann sich unter dem Druck des Schriftbeweises nicht genügend entfalten".

den Christen weiterhin Gültigkeit. Das Gesetz ist heilig, das Gebot heilig, gerecht und gut (Röm 7,12); auf das Halten der Gebote Gottes kommt letztlich alles an (1 Kor 7,19). In Röm 13,9 (vgl. Gal 5,14) gibt Paulus „die Grundhaltung gegenüber den auch für den Christen verbindlichen sittlichen Normen des Gesetzes an",[27] wobei er das Liebesgebot aus dem AT zitiert!

Die tragenden Motive sind aus dem Indikativ gewonnen, in ihnen spiegelt sich die paulinische Christusverkündigung wider. Sie sind nicht zufällig gewählt; Paulus verknüpft die Mahnung auf diese Weise mit zentralen Einsichten des Glaubens, wie er sie im 1. Teil des Röm angesprochen hat: Das durch Jesus Christus begründete vertrauensvolle Verhältnis zu Gott und die daraus sich ergebende Hoffnung. Die Erinnerung an diese sinnstiftenden Grundaussagen des Glaubens ist stimulierender Antrieb, nun aus dem Reichtum solcher Hoffnung zu leben.

III. Das spezifisch Christliche der Mahnung

W. de Boor bedenkt die Versuche, die Paränese in Röm 12,9ff auf einen möglichen Rückgriff auf außerchristliche ethische Tradition zu befragen, mit bissigem Spott: „Oder verstehen wir etwa Goethes ‚Faust' dadurch besser, daß wir erfahren: Diesen Vergleich habe schon der Dichter Müller gebraucht und jener Satz finde sich so ähnlich in einem Aufsatz des Philosophen Schulze?"[1] Das ist schön gesagt – auch ein bißchen beherzigenswert. Und doch bleibt ein Unbehagen; denn hier wird auch ein gutes Stück christlichen Hochmuts sichtbar: „Mag dieser oder jener philosophische oder religiöse Schriftsteller auch schon zum Frieden gemahnt oder vor der Vergeltung gewarnt haben, bei Paulus steht das in ganz anderen Zusammenhängen. Paulus schreibt nicht hübsche idealistische Sentenzen für gebildete Leute . . ."[2] Natürlich ist richtig, daß die Ethik bei Paulus in einen ganz anderen Zusammenhang tritt. Aber ob man säkulare Ethik so negativ bewerten darf? Ob man das ernsthafte Streben nach Menschlichkeit, das sich im außerchristlichen Bereich findet, als „hübsche idealistische Sentenzen für gebildete Leute" abtun darf?[3]

Werfen wir zunächst einen Blick auf die Tatsachen. In Röm 12f findet sich eine Fülle von Anknüpfungen an zeitgenössische ethische Forderungen.[4] In Röm 12,3 mahnt Paulus, „besonnen" zu sein und nimmt damit den wohlbekannten griechischen Tugendbegriff der σωφροσύνη auf.[5] Wenn er in Röm 12,9 gut und böse kontrastiert, übernimmt er mit großer Selbstver-

[27] O. Merk, aaO 70.
[1] W. de Boor zu Röm 12,9.
[2] aaO.
[3] Man lese nur einmal die Schriften Epiktets, um sich zu überzeugen, wie ungerecht solcher Spott ist – angesichts einer Sittlichkeit, die Bewunderung abnötigt.
[4] Vgl. zur Aufnahme formaler und inhaltlicher Elemente der antiken Ethik durch Paulus W. Schrage, Einzelgebote 197–200.
[5] Vgl. G. Bornkamm, Paulus 210.

ständlichkeit gängige ethische Termini. Die Mahnungen zur Nächstenliebe (Röm 12,9),[6] Standhaftigkeit (Röm 12,12), Gastfreundschaft (Röm 12,13) und Feindesliebe (Röm 12,14.17–21) sind in der Umwelt häufig anzutreffen.[7] In den Ausführungen über das Verhältnis zu den politischen Gewalten (13,1–7) lassen Sprache und Wortwahl darauf schließen, daß Paulus Tradition übernimmt.[8] Der Lasterkatalog in Röm 13,13 greift – wie auch sonst die paulinischen Tugend- und Lasterkataloge – auf Vorlagen der Umwelt zurück. Mit seinem Aufruf zum „ehrbaren" Wandel in 13,13 nimmt Paulus bürgerliche Ethik auf.

Besonders deutlich ist die Anknüpfung an die ethische Tradition des AT. Paulus bekräftigt in 12,16–20 seine Mahnung mit atl. Sprüchen,[9] und das geschieht, wie die Einleitungsformeln zeigen, ganz bewußt. In Röm 13,9[10] zitiert er neben dem Dekalog das Liebesgebot Lev 19,18 und bekräftigt damit die Gültigkeit atl. Weisung für den Christen – und das an entscheidender Stelle: bei der abschließenden Motivation der ethischen Weisungen von Röm 12–13. Paulus zitiert das Liebesgebot in seinem atl. Wortlaut; er ist sich bewußt, daß dies nicht ein neues Gebot ist, sondern das schon im AT offenbarte.[11] Er scheint also von einer Kontinuität ethischer Normen im alten wie im neuen Bund überzeugt zu sein.[12]

Paulus greift bei seiner Paränese vielfach auf ethische Traditionen zurück.[13] „Das Alte Testament, die Lehre Jesu[14] und die beste säkulare Sittlichkeit seiner Zeit" sind in seine Weisungen eingeflossen.[15] Das ist gar nicht so verwunderlich, denn „volkstümliche Weisheit ist oft international und überkonfessionell";[16] Ethik verwendet die Erfahrungsschätze der Jahrhunderte.[17] Bei Isokrates[18] findet sich der aufschlußreiche Vergleich mit der Biene, die sich auf alle Blüten setzt – so holt man nützliches Wissen aus jeder erreichbaren Quelle. Cicero bemerkt am Anfang seiner Schrift de officiis,[19] der Gegenstand seiner Untersuchung sei gemeinsames Eigentum aller Philosophen.

[6] Vgl. auch G. Strecker, Strukturen 136.
[7] Vgl. unten C IV.
[8] Sie stammt u. U. aus der jüdischen Diaspora, O. Merk, Handeln 162.
[9] Vgl. 1 Kor 5,13; 13,5; 2 Kor 8,15.21; 9,7–10; Phil 2,15 und K. H. Schelkle, Theologie III 47.
[10] Vgl. Gal 5.14.
[11] Vgl. H. Conzelmann, Grundriß 305. „Das Christentum versteht sich nicht als neue sittliche Lehre, sondern als Einübung des Willens des altbekannten Gottes." H. Conzelmann zu 1 Kor 5,10.
[12] W. Schrage, Einzelgebote 233f.
[13] Das gilt ebenso für die übrige ntl. Paränese; sie „ist in vielfältiger Weise von jüdischen und hellenistischen Traditionen gespeist worden ... an der Tatsache, daß die urchristliche Paränese sich in weitem Umfang das Erbe der antiken Ethik angeeignet hat, kann keinerlei Zweifel bestehen ..." W. Schrage, Stellung 125.
[14] Vgl. Röm 12,14; Röm 13,8–10.
[15] J. Murphy – O'Connor, Morality 70.
[16] M. Dibelius, Geschichte 141.
[17] Vgl. V. P. Furnish, Theology 69.
[18] 436–338 v. Chr.; or. I an Demonikos 51f.
[19] Off I 2,5.

Das atl.-jüdische Ethos weist zahlreiche Beziehungen zu natürlicher und philosophischer Ethik auf.[20] Auch Paulus beansprucht keineswegs, in seinen ethischen Weisungen originell zu sein. Er beruft sich vielmehr ausdrücklich auf Tradition (vgl. Phil 4,8). Später wird der heidnische Philosoph Celsus die christliche Sittenlehre gerade deswegen kritisieren, weil sie ,,dieselbe wie die der anderen Philosophen und keine ehrwürdige noch neue Wissenschaft" sei.[21]

Auf christlicher Seite hat man es dem Apostel oft angekreidet, daß er so vieles aus der nichtchristlichen Umwelt übernehme und damit das Christliche verwässere. Nach H. Preiskers Meinung hat die Konkretisierung des Ethos auf die Einzelfälle des Alltags und der Gemeindewirklichkeit, wie sie Paulus vielfach vorgenommen hat, die zentrale Stellung des Liebesgebotes getrübt, indem er jüdische und stoische und allgemein hellenistische Gesichtspunkte damit vermengt hat.[22] Auch M. Dibelius beurteilt die Übernahme säkularer Ethik im NT wie in den ersten christlichen Jahrhunderten[23] sehr negativ. „Denn was den Gemeinden auf diese Weise an ethischer Belehrung zuteil wird, das ist zwar wertvoll, aber es ist doch eben Ethik dieser Zeit und dieser Welt. Indem sie so früh und in gewisser Verchristlichung in die Gemeinden gelangt, ja an einzelnen Stellen des Neuen Testamentes selbst noch Platz findet,[24] entsteht der Schein, als ob diese zeitbedingte Ethik in irgend einem Maße besonders christlich sei."[25] Ja, solche Übernahme heidnischer Ethik hat verhindert, ,,daß die Christen die sittliche Weltbearbeitung von Grund auf neu gestalteten".[26] Dabei hätte das Christentum die Kraft gehabt, der überalterten Mittelmeerwelt „neue Daseinsformen und neue Lebensgesetze aufzuzwingen". So aber kam es zum großen Kompromiß, und die gewaltige Offensive des christlichen Geistes auf die Welt blieb aus.[27]

[20] K. H. Schelkle, Theologie III 34 verweist auf die Übernahme der Weisheitsdichtung altorientalischer Kulturen in den Spruchsammlungen der Weisheit Israels, auf den Einfluß der griechischen Philosophie im hellenistischen Judentum, wobei vor allem Philo die Synthese zwischen Thora und Naturgesetz vollzogen hat.

[21] Orig Cels I, 4; vgl. V. P. Furnish, Theology 229f. Aufschlußreich ist die Antwort des Origenes: „Deshalb ist es gar nicht wunderbar, wenn derselbe Gott das, was er durch die Propheten und den Heiland verkündigen ließ, auch den Seelen aller Menschen eingepflanzt hat . . ." Origenes verweist dann ausdrücklich auf Röm 2,15 (Übers. P. Koetschau BKV).

[22] H. Preisker, Ethos 195; zu der weitverbreiteten Tendenz, den Weg der ntl. Ethik als eine „Abfallsbewegung" vom ursprünglichen Jesuskerygma anzusehen, vgl. die kritischen Bemerkungen bei G. Strecker, Strukturen 122f.

[23] M. Dibelius, Evangelium und Welt, Göttingen 1929, 149 verweist darauf, daß Clemens von Alexandria vieles aus heidnischer Ethik in seinen „Pädagogen" übernommen hat. Auch Ambrosius hat, als er eine Ethik für Kleriker schrieb (,,de officiis ministrorum") Ciceros Buch „de officiis" verchristlicht, das seinerseits auf den großen Traditionen griechischer, besonders stoischer Lehrer fußt.

[24] Dibelius verweist vor allem auf Phil 4,8: aaO 148.

[25] aaO 150.

[26] aaO 150.

[27] aaO 151.

Es mag auf den ersten Blick tatsächlich überraschend sein, wie viele seiner ethischen Forderungen Paulus aus dem AT oder der heidnischen Umwelt übernommen hat. Doch ist das gar nicht verwunderlich angesichts einer theologischen Konzeption, die damit rechnet, daß auch den Heiden der Wille Gottes prinzipiell erkennbar sei. Denn Paulus weiß um ein den Heiden ins Herz geschriebenes Gesetz (Röm 2,14f).[28]

In Röm 2,14–16[29] gesteht Paulus ungeschützt zu, daß sittliches Tun auch unter Heiden möglich und wirklich ist;[30] ähnlich konstatiert er in Röm 1,19–21[31] die Tatsache der Gotteserkenntnis aufgrund der Schöpfungswerke. Die Heiden tun „von Natur", aufgrund ihres Menschenwesens, die Werke des mosaischen Gesetzes.[32] Paulus ist hier von Gedanken der hellenistischen Philosophie beeinflußt;[33] danach ist alles sittliche Handeln die Befolgung der uns von Natur eingepflanzten Gesetze. Diesen – im 1. Jh. „populären" – Gedanken „übernahm das hellenistische Judentum und gab ihm die für seine Propagandazwecke wertvolle Form, daß das mosaische Gesetz der vollendete Ausdruck des in der Natur begründeten Sittengesetzes sei: IV Macc 5,25 . . ."[34] Auch Philo kennt diesen Gedanken, während er dem rabbinischen Schrifttum fernliegt.[35] Paulus berührt sich hier – vermittelt durch das hellenistische Judentum (Weish) – mit griechischer Philosophie und macht sie sich zu eigen.[36] Doch meint bei ihm das „von Natur

[28] R. Liechtenhan, Gebot 79 folgert: „Auch der Heidenchrist hat in der Gemeinde Christi keine neue Ethik zu lernen."

[29] Eine bestimmte Richtung protestantischer Exegese hat sich gerade mit Röm 2, 14–16 etwas schwer getan. Vgl. O. Kuss, Heiden 213–216; doch vgl. auch 216–220, bes. 218–220 (Bultmann); R. Bultmann, Das Problem der „natürlichen Theologie", in: Glauben und Verstehen. Gesammelte Aufsätze, I. Band ²1954, 294–312; R. Bultmann, Die Frage der natürlichen Offenbarung, in: Glauben und Verstehen. Gesammelte Aufsätze, II. Band, 79–104, bes. 89f und 99–101. Bultmann vertritt hier die völlige Exklusivität christlicher Offenbarung. Natürlich muß man sich fragen, ob dahinter nicht eine allzu schroffe Abwertung alles Natürlich-Religiösen steht, die zwar als Reaktion auf Feuerbachs Religionskritik verständlich ist, aber insgesamt gefährliche theologische Konsequenzen hat.

[30] Vgl. W. Schrage, Einzelgebote 191f. O. Kuss, Heiden 241; vgl. aaO 232, 234, 238, 239, 244, 245; s. auch O. Kuss, Röm 68–82, bes. 72–76.

[31] Vgl. dazu K. H. Schelkle, Theologie I 36f; II 28f; M. Meinertz, Theologie II 40–42. Daß in Röm 1,18ff von „der einstigen Möglichkeit und Aufgabe einer Schöpfungstheologie" die Rede ist (so E. Stauffer, Die Theologie des Neuen Testaments, Stuttgart ⁴1948, 70), geht aus dem paulinischen Zusammenhang nicht hervor.

[32] O. Kuss, Röm 73, vgl. auch E. Lohmeyer, Grundlagen paulinischer Theologie, Tübingen 1929, 23; M. Meinertz, Theologie II 42–45; K. H. Schelkle, Theologie II 29f; III 34f; R. Schnackenburg, Botschaft 233–235. Doch fügt Kuss sofort hinzu, daß nach Überzeugung des Apostels der Heide durch ein dem seinem Herzen eingeschriebenen Gesetz entsprechendes Handeln niemals das Heil gewinnen kann; das würde dem Zentralsatz paulinischer Theologie widersprechen, aaO 74; vgl. O. Kuss, Heiden 220.

[33] Vgl. zur Frage: G. Bornkamm, Gesetz und Natur (Röm 2,14–16), in: Studien zu Antike und Urchristentum. Gesammelte Aufsätze Band II, München 1959, 93–118; G. Bornkamm, Glaube und Vernunft bei Paulus, aaO 119–137.

[34] H. Lietzmann, Röm 40, mit Belegen; vgl. H. J. Schoeps, Paulus 237f.

[35] H. Lietzmann, aaO 40f; vgl. Billerbeck III 88f.

[36] Vgl. K. H. Schelkle, Theologie II 29; H. Conzelmann, Grundriß 269.

aus" nicht einfach die stoische lex naturalis: Paulus verwendet den Ausdruck „in einem unphilosophischen, populären Sinn, etwa = ‚von Hause aus, von sich aus'."[37] Wenn Paulus hier auch nur im Vorübergehen[38] von einer natürlichen Gesetzeserfüllung der Heiden spricht und dieser Gedanke gewiß nicht im Zentrum paulinischer Theologie steht[39], „so bleibt diese Lehre nichtsdestoweniger Lehre der Schrift und kann ihren Ort in der Theologie beanspruchen."[40]

Aufgrund seines Schöpfungsglaubens[41] kann Paulus den Heiden die Erkenntnis des sittlich Richtigen zutrauen. Er kann die positiven Elemente im Ethos seiner Umwelt unbefangen würdigen und z. B. die Philipper auffordern, das zu bedenken, was immer wahr, ehrbar und recht, was immer rein, angenehm und löblich, was irgend Tugend ist und Lob (Phil 4,8). Die Termini in Phil 4,8 sind der stoischen Moralphilosophie entlehnt.[42] „Man soll nicht alles von vornherein als minderwertig, nebensächlich oder ungültig beiseite schieben, was Heiden oder Juden fordern und tun. Im Gegenteil, Christen sollen über diese Tugenden nachdenken und sie auch üben . . ."[43]

Eine positive Einschätzung außerchristlicher Ethik, die dort aufscheinende Werte anerkennen kann, ist im Blick auf Röm 2,14f und Phil 4,8 die einzig angemessene Haltung: „Auf dem Gebiete der natürlichen Sittenlehre kann und muß sich – bekanntlich auch nach dem Zeugnis der Schrift Röm 2,14f – der naturgemäße, eine übernatürliche Offenbarung entbehrende Mensch mit dem durch die übernatürliche Offenbarung überhöhten treffen."[44] Die vielen Berührungspunkte mit außerchristlicher Paränese in Röm 12f, aber auch sonst bei Paulus und im NT (besonders deutlich in den Tugend- und Lasterkatalogen und den Haustafeln)[45] können den nicht über-

[37] R. Schnackenburg, Botschaft 234.

[38] Hauptthema von 1,18–3,20 ist die Allgemeinheit der Sünde und die Unentschuldbarkeit von Juden wie Heiden.

[39] So mit Recht M. Pohlenz, Paulus 80; R. Schnackenburg, Sittenlehre 44: eine Denkweise, „die der biblischen fernliegt, oder nur am Rande begegnet".

[40] O. Kuss, Heiden 241; vgl. auch O. Kuss, Paulus 387f.

[41] „Paulus ist eben . . . nicht nur Künder der 'gefallenen Schöpfung'; vielmehr bleibt ihm die Welt immerdar Schöpfung, die zu jeder Zeit den Menschen auf den Schöpfer hinweist und im Fall seines Widerstrebens ihm zur Anklage wird." K. Deißner, Anpassung und Abwehr in der ältesten Missionspredigt, ZSTh 16 (1939) 516–527, hier 520.

[42] „Phil 4,8 ist eine wohlgeformte Maxime, die durch den Inhalt, das Fehlen alles Christlichen und die Hervorhebung gesellschaftlicher und humaner Maßstäbe als übernommen gekennzeichnet wird." M. Dibelius, Zur Formgeschichte 215; vgl. Gnilka z. St.

[43] G. Friedrich zu Phil 4,8.

[44] A. Vögtle, Tugend- und Lasterkataloge 126; vgl. auch seinen Hinweis auf den logos spermatikos aaO VII. A. Bonhöffer, Epiktet 389: „Es handelt sich wahrlich nicht darum, die stoische Ethik gegen die christliche auszuspielen, sondern wie einstens beide in so manchen Vätern der christlichen Kirche sich friedlich vertragen und in aller Stille mit einander verschmolzen haben, so können sie auch heute noch sich gegenseitig ergänzen und mit vereinter Kraft dem ethischen Spektizismus und Nihilismus entgegentreten."

[45] Vgl. dazu J. Blank, Problem 358.

raschen, der den Schöpfungsglauben ernst nimmt und so – mit Paulus – damit rechnet, daß das sittlich Gute grundsätzlich allen Menschen zugänglich ist.

Da, wo es mit dem Christlichen im Einklang steht, übernimmt Paulus Elemente aus dem Ethos seiner Umwelt. Auf der anderen Seite ist er der Meinung, daß es etwas für Christen Spezifisches geben muß, daß ein Christ sich dem in seiner Umwelt herrschenden Lebensstil nicht einfach kritiklos anpassen darf (Röm 12,2), daß sein Leben sich von seinem früheren Wandel und dem der heidnischen Umgebung deutlich abheben muß.[46] Der Lasterkatalog Röm 13,13 skizziert eine Lebenshaltung, von der Christen sich eindeutig abzusetzen haben. Die Erneuerung der Sinne von Röm 12,2, die sich dem gegenwärtigen Äon nicht gleichschalten läßt, erfordert Widerstand gegen die selbstsüchtigen Triebe, von denen der Christ sein Leben nicht bestimmen lassen soll.[47]

Wo nun liegt das spezifisch Christliche der paulinischen Paränese? Wir haben es auf keinen Fall in den einzelnen ethischen Forderungen zu suchen, so als gäbe es bei den Christen bestimmte ethische „Spezialitäten“, die man bei anderen nicht finden könnte. Der Lasterkatalog in Röm 13,13 z. B. enthält nichts spezifisch Christliches![48] Auf dem Hintergrund dessen, was oben zum Stellenwert der Mahnung gesagt wurde, ergibt sich vielmehr: Das unterscheidend Christliche liegt für Paulus in der Zusage der Zuwendung Gottes zum Menschen und dem neuen Sinnhorizont, der dem menschlichen Leben damit aufgewiesen wird.[49] In der Mitte des Christlichen steht für ihn die Zusage des Evangeliums, die ein sinnvolles, von Hoffnung getragenes Leben möglich macht – trotz aller Erfahrungen von Sinnlosigkeit und Vergeblichkeit. Zugleich muß man hinzufügen: Die Antwort auf die Frage nach der Sinngebung menschlichen Lebens ist eine entscheidende Voraussetzung für das Herausfinden dessen, was für den Menschen gut und angemessen, was ihm dienlich und förderlich sei. Darum entfaltet Paulus seine „Ethik“ erst, nachdem er ihre theologischen Grundlagen gründlich bedacht hat. Christliche Ethik kommt immer von dem her, was der Christ im Glauben über die Welt und den Menschen weiß.

[46] Vgl. R. Bultmann, Problem 138f, vgl. Röm 6,12–23; 1 Kor 6,9–11; Phil 2,15.

[47] Vgl. E. Käsemann zu Röm 13,13f.

[48] W. Schrage, Einzelgebote 22 macht darauf aufmerksam, „daß die Warnung vor Gelagen, Trunkenheit, Unzucht, Ausschweifung und Ähnlichem gewiß keine spezifisch eschatologische, ja nicht einmal spezifisch christliche Warnung genannt werden kann, sondern darauf hindeutet, daß ‚eschatologische Ethik‘ nicht eo ipso auch heißt: inhaltlich außergewöhnliche, über die normalen Maßstäbe hinaus fordernde Ethik (vgl. 1 Kor 7,17ff).“

[49] „Das Proprium der christlichen Ethik im Neuen Testament besteht nicht in einem ethischen Programm, sondern in der christologischen Dimension.“ G. Strecker, Strukturen 137. Höchst fraglich und zumindest sehr verkürzt wäre es freilich, die entscheidende Funktion dieser christologischen Dimension darin zu sehen, daß sie die einem jeden ethischen System innewohnende Tendenz zur Gesetzlichkeit in Frage stellt und die Freiheit zur ethischen Entscheidung begründet, wie Strecker aaO nahezulegen scheint.

Das spezifisch Christliche der Mahnung liegt nicht in ihrem neuen materialen Inhalt. Es liegt in dem neuen Begründungszusammenhang, in den Paulus die Mahnung einordnet.[50] Diese Mitte des Christlichen führt zur Akzentuierung ganz bestimmter Tugenden, die alles andere als selbstverständlich sind, zwar auch außerhalb des christlichen Glaubens angetroffen werden können, sich aber für den Christen aus der Mitte seines Glaubens mit zwingender Notwendigkeit ergeben:[51] Die absolute Achtung vor dem anderen (Röm 12,10), die Zuwendung zu den Niedrigen und Unansehnlichen (Röm 12,16), das Wohlwollen auch gegenüber den Verfolgern und Feinden (Röm 12,14. 17–21), der Respekt vor dem, der anderer Meinung ist (Röm 14f). Damit erfährt das Liebesgebot eine radikale Zuspitzung: der andere ist immer der von Gott in Liebe angenommene und in seinem Versagen ausgehaltene und hat insofern Anspruch auf Achtung.

Man darf die dem Paulus vorausliegende Antike nicht grau in grau malen. Dort findet sich ein z. T. hohes Ethos, das zu würdigen ist. Und doch ist nicht zu übersehen, daß Paulus gegenüber weitverbreiteten antiken Grundhaltungen andere Akzente setzt.[52] Er benennt Tugenden als für den Christen verbindlich, die durchaus „gegen den Strich" dessen gehen, was in seiner Umgebung üblich ist. So betont er etwa das „Dienen" (Röm 12,7), das in seiner Umwelt nicht hoch im Kurs stand. Dort war vielfach die Selbstentfaltung der eigenen Persönlichkeit das beherrschende Ideal, während das Dienen als eines freien Mannes unwürdig galt. Hier setzt Paulus (ganz im Gefolge Jesu) deutlich einen anderen Akzent. Auch anderen in seiner Umwelt bisweilen unterbewerteten Verhaltensweisen gibt Paulus aufgrund seines christlichen Ansatzes einen höheren Stellenwert, etwa der „Demut" und dem „Erbarmen". Schließlich darf man nicht übersehen, daß Paulus in Röm 12,12 als wichtige christliche Grundhaltung die „Hoffnung" nennt, die vor Resignation bewahrt und starke Impulse zum Handeln vermitteln kann. Man muß also sagen, daß es für Paulus so etwas wie „typisch" christliche Tugenden gibt. Die Mitte des Glaubens führt zu einer Akzentuierung ganz bestimmter Haltungen. Von solchen für Christen verbindlichen Grundhaltungen soll im folgenden die Rede sein.

[50] Vgl. auch N. Gäumann, Taufe 121–123.

[51] Insofern hat H. Schürmann, Wertungen 249 Recht, daß sich die paulinischen Weisungen „nicht auf die Forderungen einer natürlichen Ethik zusammendörren lassen".

[52] Vgl. auch W. Schrage, Einzelgebote 201–209.

IV. Grundhaltungen von Christen

Es scheint eine der vordringlichen Aufgaben gegenwärtiger christlicher Verkündigung zu sein, wichtige christliche Grundhaltungen zu vermitteln, Tugenden, die der Mitte des christlichen Glaubens zugeordnet sind,und die den Weg zu einem gelingenden, erfüllten Leben aufzeigen können. Ein Einblick in die pastorale Ethik des Paulus kann hier eine wichtige Hilfe sein. Ein Blick auf die Grundhaltungen, die Paulus in seiner Paränese in Röm 12f der Gemeinde in Rom nahelegt, vermag der gegenwärtigen christlichen Verkündigung Fingerzeige zu geben, wo sie heute Akzente setzen müßte, u. U. gegen die Trends dieser Welt (vgl. Röm 12,2). Die von Paulus in Röm 12f vertretenen Tugenden sind zweifellos nicht beliebig aus einem großen Reservoir möglicher Grundhaltungen geschöpft. Sie entsprechen vielmehr den zentralen Einsichten des Glaubens, die Paulus im 1. Teil des Röm dargestellt hat und werden durch sie motiviert.

Die folgende Darstellung bemüht sich, bestimmte Akzente zu setzen, wie sie sich aus dem Duktus von Röm 12 ergeben. Am Anfang stehen drei grundlegende christliche Haltungen: Die Aufforderung zur ungeteilten Hingabe an Gott hat durch ihre betonte Stellung am Anfang von Röm 12 zweifellos besonderes Gewicht (1). Der Vollzug solcher Hingabe erfordert eine kritische Freiheit gegenüber den Trends dieser Welt (2). Die Forderung der Nächstenliebe in Röm 13,8–10 faßt nicht nur die Einzelforderungen des atl. Gesetzes, sondern auch die Einzelmahnungen von Röm 12f zusammen (3).

Ein großer Teil der Mahnungen in Röm 12f betrifft das Zusammenleben der Christen in der Gemeinde (4). Daß Christen sich in dieser Welt bewähren können, setzt einen gelebten Glauben voraus; aus einem lebendigen, im Gebet aktualisierten Glauben können Hoffnung und Standhaftigheit erwachsen (5–7). Schließlich weist Paulus auf einige modellhafte Haltungen hin, die das Liebesgebot konkretisieren: Gastfreundschaft, Barmherzigkeit und Demut (8–10), und vor allem: Feindesliebe (11).

Bei einigen dieser Tugenden wird ihre Stellung in der Umwelt des Paulus ausführlicher dargestellt. Das kann dazu helfen, die von Paulus geforderten Haltungen in ihrem Spezifikum präziser zu erfassen, kann aber auch dazu beitragen, das außerchristliche, atl.-jüdische wie pagane, Ethos achten zu lernen und unangemessene christliche Monopolansprüche zu vermeiden.

1. Gott Dienen im Alltag der Welt

Die entscheidende Forderung in Röm 12f lautet, programmatisch an den Anfang gesetzt, daß der Christ Gott dienen soll, indem er ihm seine gesamte Existenz zur Verfügung stellt. Die kultische Terminologie in Röm 12,1 will darauf aufmerksam machen, daß der entscheidende Gottesdienst, den der Christ zu leisten hat, in der Hingabe seines „Leibes“, seiner gesamten irdischen Existenz besteht: Er soll Gott nicht etwas, einen Teil seines Besitzes, opfern, sondern alles: sieh selbst - ohne Vorbehalt.

Hingabe an Gott, das heißt für Paulus: eine konsequente Ausrichtung menschlichen Lebens auf den Willen Gottes (Röm 12,2). Wenn Paulus vom „Willen Gottes" spricht, so ist das für ihn keine blasse theologische Floskel. Er selbst unterstellt sich bis in seine Reisepläne hinein dem Willen Gottes (Röm 1,10; 15,32).[1] Die Formel „Apostel Christi Jesu durch den Willen Gottes" am Anfang der beiden Korintherbriefe[2] „hebt in schlagender Kürze und Kraft die restlose Gebundenheit seines Dienstes an den Auftraggeber hervor".[3] Freilich ist das, was Gott will, den Christen nicht einfach fix und fertig vorgegeben. Sie müssen dem, was der Wille Gottes in ihrer Lebenswelt verlangt, in einem Prozeß gemeinsamen Suchens auf die Spur zu kommen suchen.

Hingabe an Gott, Suchen nach seinem Willen: Damit diese großen Worte nicht fromme Allgemeinplätze bleiben, ohne Folgen in der alltäglichen Wirklichkeit des Lebens, entfaltet Paulus im folgenden ihre konkreten Konsequenzen. Hingabe an Gott, das heißt zunächst, daß der Christ seine ihm von Gott geschenkten Gaben (und die ihm von Gott zugewiesenen Grenzen) akzeptiert und für die Gemeinde fruchtbar macht (Röm 12,3–8), daß er aus dieser Haltung der nüchternen Annahme seiner selbst den anderen in der Gemeinde mit Respekt und Achtung und brüderlicher Liebe begegnet (Röm 12,10), daß er auf die Einheit der Gemeinde bedacht ist (Röm 12,16). Hingabe an Gott schließt den Dienst an den Mitmenschen ein. Die konkreten Erweise der Nächstenliebe, die Anteilnahme an den Nöten (Röm 12,13), an Freude und Trauer der Mitmenschen (Röm 12,15), das Üben von Gastfreundschaft (Röm 12,13), die Hinwendung zu den Geringen und das Üben von Barmherzigkeit (Röm 12,8.16), das Wohlwollen und die tatkräftige Hilfe gegenüber den Verfolgern und Feinden (Röm 12,14.17–21), das Bemühen um Frieden mit allen (Röm 12,18): all diese Erweise der Liebe sind Ausdruck der Hingabe an Gott. In ihnen vollzieht sich der wahre Gottesdienst der Christen. Dieser Gottesdienst geht nicht im innerweltlichen Engagement auf; der Dienst an der Welt bedarf des Atemholens im Gebet und der Vergewisserung der Hoffnung (Röm 12,12).

Lesen wir die paulinischen Aussagen über den wahren Gottesdienst der Christen auf dem Hintergrund der zeitgenössischen Äußerungen über die Vergeistigung des Gottesdienstes (etwa bei Philo oder in den Mysterienreligionen), so wird deutlich: Für Paulus besteht der wirkliche Gottesdienst der Christen nicht in der mystischen Abkehr von der Welt, sondern in der nüchternen Annahme des alltäglichen Lebens und in dem Versuch, dort dem Willen Gottes zu entsprechen. Nicht nur im Himmel wird Gott der wahre Gottesdienst dargebracht, wie eine Äußerung der jüdischen Apokalyptik meint,[4] sondern schon hier auf Erden, indem Christen ihren Alltag dem Willen Gottes gemäß zu leben suchen.

[1] Vgl. 1 Kor 4,19.
[2] 1/2 Kor 1,1; vgl. Eph 1,1; Kol 1,1.
[3] G. Schrenk, ThW III 59, 36f.
[4] Test Lev 3,6.

Ernst Käsemann hat die griffige Formel vom „Gottesdienst im Alltag der Welt" geprägt. Röm 12,1 bedeutet für ihn das Ende jeden kultischen Denkens:[5] hier werde kultisches Denken prinzipiell aufgehoben, die Temenoi der Antike würden zerbrochen,[6] heilige Zeiten und Orte um ihren Sinn gebracht, hier werde das allgemeine Priestertum aller Gläubigen proklamiert, und damit verlören die im kultischen Sinne privilegierten Personen ihr Daseinsrecht.[7] Paulus greife in Röm 12,1 bewußt die Kultsprache auf, „um die Heiligung des Alltags als den wahren Gottesdienst der Christenheit zu charakterisieren."[8] Ähnlich meint H. Conzelmann, hier werde das kultische Verständnis der Gottesverehrung „destruiert. Diese wird nicht auf einen sakralen Raum, auf heilige Zeiten und Riten eingeschränkt. Sie geschieht im Zur-Verfügung-Stellen des Leibes und vollzieht sich im Alltag. Diese Aufforderung bekommt ja ihren Kommentar in der Paränese, die durch sie eröffnet wird . . ."[9]

Hier werden offensichtlich moderne Vorstellungen in den Text eingetragen. Die Frage nach Berechtigung oder Stellenwert des Kultes steht in Röm 12,1 gar nicht zur Debatte.[10] Man könnte zwar die von Paulus in Röm 12,1 geäußerten Gedanken in die von Käsemann angedeutete Richtung weiterdenken. Paulus selber hat es nicht getan, zumal er eben erst, in Röm 9,4, in positivem Sinn von der *λατρεία* des atl. Kultes gesprochen hat.[11]

Hinter den Äußerungen Conzelmanns und Käsemanns steht eine fragwürdige Definition des Begriffs „Kult": „Ist Kultus menschliches Handeln, das vor allem durch Opfer, aber auch durch andere Handlungen auf die Gottheit einwirkt, sie der Gemeinde gnädig und ihre Kraft für sie wirksam macht – ein Handeln ferner, das sich zu festgesetzten heiligen Zeiten, in heiligem Raume und nach heiligen Regeln oder Riten vollzieht – ein Handeln endlich, das durch Personen von besonderer Qualität, durch Priester, die zwischen der Gottheit und der Gemeinde vermitteln, vollzogen, oder, sofern die Gemeinde nicht nur rezeptiv dabei beteiligt ist, geleitet wird –, so können die Versammlungen und Feiern der christlichen Gemeinde offenbar ursprünglich nicht als kultische bezeichnet werden . . . Wenn aber der Sinn kultischen Handelns der ist, die Präsenz der Gottheit für die feiernde Gemeinde zu erwirken, so ist dieser Sinn auch für die christlichen Gottesdienste erfüllt . . ."[12]

Bestimmt man den Kult einseitig als Mittel, auf die Gottheit einzuwirken, ist es natürlich fraglich, ob es einen christlichen „Kult" gibt.[13]

[5] Vorsichtiger ist da F.J. Leenhardt z.St.: Der Kult im liturgischen Sinn ist nur ein Aspekt des Dienstes, den Gott von seinen Dienern erwarten kann. Der Kult und die anderen Formen des Gottesdienstes gehören untrennbar zusammen.
[6] E. Käsemann z.St.
[7] E. Käsemann, Gottesdienst 201.
[8] E. Käsemann, Amt 122.
[9] H. Conzelmann, Christus 23.
[10] Vgl. H. Schlier, Röm 385, Anm. 63.
[11] Vgl. dagegen die negative Wertung des heidnischen Kultes in Röm 1,25.
[12] R. Bultmann, Theologie 124f.
[13] H. Conzelmann, Grundriß 63; vgl. 283f.

Versteht man dagegen den Kult als Ort des Handelns Gottes am Menschen, und eben nicht als menschlichen Versuch ritueller Einwirkung auf Gott, wird man mit Recht von einem christlichen „Kult" sprechen dürfen.[14] Allerdings ist die Alternative „entweder handelt Gott im Kult – oder der Mensch" zu einfach.[15] Überdies bleibt zu fragen, ob „Kult" als Handeln des Menschen nur im Sinne menschlicher „Eigenmächtigkeit" interpretierbar (und dann abzulehnen) ist. Kult kann auch spontanes selbstvergessenes Preisen Gottes sein, Feier erfahrenen Lebenssinnes; von einem solchen Aspekt her wird fraglich, ob man antikes Kultwesen pauschal als unzulässigen Versuch menschlichen Einwirkens auf die Gottheit verstehen und verurteilen darf.[16]

Natürlich wäre es absurd, Käsemanns Parole vom „Gottesdienst im Alltag der Welt" dahin mißzuverstehen, als werde hier Gottesdienst im Sinne liturgischen Vollzugs überhaupt abgelehnt.[17] Käsemann will keineswegs den Gottesdienst und den gelebten Alltag des Christen gegeneinander ausspielen. Das widerspräche eindeutig der zentralen Stellung, die der Gottesdienst in den ersten christlichen Gemeinden hatte.[18] Käsemann weist ausdrücklich darauf hin, daß Gottesdienst und Sakramente eine wichtige Bedeutung haben. „Jedoch sind diese Veranstaltungen nicht mehr, wie es kultischem Denken entspricht, grundsätzlich vom christlichen Alltag derart getrennt, daß sie etwas anderes als die Verheißung für ihn und den Ruf in ihn hinein bedeuteten. 1. K. 10,1–13 heben aufs schärfste heraus, daß in die weltliche Profanität verlängert werden muß, was dort beginnt, wenn es nicht statt Verheißung Grund für das Gericht sein soll. Entweder ist das ganze christliche Leben Gottesdienst und geben die Versammlungen und sakramentalen Handlungen der Gemeinde dafür Ausrüstung und Wegweisung oder die letzten werden faktisch ad absurdum geführt. Nicht der Kult trägt das Leben, obgleich dieses der Stärkung, Tröstung und stets neuen Verankerung im spezifisch gottesdienstlichen Geschehen bedarf."[19]

Zwar hat Käsemann hier seine vorher ausgegebene Parole, in Röm 12 falle „notwendig die Lehre vom Gottesdienst mit der christlichen ‚Ethik' zu-

[14] Vgl. H. Kasner, Bemerkungen 151f.

[15] O. Cullmann, Urchristentum 11, Anm. 1: „. . . wir werden sehen, dass es gerade zum Wesen der urchristlichen Gemeindeversammlungen gehört, dass hier Gott in Christus handelt, nicht der Mensch." Vgl. G. Delling, Gottesdienst 15. Die Liturgiekonstitution des 2. Vaticanums sieht beides als sich ergänzende Aspekte der Liturgie, vgl. G. Hasenhüttl, Charisma 341f.

[16] Vgl. dazu H. Schürmann, Neutestamentliche Marginalien zur Frage der Entsakralisierung. Recht und Grenzen des theologischen Säkularismus, in: Ursprung und Gestalt. Erörterungen und Besinnungen zum Neuen Testament, Düsseldorf 1970, 299–325, hier 308, auch 309.

[17] Obwohl seine verführerische Formel vom „Gottesdienst im Alltag der Welt" leicht auf diese falsche Fährte einer Abwertung des Gottesdienstes locken kann.

[18] Vgl. G. Delling, Gottesdienst; O. Cullmann, aaO; H. J. Kraus, Gottesdienst 197–206. Schon M. Dibelius hatte auf die zahlreichen Hymnen und sonstigen kultischen Texte hingewiesen, die sich im NT ganz oder fragmentarisch erhalten haben, Zur Formgeschichte 219–227.

[19] E. Käsemann zu Röm 12,1.

sammen",[20] korrigiert (zumindest präzisiert), doch bleibt das Bedenken, ob die Stellung des Gottesdienstes im christlichen Leben richtig gesehen ist. Wird hier der Gottesdienst nicht – als Zurüstung für den Alltag – „verzweckt"? Kennt nicht auch Paulus den „zwecklosen" Lobpreis Gottes? Kennt nicht das AT die „zwecklose" Freude an Gott, die sich im Gottesdienst äußert?[21] Es scheint, als sei auch hier die Gefahr eines ethisierenden Verständnisses christlichen Gottesdienstes nicht ganz vermieden; das Gott-Dienen der Christen kann auf keinen Fall in Ethik aufgehen.[22]

Doch muß man das Anliegen sehen, das Käsemann vertritt: Daß Gott das ganze Leben des Menschen beansprucht und sich kein Bereich des Lebens diesem Anspruch entziehen läßt. Käsemann sieht es als eine akute Gefahr, daß das Evangelium seinen Bezug zur Wirklichkeit verlieren könnte und nur noch einen Sektor des Lebens, aber nicht mehr das menschliche Dasein in allen seinen Dimensionen umfaßt.[23] Damit trifft er zweifellos ein wichtiges Grundanliegen des Paulus: daß nämlich Gottesdienst nicht nur einen schmalen Ausschnitt des Lebens, sondern das Leben als Ganzes betrifft. Käsemann wird nicht müde, auf diesen Aspekt hinzuweisen.[24] Allerdings hat man den Eindruck, als ob er dabei z. T. offene Türen einrennt: Natürlich spielt sich das vom Christen geforderte Opfer im „Alltag der Welt" ab. „Wo denn sonst?" fragt H. Schlier unwirsch[25] und mit gewissem Recht. Schon im AT ist deutlich, daß Gottesdienst „immer das ganze Leben erfassen will".[26] Gottesverehrung zielt im AT auf die Totalität des Lebens ab.[27] Auch Paulus besteht in Röm 12,1 auf der „Hingabe des ganzen Menschen in seiner leibhaftigen Realität".[28]

Für Paulus sind Gottesdienst, Feier des Herrenmahles, gemeinsames Beten notwendiger Bestandteil des Lebens einer christlichen Gemeinde. Allerdings plädiert er in 1 Kor 11,17–34 sehr energisch für ein Zusammenstimmen von Gottesdienst und mitmenschlichem Verhalten. In der korinthischen Gemeinde war es beim Herrenmahl zu Spannungen zwischen einigen reichen, sozial höherstehenden Christen und dem Gros der Gemeinde ge-

[20] E. Käsemann, Gottesdienst 201; vgl. zur Kritik an Käsemann K.A. Bauer, Leiblichkeit 180f, Anm. 27.

[21] „Die Riten . . . sind der dankbare, zeichenhaft dargestellte Lobpreis und die hoffende Vertrauensäußerung, daß Jahwe sich als ‚jahweh' erwiesen hat und erweist. Sie sind Vollzüge ‚für Jahwe', durch die sich der Mensch dafür öffnet, sein Leben als Geschenk seines Gottes zu erhalten. In ihnen tritt Israel seinem Gott gegenüber, nicht primär, um sich vor ihm oder durch ihn zu sichern, sondern um seine Gottheit und seine Güte anzuerkennen." E. Zenger, Ritus 94.

[22] H.J. Kraus, aaO 204; vgl. G. Delling, aaO 23.

[23] Vgl. E. Käsemann, Vom theologischen Recht historisch-kritischer Exegese, ZThK 64 (1967) 259–281, hier 261f.

[24] Vgl. auch E. Käsemann, Paulus und der Frühkatholizismus, in: Exegetische Versuche und Besinnungen, Band II, Göttingen [2]1965, 239–252, hier 248f.

[25] H. Schlier, Röm 385, Anm. 63.

[26] H.J. Kraus, aaO 180; vgl. E. Zenger, aaO 93f.

[27] H.J. Kraus, aaO 177.

[28] W. Thüsing, Opfer 40.

kommen, das eher aus den unteren Schichten stammte.[29] Die Reichen blieben selbst beim Gemeindemahl „unter sich" und ließen die Armen ihre Abhängigkeit spüren.[30] Paulus kritisiert dieses Verhalten in aller Schärfe. Er verweist auf den Sinngehalt des Herrenmahles, dem ein solches Verhalten diametral widerspricht. Was im Gottesdienst gefeiert wird – die Hingabe Jesu an die Menschen –, muß auch im menschlichen Miteinander zum Tragen kommen.[31]

Ein Blick auf 1 Kor 11,17–34 zeigt, wie sehr in der Sicht des Paulus Gottesdienst und mitmenschliches Handeln einander bedingen. Das mitmenschliche Handeln lebt aus dem Impuls des Gottesdienstes. Umgekehrt drängt der Gottesdienst notwendig zum brüderlichen Handeln – jedenfalls, wenn ernstgenommen wird, was dort geschieht. Gott beansprucht das ganze Leben des Menschen, nicht nur einen Teil. Genau darum geht es in Röm 12,1: Die Aufforderung, die Leiber zum Opfer hinzugeben, insistiert auf der Hingabe des ganzen Menschen, aus der sich kein Teilbereich des Lebens aussparen läßt. Das ganze Leben des Menschen wird zum Ort der Hingabe an Gott. Der Skopus von Röm 12,1 liegt nicht in der Relativierung oder Aufhebung kultischen Denkens, sondern in dem Hinweis, daß sich Gottesdienst und Dienst an der Welt nicht trennen lassen. Sie sind eins.

2. Freiheit gegenüber der Welt

Die ganze, ungeteilte Hingabe an Gott erfordert eine kritische Distanz zur Welt, eine innere Freiheit gegenüber den in dieser Welt herrschenden Maßstäben, gegenüber den Werten und Zielen, die Menschen in dieser Welt üblicherweise verfolgen. Diesen zweiten, grundlegenden Aspekt entfaltet Paulus in Röm 12,2. Paulus mahnt, sich dieser Welt nicht anzupassen. Der hier geforderte Abstand zur Welt darf nicht mit Weltflucht verwechselt werden. Es geht vielmehr um die innere Freiheit gegenüber einer Welt, die einen letzten Sinn nicht garantieren kann. „Das Leben des Christen ist nach Paulus ebenso

[29] G. Theißen, Integration 182–186. In Korinth scheint die Situation so gewesen zu sein, daß einige dominierende Gemeindemitglieder aus den oberen Schichten der Mehrzahl der aus den unteren Schichten stammenden Gemeindemitglieder gegenüberstanden; eine so unterschiedlich strukturierte Gemeinschaft steht vor der schweren Aufgabe, „verschiedene schichtspezifische Selbstverständlichkeiten, Erwartungen, Interessen auszugleichen." aaO 181. Eine Gemeinschaft, die durch alle Schichten hindurch „Brüderlichkeit" verwirklichen will, wird natürlich vor manche Zerreißprobe gestellt, vgl. aaO 205f.

[30] Es scheint so gewesen zu sein, daß einige reichere Christen durch ihre Spenden das Gemeinschaftsmahl ermöglichten. Brot und Wein wurden durch die Herrenworte als Eigentum des Herrn deklariert und so allen zur Verfügung gestellt, nicht aber die Zukost (vor allem Fleisch), die den Reichen vorbehalten blieb. Vgl. aaO 186–200.

[31] „Paulus rückt hier angesichts schichtbedingter sozialer Konflikte das Sakrament in den Mittelpunkt, um eine größere soziale Integration herzustellen." aaO 204. Eine etwas einseitig soziologische Sichtweise, die aber auf einen oft vergessenen Aspekt verweist.

weit entfernt von Weltverfallenheit wie von Weltflucht. Der Glaube befreit zur Unabhängigkeit von der Welt und verpflichtet doch zugleich zur Bewährung in ihr."[32]

Der Apostel hat das Verhältnis des Christen zur Welt besonders scharf in 1 Kor 7,29–31 thematisiert.[33] Dieser Text wirkt auf den ersten Blick recht befremdlich; denn man gewinnt den Eindruck, als dürfe sich der Christ nicht mit wirklichem Ernst und innerer Beteiligung auf die Welt und ihre Verhältnisse einlassen und auf ihr Gelingen bedacht sein:[34] „denn die Gestalt dieser Welt vergeht" (1 Kor 7,31). Das Befremdliche liegt gerade darin, daß Paulus die Haltung des „als ob nicht", der inneren Distanz, gegenüber solchen Gütern und Werten dieser Welt fordert, die nicht von vornherein als negativ oder sündig zu bestimmen sind:[35] Ehe, Trauer und Freude, Besitz.

H. Braun behauptet, Paulus beziehe in 1 Kor 7,29–31 eine stoische bzw. stoa-nahe Position,[36] nämlich die der Ataraxie, der Empfindungslosigkeit gegenüber den Gütern dieser Welt.[37] Tatsächlich will auch der Stoiker, etwa Epiktet,[38] sein Herz nicht an die Güter der Welt hängen, sondern plädiert für die Unabhängigkeit von den dem Menschen begegnenden Dingen. So meint Epiktet, man solle sich nicht berühren lassen von der Trauer eines anderen; die Trennung von geliebten Menschen dürfe einen nicht erschüttern, und in diese Haltung habe man sich beständig einzuüben.[39] Nach H. Braun vertritt Paulus diese stoische Haltung, aber sie werde von ihm (glücklicherweise) nicht konsequent durchgehalten.[40] Denn für Paulus sei das (von Epiktet abgelehnte)[41] Mitleid etwas Positives (Röm 12,8) und Röm 12,15 mahne er, sich mit den Fröhlichen zu freuen und mit den Weinenden zu weinen.[42] Man könne schon fragen, ob Paulus gut daran tue, in 1 Kor 7,29–31 eine solche stoa-nahe Position zu beziehen; denn das eigentliche Anliegen des Paulus sei nicht die Autarkie stoischer Indifferenz, sondern die Liebe.[43]

Doch ist die Betonung der Liebe nicht der einzige (und nicht der entscheidende) Differenzpunkt zwischen der paulinischen und einer stoischen Welthaltung. Paulus vertritt hier nicht eine (inkonsequente) stoische Position, sondern eine von Grund auf andere Einstellung zur Welt – wobei es

[32] G. Bornkamm, Paulus 212.
[33] Bei der ähnlich programmatischen Aussage Gal 6,14 geht es um das Grundanliegen des Gal: Die Welt ist für Paulus gekreuzigt, abgetan, und das meint hier: alles falsche Vertrauen und Sich-Rühmen, das auf Beschneidung und Gesetz und damit auf die eigenen Möglichkeiten setzt, vgl. J. Becker, F. Mußner, H. Schlier z.St.
[34] Vgl. B. Schüller, Handeln 233.
[35] Vgl. W. Schrage, Stellung 130.
[36] H. Braun, Indifferenz.
[37] Beispiele auch bei W. Schrage, Stellung 132f.
[38] Vgl. W. Schrage, aaO 133–136; H. Braun, aaO passim.
[39] Beispiele bei H. Braun, aaO 160, vgl. 163.
[40] aaO 166.
[41] Beispiele aaO 166, Anm. 71.
[42] aaO 166.
[43] aaO 167.

allerdings einen Bereich gibt, in dem sich beide Haltungen überschneiden. Der entscheidende Differenzpunkt liegt in der eschatologischen Erwartung, die deutlich den Hintergrund von 1 Kor 7,29–31 bildet. Paulus erwartet ein wirkliches zukünftiges Handeln Gottes an Welt und Geschichte. Daß das nur eine dem damaligen Weltbild entsprechende und so heute nicht mehr nachvollziehbare[44] Einkleidung der (dann mit Epiktet übereinstimmenden) allgemeinen Wahrheit sei, „daß der Mensch über die Dinge nicht verfügt, sondern sein äußeres Leben in extremer Ungesichertheit lebt",[45] ist eine unzulässige Einebnung der paulinischen Eschatologie. Die stark von der eschatologischen Erwartung geprägte Haltung des Paulus ist von der eher pragmatischen (und wohl allzu optimistischen) Meinung Epiktets ein ganzes Stück entfernt, man könne sich durch einen Rückzug nach innen selbst in die Hand bekommen und so die Weltüberlegenheit durch eigenen Entschluß erringen.[46]

Die Aussagen in 1 Kor 7,29–31 sind auf dem Hintergrund der spätjüdischen Apokalyptik zu verstehen, die mit der Betonung der kommenden Welt und der Abwertung dieser Welt einem tiefen Geschichtspessimismus zuneigte:[47] „Denn das, was jetzt geschieht, ist nichts. Was aber in Zukunft sein wird, ist sehr gewaltig."[48] Aus solcher Einschätzung der Welt folgt ein Verhalten, das deutlich an 1 Kor 7,29–31 anklingt: „Ihr Bauern, sät nicht länger, und du Erde, warum gibst du die Früchte deiner Ernte her? . . . Und ihr, Brautleute, kommt nicht herein (ins Brautgemach)! Ihr Bräute, wollt euch nicht mit Kränzen schmücken! Und ihr, o Weiber, betet nicht, daß ihr Kinder gebärt. Denn die Unfruchtbaren werden viel mehr fröhlich sein, und freuen werden sich, die keine Kinder haben, und die, die Kinder haben, werden traurig sein. Denn warum sollen sie mit Schmerzen noch gebären und unter Seufzern dann begraben?"[49] Eine geradezu verblüffende Ähnlichkeit mit 1 Kor 7,29–31 weist 4 Esr 16,42–45[50] auf: „Wer da verkauft, sei so, als ob er es verschmähte! Wer einkauft, so, als ob er es verlöre! Wer handelt, so, als ob er nicht Gewinn empfänge! Wer baut, sei so, als ob er's nicht bewohnen dürfte! Wer sät, sei so, als ob er nimmer ernten würde! Wer Weinstöcke beschneidet, so, als ob er (keine) Weinles hielte! Wer heiratet, sei so,

[44] „„Denn wer wollte den Rahmen einer zeitlich bevorstehenden Eschatologie mit Paulus festhalten, nachdem das Wesentliche in ihr, die Naherwartung, sich als Irrtum erwies?" aaO 164. Doch vgl. R. Schnackenburg, Existenz I 183: „Mag Paulus aus seiner Naherwartung der Parusie eine verkürzte und damit verschärfte Perspektive haben, so ist sie doch grundsätzlich gültig: Diese Welt hat keinen Bestand, läuft unaufhaltsam, wenn auch vielleicht noch jahrhundertelang, ihrem Ende zu . . ."

[45] H. Braun, aaO 164.

[46] W. Schrage, aaO 134f; vgl. 137f; zur Kritik an H. Braun s. O. Kuss, Paulus 130.

[47] Vgl. H. J. Schoeps, Paulus 94.

[48] syr Bar 44,8 A.F.J. Klijn; vgl. 4 Esr 5 (7), 16.

[49] syr Bar 10,9. 13–15 A.F.J. Klijn. Gerade das letzte ist heute oft zu hören, Ausdruck einer ähnlich resignierenden Haltung.

[50] 4 Esra 16 wird gewöhnlich zusammen mit Kapitel 15 als 6 Esra bezeichnet; vgl. W. Schrage, aaO 139–144.

als ob er keine Kinder zeugte! Wer ledig, so, als ob er schon verwitwet wäre."[51]

Die Texte illustrieren deutlich die resigniert-schwermütige Haltung der Apokalyptik,[52] wie sie für eine Spätzeit typisch ist. Wahrscheinlich übernimmt Paulus in 1 Kor 7,29–31 einen apokalyptischen Topos; dafür spricht die Einführungsformel *τοῦτο δέ φημι, ἀδελφοί* (vgl. 1 Kor 15,50).[53] Die Weltflucht und den Pessimismus der Apokalyptik teilt Paulus allerdings nicht. Denn die Distanz zur Welt hat bei ihm ein positives Vorzeichen: „Das Alte ist vergangen, siehe, Neues ist geworden." (2 Kor 5,17).

Die Haltung, wie sie Paulus in 1 Kor 7,29–31 vertritt, ist weder apokalyptische Weltflucht, noch die stoische Distanz eines Rückzugs in die Innerlichkeit.[54] In der kynisch-stoischen Philosophie wie in der Apokalyptik ist die Haltung des Abtands (bei aller Unterschiedlichkeit des weltanschaulichen Hintergrundes) letztlich Ausdruck einer tiefen Resignation. Bei Paulus steht der Glaube im Hintergrund, der diese Welt zunächst einmal positiv als Gottes Schöpfung versteht, für diese Welt eine gute Zukunft von Gott her erwartet, und damit auch nüchtern weiß, daß die Güter dieser Welt nichts Letztes, Endgültiges sein können. Das wird besonders an dem vierten der von Paulus genannten Beispiele deutlich: „Nicht das Kaufen als solches wird in Frage gestellt, sondern das *κατέχειν*, das Behalten, das Festhalten, das Besitzen. Wer kauft, soll nicht so tun, als kaufe er gar nicht, sondern er soll nicht meinen, er könne über das Gekaufte in alle Zukunft verfügen."[55] Paulus meint nicht, der Christ solle sich in dieser Welt überhaupt nicht engagieren und das, was er tut, in kühler Distanz oder nur mit halbem Herzen betreiben.[56] Vielmehr will er davor warnen, Vergängliches zum absoluten Wert zu erklären: Die Welt, ihre Geschichte und all das, was darin dem Menschen wertvoll und wichtig ist, haben ihren Sinn nicht in sich selbst.[57] Es ist töricht, sich an die Dinge der Welt „wie an unvergängliche Werte zu klammern."[58]

Die paulinische Ethik steht auf dem Hintergrund des Wissens um die Vergänglichkeit der Welt. Die Überzeugung, daß diese Welt keinen Bestand

[51] 6 Esr 2 (16), 42–45 P. Riessler. Natürlich darf man bei einem so späten Text (um 100) keine literarische Abhängigkeit vermuten, vgl. V.P. Furnish, Theology 37. Doch heißt das keinesfalls, daß die Verwandtschaft mit einem so späten Text „kaum Beweiskraft" habe, wie S. Schulz, Evangelium 487 behauptet. Immerhin zeigt 4 Esr, daß im Milieu der Apokalyptik Aussagen möglich sind, die nah an 1 Kor 7,29–31 heranreichen.

[52] Vgl. syr Bar 44,9f: „Denn alles wird vorbeigehen, was vergänglich ist, und alles Sterbliche wird dahingehen. Alle Jetztzeit wird vergessen werden, und nicht wird man sich mehr erinnern an die Gegenwart, die mit Bosheiten besudelt ist. Wer jetzt schon läuft, der läuft umsonst, und wer glücklich ist, der wird schnell fallen und erniedrigt werden." A.F.J. Klijn.

[53] W. Schrage, aaO 138f.

[54] Vgl. H. Halter, Taufe 373.

[55] W. Schrage, aaO 151.

[56] aaO 149.

[57] Vgl. H. Halter, aaO 374.

[58] R. Schnackenburg, Existenz I 183.

hat, wirkt sich natürlich auf die Lebensziele und Wertmaßstäbe aus, die jemand verfolgt. So muß der Christ seinen Weg zwischen Weltflucht (1 Kor 5,10) und Weltverfallenheit (Röm 12,2) hindurch zu finden suchen.[59] Er kann dieser Welt nicht einfach davonlaufen oder ihrem Risiko ausweichen[60] (1 Kor 5,10). Er muß zum Dienst an der Welt bereit und offen sein. Was aber der Welt und dem Menschen im letzten guttut, kann er nur finden, wenn er weiß, wie es um diese Welt bestellt ist. Paulus weiß um die Vergänglichkeit dieser Welt. Dieses Wissen führt jedoch nicht zum resignierten Desinteresse an der Welt und ihren Aufgaben. Es steht auf dem Hintergrund des Wissens um das Erbarmen Gottes: „Ein von Gott getragenes Leben ist anders als ein solches, das sich selbst tragen muß, auch wenn es genauso verläuft wie dieses, weil es und sofern es seine Geborgenheit immer wieder vergißt. Eine von Gott in ihrer Selbst-sucht und ihrem Selbstruhm in Liebe ausgehaltene und davon verständigte Welt ist anders als eine solche, die einsam vergeht . . . Gerade deshalb beschwört der Apostel, bevor er auf das Verhältnis des Christen zur Welt zu sprechen kommt, diesen neuen Horizont – das Erbarmen Gottes! –; er weiß, daß man sich anders zur Welt verhält, wenn man sie in seinem Licht sieht, und nicht nur im Licht einer erbarmungslosen und deshalb auch unbarmherzigen Welt."[61]

Das nüchterne Wissen um die Vergänglichkeit der Welt führt zu einer kritischen Infragestellung der Maßstäbe und Ziele, die in dieser Welt gelten. Christen können sie nicht ungeprüft übernehmen. Sie können sich in ihren Entscheidungen nicht einfach am Herkömmlichen orientieren. Sie müssen ethische Entwürfe, die ihnen begegnen, kritisch prüfen, im ernsthaften Suchen nach dem, was der Wille Gottes ist (Röm 12,2). Offensichtlich rechnet Paulus nicht damit, daß der Wille Gottes immer klar zutage läge. „In der Verwirrung menschlicher Verhältnisse ist er oft sehr tief verborgen."[62] Paulus weiß, daß man prüfen, abwägen und Mühe aufwenden muß, will man dem Willen Gottes auf die Spur kommen. Er mutet den Christen die Mühe solchen Prüfens zu – aber er traut ihnen auch die Urteilskraft zu, die zu erkennen vermag, was der Wille Gottes ist.[63] Der Aufruf zum kritischen Prüfen ergeht in Röm 12,2 nicht an den einzelnen Christen, sondern an die Gemeinde; sie soll einen Lebensstil zu finden suchen, der sich nicht einfach den in dieser Welt herrschenden Trends anpaßt, sondern dem Wissen um das Erbarmen Gottes entspricht, das die Mitte ihres Glaubens bildet.

Die Weltdistanz, zu der Paulus aufruft, ist nicht mit Gleichgültigkeit zu verwechseln. Das zeigt die Mahnung in Röm 12,15, sich mit den Fröhlichen zu freuen und mit den Weinenden zu weinen. Damit setzt Paulus einen anderen Akzent als in 1 Kor 7,30: Freude und Weinen werden als Ausdruck der konkreten menschlichen Situation ernstgenommen. Paulus fordert dazu

[59] Vgl. O. Merk, Handeln 241.
[60] Vgl. H. Schlier, Christ 241; W. Schrage aaO 127.
[61] H. Schlier, aaO 236.
[62] G. Dehn, Leben 25.
[63] Vgl. Röm 14,5; 1 Kor 10,15; 1 Thess 4,9; 5,21.

auf, am Leben der anderen nicht gleichgültig vorbeizuleben, an dem Anteil zu nehmen, was den anderen bewegt, Freude und Leid der Mitmenschen ernstzunehmen und zu teilen.

Die Mahnung in Röm 12,2 zielt nicht nur negativ auf den Widerstand gegen die Trends dieser Welt, sondern vor allem positiv auf die Erneuerung des Sinnes. Christliche Mahnung gewinnt ihre Überzeugungskraft nicht aus der negativen Warnung, sondern aus dem Aufzeigen positiver Alternativen, aus dem Aufweis eines menschlicheren, überzeugenderen Lebensentwurfs. Solches Umdenken geschieht aus der Mitte des Glaubens, angesichts der in Jesus Christus erfahrenen Barmherzigkeit Gottes. Diese Erneuerung ist nicht menschliche Leistung, sondern durch Gottes Zukommen auf den Menschen ermöglicht, eine Überzeugung, die sich bei Paulus bis in unscheinbare sprachliche Äußerungen (das Passiv *μεταμορφοῦσθε* in Röm 12,2) hinein immer wieder zeigt. Wenn Paulus in 13,11 fordert, aufzuwachen, sich vom Schlaf zu erheben, so ist die gleiche Grundbewegung gemeint, die in 12,2 mit der Distanz von „dieser Welt" und der Erneuerung des Denkens umschrieben ist; jeder Konformismus mit der Welt ist ein Weltenschlaf oder auch ein Weltentraum.[64] Es geht also nicht um eine Entwertung des Irdischen, sondern letztlich um jene christliche Freiheit, die realitätsgerecht handeln kann.

3. Nächstenliebe

Alles christliche Handeln steht für Paulus unter dem Vorzeichen der Nächstenliebe. Sie ist nicht eine Forderung neben anderen, sondern der Generalnenner, auf den er in Röm 13,8–10 sowohl die Einzelgebote des atl. Dekalogs als auch alle Einzelmahnungen von Röm 12f zurückführt. Die Weisungen von Röm 12f stehen im Kontext der Liebesforderung (12,9; 13,8–10). Die Liebe ist „das allen Geboten Gemeinsame"[65] (vgl. auch Gal 5,14).

Man hat oft – gemäß dem Augustinuswort „Liebe, und tue, was du willst" – behauptet, das Liebesgebot stehe so sehr im Zentrum des paulinischen wie ntl. Ethos, daß daneben alle anderen Gebote verblassen und konkrete Einzelgebote sich im Grunde erübrigen: Wer wirklich liebt, der wisse auch in jeder Situation, was er zu tun oder zu lassen hat.[66] F. Mußner spricht von einer „radikalen Reduzierung der Forderungen des Gesetzes auf das Liebesgebot"; das ganze Gesetz werde in die Liebe „aufgehoben".[67]

[64] Vgl. H. Schlier zu Röm 13,11.

[65] E. Kühl, Röm 438; vgl. auch H. Hübner, Das ganze und das eine Gesetz. Zum Problemkreis Paulus und die Stoa, KuD 21 (1975) 239–256, bes. 248.

[66] Vgl. E. Kühl, aaO: Die Liebe erfüllt alle nur denkbaren Forderungen des Gesetzes und macht sie überflüssig. Vgl. dagegen W. Schrage, Deutung 207; ders., Einzelgebote 9–12; H. Schürmann, Gesetz 291.

[67] F. Mußner zu Gal 5,14.

Das ist in dieser Zuspitzung kaum richtig. Vielmehr sucht Paulus für die Einzelgebote, deren Gültigkeit er ausdrücklich unterstreicht, ein all diese Einzelgebote übergreifendes und zusammenfassendes Prinzip: Das Gesetz in all seinen Einzelforderungen meint nichts als die Agape.[68] Auch die Weisungen des atl. Gesetzes erhalten vom Liebesgebot her neue Verbindlichkeit. In Röm 12f nennt Paulus eine ganze Reihe von einzelnen Haltungen, die das im Liebesgebot angezielte Verhalten an konkreten Beispielen verdeutlichen. Paulus ist offenbar von der Notwendigkeit auch inhaltlich-konkreter Weisungen überzeugt, an denen deutlich wird, was die Liebe vom Christen fordert. Die Einzelforderungen des Gesetzes wie die zahlreichen Einzelmahnungen in seinen Briefen sind für Paulus (notwendige!) „Entfaltungen der einen Mahnung zur Liebe".[69]

Das Neue Testament steht mit der Betonung der Liebe nicht einzig da. Kaum eine Richtung der antiken Philosophie hat die allgemeine Menschenliebe so betont in den Mittelpunkt gestellt, wie die Stoa. Das zeigt sich besonders bei Epiktet und Seneca.[70] Zwar darf man nicht übersehen, daß die Forderung der Menschenliebe (bis hin zur Feindesliebe) bisweilen recht pragmatisch begründet wird: es geht um die Wahrung der inneren Ruhe und Stetigkeit des Weisen.[71] Doch sollte man das hohe Ethos der Stoa nicht voreilig herabsetzen, sondern es unbefangen anerkennen.

Die Nächstenliebe ist eine Grundforderung des AT.[72] Der zentrale Text Lev 19,18 wird von Paulus in Röm 13,9 zitiert und damit anerkannt. Die in Lev 19,18 aufgetragene Nächstenliebe wird Lev 19,33f von den Stammesgenossen auf die „Fremden", die „Gastarbeiter", ausgedehnt, mit der ausdrücklichen Motivation, „ihr seid ja auch Fremdlinge gewesen in Ägypten". Die gleiche Motivation findet sich Dt 10,18f; dort wird ein noch tieferes Motiv sichtbar: Gott ist der, der auch den Fremdling liebt.[73] Lev 19,33f zeigt ein waches sittliches Empfinden: die Bedrückung des Gastes wird verboten, und damit der Ausnutzung der wirtschaftlichen Überlegenheit des ortsansässigen Vollbürgers gegenüber einem auf Schutz angewiesenen Fremden ein Riegel vorgeschoben.[74]

Man hat gegenüber diesem hohen atl. Ethos oft eingewendet, hier bleibe die Liebesforderung dennoch auf den Stammesgenossen beschränkt; bestenfalls die ortsansässigen Fremden würden noch einbegriffen, aber eine Ausdehnung des Liebesgebotes auf den „Ausländer" finde nicht statt.[75] Diese Kritik ist ungerecht. Man darf ja nicht vergessen, daß im AT dem durchreisenden Ausländer gegenüber „das traditionelle und sehr hohe Ethos der

[68] H. Schlier zu Röm 12,9.
[69] H. Schlier, Eigenart 355.
[70] Zahlreiche Beispiele bei H. Preisker, Ethos 68–71; vgl. auch G. Schneider, Neuheit 265f.
[71] Vgl. H. Preisker, aaO 70f.
[72] Vgl. den hilfreichen Überblick bei R. Völkl, Botschaft 30–48.
[73] Vgl. Spr 14,31: „Wer den Geringen bedrückt, schmäht dessen Schöpfer."
[74] Vgl. M. Noth z.St.
[75] Vgl. z.B. L. Berg, Liebesgebot 133.

Gastfreundschaft" galt.[76] Ebenso vorsichtig sollte man mit dem Hinweis sein, in Lev 19,18 erscheine das Liebesgebot „nicht als Summe oder Zentrum der ganzen den Mitmenschen betreffenden Gottesforderung, sondern als ein Einzelgebot von nur schwer festzulegender Bedeutung und Tragweite innerhalb einer höchst gemischten Akkumulation anderer sittlicher und ritueller Einzelgebote";[77] es nehme im AT doch nur eine periphere Stellung ein.[78] Zweierlei ist dazu zu sagen: Einmal darf man nicht nur auf die ausdrückliche Formulierung „Nächstenliebe" achten, sondern muß die gesamte Grundhaltung des atl. Ethos gegenüber dem Mitmenschen bedenken.[79] Zum anderen dürfte sich die Behauptung, das AT kenne im Grunde nur die Liebe gegenüber den Angehörigen des eigenen Volkes, wollte man damit die Überlegenheit des christlichen Ethos herausstellen, sehr schnell als Bumerang erweisen: Auch aus dem NT ließen sich – nicht nur bei böswilliger Interpretation – zahlreiche Aussagen zusammenstellen, in denen sich die Liebe auf den Kreis der Gemeinde zu beschränken scheint.[80] So hat man geradezu vom „johanneischen Ghetto" gesprochen.[81] Wir werden auf diese Frage noch zurückkommen.

Auch im außerbiblischen Judentum begegnen wir häufig der Liebesforderung,[82] besonders nachdrücklich in den Testamenten der Zwölf Patriarchen. Ein Beispiel für viele: „Den Herrn liebte ich und ebenso jeden Menschen mit aller meiner Kraft."[83] Zwar stehen solche Aussagen stets in einem weiteren Zusammenhang,[84] so daß die Doppelforderung der Gottes- und Nächstenliebe dennoch keine grundsätzliche Hervorhebung erfährt,[85] doch finden sich in der außerbiblischen Ethik des Judentums auch Ansätze, einen „Generalnenner" des Ethos zu finden;[86] solche Versuche werden vor allem gegenüber Außenstehenden (Aristeasbrief, Philo) und Bekehrungswilligen (Hillel) unternommen.[87] Arist 207 fragt der ägyptische König einen Juden nach der „Lehre der Weisheit" und wird als Antwort auf die Goldene Regel hingewiesen: „Wie du nichts Schlechtes erleiden, sondern

[76] N. Lohfink, Liebe 234; vgl. zur Sache J. Fichtner, ThW VI 312,30–313,13. Für die LXX ist ein weiterer Gesichtspunkt zu bedenken: Sie gibt das hebräische רֵעַ durch πλησίον wieder und wählt damit „gewiß nicht zufällig einen Terminus, der ganz besonders allgemein und weit ist und in keiner Weise auf den ‚Genossen des Bundes' eingeengt werden muß." aaO 313,25–30.

[77] A. Nissen, Gott 278.

[78] aaO 279.

[79] Genauso unangemessen wäre es, zu behaupten, Paulus habe die „Feindesliebe" nicht gekannt, weil in Röm 12,14–21 das Stichwort „Liebe" nicht fällt.

[80] Vgl. N. Lohfink, Liebe 235 zu den johanneischen Schriften.

[81] Vgl. S. Légasse, L'amour 138–142; 148–152.

[82] Zahlreiche Beispiele sind zusammengestellt bei A. Nissen, Gott 287–301; H. Preisker, Ethos 71–75; G. Schneider, Neuheit 259f; 262–265; E. Stauffer, ThW I 40, 12-36.

[83] Test Iss 7,6 J. Becker; vgl. 5,2; Test Dan 5,3.

[84] in diesem Fall Test Iss 4–7.

[85] G. Schneider, Neuheit 262.

[86] Vgl. H. Preisker, Ethos 73f.

[87] Vgl. G. Schneider, aaO 274.

an allen Gütern teilhaben willst, – wenn du so gegen die Untergebenen handelst und die Missetäter – wie die anständigen Leute – milde zurechtweist. Denn auch Gott führt alle Menschen mit Milde."[88] Noch deutlicher führt Philo die Einzelgebote des Gesetzes auf die Gottes- und Nächstenliebe zurück: „Und es gibt so zu sagen zwei Grundlehren, denen die zahllosen Einzellehren und -Sätze untergeordnet sind: in Bezug auf Gott das Gebot der Gottesverehrung und Frömmigkeit, in Bezug auf Menschen das der Nächstenliebe und Gerechtigkeit; jedes dieser beiden zerfällt wieder in vielfache, durchweg rühmenswerte Unterarten."[89]

Ansätze zu einer solchen Konzentration des sittlichen Anspruches auf einige wichtige Grundprinzipien finden sich auch im rabbinischen Judentum; die Ergebnisse gehen freilich weit auseinander.[90] Berühmt geworden ist das Ansinnen eines Heiden an Rabbi Schammai, ihn zum Proselyten zu machen unter der Bedingung, daß der Rabbi ihn das ganze Gesetz lehre, während er auf einem Fuße stehe. Hier wird deutlich nach dem zentralen Punkt der Thora gefragt. Die Antwort Schammais ist eine glatte Abfuhr: er jagt den Heiden mit einem Meßstock fort, den er gerade in der Hand hat. Darauf wendet sich der Heide mit seinem Anliegen an Rabbi Hillel, der ihn als Proselyten annimmt und seine Frage beantwortet: „Was dir unliebsam ist, das tu auch deinem Nächsten . . . nicht. Dies ist die ganze Tora, das andre ist ihre Auslegung; geh hin und lerne das."[91] Bei Rabbi Aqiba (+ um 135) und Ben Azzai (um 110) findet sich die Bezeichnung des Liebesgebotes als einer großen, allumfassenden Hauptregel in der Thora.[92] Doch ist die Behauptung, damit habe Aqiba die Nächstenliebe zum Zentrum der Ethik gemacht, „ebenso häufig wie falsch".[93] Denn er nennt das Liebesgebot *eine* große Hauptregel, nicht aber *die* größte; im übrigen erscheint in der Lehre Aqibas die Liebe nicht als tragender Leitgedanke.[94] Das gilt auch für die Gesetzesdiskussionen der Rabbinen: Lev 19,18 erscheint „ausnahmslos als ein Gebot in der Kette anderer, das als Einzelgebot wie andere zu berücksichtigen und zu befolgen ist".[95] Allerdings nimmt es als Einzelgebot einen besonderen Rang ein.[96] Die Reichweite des Gebots der Nächstenliebe wird gegenüber dem AT wieder verengt; so gewährte man dem ortsansässigen Fremdling lediglich eine einjährige Schonzeit – bekehrte er sich innerhalb dieses Jahres nicht zu Israel, sollte er nicht mehr als Nächster behandelt werden.[97]

88 N. Meisner.
89 Philo, spec II 63; vgl. virt 51: „Der Frömmigkeit ganz nahe verwandt und geradezu Zwillingsschwester von ihr ist die Menschenliebe . . ."
90 Vgl. den Überblick bei Billerbeck I 907 f.
91 Billerbeck I 357.
92 Vgl. aaO III 306; I 357–359.
93 A. Nissen. Gott 289.
94 aaO 289f. Man muß also jeweils fragen, ob die zentrale Stellung des Liebesgebotes bei einem Autor an einigen Stellen als Ahnung aufblitzt, oder ob sie seine gesamte Position spürbar prägt.
95 A. Nissen, aaO 292.
96 aaO 293.
97 Vgl. E. Fuchs, Du sollst deinen Nächsten lieben 3; Billerbeck I 353ff.

Bei Paulus wird die Liebe eindeutig und bewußt zur zentralen Grundhaltung; sie ist nicht nur eine Tugend neben anderen,[98] sondern der Generalnenner des gesamten Ethos. Die Liebesforderung ist in der ihr vorausgehenden Liebe Gottes zum Menschen begründet.[99] Nur in der Bejahung der Liebe Gottes „kann auch die Liebe zum Nächsten echte Liebe sein, d. h. Liebe die nicht auswählende Liebe aus Sympathiegefühlen ist, und die deshalb ewig ist und nicht hinfällt (1. Kor. 13,8).“[100] Gottes Liebe zum Menschen provoziert geradezu die Zuwendung zum Mitmenschen. Die Liebe ist nicht menschliche Leistung, sondern Wirkung, Geschenk des Geistes.[101] Sie ist nicht einfach selbstverständliche menschliche Grundhaltung; sie muß dem Menschen geschenkt und ermöglicht werden. Die Christen sind „von Gott belehrt, einander zu lieben“ (1 Thess 4,9). So sehr die Liebe Geschenk des Geistes ist, so sehr ist sie auf der anderen Seite Gegenstand menschlichen Bemühens. Paulus fordert 1 Kor 14,1, der Liebe „nachzujagen“; und wenn er in 1 Thess 5,8 von der Rüstung des Glaubens und der Liebe spricht, so zeigt das militärische Bild, daß nach der Überzeugung des Paulus ein Leben aus der Liebe dem Christen nicht selbstverständlich in den Schoß fällt; es bedarf der Anstrengung und des Kampfes. Ähnlich wünscht er 1 Thess 3,12 seiner Gemeinde, daß die Liebe reicher werde und zunehme, wobei nicht nur die Bruderliebe innerhalb der Gemeinde, sondern ausdrücklich die Liebe zu „allen“ in seinem Blick steht. Phil 1,9 erbittet er der Gemeinde ein Wachsen in der Liebe; „denn im Christenleben gibt es keinen Stillstand, sondern entweder Wachsen oder Verkümmern“.[102]

Die Liebe fordert Rücksicht dem andersdenkenden Bruder gegenüber (Röm 14,15). Die Liebe allein baut auf; dagegen bewirkt die „Erkenntnis“, die jemand für sich (allein) beansprucht, Überheblichkeit und zerstört die Gemeinschaft (1 Kor 8,1).[103] Die christliche Freiheit, die Paulus proklamiert, bedeutet keineswegs Bindungslosigkeit; sie hat ihre Grenze an dem, was der Christ seinem Mitmenschen schuldet: Dienet einander in Liebe (Gal 5,13). Die Echtheit des Glaubens erweist sich daran, wie weit er sich auswirkt, zur Praxis der Liebe führt (Gal 5,6). Und das bis hin zum Geldbeutel: 2 Kor 8,7f. 24. Die Ernsthaftigkeit der Liebe zeigt sich an dem, was Christen konkret für andere zu tun bereit sind, hier an der materiellen Hilfe, die Paulus von der Korinthergemeinde für die Gemeinde in Jerusalem erbittet. Wie weit sich die Korinther an der Geldsammlung für Jerusalem beteiligen, das ist für Paulus ein Prüfstein ihrer Liebe. Dabei hofft er, daß sich seine eigene Liebe auf die Korinther überträgt, daß sein Einsatz ansteckend und mitreißend wirkt (2 Kor 8,7).

[98] R. Liechtenhan, Gebot 85.
[99] Liebe Gottes: Röm 5,5. 8; 8,39; 2 Kor 13,11. 13; Liebe Christi: Röm 8,35; 2 Kor 5,14.
[100] R. Bultmann, Gebot 243f.
[101] Röm 15,30: Gen. auct., O. Michel z.St.; Gal 5,22.
[102] G. Friedrich z.St.
[103] Vgl. die Mahnung zur Einmütigkeit Phil 2,1f.

Liebe heißt für Paulus allerdings nicht, allen Konflikten auszuweichen, alles mit dem Mantel der Liebe zuzudecken. Der scharfe „Tränenbrief", den er nach Korinth geschrieben hat,[104] ist gerade in seinem Ernst Ausdruck seiner Liebe, seiner Sorge um die Gemeinde, die er, wenn nötig, in aller Schärfe vor einem falschen Weg warnt (2 Kor 2,4). Liebe ist auf das bedacht, was dem anderen guttut, und das kann – je nach Situation – auch unnachgiebige Strenge sein. Liebe darf allerdings nicht nachtragen; sie schließt die Bereitschaft ein, dem anderen zu vergeben. Das proklamiert Paulus nicht nur mit großen Worten (1 Kor 13,4–7), das praktiziert er auch: Ein Gemeindemitglied in Korinth hatte den Apostel tief verletzt und in unheilvoller Weise die Gemeinschaft zwischen ihm und der Gemeinde gestört und belastet[105] (2 Kor 2,5; 7,12). Die Gemeinde, die sich hatte beeinflussen lassen, inzwischen aber in der Mehrzahl ihr Unrecht erkannt hat, hat sich nun so sehr von dem Betreffenden distanziert (2 Kor 2,6), daß Paulus für ihn eintritt: die Gemeinde soll gegen ihn Liebe üben, ihm vergeben, damit er nicht ganz entmutigt wird (2 Kor 2,7f). Die Liebe verlangt, dem zu verzeihen, der einem wirklich Unrecht tat und einen tief verletzt hat. Dazu ist Paulus bereit (2 Kor 2,10). Solche Bereitschaft erwartet er auch von der Gemeinde.

Die Liebe, wie sie Paulus fordert, ist alles andere als selbstverständlich. „Sie ist langmütig, sie ist gütig, sie sucht nicht das ihre . . . sie tut eigentlich all das, was ‚man' für gewöhnlich nicht tut."[106] Ihr innerstes Wesen ist die Hingabe an den anderen im Gegensatz zu einem egoistischen Sich-Selber-Wollen.[107]

In der Konzentration auf das Gebot der Liebe stimmt die paulinische Paränese bis in den Wortlaut mit der synoptischen überein.[108] „Das Liebesgebot als die Erfüllung des Gesetzes gehört – als Überlieferung vom Herrn – zum Grundbestand der frühen Paränese."[109] Der Begriff des „Nächsten" wird von Jesus national entschränkt, ohne daß er einer neuen universalen Abstraktion verfällt: Der Nächste ist der, der mir jeweils begegnet und dessen Not mich konkret anfordert: Lk 10,25–37.[110]

Allerdings scheint an einigen Stellen der paulinischen Briefe der Radius der Nächstenliebe wieder eingeschränkt zu werden, etwa durch die Aufforderung, sich „gegenseitig" zu lieben.[111] Vor allem in Gal 6,10 scheint die Nächstenliebe verengt zu werden: „Laßt uns allen Gutes tun, am meisten

104 Er ist vermutlich in 2 Kor 10–13; 2,14–7,4 erhalten.

105 H. D. Wendland zu 2 Kor 2,5, unter Hinweis auf W. G. Kümmel; die näheren Einzelheiten lassen sich aus den knappen Andeutungen des Paulus nicht mehr rekonstruieren.

106 F. Böckle, Proprium 159.

107 Vgl. W. Schrage, Einzelgebote 253.

108 Vgl. Mk 12,38–41 parr.

109 H. Conzelmann, Grundriß 305.

110 Vgl. F. Mußner zu Gal 5,14.

111 Röm 13,8a; 1 Thess 4,9, auch Röm 12,10.16; vgl. 1 Petr 1,22; 1 Joh pass.; Joh 13,34; 15,12.17.

aber den Glaubensgenossen."[112] Auch in Röm 12f interessiert Paulus zunächst das Verhältnis der Christen innerhalb der Gemeinde. Ab 12,14 weitet sich dann der Horizont. Ähnliches beobachten wir in Gal 5,13. 15; 6,1. 2.6. Auch dort hat Paulus zunächst das Innenverhältnis der Gemeindeglieder zueinander im Blick; erst in 6,10 geht die Mahnung über diese Grenze direkt hinaus.[113] Ein ähnlicher Übergang ist in 1 Thess festzustellen: in 4,1–10 und 5,12f geht es vor allem um das Verhältnis der Christen zueinander; das Verhältnis zu den Außenstehenden wird jeweils danach reflektiert: 4,11f und 5,14f.

Eine solche Gewichtung der Mahnung ist im Grunde selbstverständlich: Das Liebesgebot muß zunächst im regelmäßigen täglichen Zusammenleben realisiert werden. Zu bedenken ist in diesem Zusammenhang, daß für die urchristlichen Gemeinden in der gegenseitigen Liebe zwischen Menschen ganz verschiedener sozialer, völkischer und religiöser Herkunft die Nächsten- und Feindesliebe konkret verwirklicht wurde, zumal diese Gemeinden missionarische Gemeinden waren und andere in ihren Kreis zu ziehen suchten. „Deshalb ist gegenseitige Liebe nicht notwendig Verengung der Nächsten- und Feindesliebe und steht auch nicht grundsätzlich in Gegensatz dazu, so sehr diese Gefahr eintreten kann. Gegenseitige Liebe ist zunächst einmal Bewährung der Nächsten- und Feindesliebe im regelmäßigen Zusammenleben."[114] Christliche Liebe ist keine theoretische Fernstenliebe, sondern erweist sich vor allem an den Menschen, die einem am nächsten stehen.[115]

Man wird eine solche Akzentsetzung noch weniger erstaunlich finden, wenn man bedenkt, daß die paulinischen Gemeinden sich als Minderheiten in einer völlig andersdenkenden Umgebung zu behaupten hatten. Überdies wird eine junge Bewegung, die ihre eigene Identität erst noch finden muß,

[112] Man hat Paulus diese Bemerkung oft als Einschränkung der Liebe angekreidet. So bemerkt H. Weinel, Paulus 188, hier fange „die kirchliche Verengung der Liebe" an. Ähnlich urteilt H. Preisker, Ethos 184: hier sei ein „Abstrich gegenüber der unbegrenzten Lebensfülle der Liebe, wie sie Jesus kennt", festzustellen. Auch C. H. Ratschow, Agape 174, ist hier mit Paulus nicht ganz zufrieden. – Gegenüber solchen Einwänden macht A. Juncker, Ethik 255, mit Recht geltend: „Die Worte, die in unmittelbarem Zusammenhang mit der Mahnung zur materiellen Versorgung der Gemeindelehrer stehen, sprechen nichts anderes aus als den völlig einwandfreien, ja direkt selbstverständlichen Gedanken, daß die Glaubensgenossen als die dem Christen zunächst gestellten auch das nächste und dringendste Anrecht auf seine Liebe haben oder, negativ gewendet, daß Lieblosigkeit gegen die Brüder ein doppelt schweres Unrecht sei." An der ähnlichen Aussage in 1 Kor 6,8 habe noch niemand Anstoß genommen. Vgl. auch H. Halter, Taufe 447 und F. Mußner z. St.

[113] Vgl. J. Becker zu Gal 5,13; F. Mußner bemerkt zu Gal 5,14, zwar bleibe die Universalität des Liebesgebotes bestehen, doch werde zugleich eine Rangordnung aufgestellt, wie sie sich in der Predigt Jesu so nicht findet.

[114] F. Hahn, Grundlagen 40.

[115] G. Friedrich zu 1 Thess 3,12.

das Moment der Abgrenzung stärker betonen.[116] Um so erstaunlicher ist es im Grunde, wie häufig wir bei Paulus die Aufforderung finden, die Liebe auf alle Menschen auszudehnen – bis hin zu den Verfolgern der Gemeinde. Christliche Liebe darf an den Grenzen der Gemeinde nicht haltmachen.[117]

4. Der Christ und die Gemeinde

Die Paränese in Röm 12f ergeht weithin in der 1. oder 2. Person Plural. Lediglich 12,7f spricht Paulus neutral, 12,20f und 13,9 b (jeweils veranlaßt durch das atl. Zitat) individuell.[118] Die gesamte Paränese in Röm 12f richtet sich an die Gemeinde, nicht an den einzelnen Christen. Die Gemeinde ist es, die aufgerufen wird, zu prüfen, was Gottes Wille ist (Röm 12,2). Der rechte Weg ist nur im Miteinander zu finden, „nicht aber in der selbstgenügsamen Isolierung eines von der Gemeinde unabhängigen Individuums."[119] Auch sonst richtet Paulus die Aufforderung zum Erkennen und Prüfen fast immer an eine Mehrzahl.[120]

Paulus stellt den Einzelmahnungen bewußt das Bild vom Leib voran. „Es gibt keine vereinzelten Christen. Wer ‚in Christus', ‚im Geiste' ist, ist damit auch gleichzeitig ein Glied des ‚Leibes'."[121] Auf dem Hintergrund des Bildes vom Leib in Röm 12,4 f wird deutlich, daß in Röm 12,3 nicht bloß vor persönlicher Eitelkeit oder Selbstgefälligkeit gewarnt wird; es geht vielmehr um die rechte Einordnung des Einzelnen in das Ganze der Gemeinde; der Einzelne soll seinen ihm von Gott zugewiesenen Platz in der Gemeinde annehmen. Ein von der Gemeinde losgelöstes privates Christsein wäre für Paulus undenkbar. Kein Glied kann sagen: ich gehöre nicht zum Leib; und keines kann zum anderen sagen: ich brauche dich nicht (1 Kor 12,15–21). Nur im Zusammenwirken der verschiedenen Begabungen kann Gemeinde werden. Die Zugehörigkeit zur Gemeinde als dem einen Leib in Christus erfordert vom einzelnen Christen, sein Charisma selbstlos in die Gemeinde einzubringen (a) und sich um die Einheit der Gemeinde zu bemühen (b).

a. Nüchterne Einschätzung des eigenen Charisma

In der Charismenliste Röm 12,6–8 stellt Paulus sehr unterschiedliche Gaben nebeneinander. Die Wiederholungen in 12,7. 8a scheinen Selbstverständliches zu sagen und fast überflüssig zu sein. Doch will Paulus gerade durch dieses Stilmittel dazu auffordern, die von Gott zugeteilte Rolle zu akzep-

[116] Vgl. S. Légasse, L'amour 146f.
[117] Vgl. Röm 12,14.17.20f; Gal 6,10; Phil 4,5; 1 Thess 3,12; 5,12.
[118] Auch 13,3f spricht in der 2. Person Singular.
[119] W. Schrage, Einzelgebote 176.
[120] H. Schürmann, Gemeinde 22.
[121] aaO 20.

tieren. Ein ungutes Konkurrenzdenken zwischen den verschiedenen Charismen schadet der Gemeinde. Es würde übersehen, daß gerade die Mannigfaltigkeit und Ungleichheit der Gaben ein Gewinn ist, eine notwendige Voraussetzung dafür, daß Gemeinde funktionieren kann. Eine wesentliche christliche Grundtugend ist für Paulus die nüchterne Selbsteinschätzung, die zur Annahme der dem einzelnen Christen zugewiesenen Situation und Aufgabe führt (12,3–8).

Paulus ist davon überzeugt, daß jeder in der Gemeinde ein bestimmtes Charisma empfangen hat.[122] Keinem gibt Gott alles – und keinem nichts. Die Überzeugung, daß Gott jedem Menschen seine Lebensaufgabe zuweist, findet sich auch im Judentum. So spricht Arist 224 die Überzeugung aus, daß Gott dem Menschen seinen Platz im Leben anweist – das aber sollte jeden Neid ausschließen. In den Briefen des Paulus stoßen wir häufig auf diesen Gedanken. So in 1 Kor 7,17, wo er ganz ähnlich wie Röm 12,3 formuliert: ἑκάστῳ ὡς μεμέρικεν ὁ κύριος.[123] In dieser oft kritisierten Stellungnahme des Paulus zu Ehe und Ehelosigkeit steht die Überzeugung im Hintergrund, daß Gott jedem seine besondere Lebensaufgabe zugewiesen hat, in der es sich zu bewähren gilt. Jeder soll nach den ihm verliehenen Möglichkeiten leben: Dieser Gedanke zieht sich wie ein roter Faden durch das ganze Kapitel 1 Kor 7: 7,7. 17. 20. 24.[124]

Die konkrete Situation, in der der einzelne lebt, bedeutet nach der Überzeugung des Paulus Berufung durch Gott,[125] der von jedem erwartet, daß er seine persönliche Situation bejaht und annimmt. Diese Glaubensüberzeugung kann dazu führen, in nüchterner Sachlichkeit an der jeweils zugewiesenen Aufgabe zu arbeiten. Das Charisma ist nicht zur Selbstbestätigung und Vervollkommnung des Einzelnen gegeben, sondern dazu, daß die Gemeinde

[122] Dieser Gedanke findet sich übrigens auch in der Enzyklika mystici corporis und in Aussagen des 2. Vatikanischen Konzils: G. Hasenhüttl, Charisma 324f; 331–333.

[123] Vgl. auch 1 Kor 3,5. Hier geht es um die ungute Konkurrenz der Korinther, die sich einerseits auf Paulus, andererseits auf Apollos berufen (vgl. 1 Kor 1,10–17; 3,4). Paulus hält von solchem Konkurrenzdenken nichts. Im Bild vom Pflanzen und Gießen versucht er der Gemeinde klarzumachen, daß jeder von beiden seine je besondere Bedeutung für den Aufbau der Gemeinde hat (1 Kor 3,6–8). Die Funktion beider aber geht letztlich auf den Herrn zurück, der ihnen ihre Aufgabe zugewiesen hat, wobei der Apostel dann in 1 Kor 3,10–15 auf seine eigene „grundlegende" Bedeutung für die Gemeinde hinweist, vgl. J. Hainz, Ekklesia 48–51.

[124] Zur rechten Einordnung von 1 Kor 7 muß man beachten, daß Paulus sich hier mit rigoristisch-asketischen Strömungen in der Gemeinde von Korinth auseinandersetzt. Sonst läuft man Gefahr, Paulus in die Reihe antiker Ehe- und Sexualdiskreditierung einzuordnen, vgl. W. Schrage, Zur Frontstellung der paulinischen Ehebewertung in 1 Kor 7,1–7, ZNW 67 (1976) 214–234. Ehemüdigkeit und Ehepessimismus waren in der Spätantike fast eine Modeerscheinung, K. H. Schelkle, Theologie III 253.

[125] Subjekt der Berufung ist in 1 Kor 7,7 (χάρισμα ἐκ θεοῦ!) und Röm 12,3 θεός, in 1 Kor 7,17 κύριος.

lebendig bleibt und wächst. Würde der Einzelne Selbstbestätigung und Ehre suchen, würde das bedeuten, daß er sich den Spielregeln „dieser Welt" (Röm 12,2) angepaßt hat. Paulus warnt ausdrücklich vor einer überheblichen Selbstüberschätzung (Röm 12,3. 16).[126] Gerade die nüchterne Einsicht in die Begrenztheit des Einzelnen und die Verschiedenheit der Gaben macht eine Verabsolutierung und Isolierung des Einzelnen unmöglich und macht auf den Reichtum der Gemeinde aufmerksam, in der die verschiedenen Fähigkeiten zum Wohl aller zusammenspielen.

Unser Begriff „Fähigkeit" entspricht nicht genau dem, was Paulus mit Charisma meint. Mit dem Wort „Begabung", wörtlich verstanden, würde man das von Paulus gemeinte präziser treffen. Das griechische Wort *χάρισμα* haftet „seiner Bedeutung nach im engen und strengen Sinne an Gunst und Gnade, Geschenk und Gabe ... Ein Übergang zu ‚Begabung' im Sinne von Befähigung, Fähigkeit ist im Neuen Testament nicht festzustellen."[127] Die Charismen sind von Gott verliehene Möglichkeiten; die angemessene menschliche Haltung ist das dankbare Annehmen der jeweils verliehenen Aufgabe, nicht aber Selbstgefälligkeit auf der einen oder Minderwertigkeitsgefühle auf der anderen Seite.

Über das Verhältnis der Charismen zu den natürlichen Anlagen und Fähigkeiten des Menschen reflektiert Paulus nicht. Daher sei das folgende mit gewissem Vorbehalt gesagt: Wenn Paulus in seinen Charismenlisten außergewöhnliche und „alltägliche" Begabungen nebeneinanderstellt, so scheint das anzuzeigen, daß er auch die natürlichen Begabungen des Menschen als Gaben Gottes begreift. Was man sonst als „Talent" oder „Fähigkeit" des Menschen bezeichnet, versteht Paulus als „Charisma", das der Einzelne in die Gemeinde einbringen soll, als Gabe Gottes – und damit ist es nicht Anlaß zum Stolz, sondern zur Dankbarkeit. Der Mensch als Ganzer verdankt sich Gott, auch in seinen „natürlichen" Anlagen. Die natürlich-geschöpflichen Gegebenheiten „werden durch den Geist gerade nicht, wie die korinthischen Enthusiasten wollten, ausgeschaltet, sondern für das Leben der Gemeinde in ihrer Vielfalt fruchtbar gemacht."[128] Es würde dem paulinischen Denken kaum entsprechen, wollte man einen völligen Gegensatz zwischen „Charisma" und natürlicher „Fähigkeit" konstruieren.[129]

[126] Auch in 2 Kor 10,12f, wo neben *μερίζω* das Stichwort *μέτρον* aus Röm 12,3 auftaucht, geht es um die Abwehr menschlicher Überheblichkeit. Die Kritik an einer selbstgefälligen, auf die eigene Weisheit vertrauenden Haltung spielt in seinen Briefen eine wichtige Rolle. Sie hat sich vor allem in der Auseinandersetzung mit seinen korinthischen Gegnern profiliert. In 1 Kor 4,10 und 2 Kor 11,19 ist das Stichwort *φρόνιμος* eindeutig ironisch gemeint, um ihre allzu selbstsichere Haltung zu charakterisieren (vgl. 1 Kor 10,15, wo er ein *ὡς* voranstellt).

[127] H. Greeven, Geistesgaben 119.

[128] J. Roloff, Theologische Realenzyklopädie II 520.

[129] Einen solchen Gegensatz sieht G. Eichholz, Gemeinde 16: „Charisma ist *etwas anderes* als das, was wir, säkular, *Begabung* nennen. Man ‚hat' das Charisma nicht so, wie man eine Begabung ‚hat' oder nicht hat ... Das Charisma wird verliehen." Vgl. aaO 16f; G. Eichholz, Theologie 277.

Kriterium für den Wert eines Charisma – wenn man denn überhaupt werten soll, wozu sich Paulus allerdings durch die maßlose Überschätzung der Glossolalie in Korinth gezwungen sieht – ist für Paulus die Frage, wie weit es dem Aufbau der Gemeinde dient. Das Charisma ist dem Christen im Hinblick auf die Gemeinde verliehen; seine Bedeutung liegt nach der Auffassung des Apostels im Wohl der Gemeinde, nicht aber in dem Prestige, das es dem einzelnen einbringt. Wichtig ist allein, daß es die Gemeinde fördert.

Die paulinischen Charismenlisten haben manchmal zu einem idealistisch verklärten Bild eines „charismatischen Frühlings" in den paulinischen Gemeinden geführt und zu der resignierten Frage, ob dieser fast tropisch zu nennende Reichtum von Charismen der heutigen Kirche nicht längst abhanden gekommen sei, und ob unsere heutige traditionelle Christlichkeit demgegenüber nicht geradezu ärmlich wirke.[130] Hier ist zweierlei zu bedenken. Einmal ist zu fragen, ob das, was Paulus in seinen Charismenlisten den Gemeinden vor Augen stellt, ein naturalistisches Porträt der wirklichen Gemeindeverhältnisse oder nicht vielmehr ein Leitbild ist. „Es spiegelt nicht einfach die wirklichen Verhältnisse, sondern es will auf diese Verhältnisse einwirken."[131] Man darf den polemischen Charakter von 1 Kor 12–14 nicht vergessen. Zum anderen ist zu bedenken, daß der Begriff „Charisma" bei Paulus wesentlich mehr als die auffallenden ekstatischen Phänomene umfaßt. Gerade die ganz unauffälligen, unekstatischen Gaben heißen Charismen. Das bedeutet, daß wir auch in der heutigen Kirche die Charismen nicht so sehr in außergewöhnlichen, sondern vor allem in ganz alltäglichen Gaben suchen müßten.

Über das Verhältnis von Amt und Charisma reflektiert Paulus nicht, auch nicht über das allgemeine Priestertum aller Gläubigen oder die Berechtigung einer kirchlichen Hierarchie. Es geht ihm in Röm 12,3–8 nicht um die thematische Entfaltung seiner Ekklesiologie, sondern um Paränese. Darum ist es fragwürdig, aus den paulinischen Aussagen kontroverstheologisches Kapital schlagen zu wollen. Daß Paulus „der Anschauung des institutionell ausgewiesenen Amtes seine Charismenlehre entgegensetzt",[132] wird man kaum behaupten können.[133] Immerhin betont Paulus Röm 12,1.3 ausdrücklich seine apostolische Autorität, wie er sie auch sonst seinen Gemeinden gegen-

[130] Vgl. G. Eichholz, Gemeinde 6, der selber diesen Standpunkt nicht teilt.

[131] U. Brockhaus, Charisma 209.

[132] E. Käsemann, Amt 126.

[133] „Das moderne Entweder – Oder zwischen Amt und Charisma ist gänzlich unpaulinisch." H. Schürmann, Gnadengaben 263, Anm. 149; „Paulus unterscheidet weder dauernde von vorübergehenden Funktionen, noch stellt er eine ‚amtliche' Rangfolge der Funktionen auf, noch begrenzt er den Kreis der Funktionsträger. Er hat amtliche Funktionen in seine Charismenlisten zwar integriert, aber weder positiv noch negativ von den übrigen Funktionen abgehoben. Er ist also weder ein Vertreter noch ein Gegner amtlichen Denkens gewesen." U. Brockhaus, aaO 217f.

über beansprucht.[134] Umgekehrt stehen die paulinischen Aussagen über die Charismen der Vorstellung einer nur von oben verwalteten Kirche diametral entgegen. „Letztlich und in ihrem tiefsten Grund bekommt die Kirche ihre konkrete Ordnung in dem Zusammenspiel und Aufeinanderhin der verschiedenen amtlichen und freien geistlichen Gnadengaben, das der Heilige Geist unberechenbar frei verfügt und allein garantiert.“[135]

b. Mitverantwortung für die Einheit der Gemeinde

Röm 12,3–8 ist Paränese. Es geht nicht um dogmatische Spekulation über das Wesen der Kirche, sondern darum, daß Einheit der Kirche verwirklicht wird. Die Einheit der Gemeinde ist dem Apostel wichtiges Anliegen,[136] auf das er in seinen Briefen immer wieder hinweist; in Röm 12,16 kommt er ausdrücklich darauf zu sprechen. „Es scheint Paulus ein Kennzeichen für die Echtheit des christlichen Glaubens zu sein, daß die Einheit im wesentlichen alle Verschiedenheiten im einzelnen zurücktreten läßt.“[137] Diese Einheit ist in Christus grundgelegt. In Röm 12,4f wie in 1 Kor 12,12f;10,16f;Gal 3,27f wird das enge Verbundensein mit Christus von der Gemeinde, nicht vom Einzelnen ausgesagt.[138] Das zeigt deutlich, wie wichtig dem Apostel die Gemeinde ist. Um so unerträglicher muß ihm alles scheinen, was diese Gemeinschaft stört oder aufzulösen droht.

Man darf den Gedanken der Einheit nicht dahin zuspitzen, daß der Einzelne seinen Wert nur noch von der Funktion her empfängt, die er für das Ganze hat: „In Christus sein heißt aber, ein Glied im Leibe Christi sein. Ein Glied ohne Zusammenhang mit dem Leibe wäre ja gar nichts. Glied ist er ja nur im Verhältnis zum Leibe und seinen übrigen Gliedern. Ein Glied hat ja sein Dasein nur dadurch, daß es in den Leib eingeordnet ist und seine besondere Aufgabe in diesem Zusammenhang hat.“[139] Das ist zumindest mißverständlich und erinnert fast an die marxistische Auffassung vom Menschen.[140] Der Einzelne hat für Paulus zweifellos nicht nur eine Funktion für das Ganze, sondern aufgrund seiner Berufung durch Gott seine unverwechselbare Würde, die über seine Bedeutung für das Ganze hinausgeht. Hier wird deutlich, daß man das Bild vom Leib nicht „pressen“ darf, sondern streng

[134] Vgl. die Einzelexegese und den Abschnitt C II.
[135] H. Schürmann, aaO 266.
[136] Vgl. H. Schlier, Die Einheit der Kirche im Denken des Apostels Paulus, in: Die Zeit der Kirche. Exegetische Aufsätze und Vorträge, Freiburg ³1962, 287–299, bes. 292–299. „Einheitliche Ausrichtung und einträchtige Gesinnung, Einheit von Denken und Wollen ist Grundforderung der paulinischen Paränese.“ G. Bertram, ThW IX 229, 1f.
[137] E. Krafft, Existenz 19.
[138] In 1 Kor 12, 12f betont Paulus den Gedanken der Einheit mit Nachdruck: ein Leib (3 mal), ein Geist (2 mal).
[139] A. Nygren, Röm 298f.
[140] Daß A. Nygren das nicht so meint, ist klar. Aber an seiner mißverständlichen Aussage läßt sich Wichtiges verdeutlichen.

aus dem paränetischen Zusammenhang zu deuten hat, in dem es steht. Wird in der Umwelt des Paulus oft pragmatisch vom „Funktionieren“ des Ganzen her argumentiert, so gewinnt bei Paulus der Einzelne – als Glied am Leib „in Christus“ – eine nur ihm zukommende, unverwechselbare Bedeutung. Er ist nicht einfach ersetzbar.

Einheit bedeutet für Paulus nicht Uniformität. Das Bild vom Leib in Röm 12,4f und der Hinweis auf die Fülle der Charismen in Röm 12,6–8 machen deutlich, daß Hinordnung auf die Gemeinde nicht Gleichschaltung heißen kann. Es kann nicht darum gehen, ein einheitliches Denken bei allen zu erzwingen. Der Mahnung in Röm 12,16 a, eines Sinnes zu sein, geht es „vielmehr um die Ausrichtung auf das eine Ziel der in der Gnade verbundenen Gemeinschaft, welche, exemplarisch in Phil 2,5 formuliert, über Spannungen hinweg eines Geistes sein läßt und sich als Einmütigkeit äußert.“[141] Es geht um ein Bedachtsein auf dasselbe, um ein Erstreben desselben, aber nicht um Uniformität.[142] In der Kirche soll zwar Einheit sein, aber keine Gleichschaltung. Jedes Glied hat seine eigene ihm von Gott zugewiesene Funktion, die er in ruhiger Selbstgewißheit ausüben soll, die auch von den anderen zu respektieren ist.

Doch wie viel Pluralität verträgt die Gemeinde, ohne daß sie auseinanderbricht? Paulus selber muß sich in Röm 14f mit dieser Problematik auseinandersetzen. Er verzichtet keineswegs darauf, einen Standpunkt zu beziehen. Er selber sagt deutlich, was er für richtig hält (Röm 14,14), daß er grundsätzlich den Standpunkt der „Starken“ teilt (Röm 15,1). Doch plädiert er gleichzeitig dafür, den Andersdenkenden ernstzunehmen, auf den ängstlichen Mitchristen Rücksicht zu nehmen, ihn nicht unnötig zu provozieren (Röm 14,15; 15,1–3.7). Und an die „Schwachen“ richtet er die eindringliche Mahnung, die freiheitlicher Gesinnten in der Gemeinde nicht zu verurteilen (Röm 14,3f. 7–10). Paulus plädiert dafür, über allen Gegensätzen die Solidarität miteinander durchzuhalten. Die Unterschiedlichkeit der verschiedenen Standpunkte und Meinungen innerhalb der Gemeinde zu akzeptieren, ist eine wichtige Aufgabe von Christen; es ist eine Grundvoraussetzung dafür, daß Gemeinde lebendig sein und Geborgenheit vermitteln kann.

5. Hoffnung und Freude

Für Paulus ist die Hoffnung „die christliche Haltung und Tugend schlechthin“.[143] Christsein ist wesentlich dadurch bestimmt, daß Christen hoffen. Bevor wir die paulinischen Aussagen über die Hoffnung kurz entfalten, sei ein Blick auf die Umwelt geworfen, in der Paulus seine Hoffnungsbotschaft vertritt.

[141] E. Käsemann z.St.
[142] H. Schlier z.St.
[143] R. Schnackenburg, Botschaft 226.

Im Bereich des Griechentums hat die Wortgruppe „Hoffnung“ nicht immer eine eindeutige religiöse Bedeutung:[144] Es gehört zum Wesen des Menschen, zu hoffen, das heißt zunächst, Erwartungen von der Zukunft zu haben, freudige oder schlimme.[145] So kann ἐλπίς sowohl als ἐλπίς ἀγαθή als auch als ἐλπὶς κακή bezeichnet werden.[146] Es ist eine Hilfe für den bedrängten Menschen in der Gegenwart, wenn er noch hoffen darf;[147] aber die Hoffnung ist trügerisch, unsicher.[148] Für Plato ist die Hoffnung die philosophische Haltung angesichts des Todes; sie geht über das diesseitige Leben hinaus:[149] Der Weise hat Hoffnung auch angesichts des Todes;[150] er hat „große Hoffnung, dort zu erlangen, worum er sich hier bemüht hat.“[151] Von einer Hoffnung über den Tod hinaus wissen auch die Mysterien,[152] so z. B. die Mysterien von Eleusis.[153] Doch kennt die Antike auch schon den Gedanken, daß der Mensch sich mit dem Tod als dem Ende aller Hoffnung abfinden müsse.[154] Resignierte Skepsis spricht aus dem trostlosen Spruch: „mir liegt weder an Hoffnung noch Glück.“[155]

In der Stoa hat das Phänomen der Hoffnung wenig Interesse gefunden.[156] Was die Hoffnung auf ein Leben nach dem Tod betrifft, stoßen wir bei Seneca eher auf Zurückhaltung. Wenn er diese Hoffnung auch (vor allem in seinen Trostschriften) als etwas Selbstverständliches festzuhalten scheint, „so äußert er sich an anderen Stellen sehr skeptisch und resigniert; und endlich schlägt seine Stimmung geradezu in eine bewußte Opposition gegen den Unsterblichkeitsglauben um.“[157]

Die hellenistisch-römische Umwelt des Paulus war z. T. von großer Angst und Lebensunsicherheit beherrscht. Der Glaube an die Götter war zerbrochen. An ihre Stelle war das Schicksal getreten, das kalt und unbarmherzig über der Welt waltet: der Mensch ist ihm hilfslos ausgeliefert. Die Gestirne gehen unbeeinflußbar, unveränderlich ihren Weg; sie gleichen einer Riesenmaschine: niemand kann sie abstellen oder regulieren.[158] Der Mensch fühlt sich als Objekt kosmischer Kräfte, in eine letztlich sinnlose Welt hineinge-

[144] Daß sie dort „keine religiöse Bedeutung“ besitzt, H. Conzelmann. RGG³ III 417, scheint mir eine unzulässige Vereinfachung.
[145] R. Bultmann, ThW II 515, 20ff; vgl. bes. Anm. 5. Dieser Sprachgebrauch findet sich noch bei Josephus, vgl. aaO 526, Anm. 92.
[146] Vgl. auch C. Spicq, Théologie I 298f, Anm. 4.
[147] Beispiele: R. Bultmann, aaO 516,8ff; H. Conzelmann, aaO.
[148] Beispiele: R. Bultmann aaO 516, 25ff; H. Conzelmann, aaO.
[149] Vgl. R. Bultmann, aaO 517, 18ff; H. Conzelmann, aaO.
[150] Platon, Apol 41 C; Phaidon 64 A.
[151] Platon, Phaidon 67 B; Übersetzung bei K. H. Schelkle, Theologie III 103.
[152] R. Bultmann, aaO 517, 27f.
[153] Vgl. K. H. Schelkle, aaO 103.
[154] Vgl. aa O, 103f.
[155] Anth. Graeca IX 172; vgl. R. Bultmann, aaO 518,12f.
[156] R. Bultmann, aaO 518,4ff.
[157] K. Deißner, Paulus 10; Beispiele: 11–12.
[158] E. Schweizer, Weltbild 18; vgl. E. Lohse, Umwelt 171f.

worfen.[159] Die Folge ist eine irrationale Flucht in Magie und Astrologie.[160] Aberglaube und Wundersucht sind weit verbreitet und lassen erkennen, von welch tiefer Lebensangst die Menschen erfaßt waren.

Im Gegensatz zu solchem oft tiefsitzenden Pessimismus ist die Lebenshaltung des Paulus von einem gelassenen Vertrauen bestimmt. Mit seiner Hoffnungsbotschaft knüpft er an das AT an; es ist geradezu die Aufgabe der „Schriften", Hoffnung zu wecken (Röm 15,4). Im AT ist das Hoffen stets ein Erwarten des Guten, nah verwandt dem Vertrauen.[161] In den Psalmen wird Gott selbst „Hoffnung" genannt.[162] Die Frommen sind die, die auf Gott hoffen.[163] Die Hoffnung zielt zunächst auf irdische Lebensgüter, die dem atl. Frommen Ausdruck des Segens Gottes sind. In den späten Schriften greift diese Hoffnung mehr und mehr über die Grenze des Todes hinaus: Gott ist auch die Überwindung des Todes zuzutrauen,[164] während an der Todesgrenze die Hoffnungen der Gottlosen zerbrechen müssen.[165]

Dieser letzte Gedanke gewinnt in der paulinischen Theologie zentrale Bedeutung: Gott ist für Paulus der, der die Toten lebendig macht (Röm 4,17).[166] Die Hoffnung ist bei ihm eine der tragenden Grundhaltungen christlichen Lebens. Am Beispiel Abrahams zeigt er Röm 4,18, wie sich solche in der Wirklichkeit Gottes gründende Hoffnung[167] durch nichts beirren läßt, wie sie es wagt, gegen allen Anschein zu hoffen. Solche Hoffung ist keine Träumerei, die den harten Einspruch der Wirklichkeit nicht wahrnimmt. Röm 4,19 wird von Abraham ausdrücklich gesagt, daß er seinen schon erstorbenen Leib betrachtete und den schon erstorbenen Mutterschoß Sarahs. Seine Hoffnung sah nicht an der Wirklichkeit vorbei. Hoffnung besteht nicht darin, daß man sich die eigene Ohnmacht nicht eingesteht. „Gerade in der Nüchternheit, die die menschlichen Fakten nicht übersieht, bewährt sich die Hoffnung, die gegen alle Hoffnung ist."[168] Sie läßt sich von menschlicher Aussichtslosigkeit gerade nicht überwältigen. Sie hofft „gegen alle Hoffnung" auf die größeren Möglichkeiten Gottes.

Diese Hoffnung hat für Paulus einen eindeutigen Grund: die Auferwekkung Jesu von den Toten. Paulus glaubt an den Gott, der die Toten lebendig macht (Röm 4,17), weil dieser Gott Jesus von den Toten erweckt hat

159 E. Schweizer, aa O 19.
160 aaO.
161 R. Bultmann, aaO 518f; vgl. H. Bardtke, RGG³ III 415.
162 Ps 60,4; 90,9; 141,6 LXX.
163 Ps 5,12.
164 Vgl. Weish 3,4 (dazu 2,23); 2 Makk 7,14. Hier sind griech. Unsterblichkeitsvorstellungen aufgenommen. Aber Gott ist es, der den Menschen zur Unverweslichkeit geschaffen hat: Weish 2,23. Schon in älteren Schriften des AT deuten sich solche Gedanken an: Dt 32,39; 1 Sam 2,6; 2 Kg 5,7; vgl. Weish 16,13.
165 Vgl. Weish 3,11.18; 5,14; 15,10; 16,29; zu allen Stellen: Weish 2.
166 Paulus greift hier eine Formel aus dem zweiten Lobspruch des jüdischen Achtzehngebetes auf.
167 Gott ist der, der Hoffnung gibt: Röm 15,13.
168 H. Schlier z. St.

(Röm 4,24 f). Die Auferweckung Jesu von den Toten ist für Paulus Zentrum des Glaubens und Grund christlicher Hoffnung, einer Hoffnung, die sich gerade in belastenden Lebenssituationen bewährt. Von diesem Grund der Hoffnung ist in dem „Trostkapitel" 2 Kor 1,3–11 die Rede: Die erfahrene Rettung aus Todesnot (2 Kor 1,10) bestärkt den Apostel im Vertrauen auf den Gott, der die Toten auferweckt (2 Kor 1,9). „Gerade in der Situation äußerster Ratlosigkeit und Aussichtslosigkeit erhebt sich die Hoffnung. Sie erhebt sich in der Übernahme der klar erkannten Situation, in der Annahme des Todesurteils, das durch diese Situation ergeht. Und sie erhebt sich als demütiges Vertrauen zu dem Gott, der die Toten erweckt. Sie erhebt sich als wagendes Sich-Überlassen dem Gott, in dem Tod Leben ist . . ."[169].

„Hoffnung" ist geradezu das Schlüsselwort in Röm 5,1–11. Sie richtet sich auf die „Herrlichkeit Gottes" (Röm 5,2), die künftige, in der Gegenwart schon grundgelegte Vollendung, das endgültige Heil, das der an Christus Glaubende in der eschatologischen Zukunft von Gott erwarten darf.[170] Solche Hoffnung hat sich mitten in Bedrängnissen zu bewähren, im geduldigen, aktiven Standhalten (Röm 5,3 f). Eine solche, mitten in den bedrängenden Erfahrungen des Lebens durchgehaltene Hoffnung, „täuscht nicht", wie Paulus im Anklang an Ps 22,6; 25,3. 20 sagt (Röm 5,5).[171] Sie „täuscht nicht", und damit „unterscheidet Paulus die Hoffnung des Glaubenden von der irdischen Hoffnung, zu deren Charakteristik eben gerade die Unsicherheit, die Möglichkeit der Nichterfüllung gehört".[172] Diese Sicherheit begründet er mit dem Hinweis auf die Liebe Gottes, deren er sich im Glauben gewiß ist: denn im Kreuzestod Jesu ist sie unüberbietbar deutlich geworden (Röm 5,6–10). Röm 5,1–11 führt uns ins Zentrum paulinischer Theologie: Die im Kreuz Jesu Christi erwiesene Liebe Gottes eröffnet eine Hoffnung, die auch vor dem Tod standzuhalten vermag. Die Hoffnung gibt Kraft, in bedrängenden, beängstigenden Situationen nicht zu resignieren, sondern gerade da die Tragkraft christlicher Hoffnung zu erfahren.

Die christliche Hoffnung gilt der gesamten Schöpfung, die in ihrem „Leerlauf" (Röm 8,20) stöhnt und in Wehen liegt (Röm 8,22).[173] Mit dem Stichwort *ματαιότης* in Röm 8,20 greift Paulus einen Begriff auf, mit dem die LXX die Klage des Predigers über die „Nichtigkeit" all der Dinge wiedergibt, die der Mensch erstrebt und die sein Leben (scheinbar) sinnvoll machen.[174] Röm 8,20 wirkt wie ein Gegengewicht zur Resignation des Predigers:[175] Mitten in der Vergeblichkeit ersteht Hoffnung. Diese Hoffnung, die

[169] H. Schlier, Hoffnung 141.
[170] Vgl. O. Kuss, Röm 608; 615–618.
[171] Röm 12,12 berührt sich eng mit Röm 5,2–5: ἐλπίς, θλῖψις, ὑπομονή.
[172] O. Kuss z.St.
[173] Vgl. K. H. Schelkle, Theologie III 109; die Erwartung einer Verwandlung der Schöpfung ist altbiblisch: aaO.
[174] Pred 1,1f. 14; 2,1 u. ö. Der Begriff zieht sich wie ein roter Faden durch das ganze Buch. Aufschlußreich in diesem Zusammenhang, daß die griechischen Tragiker *μάταιος* besonders häufig gebrauchen und „den Leser zu der Frage drängen, ob denn überhaupt noch ein Gebiet übrig bleibt, das dem Verdikt *μάταιος* grundsätzlich entnommen wäre . . .". O. Bauernfeind, ThW IV 526, 7–9.
[175] aaO 529, 11–20.

von Sinnleere, Aussichtslosigkeit und Vergeblichkeit befreit, wurde durch die Auferweckung Jesu möglich (Röm 8,11.17); die Glaubenden sind mit ihm verbunden, dem „Erstgeborenen unter vielen Brüdern" (Röm 8,29).

Die Rettung ist jedoch nicht gegenwärtig erfahrbarer Besitz, sondern Gegenstand der Hoffnung: 8,24.[176] Das bedeutet keineswegs eine Minderung der Hoffnung. Im Gegenteil: „Die Hoffnung wählt nicht das Sichtbare als das anscheinend Sichere, indem sie das andere, was unsichtbar ist, für unsicher hielte und es preisgäbe. Die Hoffnung darf überhaupt nicht auf Sichtbares gehen, weil alles Sichtbare zeitlich ist" (2 Kor 4,18).[177] Hoffnung richtet sich von ihrem Wesen her auf das, was man nicht sieht, was noch nicht da ist. Hoffnung greift in die Zukunft aus. Hoffen und geduldiges Warten (ὑπομονή) gehören zusammen (Röm 8,24f).[178]

Die Hoffnung gehört für Paulus zu den zentralen Tugenden des Christen. Das zeigt vor allem die Trias „Glaube, Hoffnung, Liebe" (1 Kor 13,13).[179] Daher die Charakterisierung der Christen als derer, die sich in Hoffnung freuen (Röm 12,12), und die Charakterisierung der Heiden als derer, die keine Hoffnung haben (1 Thess 4,13).[180] Christen sollen nicht trostlos trauern, denn sie haben eine Hoffnung, die nicht zuschanden werden läßt (Röm 5,5). In Röm 5,5 spielt Paulus auf die Bibel an.[181] Der Satz „ist nicht aus menschlicher Erfahrung begründet, keine Regel, die aus der Beobachtung menschlicher Lebensläufe gewonnen ist. Der Satz wird begründet durch das Faktum, daß Gottes Liebe ausgegossen ist ... Paulus predigt hier nicht das philosophische Ideal der Ataraxia. Der Stoiker ... gewinnt seine Haltung, indem er das Schicksal aushält, also durch Verzicht auf Zukunft und Hoffnung. Er zieht sich in das Innere zurück, wo er vom Schicksal nicht getroffen werden kann. Der Gläubige wird getroffen. Er steht offen im Erleben und Erleiden und erfährt im Glauben die Freiheit, das Schicksal zu übersteigen."[182]

Vor einem verheerenden Mißverständnis sind die paulinischen Aussagen über die Hoffnung zu schützen. Zweifellos hat die christliche Jenseitshoffnung oft die Form der Weltflucht angenommen. Auf Paulus kann man sich dabei nicht berufen. Den Vorwurf, christliche Hoffnung halte vom Engagement für diese Erde ab, würde er kaum begreifen. Für ihn ist die Hoffnung von der Verwirklichung der Liebe gar nicht zu trennen: Gal 5,5 f; die sich

176 Man würde freilich Röm 8,24 nur verdünnt verstehen, wenn darin das ἐσώθημεν nicht kräftig gilt. R. Bultmann, ThW II 529, 15f.

177 K. H. Schelkle, Sacramentum Mundi III 1085; vgl. später Hebr 11,1.

178 Diese beiden Begriffe finden sich ebenso in Röm 15,4 samt dem Stichwort παράκλησις nebeneinander; die Hoffnung gründet sich auf den Kreuzestod Jesu, auf den das Zitat aus Ps 69,10 in Röm 15,3 anspielt. Das Bekenntnis zu Tod und Auferweckung Jesu durchzieht wie ein roter Faden Röm 8; man kann sagen, daß das gesamte Kapitel darin gipfelt: 8,31–39.

179 Vgl. 1 Thess 1,3; 5,8.

180 Vgl. später Eph 2,12: „Ihr hattet keine Hoffnung und lebtet ohne Gott in der Welt."

181 Ps 21,6; 24,3. 20 LXX.

182 H. Conzelmann, Grundriß 214.

auf Gott richtende Hoffnung hat nicht ein rein passives Verhalten des Menschen zur Folge, sondern setzt gerade menschliche Aktivität frei (vgl. Gal 5,7 das Bild vom Laufen!). 1 Thes 1,3 dankt Paulus für Glaube, Liebe und Hoffnung der Gemeinde, für ihr Ausharren in der Hoffnung. 1 Thes 5,8 mahnt er zu Glaube, Liebe und Hoffnung, wobei die militärische Sprache (Waffenrüstung, Helm, vgl. Jes 59,17) darauf hindeutet, daß solche Haltung Einsatzbereitschaft und aktives Mühen verlangt. Glaube, Hoffnung und Liebe sind eine unzerreißbare Einheit (1 Kor 13,13). Der Ausblick auf die christliche Hoffnung in 1 Kor 15 schließt mit einer eindringlichen Mahnung zum Handeln und der Verheißung, daß menschliche Mühe nicht vergeblich ist (1 Kor 15,58).

Röm 12,12 ist mit der Hoffnung die Freude eng verbunden. Das Stichwort „Freude" findet sich in den Briefen des Paulus häufig,[183] erstaunlicherweise gerade in den Briefen, in denen er am meisten von seinen Belastungen und Nöten spricht. Besonders der im Gefängnis geschriebene Philipperbrief ist voll vom Gedanken der Freude.[184] Auch 2 Kor 6,4–10, wo er von den vielen Belastungen seines Dienstes spricht, setzt er all dem die Freude des Glaubens entgegen (6,10), die solche Situationen bestehen hilft und sich auch in bedrängenden Erfahrungen behaupten kann.[185]

Phil 4,4 f ist von der Freude die Rede, die sich auf die Nähe des Herrn richtet. Sie soll sich in der Güte zu allen Menschen auswirken. Die eschatologische Ausrichtung führt nicht zu passivem Warten, sondern zur aktiven Zuwendung zu den Menschen. Die Freude hat ihren tiefsten Grund in dem Gott, der Hoffnung schenkt (Röm 15,13).[186] Freude – auch die durch Menschen vermittelte Freude[187] – ist für Paulus letztlich immer Geschenk Gottes bzw. des Kyrios[188] und Anlaß zum Dank.[189] In Gal 5,22 ist sie ne-

[183] Es ist auch ein wichtiger Begriff des AT; besonders häufig begegnet er in den Psalmen, vgl. H. Conzelmann, ThW IX 353–354. Vgl. K. H. Schelkle, Theologie III 156–158; 159: Qumran. Bei den Stoikern ist die Wertung der Freude unterschiedlich. Sie wird z. T., wie alle Affekte, negativ bewertet. „Um diese der Vulgärmeinung extrem zuwiderlaufende Auffassung abzuschwächen, entwickeln die Stoiker die Lehre von den εὐπάθειαι, den guten Stimmungen der Seele, die von den Affekten πάθη geschieden werden." H. Conzelmann, aaO 352, 15–21. Für Seneca gehört die Freude zu den prima bona; sie ist dem Weisen vorbehalten. aaO 352, 24 ff.

[184] Phil 1,4. 18. 25; 2,2. 17. 18. 29; 3,1; 4,1. 4. 10.

[185] Vgl. 2 Kor 7,4; 8,2; 1 Thess 1,6: θλῖψις – χαρά 2 Kor 7,13: παράκλησις – χαρά; vgl. auch den ganzen Zshg. 2 Kor 7,4–16. Der Gedanke, daß die Erwählten sich jetzt bereits in Gottes Schutz wissen und sich so trotz des gegenwärtigen Leidens freuen können, findet sich auch in Qumran; vgl. H. Conzelmann, ThW IX 355, 1–5.

[186] Daß die Freude auf Gott zurückgeht, daß sie Geschenk Gottes ist, findet sich auch bei Philo. Doch sind die Gegenstände der Freude bei ihm z. B. Gesundheit, Freiheit, Ehre, das Gute und Schöne. Vgl. H. Conzelmann, ThW IX 356, 15ff. Das sieht bei Paulus anders aus.

[187] Vgl. 2 Kor 7,7.9.13.16; Phm 7.

[188] Phil 3,1; 4,4.10.

[189] 1 Thess 3,9.

ben Liebe und Friede Wirkung des Geistes (vgl. Röm 14,17; 1 Thess 1,6). Und doch kann die Freude in Röm 12,12 auch zum Gegenstand der Mahnung werden:[190] Der Christ muß sich an die Hoffnung, aus der er lebt, immer neu erinnern lassen.

6. Standhaftigkeit

Die „Geduld“ ist für Paulus keine passive Tugend. Es geht nicht um ein Überfahrenwerden oder Sichüberfahrenlassen.[191] So konnten ihn seine Zeitgenossen jedenfalls nicht verstehen. Der Grieche unterscheidet deutlich zwischen dem tapferen Standhalten und einem schimpflichen Ertragen etwa der herabsetzenden Sklaverei.[192] In der Nikomachischen Ethik des Aristoteles gehört die *ὑπομονή* zur Tugend der Tapferkeit.[193] Auch die Stoa denkt so,[194] und von ihr beeinflußt, stellt auch Philo die *ὑπομονή* neben Tapferkeit (*ἀνδρεία*) und Standhaftigkeit (*καρτερία*).[195] Doch hat die Geduld in der zeitgenössischen Stoa einen anderen Grund als bei Paulus: Es geht um die geduldige Einfügung in die Natur, um freiwillige Unterwerfung unter das auferlegte Geschick: „Was immer auf Grund des Zustandes der Welt zu erdulden ist, nehme man mit hohem Mut auf sich: diesen Fahneneid haben wir geleistet, zu ertragen die Verhältnisse der Sterblichkeit und uns nicht verwirren zu lassen durch das, dem zu entgehen nicht in unserer Macht ist.“[196]

In der LXX nimmt der Gebrauch von *ὑπομένειν* eine Wendung ins Religiöse und steht ganz überwiegend in der Verbindung „auf Gott harren“[197] und meint die Haltung der Frommen, deren Hoffnung sich auf Gott richtet.[198] Die Geduld ist von der Hoffnung nur schwer zu unterscheiden; die biblische Geduld ist nicht nur ein „Ertragen“, sie ist zugleich „Erwartung“ und „Hoffnung“.[199] Damit verschiebt sich der Gehalt des Wortes gegenüber dem geläufigen Gebrauch im Profangriechischen.[200] Im außerbiblischen Judentum kann *ὑπομένειν* geradezu zum terminus technicus für die Standhaftigkeit des Märtyrers werden, so in dem offensichtlich von stoischen Gedanken beeinflußten 4 Makk, wo die *ὑπομονή* neben der *ἀνδρεία*[201]

[190] Vgl. 1 Thess 5,16.
[191] O. Kuss, Röm 400.
[192] F. Hauck, ThW IV 586, 15–18.
[193] aaO 586, 20 f; vgl. M. Spanneut, RAC IX 245 f; zu Epiktet aaO 249 f; Seneca, aaO 250 ff.
[194] aaO 248f.
[195] F. Hauck, aaO 586, 33–37; M. Spanneut, aaO 256.
[196] Seneca de vita beata 15,7 (M. Rosenbach); vgl. M. Spanneut, aaO 252.
[197] Vgl. M. Spanneut, aaO 254.
[198] F. Hauck, aaO 586,41–587,2; 587, 27–29: Ps 36,9. 34; 24,3.5.
[199] M. Spanneut, aaO 255.
[200] F. Hauck, aaO 588, 1-8.
[201] Vgl. auch Ps 26,14 LXX.

steht. Solche Standhaftigkeit ist möglich im Blick auf Gott (4 Makk 16, 19).[202]

Für Paulus ist die Geduld nicht einfach eine passive Tugend, die das einem Widerfahrende erträgt. Röm 2,7 spricht er von der „Ausdauer in gutem Werk" und in 1 Kor 13,7 sagt er, daß die Liebe „alles erträgt". Zur ὑπομονή gehört aktive Kraft; es geht um eine innere Bewältigung der Situation.[203] Doch ist für Paulus die Geduld nicht Ausdruck persönlicher Tapferkeit, sondern letztlich Gabe Gottes. Gott ist für Paulus der Gott der Geduld (Röm 15,5). Mit dieser Wendung will Paulus nicht sagen, daß Gott mit dem Menschen Geduld hat (so könnte man durchaus übersetzen), sondern daß Gott es ist, der dem Menschen Geduld verleiht. Denn es geht unmittelbar die Wendung voraus „durch die Geduld und den Trost der Schriften Hoffnung haben" (Röm 15,4): Sinn der Schriften ist es, Hoffnung zu geben, Geduld und Trost zu wecken. Standhaftigkeit ist für Paulus also nicht nur eine Forderung; sie beruht wesentlich auf dem Glauben an den Gott, der die Toten lebendig macht und das Nichtseiende ins Dasein ruft (Röm 4,17f).[204]

Die Geduld ist bei Paulus eine der wesentlichen christlichen Tugenden, nicht im Sinne eines resignierenden Sich-Ergebens in das doch Unvermeidliche, und auch nicht im Sinn stoischer Ataraxie. Stoische Ataraxie läßt sich vom Schicksal letztlich nicht treffen. Typisch dafür ein Ausspruch des Epiktet: „Nun kann mir kein Übel begegnen, für mich hat es keine Diebe, für mich gibt es kein Erdbeben, für mich ist überall Friede . . ."[205] Natürlich fragt sich, ob solcher Gleichmut angesichts der Wirklichkeit durchzuhalten ist. Epiktet selber hat das schmerzlich empfunden: „Zeige mir einen, der krank und glückselig, der in Gefahr und glückselig, der stirbt und glückselig, der des Landes verwiesen und glückselig . . . ist. Zeiget mir doch einen, ich kann es kaum aussprechen, wie sehr mich verlangt, einen Stoiker zu sehen. Ihr könnt mir keinen zeigen . . . Nun so zeiget mir wenigstens einen, der sich dazu bildet, bei dem man einen starken Hang zum Stoizismus sähe! Erweist mir die Wohltat! Mißgönnt einem alten Manne ein Schauspiel nicht, das er bis auf die jetzige Stunde noch nicht gesehen hat."[206] Der berühmte Ausspruch zeigt, wie schwer solch stoischer Gleichmut zu leben ist. Paulus meint jedenfalls etwas anderes. Der Grund seiner Standhaftigkeit liegt nicht in einem philosophischen oder ethischen Training, sondern in seinem Glauben an Gott.[207] „Beharren bedeutet: hier wird an Gott geglaubt."[208] Hier wird die harte Wirklichkeit nicht ignoriert; hier gibt der Glaube die Kraft, in der harten, widerspenstigen Wirklichkeit durchzuhalten.

202 F. Hauck, aaO 589, 3–15; vgl. 4 Makk 1,11; 9,8; 9,30; 15,30; 17.4 12. 17. 23. An all diesen Stellen ist das männliche, tapfere Standhalten gemeint.

203 Vgl. O. Kuss, Römerbrief 400.

204 Vgl. 1 Thess 1,3 die Trias Glaube, Liebe, Hoffnung und die Formulierung ὑπομονὴ τῆς ἐλπίδος. Daß die Gemeinde in Thessalonich ihre Hoffnung durch ihre Standhaftigkeit erweist, ist für Paulus Anlaß zum Dank, 1 Thess 1,2f.

205 Diss. III 13, 12f R. Mücke.

206 Diss. II 19, 22–24 R. Mücke.

207 R. Schnackenburg, Existenz II 49.

208 K. Barth, Röm 442.

Ob sich die durch den Glauben geweckte Hoffnung bewährt, muß sich vor allem in den Situationen zeigen, die den Menschen bedrängen und ihn in Frage stellen. Röm 5,3 f findet sich eine eindrucksvolle Klimax: Drangsal – Geduld – Bewährung – Hoffnung. Paulus kann sogar sagen, daß er sich mitten in Bedrängnissen rühmen kann. Gerade in den bedrängenden Erfahrungen des Lebens haben sich Geduld und Hoffnung des Christen zu bewähren; dort muß sich zeigen, wie weit sie den Menschen tragen können. In Röm 8,35 spricht Paulus in Form einer rhetorischen Frage die Überzeugung aus, daß all die Dinge, die dem Christen Angst machen und ihn bedrängen, ihn doch nicht von der Liebe Christi trennen können. Diese Glaubensüberzeugung ist stärker als alle Angst vor unberechenbaren Mächten, die den Menschen bedrohen könnten (Röm 8,38–39).[209]

Das ist nicht nur rhetorische Emphase, in einer guten Stunde hingeschrieben. Paulus kennt Bedrängnis und Angst aus eigener Erfahrung.[210] In 2 Kor spricht er am ausführlichsten und persönlichsten über Angst und Not in seinem eigenen Leben. In diesem Brief begegnet der Begriff ϑλῖψις besonders häufig.[211] So in 2 Kor 1,4. 8, wo er von seinen schweren Erfahrungen redet, die er gerade erst überstanden hat (2 Kor 1,3–11). Zwar spricht Paulus hier nur sehr allgemein von seiner Sorge und Angst, so daß wir nähere Einzelheiten nicht wissen. Er sagt deutlich, daß die ihm in Asien (Ephesus?) widerfahrene Not seine Kraft fast überstiegen hätte (2 Kor 1,8) und er persönlich mit dem Leben abgeschlossen hatte (2 Kor 1,8 f). Und doch hat er mitten in aller Bedrängnis Ermutigung, Trost von Gott erfahren (2 Kor 1,3 f), denn er hat sein Vertrauen auf den Gott gegründet, der die Toten auferweckt (2 Kor 1,9). Als einer, der am eigenen Leib Angst und Bedrängnis erlebt, aber auch Trost von Gott empfangen hat, kann er nun seinerseits Trost spenden (2 Kor 1,4).

Ins Zentrum paulinischen Denkens führt 2 Kor 4,17: Die gegenwärtige Bedrängnis wiegt leicht gegenüber der erwarteten Herrlichkeit. Unmittelbar vorher, in 2 Kor 4,8–11, spricht Paulus von den bitteren Erfahrungen seines apostolischen Wirkens; in 6,4 ff und 11,23 ff tut er es noch konkreter. Er bringt seine Leiden mit dem Sterben Jesu in enge Verbindung (2 Kor 4,10); sie geschehen „um Jesu willen“ (2 Kor 4,11). Anteilhabe am Leiden Jesu bedeutet zugleich Aussicht auf das Leben Jesu (2 Kor 4,10f; vgl. Röm 8,17): Der Gott, der Jesus auferweckt hat, wird auch die auferwecken, die jetzt Bedrängnis und Leid erfahren (2 Kor 4,14); diese Überzeugung gibt dem Apostel die Kraft, nicht aufzugeben (2 Kor 4,16). Hier wird das für Paulus entscheidende Motiv sichtbar, die gegenwärtige Bedrängnis in Hoffnung

[209] Wie nah für Paulus Bedrängnis und Angst beieinanderliegen, zeigt Röm 2,9. ϑλῖψις kann in LXX überhaupt die Angst bezeichnen, vgl. H. Schlier, ThW III 141, 37–47.

[210] Die siebengliedrige Aufzählung der Bedrängnisse Röm 8,35 berührt sich z. T. mit 2 Kor 11,26f.

[211] In 1 Kor begegnet er nur in 7,28, in Gal gar nicht.

durchzustehen; es klang schon in 2 Kor 1,5 an:[212] Das Verständnis der gegenwärtigen bedrängenden Erfahrungen als ein Teilnehmen an der Passion Jesu, das für Paulus zugleich Aussicht auf Leben bedeutet.

In 2 Kor 6,4 stehen ὑπομονῇ und θλῖψις nebeneinander an der Spitze einer langen Aufzählung von persönlichen Haltungen oder erlebten Situationen, die Paulus als Diener Gottes ausweisen (2 Kor 6,4–10).[213] Was einen Diener Gottes als erstes charakterisiert, ist die „Geduld". Bezeichnenderweise steht sie auch in 2 Kor 12,12 an der Spitze, wo Paulus von den Zeichen, Wundern und Machttaten spricht, die ihn als Apostel ausweisen. Die Hinzufügung ἐν ὑπομονῇ scheint zunächst recht unmotiviert. Doch ist sie aus dem Gesamtanliegen von 11,23 – 12,10 gut zu erklären:[214] Es widerstrebt dem Apostel deutlich, von seinen Vorzügen zu reden; seine Gegner zwingen ihn dazu. Und er sagt paradox: Mein eigentlicher Ruhm sind nicht die auffallenden Vorzüge, sondern – meine Schwachheit (2 Kor 11,30; 12,5.9). Gemeint sind neben seinem wenig imponierenden äußeren Auftreten, das die Korinther offensichtlich an ihm kritisiert haben,[215] vor allem die vielen Gefahren und Nöte, die er um Christi willen ertragen hat (2 Kor 12,10) und die er „in Geduld" durchgestanden hat (2 Kor 6,4; 12,12); so wie sich auch in der Korinthergemeinde der durch Christus gewirkte Trost im standhaften Aushalten derselben Leiden auswirkt, die auch der Apostel zu bestehen hat (2 Kor 1,5f).

„Bedrängnis" erfährt Paulus auch innerhalb der Gemeinden selbst; so hat er den „Zwischenbrief" aus großer Bedrängnis geschrieben, aus Sorge um die Gemeinde (2 Kor 2,4). Ähnlich spricht er Phil 1,17 davon, daß es in seinem Gefangenschaftsort oder in seiner Nähe Christen gibt, die dem gefangenen Apostel noch Kummer zufügen wollen. Umgekehrt bedeutet die Versöhnungsbereitschaft der Korinthergemeinde (2 Kor 7,6 f) Trost und Freude in seiner schweren Bedrängnis (2 Kor 7,4).[216] Eindringlich erzählt er von der Unruhe und Angst, die ihm in Mazedonien zugesetzt haben (2 Kor 7,5); seine persönlichen Differenzen mit der Korinthergemeinde dürften wesentlich dazu beigetragen haben. Der Trost, den er von Gott erfuhr, bestand in den guten Nachrichten, die Titus ihm von der Versöhnungsbereitschaft der Gemeinde brachte (2 Kor 7,6 f): In der menschlichen Anteilnahme der Korinthergemeinde, in ihrer Bereitschaft zur Versöhnung, erfährt der Apostel den Trost Gottes. Für solche menschliche Anteilnahme an seiner Bedrängnis lobt er die Philippergemeinde (Phil 4,14). Ähnlich bedeutet ihm das Wissen um den guten Zustand der Thessalonichergemeinde und ihre persönliche

212 Zu diesem schwierigen Vers vgl. H. D. Wendland z. St.; H. Schlier, ThW III 143, 23ff.

213 Vgl. oben den Text des Epiktet Diss II 19,22–24, der fast wie ein Gegenstück zu 2 Kor 6,9f erscheint.

214 Vgl. H. D. Wendland z. St.

215 Vgl. 2 Kor 10,1. 10; 11,6.

216 Bedrängnis und Freude stehen auch 2 Kor 8,2; 1 Thess 1,6; 3,7.9 und Phil 4,10.14 nahe beieinander. „Trübsal und Freude sind im Christenleben keine Gegensätze." G. Friedrich zu Phil. 4,4.

Anhänglichkeit Trost in seiner Bedrängnis (1 Thess 3,6 f); und auch das ist ihm Anlaß zur Freude und zum Dank an Gott (1 Thess 3,9).

Paulus erfährt Trost durch Gott in seinem Glauben, der ihn gerade in schweren Situationen trägt. Aber auch die Zeichen menschlicher Solidarität, die er in den Gemeinden erfährt, bedeuten ihm Erfahrung Gottes, „der die Niedrigen tröstet" (2 Kor 7,6).[217] Die Fähigkeit zum Standhalten erwächst nach seiner Überzeugung nicht aus der persönlichen Tapferkeit des Menschen, sondern schöpft ihre Kraft wie im AT und Spätjudentum aus dem Glauben an Gott. Hier ist besonders an jene Psalmen zu erinnern, in denen atl. Fromme ihre Bedrängnis und Angst im Gebet aussprechen und gleichzeitig ihre Überzeugung zum Ausdruck bringen, daß Gott sie hört und aus ihrer Bedrängnis errettet.[218] Doch liegt bei Paulus der Akzent nicht so sehr auf der erlebten oder erhofften Befreiung aus bedrängenden menschlichen Situationen,[219] sondern auf dem hoffenden Standhalten auch da, wo sich die Situation eben nicht ändert und Gott nicht helfend eingreift.[220] Eine solche Haltung ist für Paulus im Blick auf das Kreuz Jesu möglich.

Die in Röm 12,12 von Paulus skizzierten Grundhaltungen haben auch sonst in seinen Briefen eine wichtige Stellung. Vor allem ein Blick auf die Aussagen in 2 Kor zeigt, wie sehr hinter diesen scheinbar ganz beiläufig aufgereihten Mahnungen ganz persönliche Erfahrungen stehen. Paulus gibt hier nicht dürre, leblose theologische Sprüche von sich; hinter dem, was er sagt, steht persönliche Erfahrung. Die in Röm 12,12 skizzierten Grundhaltungen kommen in seinen Briefen immer wieder zur Sprache, gerade an solchen Stellen, an denen er persönlich besonders engagiert ist. Er gibt hier nicht einfach traditionell übernommene ethische Weisungen weiter; hier werden Einstellungen sichtbar, die sein eigenes Verhalten entscheidend prägen.

7. Beharrlichkeit im Beten

Das Gebet spielt in den Briefen des Paulus wie in seinem dort sich spiegelnden religiösen Leben eine bedeutsame Rolle. Die Eigenart seines Betens wird besonders deutlich, wenn man es auf dem Hintergrund der zeitgenössischen Aussagen der popularphilosophischen Aufklärung betrachtet.

Schon in der klassischen Antike war das Bittgebet skeptischen Fragen ausgesetzt. Bei Euripides z. B. melden sich Zweifel, ob die Götter das Gebet auch hören.[221] Eine Äsop-Fabel wirft ironisch das folgende Problem auf: Da ist ein Mann, dessen Töchter verheiratet sind, die eine mit einem Gärtner, die andere mit einem Töpfer. Der Gärtner braucht Regen, der Töpfer aber Sonne zum Trocknen seiner Fabrikate. Wie soll der gute Mann nun für seine

217 Vgl. Jes 49,13 LXX.
218 Vgl. H. Schlier, ThW III 142, 19–31.
219 So in 2 Kor 1,10.
220 Vgl. 2 Kor 12,7–10.
221 E. von Severus, RAC VIII 1143.

Töchter beten?[222] Das Gebet um irdische Glücksgüter wird in Frage gestellt oder ganz abgelehnt;[223] statt dessen treten die geistigen und sittlichen Werte in Bitte und Fürbitte in den Vordergrund:[224] Gegenstand der Bitte sind z. B. Tugend, Bewahrung vor Hochmut, Vergebung, Rechtschaffenheit.[225] Für Epikur sind die Götter keine Partner für das Gebet der Menschen, denn sie leben in vollkommener Glückseligkeit, ohne sich um die Menschenwelt zu kümmern. „Fromm ist es lediglich, sie in ihrem Wesen zu erkennen und für die eigene Lebensgestaltung zum Vorbild zu nehmen."[226] In der Stoa kann das Ziel des Betens „nur dasselbe sein wie das des Bemühens um rationale Einsicht in den Weltlauf, nämlich Herstellung der bewußten Übereinstimmung des eigenen Denkens und Handelns mit der als notwendig, gut und unabänderlich erkannten kosmisch-natürlichen Ordnung."[227]

In der popularphilosophischen Aufklärung, die zur Zeit des Paulus das Denken breiter Schichten prägte, war der Sinn für das Gebet weithin verlorengegangen.[228] Der alte Götterglaube war längst verblaßt und einem praktischen Monotheismus gewichen. In den vielen Göttern wird im Grunde die eine höchste Gottheit verehrt. Doch da die Gottesvorstellung letztlich unpersönlich bleibt, trocknet das Gebet, vor allem das Bittgebet, aus. Vettius Valens macht später die aufschlußreiche Bemerkung, durch Opfer und Gebet könne keiner sein Geschick wenden – das Gute komme von selber, wenn es dem Menschen bestimmt ist.[229]

In Senecas Schriften sieht es manchmal so aus, als habe der Pantheismus der frühen Stoa einen theistischen Akzent bekommen.[230] Bei näherem Zusehen wird man allerdings skeptisch, ob Seneca tatsächlich mit einem persönlichen Gott rechnet.[231] Denn der Gedanke des Schicksals, dem der Mensch sich zu unterwerfen hat, spielt eine so große Rolle in seinem Denken,[232] daß man sich fragen muß, ob Seneca den Gedanken eines persönlichen Gottes wirklich ernsthaft zu Ende gedacht hat. Es ist offensichtlich, „daß, was persönlich klingt, in Wirklichkeit unpersönlich gemeint ist".[233]

222 Fab 96 ed. A. Hausrath (= Halm 166). Später wurde es Mode, solche Gedankengänge auszuspinnen. Ein Musterbeispiel dafür ist Juvenals 10. Satire. Ihr Inhalt ist das Gebet. Auch hier geht es darum, daß der Mensch sein Glück nicht in äußeren Gütern suchen soll; er soll sich ruhig in den Willen Gottes fügen, der am besten für den Menschen sorgt. Vgl. A. Weidner, D. Iunii Iuvenalis Saturae, Leipzig ²1889, 197.
223 E. von Severus, aaO 1145f.
224 aaO 1142.
225 Vgl. H. Greeven, ThW II 778f.
226 E. von Severus, aaO 1149.
227 aaO.
228 Vgl. H. Greeven, aaO 779, 26–780, 25.
229 Vettius Valens V,9, ed. Kroll 220, 28–31; vgl. G. Delling, Gottesdienst 15.
230 Vgl. J. N. Sevenster, Paul 35; M. Pohlenz, Stoa I 321; Ben V 25, 4. So kann Seneca durchaus von Gott als Vater sprechen, J. N. Sevenster, aaO 36f.
231 Vgl. J. N. Sevenster, aaO 35–43.
232 aaO 37–43.
233 aaO 40.

Die Ergebung in die unveränderliche Gesetzlichkeit des Schicksals spielt eine große Rolle:[234] Wenn das Schicksal alles vorherbestimmt hat, ist jegliches Bittgebet nutzlos.[235] Senecas Gottesverehrung hat einen stark ethischen Charakter: „Du suchst die Götter dir geneigt zu machen? Sei gut! Wer ihnen als seinen Vorbildern folgt, ehrt sie genug."[236] Es ist töricht, um rechte Gesinnung zu bitten, wenn man sie aus eigener Kraft erreichen kann.[237] Im Blick auf das Fürbittgebet der Eltern für die Kinder fragt er: „wie lange werden wir etwas von den Göttern fordern, als ob wir uns noch nicht selbst ernähren könnten."[238] An Lucilius schreibt er, es sei an der Zeit, die altmodische Gebetspraxis seiner Eltern aufzugeben: „Mach dich selbst glücklich."[239] Freilich bleibt für ihn das Dankgebet als eine Möglichkeit erhalten.[240]

Bei Epiktet treffen wir zweifellos auf eine größere religiöse Tiefe,[241] der gegenüber Senecas Reflexionen geradezu als „frostig" erscheinen.[242] Doch ist die Gottesgemeinschaft, von der Epiktet redet, keine persönliche Gemeinschaft des Menschen mit dem persönlichen Gott.[243] Der Gedanke der Fügung in das Unabänderliche spielt – wenn auch nicht so offenkundig – eine starke Rolle. Zwei typische Beispiele für Epiktets Gebete seien zitiert: „Brauche mich nun, wozu du willst. Ich bin mit dir eines Sinnes; ich bin der Deine. Gegen nichts will ich mich sträuben, was du mir ausersehen hast. Führe mich, wohin du willst, bekleide mich mit einem Gewande, wie du willst. Willst du, daß ich ein Amt führe? daß ich Privatmann sei? daß ich in der Heimat bleibe? daß ich in die Verbannung muß? daß ich arm, daß ich reich sei? ich werde dich bei all diesem vor den Menschen bekennen."[244] Ein weiteres aufschlußreiches Gebet ist in seine Reflexion über die Frage eingefügt, bei welchem Tun der Mensch von Krankheit und Tod überrascht werden sollte: „Wäre es mir doch beschieden, vom Tode überfallen zu werden bei keiner anderen Sorge als der um mein Wollen, daß es frei sei von Leidenschaft, von Hemmung, von Zwang, daß es frei sei. Bei solchem Streben möchte ich erfunden werden, daß ich sprechen kann zu Gott: ‚Habe ich deine Gebote übertreten? habe ich die Fähigkeiten, die du mir gabst, falsch gebraucht? falsch meine Sinne? falsch meinen Verstand? Habe ich dich je gescholten? je dein Regiment getadelt? Krank ward ich,

234 Vgl. E. von Severus, RAC VIII 1146.
235 N. Q. 2,35, 1.2; Marc 21, 6; vgl. J. N. Sevenster, aaO 44–46.
236 ep. 95, 50, O. Apelt.
237 ep. 41, 1.
238 ep. 60, 2, M. Rosenbach.
239 ep. 31, 5, M. Rosenbach; vgl. J. N. Sevenster, aaO 45.
240 Vgl. M. Pohlenz, Stoa I 323.
241 R. Bultmann, Das religiöse Moment 107f.
242 aaO 108; vgl. 186, auch A. Bonhöffer, Epiktet 342f.
243 R. Bultmann, aaO 177, vgl. 186; so auch A. Bonhöffer, Epiktet (ZNW) 286f; auch schon Epiktet 360. Insofern meldet A. Vögtle, Tugend- und Lasterkataloge 130f Skepsis gegenüber dem oft gerühmten warmen religiösen Ton bei Epiktet an.
244 Diss. II 16, 42, Übers. R. Bultmann, Urchristentum 156.

wenn du es wolltest; die andern freilich auch, aber ich freiwillig. Arm ward ich nach deinem Willen, aber voll Freude. Ich habe kein Amt gehabt, da du es nicht wolltest; nie habe ich ein Amt begehrt. Hast du mich deshalb verdrossen gesehen? Kam ich dir je anders als mit strahlendem Gesicht entgegen, bereit, wenn du etwas gebotest, wenn du etwas wiesest? Jetzt soll ich fort von dem Fest? Ich gehe; ich sage dir lauter Dank, daß du mich würdigtest, mit dir zu feiern, deine Werke zu sehen und deinem Walten nachzudenken.' Solches bedenkend, solches schreibend, solches lesend möge mich der Tod überfallen."[245]

Der herzliche religiöse Ton ist nicht zu überhören. Und doch geht es hier letztlich um die unerschütterliche Ergebenheit dem Schicksal gegenüber, auch wenn Epiktet vom gnädigen Willen Gottes spricht, dem der Mensch sich bedingungslos ergeben soll;[246] ein Ankämpfen gegen ihn wäre sinnlos,[247] vor allem will Gott als der gütige Vater nur das Beste für den Menschen.[248] Ein Beispiel: „Was nennst du, sich Gott empfehlen? – So mit ihm übereinstimmen, daß man alles, was er will, auch will, und was er nicht will, ebenfalls nicht will."[249] Doch kann Epiktet an anderer Stelle ebenso fordern, man solle seinen Willen so vervollkommnen, daß er mit der Natur völlig übereinstimmt.[250] Wenn er um die Bereitschaft zum Ertragen des Leidens betet,[251] so ist die Fügung in das Schicksal „nur in der Einsicht begründet, daß an dem Gang des Geschehens doch nichts zu ändern ist, und daß es also das einzig mögliche ist, sich ihm zu fügen, zumal es die innere Freiheit nicht berühren kann." Dem entsprechen die von Epiktet gebilligten Gebetsinhalte: Er empfiehlt das Gebet in geistigen Dingen[252] und fordert zum Lobpreis Gottes auf.[253] Inständiges Bitten um leibliche Gesundheit lehnt er dagegen ab.[254] Aufschlußreich ist seine Bemerkung, man solle die Götter nicht um Dinge bitten, die sie nicht geben.[255]

In den Mysterienreligionen hat das Gebet zentrale Stellung.[256] Zwar ist das Gebet für den Mysten nur ein vorletztes; der Gipfelpunkt religiösen Erlebens liegt für ihn in der Gottesschau. Doch entfaltet sich ein reiches Ge-

245 Diss. III 5,5–11; vgl. IV 10, 14–17, Übers. R. Bultmann, aaO 157.
246 Diss. I 12; IV 1, 90–110; 7,12 ff; I 4,18 ff; II 16,28. 42; fragm 3. 8; bes. Ench 31, 1.
247 Diss. III 24, 21; IV 1, 101.
248 Diss. III 26, 27 ff; vgl. M. Pohlenz, Stoa I 339.
249 Diss. IV 1, 99 R. Mücke.
250 Diss. I 4,18. Alle Dinge in der Welt gehen ihren Lauf. „Wer sich die Mühe nimmt, auf diese Tatsache zu achten und sich zu überzeugen, daß man sich willig in das Unabänderliche schicken solle, der wird sein Leben in vollem Ebenmaß und lauter Harmonie zubringen." fragm 8, R. Mücke. Vgl. auch Diss. I 6, 37–42: Blicke auf die Kräfte, die du hast, und dann sprich: Schicke nun, o Zeus, was du willst ... Übers. bei R. Bultmann, aaO 106 f.
251 Diss. II 16, 42; vgl. auch Diss. III 24, 96–102; 26, 29. folg. Zit. R. Bultmann aaO 180.
252 Diss II 18, 28 f, vgl. H. Wenschkewitz, Spiritualisierung 118.
253 Diss I 16, 15–21; II 23, 5 f.
254 Stob D 2 (R. Mücke).
255 Epikt fragm 17, vgl. Diss II 7, 12 ff.
256 Vgl. zum folgenden H. Greeven, aaO 780,26–781,12.

betsleben: Wortreiche Hymnen an die Gottheit, anbetender Lobpreis, Dank. Bitten um irdische Dinge kommen kaum vor, kaum auch Fürbitten für die Mitmenschen.[257]

Das atl. Beten – von ihm ist Paulus beeinflußt – hebt sich vor diesem Hintergrund deutlich ab. Der atl. Beter rechnet ganz realistisch mit der Wirklichkeit des persönlichen, am Menschen und seiner Geschichte interessierten und diese Geschichte bestimmenden Gottes.[258] Diesen als persönlich geglaubten Gott kann er schlechthin um alles bitten; und ebenso kann er ihm für alles danken. In beidem treten auffallend die geistlichen Anliegen gegenüber den leiblichen und materiellen zurück.[259] Auffallend ist die Spontaneität und Unmittelbarkeit atl. Betens: „Niemals enthält ein Gebet im AT die Aufzählung einer Reihe von Gebetsanliegen. Es sind nicht Anliegen im Sinn von Gegenständen, die den Menschen zum Beten bringen, sondern Ereignisse. Trifft ihn eine Not, so schüttet er sein Herz vor Gott aus; alle große Freude, die ihn erfüllt, trägt er zu Gott zurück."[260]

Die Situationsnähe und Lebendigkeit atl. Betens zeigt sich darin, daß „beten" im AT nur selten durch ein verbum proprium ausgedrückt wird.[261] Dagegen gibt es eine Fülle von Worten, die das Beten umschreiben: bitten, schreien, seufzen, stöhnen, weinen, sein Herz, seine Sorge ausschütten, preisen, rühmen, singen, jubeln, jauchzen, frohlocken, sich freuen u. a.[262] Häufig begegnen Verben des Fragens, des Suchens, des Klagens.[263] Schon der Wortgebrauch zeigt etwas von dem Reichtum und der Lebensnähe des Betens im AT. Alles, was das Menschenleben an Werten und Gütern umschließt, kann Gegenstand des Gebetes werden.[264]

Angesichts der lebendigen Gebetstradition des AT kann es nicht verwundern, daß das Gebet auch im hellenistischen Judentum nicht zu philosophischer Spekulation verblaßt.[265] Das zeigt sich deutlich bei Philo. Die Bindung an das Judentum bewahrt ihn vor philosophischen Spekulationen, die zur Entleerung des Gebets führen.[266] Welch zentrale Stellung das Beten in seinem Denken einnimmt, zeigt seine Bemerkung, nur von einem Menschen, der betet, könne man sagen, daß er lebe.[267] Einem Menschen, den erst die

257 Man kann fragen, ob die reichliche Verwendung hymnischer Formen des Gebets damit zusammenhängt, daß die lebendige persönliche Beziehung zu Gott in den Hintergrund getreten ist. Vgl. G. Harder, Paulus 135. 146, der das für das spätjüdische Gebet behauptet.

258 Vgl. zur atl. Überzeugung von der Geschichtsmächtigkeit Gottes G. Lohfink, Grundstruktur 19–21.

259 J. Herrmann, ThW II 789, 8–23.

260 C. Westermann, RGG^3 II 1214.

261 J. Herrmann, aaO 782, 19–27.

262 Vgl. aaO 782, 19 – 787,7; E. von Severus, RAC VIII 1163f.

263 Vgl. C. Westermann, aaO 1213. 1215; vgl. dazu M. Limbeck, Die Klage – eine verschwundene Gebetsgattung, ThQ 157 (1977) 3–16.

264 E. von Severus, aaO 1166.

265 Vgl. zum folgenden H. Greeven, ThW II 781, 13–46.

266 Vgl. E. von Severus, aaO 1169.

267 fug 56.

Not beten lehrt, steht er kritisch gegenüber; ein solches Gebet ist in seinen Augen wertlos.[268] Der Einfluß der hellenistischen Frömmigkeit zeigt sich am deutlichsten, wo Philo nach dem Inhalt des Bittgebetes fragt. Der Mensch soll nicht um äußere Güter, wie Reichtum, bitten. „Vermehrung der Tugend, Friede, Heilung von Zorn und anderen Leidenschaften, vollkommene Lebensführung, Weisheit – das sind die Güter, die Philo eines Gebetes zu Gott für würdig erachtet."[269] Vor allem soll der Mensch den Dank nicht vergessen;[270] die Danksagung ist die Vollendung des Gebetslebens.[271]

Paulus ist in der reichen Gebetstradition seines Volkes aufgewachsen. Im Gegensatz zu Philo finden sich bei ihm keine Spuren der zeitgenössischen philosophischen Gebetskritik; von der Skepsis der antiken Gebetskrise ist bei ihm nichts zu spüren. Wir finden bei Paulus keine Spekulation über das Gebet, keine Auseinandersetzung mit den rationalistischen Argumenten des zeitgenössischen Denkens, das Paulus nicht unbekannt geblieben sein kann. Nirgends findet sich der Versuch, in sorgfältigen Unterscheidungen die Nützlichkeit oder Schädlichkeit einzelner Gebetsinhalte zu reflektieren.[272] Bestimmend für seine Einschätzung des Gebetes[273] ist auf der einen Seite die atl.-jüdische Tradition, aus der er kommt, auf der anderen Seite die Überzeugung, daß durch Jesu Tod und Auferweckung die entscheidende Wende zum „Neuen" bereits geschehen ist. So kann er in Röm 1,8; 7,25[274] sagen, das Gebet geschehe „durch Christus",[275] womit er seine Überzeugung zum Ausdruck bringt, daß die Nähe des erhöhten Christus eine neue Möglichkeit des Betens eröffnet.

Anders als die Mysterienreligionen kennt Paulus nicht nur Anbetung,[276] Lobpreis und Dank, sondern auch Bitte und Fürbitte. Die einzelnen Gebetsinhalte zeigen einen großen Reichtum: Röm 1,10 bittet Paulus darum, daß er die römische Gemeinde besuchen kann, 1 Thess 3,10 bittet er um das Wiedersehen mit der Thessalonichergemeinde, 2 Kor 12,8 um Befreiung von seiner Krankheit. Die Fürbitte richtet sich in Röm 10,1 auf das Heil Israels, in Phil 1,9 erbittet er der Philippergemeinde ein Wachsen in der Liebe.[277] Ebenso vielfältig sind die Anlässe zum Dank: Paulus dankt für die Bekehrung der römischen Gemeinde (Röm 6,17), für den Eifer des Titus (2 Kor 8,16), für den in der Auferweckung Christi geschehenen Sieg über Sünde und

268 sacr 71; das Gebet des Ungerechten mißfällt Gott: Mos II 107.
269 H. Greeven, aaO 781, 33–35; vgl. E. von Severus, aaO 1169; vgl. auch Weish 7,7; 9.
270 spec. I 224; mut 220ff.
271 E. von Severus, aaO 1169.
272 E. von Severus, aaO 1177.
273 Ein guter tabellarischer Überblick über die das Gebet betreffenden Stellen in den paulinischen Briefen bei G. P. Wiles, Prayers 297–302; vgl. auch die Übersicht bei R. Kerkhoff, Gebet 19ff. 49–55.
274 Vgl. auch 2 Kor 1,20.
275 Vgl. dazu W. Thüsing, Per Christum 174–183. Dieses „durch Christus" ist dann in der Folgezeit vor allem im liturgischen Gebet der Kirche bis heute bestimmend geblieben, vgl. aaO 269f.
276 Vgl. bes. Röm 11,33–36; ferner Röm 1,25; 2 Kor 11,31; Gal 1,5; Phil 4,20.
277 Röm 15,13 erbittet er der Gemeinde Freude, Frieden und Hoffnung.

Tod (1 Kor 15,57). Leider sind die Gebete des Paulus für uns zum Teil zu abgegriffenen oder liturgisch versteinerten Formeln geworden, so daß wir oft nicht mehr recht nachfühlen, wie kraftvoll und lebendig sie ursprünglich gewesen sind.

In 2 Kor 12,8 berichtet Paulus von seiner dreimaligen Bitte, der „Satansengel" möge von ihm ablassen. Die meisten Exegeten sind der Meinung, daß Paulus in 2 Kor 12,7 f von einer körperlichen Krankheit spricht, die ihm hart zusetzt und ihn ständig begleitet.[278] Paulus bittet nicht um Einsicht in den Sinn seines Leidens – das würde der zeitgenössischen philosophischen Aufklärung gut entsprechen –, sondern er bittet um Befreiung aus seiner leiblichen Not. Die scheinbar abweisende Antwort empfindet er als Erhörung: „Es genügt dir meine Gnade" (2 Kor 12,9). Hier geht es nicht um stoische Ergebenheit dem Schicksal gegenüber, dem man sich besser fügt, sondern um das persönliche Vertrauen dem Herrn gegenüber, dem der Apostel sich in seiner Not anvertraut. Beten ist hier nicht fatalistisches Hinnehmen des Unvermeidlichen, sondern Übergabe der Sorge an den Herrn. Das Gebet zeigt eine „Sicherheit, die auch durch Leid und Not hindurch an Gott nicht zweifelt."[279] Hier ist Gebet nicht mehr der Versuch, Gott zu beeinflussen und umzustimmen; es ist vielmehr Ausdruck unbedingten Vertrauens gegenüber dem persönlichen Gott.[280]

[278] Die Diskussion um die Krankheit des Paulus ist bisher ohne überzeugendes Ergebnis geblieben. Vgl. K. L. Schmidt, ThW III 820f. Sehr zutreffend mahnt schon A. Deissmann zur Zurückhaltung, eine „unzulässige Ferndiagnose" zu stellen; A. Deissmann, Paulus. Eine kultur- und religionsgeschichtliche Skizze. Tübingen ²1925, 48 f. Vgl. im übrigen M. Dibelius – W. G. Kümmel, Paulus, Berlin ⁴1970, 38–40. Der jüngste Diskussionsbeitrag macht den Vorschlag, die These von einer Krankheit des Paulus endgültig zu begraben: H. Binder, Die angebliche Krankheit des Paulus, ThZ 32 (1976) 1–13. Binder bestreitet eine Krankheit des Paulus aus zwei Gründen: 1. Nur ein gesunder Mensch konnte die von Paulus oft geschilderten Strapazen durchstehen, aaO 1 f; 2. In der Sprache des Paulus bedeutet ἀσθένεια usw. nie Krankheit, aaO 4f; zu Gal 4,13–15 vgl. aaO 5–7; zu 2 Kor 12,7–10 aaO 7–11. Binder deutet Gal 4 und 2 Kor 12 auf Ohnmacht, Unvermögen und Armut der menschlichen Existenz, aaO 13, wobei in 2 Kor 12 besonders an die Widerstände und Demütigungen zu denken ist, die er nicht nur in Korinth erfahren hat, aaO 8–11.

[279] H. Weinel, Paulus 84.

[280] Daher dürfte A. Bonhöffers Vergleich mit dem Gebet bei Epiktet das Wesentliche christlichen Betens gerade nicht treffen: „Ein wichtiger Unterschied bleibt allerdings bestehen: ein Gebet um Erlösung von dem Übel kennt Ep. nicht, weil er überhaupt kein ‚Übel' anerkennt und eine in äußeren Wirkungen sich zeigende Beeinflussung des göttlichen Willens durch das Gebet nicht annimmt. So berührt uns die christliche Tapferkeit einerseits wohltuender als der das Menschenmögliche fast übersteigende stoische Heroismus; andererseits gerät dieser auch nicht in die Schwierigkeit, den Glauben an die Gebetserhörung trotz anscheinend erbarmungslos fortdauerndem Leiden festhalten zu müssen, ein Glaube, der, wenn er wirklich vorhanden ist, den inneren Zusammenbruch riskiert, wo nicht, in aller Stille ins Geistige umgebogen wird, so daß er schließlich der stoischen Selbstbehauptung und Selbsterlösung ziemlich nahe kommt." A. Bonhöffer, Epiktet 368f.

Hier entspricht das Beten des Paulus ganz dem Gebet Jesu. In den Gebetsanweisungen des syn Jesus dominiert das Bittgebet.[281] Es ist getragen von einem grenzenlosen Vertrauen auf die Vatergüte Gottes.[282] Jesu Beten ist die vertraute Anrede an den persönlichen, nahe geglaubten Gott, den Vater („Abba").[283] Diesen Vater darf der Jünger um alles bitten, was er für sein Leben braucht;[284] das Bittgebet wird nicht – wie in der zeitgenössischen hellenistischen Aufklärung – auf „höhere Werte" oder geistige Güter eingeschränkt.[285]

Auch für einen Christen gibt es die Schwierigkeit und Not des Betens. Wie sehr Paulus darum weiß, zeigt ein Blick auf Röm 8,15.26f:[286] Der Gottesgeist muß sich der menschlichen Schwachheit annehmen, damit der Mensch recht beten kann. „Der Geist macht in der Tiefenschicht, der das Gebet entspringt, bewußt, daß der Mensch durch die Liebe Gottes angenommen ist."[287] Ohne den „Geist", der schon im anthropologischen Sinn die Gottoffenheit des Menschen bezeichnet, gibt es kein Gebet. Das Beten ist „nicht Ausdruck menschlichen Vermögens, sondern ein Reden des Geistes, der geschenkt ist wie der Glaube."[288]

Paulus fühlt sich mit seinen Gemeinden im Gebet verbunden; er spricht in seinen Briefen häufig von seinem „ständigen" Beten für die Gemeinde, in Dank und Fürbitte,[289] und er bittet seinerseits die Gemeinden um ihr fürbittendes Gebet.[290] Er weiß sich „sowohl in der Durchführung seines Auftrags wie auch in der Bewahrung seines Lebens" vom Gebet der Gemeinde abhängig.[291] Natürlich darf man die Erwähnung des ständigen Gebets für die Gemeinden nicht pressen;[292] sie gehört zum antiken Briefstil.[293] Und doch ist sie – wie der Dank am Anfang seiner Briefe[294] – mehr als eine stilistische Floskel; sie ist Ausdruck der persönlichen Verbundenheit mit der jeweiligen Gemeinde.

281 Vgl. J. Gnilka, Jesus 84–86.

282 Vgl. G. Lohfink, Grundstruktur 22–26.

283 Vgl. J. Gnilka, aaO 81f.

284 Mk 11,24; vgl. Joh 14,13f.

285 Vgl. G. Lohfink, aaO 23.

286 Vgl. Gal 4,6 und O. Bauernfeind, RGG^3 II 1219.

287 L. Goppelt, Theologie II 450.

288 E. von Severus, RAC VIII 1179. Daß Paulus in Röm 8,26 an die Erscheinung der Glossolalie denkt (P. Althaus z. St.), mit der er sich kritisch auseinandersetzt (E. Käsemann z.St.), müßte man aus 1 Kor 14 einlesen; vgl. dazu H. Schlier z.St.

289 Besonders ausführlich Phil 1,3–11; vgl. Röm 1,8–11; 1 Kor 1,4; 2 Kor 13,7.9; 1 Thess 1,2 f; 2,13; 3,9f; vgl. auch Phm 4; Dank und Bitte als Inhalt des Gebetes Phil 4,6.

290 Röm 15,30f; 2 Kor 1,11; 1 Thess 5,25; Phm 22; vgl. Phil 1,19.

291 O. Michel, RAC IX 15.

292 Phil 1,4 sind „immer" und „in jedem meiner Gebete" gleichgesetzt.

293 Vgl. A. Deißmann, Licht vom Osten, ^{4}1923, 150; G. P. Wiles, Prayers 158–160; 1 Makk 12,11.

294 In Gal fehlt der Dank bezeichnenderweise. Vgl. auch 2 Kor 1, wo der Dank sich nicht auf den erfreulichen Zustand der Gemeinde richtet.

In Röm 12,12 steht die Aufforderung zum Gebet in engem Zusammenhang mit Hoffnung, Freude und Standhaftigkeit, in Phil 4,6 mit Freude, Danksagung und Freiheit von Sorge (vgl. 1 Thess 5,16–18). Das Gebet ist, wie Freude und Danksagung, Ausdruck der Hingabe an Gott und Ausdruck der Freiheit von weltlicher Sorge.[295] Die Mahnung zum beharrlichen Beten oder zum Beten ohne Unterlaß[296] ist nicht paränetische oder rhetorische Übertreibung. Das ständige Leben im Gebet ist jüdisches Gebetsideal.[297] Mit der Aufforderung Röm 12,12 zum beharrlichen Gebet ist mehr gemeint als „sich regelmäßig zum Gebet halten."[298] In ihr „spricht sich vielmehr das Gespür dafür aus, daß das ständige objektive Hingewendetsein zu Gott, das den Getauften durch ihre Christusgemeinschaft geschenkt ist, nach Aktualisierung verlangt."[299]

8. Gastfreundschaft

Gastfreundschaft ist eine in der Antike hochgeschätzte Tugend.[300] Im ägyptisch-orientalischen Raum beruht sie „auf dem religiös-ethischen Gebot, dem Notleidenden zu helfen, und zwar zunächst dem Angehörigen der eigenen Gruppe. Doch sehr früh wird das Gebot der Barmherzigkeit umfassend und auf den Fremden ausgedehnt. Gerade in den Wüstengebieten des Vorderen Orients hängt das Überleben des Wanderers davon ab, daß er an den Lagerstätten der Beduinen Zuflucht findet. Von da ausgehend ist die Regel, jedem Menschen die unmittelbar notwendige Hilfe zu gewähren, Bestandteil der gemeinorientalischen Weisheitstradition geworden."[301]

Die Gastfreundschaft wird im AT hoch geschätzt.[302] Der Fremde gilt als Gottes Schützling.[303] Abraham (Gen 18,1–8) und Lot (19,1–8) werden in den Überlieferungen aus der Väterzeit als Vorbilder der Gastfreundschaft hingestellt. 1 Sam 28,21–25 berichtet von der Gastfreundschaft der Totenbeschwörerin von Endor gegenüber Saul. Begründet wird die Gastfreund-

[295] V. P. Furnish, Theology 190.

[296] Vgl. Röm 1,9f; Phil 1,4; 1 Thess 1,2; Phm 4, auch 2 Thess 1,11; Kol 1,3.9.

[297] Vgl. G. Harder, Paulus 8–19; E. Lohmeyer zu Kol 4,2; auch 2 Makk 13,12; Tob 4,19.

[298] Gegen G. Harder, aaO 13; Harder beruft sich auf eine Freilassungsschrift, in der der jüdische Herr dem Sklaven die volle Bewegungsfreiheit gibt und ihm nur die Auflage macht, der Synagoge Ehrfurcht entgegenzubringen und sie regelmäßig zu besuchen. Doch darf man eine solche einzelne Stimme nicht unmittelbar zum Verständnis einer paulinischen Aussage heranziehen, die in ganz anderem Zusammenhang steht. Vgl. zu der Urkunde H. Schlier zu Röm 12,12.

[299] W. Thüsing, Per Christum 269, Anm. 34.

[300] Beispiele bei H. Rusche, Gastfreundschaft 7ff; C. Spicq, Theologie II 809, Anm. 4; C. Spicq, Agape II 149, Anm. 3 und 4; ein besonders ausführlicher Überblick bei O. Hiltbrunner/H. Weber, RAC VIII 1073–1103.

[301] O. Hiltbrunner, aaO 1066.

[302] Vgl. D. Gorce, RAC VIII 1067–1072.

[303] H. Rusche, aaO 8.

schaft damit, daß Israel selber einst Sklave in Ägypten war[304] und fremd in jenem Land:[305] daran soll es sich immer neu erinnern. Die Gastfreundschaft gehört zu den zentralen Forderungen in Jes. 58.[306]

Man darf die Verhältnisse allerdings nicht idealisieren. Ri 19,15 berichtet von der Verweigerung der Gastfreundschaft,[307] die dann ein alter Mann doch noch gewährt (Ri 19,16–21). In bestimmten Epochen des AT „ist die Fremdenfeindlichkeit stärker als die Nächstenliebe", z. T. bedingt durch die religiöse Abgrenzung gegenüber der heidnischen Umwelt.[308] Das gilt vor allem für die nachexilische Zeit.[309] Natürlich wußte man auch von der Gefahr, daß Gastfreundschaft mißbraucht und ausgenutzt werden konnte; anders wären die Warnungen in Sir 11,29.34 kaum verständlich: „Nicht jeden Menschen bringe ins Haus, denn zahlreich sind die Listen des Hinterhältigen . . . Nimm einen Fremden in dein Haus – er wird dir Verwirrung bringen und dich deinen Angehörigen entfremden." Aufschlußreich ist auch Sir 29,22–28: „Besser das Leben des Armen unter schirmendem Dach als köstliche Leckerbissen in der Fremde. Ob wenig oder viel, sei zufrieden und laß dich nicht in der Fremde bewirten. Schlimm ist ein Leben von Haus zu Haus, denn wo du als Fremdling weilst, darfst du den Mund nicht auftun. Ein Fremdling bist du, und Schmach mußt du schlucken und mußt noch bittere Worte hören: ‚Auf, Fremdling, decke den Tisch, und wenn du etwas hast, gibt mir zu essen.' – ‚Fort, Fremdling, einer Ehrenpflicht wegen, der Bruder ist als Gast gekommen, ich brauche das Haus.' Hart ist es für einen verständigen Menschen, gescholten zu werden wegen der Einmietung und geschmäht als Schuldner."[310] Die Texte aus Sir zeigen deutlich, wie weit Ideal und Wirklichkeit oft auseinanderlagen.

Die Forderung der Gastfreundschaft ist auch dem außerbiblischen Judentum wichtig; so begegnet die Übung der Gastfreundschaft in den Testamenten der Zwölf Patriarchen,[311] im Testament des Hiob, wo Gastfreundschaft und Armenpflege zu den herausragenden Tugenden des Hiob gehören,[312] in Qumran[313] und bei den Rabbinen;[314] sie steht bei den Rabbinen in höchstem Ansehen, wird allerdings den Nichtisraeliten nicht gewährt.[315]

[304] Dt 16,11f; 24,17f.
[305] Ex 22,20; 23,9; Lev 19,33f; Dt 10,18f; 23,8.
[306] Jes 58,7. 10.
[307] Vgl. auch Lk 9,53.
[308] O. Hiltbrunner, aaO 1067.
[309] D. Gorce, aaO 1072.
[310] Übers. Jerusalemer Bibel.
[311] Test Zab 6,5f; vgl. 7,1 (wo die Frau des Hauses wohl nicht ganz einverstanden war!)
[312] Test Hiob 10.
[313] Dam 6,21; 14,15.
[314] Billerbeck I 588f; IV 1, 565–571.
[315] aaO IV 1, 565; 568f; zum Mißbrauch der Gastfreundschaft 569f: auch den Rabbinen war bewußt, daß man Gastfreundschaft schamlos ausnutzen kann.

In der frühen Christenheit spielt die Gastfreundschaft eine große Rolle; in den syn Evangelien[316] steht sie oft in Verbindung mit der Mission.[317] Das gilt ebenso für die übrigen Schriften des NT.[318] Nach dem Bericht der Apg macht Paulus bei seiner Missionstätigkeit oft von der Gastfreundschaft Gebrauch – und ist auch darauf angewiesen.[319] Wenn Paulus der Gemeinde in Rom seinen Besuch ankündigt,[320] so rechnet er wie selbstverständlich mit ihrer Gastfreundschaft. Bei seiner Mahnung Röm 12,13 scheint Paulus in erster Linie an die Aufnahme der Boten Christi, der Heiligen und Brüder zu denken.[321] Röm 16,1–2 mahnt er die Gemeinde, Phoebe aufzunehmen, „wie es sich für Heilige ziemt." Röm 16,23 wird Gajus „mein und der ganzen Kirche Gastgeber" genannt. Paulus nimmt die Gastfreundschaft selbstverständlich in Anspruch, aber er legt Wert darauf, „den Gastgebern nicht die Last seines Unterhalts zuzumuten, sondern sich durch seiner Hände Arbeit zu ernähren"[322] (1 Kor 4,12; 1 Thess 2,9; vgl. 2 Thess 3,8).[323]

Die Mahnung 1 Petr 4,9 zeigt, daß die Gastfreundschaft in der frühen Kirche nicht unproblematisch war; man erinnere sich an die oben zitierten Sir-Stellen. Die Empfehlungen, die den wandernden Christen mitgegeben werden, versuchen der Gefahr eines Mißbrauchs der Gastfreundschaft vorzubeugen (vgl. 2 Kor 3,1–3; Röm 16, 1–2).[324] Die Johannesbriefe kennen auch eine Verweigerung der Gastfreundschaft um der Wahrheit willen, obwohl sonst in ihnen die Gastfreundschaft hoch geschätzt wird.[325]

In der Paränese an die römische Gemeinde steht die Gastfreundschaft an der Seite zentraler christlicher Grundhaltungen (Röm 12,13). Diese Wertung mag uns überraschen. Doch ist sie – gerade in einem Schreiben an die Christen der Hauptstadt Rom – gar nicht so verwunderlich, wenn man bedenkt, daß die Gastfreundschaft in der frühen Christenheit gerade im Blick auf die Mission unerläßlich war.

316 Vgl. in der Emmauserzählung Lk 24,29.
317 H. Rusche, aaO 14–20.
318 Vgl. D. Gorce, aaO 1105–1107; auch den Pastoralbriefen (vgl. H. Rusche, aaO 35–37) und dem Hebräerbrief (aaO 37–40) ist die Gastfreundschaft wichtig.
319 Apg 16,4f.40; 17,5–9; 18,1–3; 21.8. 15–17.
320 Röm 1,9–15; 15,22–24. 28f. 32. Zur Gastfreundschaft gehört das Geleit: Röm 15,24; 1 Kor 16,6; 2 Kor 1,16; 3 Joh. 6; Apg 20,38.
321 Vgl. H. Rusche, aaO 34.
322 D. Gorce, aaO 1106.
323 Vgl. Apg 18,1–3.
324 Vgl. H. Rusche, aaO 42, Anm. 192.
325 3 Joh 1–7; vgl. H. Rusche, aaO 41–44.

9. Erbarmen und Solidarität

Für Paulus ist das Erbarmen eine wichtige christliche Tugend (Röm 12,8). Er mahnt, sich mit den Freuenden zu freuen und mit den Weinenden zu weinen (Röm 12,15). Damit setzt er deutlich einen anderen Akzent als manche zeitgenössischen stoischen Äußerungen, in denen das Erbarmen eher negativ qualifiziert wird. Das Mitleid erscheint regelmäßig in den Lasterkatalogen der Stoa.[326]

Epiktet verwirft das Erbarmen, weil es ein Affekt ist.[327] Das entspricht dem alten Ideal der Apatheia, der „Unabhängigkeit von jeder Erschütterung durch Affekte, Leid und Wechselfälle des Lebens . . ."[328] Der Zustand gleichmäßiger, unerschütterlicher Ruhe ist die Wurzel des Glücks; darin ist sich die griechische Ethik seit Demokrit einig.[329] Schon Platon wendet sich gegen eine extreme Unterdrückung der Gefühle.[330] Epiktet erkennt ein natürliches Mitleid an.[331] Er empfiehlt, fremden Schmerz nach Kräften zu trösten,[332] wenn er auch die äußeren Nöte des Mitmenschen betont zurückstellt.[333]

Seneca fordert Güte, verwirft aber das Mitleid.[334] Nicht nur, weil es die Unerschütterlichkeit des Weisen in Frage stellt, sondern auch, weil das Mitleid in seiner Sicht eine Entwürdigung des Mitmenschen sein kann. Der Weise „wird dem Schiffbrüchigen die Hand, dem Verbannten Obdach, dem Bedürftigen eine Gabe geben, nicht diese verletzende, mit der die Mehrheit derer, die mitleidig erscheinen wollen, wegwerfend und hochmütig die behandelt, denen sie hilft, und fürchtet, von diesen berührt zu werden, sondern wie ein Mensch wird er einem Menschen aus gemeinsamem Besitz geben."[335] Das Mitleid betrachtet er als einen Affekt, der nur den klaren Blick trübt.[336] Der Weise wird „sich nicht erbarmen, sondern wird zu Hilfe eilen, wird nützen, geboren zu gemeinsamer Hilfe und zum öffentlichen Wohl, von dem er jedem einen Teil geben wird."[337] Man darf Seneca also nicht rationale Gefühlskälte vorwerfen.[338] Zwar lehnt er die misericordia

326 K. Deißner, Das Idealbild des stoischen Weisen. Greifswalder Universitätsreden 24, Greifswald 1930, 14.
327 Diss II 21,6; III 22,13; III 24,43; IV 1,4.
328 P. de Labriolle, RAC I 484.
329 P. Wilpert, RAC I 844.
330 aaO.
331 A. Bonhöffer, Epiktet 69, Anm. 1.
332 Diss III 24,22f.
333 H. Braun, Indifferenz 166; vgl. Diss III 24,1. 22. 23.
334 Clem II 5–6; „Erbarmen ist benachbart der Erbärmlichkeit": II 6,4 K. Büchner.
335 Clem II 6,2 K. Büchner.
336 Vgl. M. Pohlenz, Stoa I 310.
337 Clem II 6,3 K. Büchner.
338 Zu einer gerechten Bewertung Senecas vgl. M. Pohlenz, Stoa I 303–327, bes. 327. Daß es Seneca nicht gelungen ist, sein Leben mit seinem hochstehenden Ethos in volle Übereinstimmung zu bringen, spricht nicht gegen sein Ethos. Daß man hinter den ethischen Zielen, die man sich gesteckt hat, jeweils zurückbleibt, ist eine schmerzliche Erfahrung wohl jedes Menschen. Auch Paulus hat davon gewußt (vgl. Röm 7).

als Affekt ab. Aber der Stoiker soll sich von niemandem an Güte und Milde, an Liebe gegen die Menschen und an Fürsorge für ihr Wohl übertreffen lassen.[339]

Seneca weiß, „daß bei den Unkundigen die Schule der Stoiker verschrieen ist als allzu hart . . . Es wird ihr nämlich vorgeworfen, daß sie bestreitet, der Weise erbarme sich und verzeihe."[340] Gegen diesen Vorwurf nimmt er die Stoa ausdrücklich in Schutz: „Aber keine Schule ist gütiger und milder, keine menschenfreundlicher und wacher für das allgemeine Wohl . . ."[341] Schon Krantor (um 300 v. Chr.) hatte den Stoikern die Unterdrückung des echt Menschlichen vorgeworfen.[342] Daß Seneca und Epiktet[343] sich ebenfalls mit diesem Vorwurf auseinandersetzen, ist ein Zeichen dafür, daß sich das natürliche menschliche Empfinden gegen eine allzu blasse philosophische Abstraktion wehrt. So kann das Mitleid keineswegs als eine in der Antike vergessene Tugend bezeichnet werden. Und offenbar wollen auch Epiktet und Seneca – trotz vieler gegenläufiger Äußerungen – das menschliche Mitgefühl nicht aus dem Leben des Menschen verbannen.

Wenn Paulus dazu auffordert, sich spontan (und ohne den intellektuellen Vorbehalt der Stoa) auf die Situation des Mitmenschen einzulassen (Röm 12,15), Erbarmen zu üben (Röm 12,8), ist der Abstand zu zeitgenössischen stoischen Äußerungen nicht zu übersehen. Paulus predigt nicht stoische Überlegenheit und Gelassenheit; er fordert dazu auf, den Schmerz und die Freude des anderen an sich heranzulassen, sich durch die Not des anderen erschüttern und betreffen zu lassen. Es geht um die innerliche Einigung mit dem Nächsten, um „jene seelische ‚Sympathie' in des Wortes ursprünglicher Bedeutung, bei der die Freude des anderen zur eigenen Freude und die Trauer des anderen zur eigenen Trauer wird."[344] Nicht die heitere, über den Dingen stehende Gelassenheit ist die rechte Grundhaltung des Christen, sondern die brüderliche Solidarität, die die eigenen Gefühle und die des Mitmenschen ernst nimmt. Wir hoffen, mit dieser Gegenüberstellung der Stoa kein Unrecht zu tun. Selbst ein Autor, der der Stoa und speziell Epiktet mit größter Sympathie gegenübersteht, sieht hier einen wichtigen Differenzpunkt; „Die stoische Apathie, auch wenn man sie richtig versteht, enthält immerhin eine gewisse Härte und Verleugnung des natürlichen Gefühls, der gegenüber das Neue Testament mit seiner

339 Vgl. M. Waldmann, Feindesliebe 74.

340 Clem II 5,2 K. Büchner.

341 Clem II 5,3 K. Büchner; vgl. auch Senecas Ausführungen über die humanitas: ep. 81,26; 88,30; 5,4; 115,3; de ira I 7–21.

342 In seiner Schrift περὶ πένθους erklärt er, daß nicht die Ausrottung des Affekts, sondern seine Mäßigung gefordert ist; vgl. v. Arnim, PW XXI 1587.

343 Epiktet will die Apatheia „nicht mit Unempfindlichkeit verwechselt sehen", P. de Labriolle, RAC I 485; Diss I 4,5; II 1,31; II 18,30; II 22.

344 H. W. Schmidt zu Röm 12,15; vgl. E. Gaugler z.St.: Es gilt, dort beim anderen gegenwärtig zu sein, „wo er am tiefsten er selber ist, in seiner Freude, in seinem Leid."

Gestattung des Mitleids und der Reue, der Trauer und Sehnsucht dem allgemein menschlichen Empfinden näher steht und deshalb wohltuender berührt."[345]

Paulus braucht die Wortgruppe ἔλεος / ἐλεέω sonst ausschließlich von Gottes Erbarmen.[346] Das Erbarmen, das zu üben der Christ aufgerufen wird, gründet im Erbarmen, das er selber empfing. Das sollte christliche Liebestätigkeit davor bewahren, den anderen von oben herab zu „betreuen" und ihn durch solche Herablassung in seiner menschlichen Würde zu verletzen. Wer anderen hilft, darf dabei nicht vergessen, daß er selber einer ist, der Erbarmen fand, wie sehr er selber von der Hilfe und vom Erbarmen Gottes lebt.

10. Demut – Zuwendung zum Geringen

Röm 12,3 mahnt Paulus zu nüchterner Selbsteinschätzung, die im Gegensatz zur Überheblichkeit steht. Röm 12,10 ruft er dazu auf, einander in der Ehrerbietung zuvorzukommen. Röm 12,16 knüpft deutlich an 12,3 an: „strebt nicht nach Hohem, sondern laßt euch vom Geringen herabziehen."[347] Die hier von Paulus geforderte Haltung läßt sich nur schwer mit einem angemessenen deutschen Ausdruck wiedergeben, zumal das Wort „Demut" leider sehr entwertet ist.

Mit dem Begriff ταπεινός in Röm 12,16 greift Paulus ein in seiner Zeit negativ besetztes Wort auf, das eine niedrige, unterwürfige Denkungsart bezeichnete.[348] Auch in seinen eigenen Schriften kann es in diesem negativen Sinn begegnen: 2 Kor 10,1. In der profangriechischen Literatur bedeutet es ursprünglich „niedrig, den Boden oder die Oberfläche nicht weit überragend". Im übertragenen Sinn hat es die Bedeutungen „gering, klein, unbedeutend, schwach, arm, bloß".[349] Wenn es auf die innere Verfassung des Menschen bezogen wird, hat es meist einen negativen Beiklang: „niedrig, knechtisch, gemein, ehrlos, im moralisch ungünstigen Sinne."[350] Oft gibt es zusammen mit ἀνελεύθερος u. a. die Situation des Sklaven wieder:[351] „War ein Mann ohne edle Abstammung, dann brachte er es auch im Leben zu keiner angesehenen Stellung, lebte in kleinen, verachteten Verhältnissen und dachte und handelte ebenso klein und kleinlich" – so charakterisiert S. Rehrl die hinter diesen Wortverbindungen stehende Denkweise.[352]

345 A. Bonhöffer, Epiktet 356f.
346 s. oben zu Röm 12,8.
347 Übers. H. Schlier.
348 Vgl. A. Bonhöffer, Epiktet 65; bei Epiktet nimmt das Wort nie eine moralisch neutrale oder gar positive Bedeutung an, S. Rehrl, Demut 30.
349 S. Rehrl, aaO 26.
350 aaO 27; 27–39 eine Fülle von Beispielen; vgl. auch C. Spicq, Théologie I 160f, Anm. 5; A. Dihle, RAC III 740f.
351 S. Rehrl, aaO 27f.
352 aaO 28; Beispiele 28f.

Doch ist die Demut nicht „eine im Heidentum ignorierte Tugend“,[353] wie oft behauptet wird. Auch in der griechischen Literatur kann ταπεινός in der Bedeutung „bescheiden, maßvoll“ vorkommen, oft im Gegensatz zum Überheblichen, Schrankenlosen, Maßlosen, Stolzen,[354] wie auch in der Bedeutung „demütig, ergeben gegen Gott“.[355] Man sollte nicht behaupten, die Griechen hätten echte Demut nicht gekannt. Einmal findet sich in der griechischen Literatur – wenn auch seltener – eine ethisch positive Bedeutung der Wortgruppe.[356] Zum anderen ist zu fragen, ob eine Untersuchung der Wortgruppe um ταπεινός für eine so weitgehende Behauptung ausreicht. Immerhin muß man mit der Möglichkeit rechnen, daß die Griechen die Demut der Sache nach kannten und schätzten, ohne einen eindeutigen sprachlichen Ausdruck dafür zu haben.[357] Schon Aristoteles macht in seiner Nikomachischen Ethik öfter die Bemerkung, daß eine Tugend, die er beschreiben will, keinen eigentlichen Namen hat; gerade im Zusammenhang mit der Demut erwähnt er das Fehlen eines Fachwortes.[358]

Das Urteil, daß die Demut als Tugend der gesamten antiken Ethik fremd sei,[359] dürfte kaum aufrechtzuerhalten sein. Es beruht auf einem ganz bestimmten Verständnis von „Demut“, die darin bestehe, „freiwillig auf seinen Wert zu verzichten“;[360] dieses Mißverständnis, als sei mit der Demut eine geflissentliche „Verkleinerung, ja Preisgebung alles eigenen persönlichen Wertes“[361] gemeint, war in der christlichen Mentalität allerdings weit verbreitet.[362] Das antike Denken ist vom Gedanken der ehrfurchtsvollen Selbstbescheidung des Menschen beherrscht;[363] es geht darum, nüchtern sich

353 C. Spicq, aaO.
354 S. Rehrl, aaO 39–54, bes. 39f. 45.
355 aaO 40–45.
356 aaO 25f.
357 aaO 69; so sucht S. Rehrl nachzuweisen, daß es bei den Griechen sowohl die Demut vor Gott (78–111) als auch die Demut den Mitmenschen gegenüber (111–146) gegeben habe. Man wird ihm im ganzen zustimmen, wenn auch das Zugrundelegen einer scholastischen Definition des christlichen Demutsbegriffs (13–23) die Präzision der Untersuchung z. T. beeinträchtigt, vgl. z. B. 140–144 über Euripides' Alkestis.
358 aaO 197; vgl. Nik. Eth. 4,10 Ende (1125b).
359 A. Dihle, aaO 737.
360 aaO 738.
361 A. Bonhöffer, Epiktet 355; dazu muß natürlich die Autarkie des stoischen Weisen in denkbar schärfsten Gegensatz treten, aaO; vgl. auch A. Dihle, aaO 741: Die Tugend der Demut kann nur dort entstehen, „wo man den Menschen schlechthin als niedrig, als um Gnade bittenden Sünder versteht. Grundsätzlich ... verschmähen sowohl Griechen wie Römer jede Haltung oder Gebärde, die einer Minderung des Persönlichkeitswertes gleichkommt. Man denke nur an die Verachtung, die die Griechen der persisch-orientalischen Sitte einer fußfälligen Begrüßung des Königs entgegenbrachten ...“.
362 Schon Origenes muß sich gegen einen entsprechenden Vorwurf des Celsus verteidigen: Cels 6,15; vgl. O. Schaffner, HThG I 220–224.
363 A. Dihle, aaO 737 (Beispiele 737f); vgl. O. Schaffner, aaO 217.

selbst und seine Grenzen zu erkennen, wobei solche Selbstbescheidung[364] mit einem ausgesprochenen Selbstwertgefühl verbunden ist.[365] Von einer freiwilligen Selbstverkleinerung ist nie die Rede.[366] Umgekehrt wird die Gesinnung des Hochmuts ebenso deutlich abgelehnt.[367] Es wäre also ungerecht, den Griechen ein Fehlen der Demut vorzuwerfen.[368] „Vor zwei Dingen haben sich die Griechen zu bewahren versucht: vor Hybris oder Selbstüberhebung einerseits und vor würdeloser Selbstpreisgabe und kriecherischer Fügsamkeit andererseits. Die Tugend der Selbstbescheidung liegt für sie in der Mitte zwischen diesen zwei Lastern."[369]

Im Bewußtsein des eigenen Wertes kann man Wert und Anspruch des Mitmenschen anerkennen.[370] Die hellenistische Ethik weiß um die Gleichheit oder doch Gleichrangigkeit aller Menschen.[371] Epiktet betrachtet – aus seinem eigenen Erleben heraus – die Sklaven als Brüder, die eine menschliche Behandlung beanspruchen dürfen.[372] Seneca ruft auf, im Sklaven den Menschen zu achten;[373] Menschlichkeit hat sich gegenüber den Schwachen und sozial Tieferstehenden zu bewähren.[374] Zwar weist das antike Ethos häufig einen „aristokratischen" Zug auf;[375] die Aussagen der antiken Ethik decken sich in ihrer inneren Motivierung sicherlich nicht mit dem, was Paulus über „Demut" zu sagen hat. Trotzdem ist ihr hohes humanes Ethos positiv zu würdigen.

Während in der heidnischen Antike *ταπεινός* fast stets eine niedere Denkungsart bezeichnet und sogar bei Philo im Lasterkatalog begegnet,[376] hat die LXX die Wortgruppe aufgewertet. In LXX drückt *ταπεινός* nie eine moralisch schlechte Haltung aus.[377] Daß Gott sich den Niedrigen, den Gebeugten zuwendet, daß er die Geringen erwählt, während er die Hohen und Mächtigen erniedrigt, ist Grundüberzeugung atl. Glaubens.[378] Gott ist es, der Niedrige erhöht (Hiob 5,11); er steht dem armen Volk bei, doch stolze Blicke schlägt er nieder (Ps 18,28); das Niedere wird erhöht, das Hohe erniedrigt (Ez 21,31).[379] Der Satz „der Stolze erniedrigt und der Niedrige

[364] *σωφροσύνη*
[365] Vgl. A. Dihle, aaO 738.
[366] aaO 740.
[367] Vgl. aaO 739.
[368] Vgl. S. Rehrl, aaO 200–203.
[369] aaO 201.
[370] A. Dihle, aaO 740.
[371] aaO 742.
[372] M. Pohlenz, Stoa I 337.
[373] ep. 47; Ben III 18–28; vgl. M. Pohlenz, aaO 316.
[374] N. Q. IV pr. 18.
[375] Vgl. A. Dihle, aaO 738.740.
[376] Beispiele bei A. Vögtle, Tugend- und Lasterkataloge 153; vgl. A. Dihle, aaO 747, doch heißt das keineswegs, daß ihm die Tugend der bescheidenen menschlichen Selbsteinschätzung fremd gewesen wäre, aaO 748.
[377] Die einzige Ausnahme ist Hab 1,6, allerdings nur in der Leseart von S^1, vgl. S. Rehrl, aaO 150.
[378] Vgl. W. Grundmann, ThW VIII 8,8–12, 11; S. Rehrl, aaO 147–173; E. Kutsch, RGG^3 II 77f; O. Schaffner, HThG I 217f.
[379] Weitere Belege bei S. Rehrl, aaO 159f.

erhöht" ist in der LXX geradezu zur „geflügelten" Sentenz geworden.[380] Diese Glaubensüberzeugung ist das theologische Motiv der prophetischen Sozialkritik (Am 2,7; Jes 58,4). Gott ist es, der den Waisen und Bedrückten Recht verschafft (Ps 9,38f LXX).

Dementsprechend ist es Gottes Forderung an den Menschen, dem Geringen und Armen zu seinem Recht zu verhelfen (Ps 81,3).[381] Hinter der atl. Auffassung steht die Überzeugung, daß Gott sich des Bedrängten in besonderer Weise annimmt, so wie er auf das Rufen des unterdrückten Volkes in Ägypten gehört hat (Dt 26,6f).[382] Gott ist der, der gerade dem Niedrigen und Entehrten seine menschliche Würde gibt – mit einer „Preisgabe des eigenen Wertes" hat das nun allerdings nichts zu tun!

Das NT zieht die vom AT vorgezeichnete Linie kräftig weiter.[383] So Lk 1,52: Mächtige stürzt er vom Thron und erhöht Niedrige.[384] Jak. 1,9f: Der niedrige Bruder rühme sich seiner Hoheit, der reiche aber seiner Niedrigkeit.[385] Paulus steht ganz in der Linie atl.-jüdischer Frömmigkeit, wenn er 2 Kor 7,6 Gott als den bezeichnet, „der die Niedrigen tröstet".[386] Doch bekommt der Gedanke bei ihm einen eigenen Akzent: In der leidenschaftlichen Auseinandersetzung mit der korinthischen Gemeinde greift Paulus den Vorwurf seiner Gegner auf, er verhalte sich bei seiner Anwesenheit in der Gemeinde *ταπεινός*, unterwürfig, niedrig,[387] während er aus der Ferne auftrumpfe (2 Kor 10,1), ein Vorwurf, der den Apostel sehr getroffen hat, und mit dem er sich offensichtlich sehr beschäftigt hat.[388] Die Gegner in Korinth machen dem Paulus sein wenig eindrucksvolles Auftreten zum Vorwurf; aber für Paulus kann es gar nicht anders sein: Die Schwäche und Niedrigkeit des gekreuzigten Christus hat die Schwäche seines Boten zur Konsequenz (2 Kor 13,4). Die gleiche Motivation findet sich in Phil 2: Die Mahnung zur *ταπεινοφροσύνη* Phil 2,3 wird mit der Erniedrigung Jesu am Kreuz begründet (Phil 2,8).[389] Ähnlich steht es 1 Kor 1,26–31, wo Paulus die Korinther auffordert, darauf zu achen, wie wenig „prominent" ihre Gemein-

[380] aaO 162f.
[381] Weitere Beispiele bei W. Grundmann, aaO 9,42–10,3.
[382] Vgl. A. Dihle, aaO 744.
[383] Vgl. W. Grundmann, aaO 15–24.
[384] Vgl. Ps 147,6; Hiob 5,11; 12,19; 1 Sam 2,6–10.
[385] Vgl. Jak 4,6; 1 Petr 5,5, vgl. Spr 3,34.
[386] Vgl. Jes 49,13.
[387] S. Rehrl, aaO 175: „mutlos, feige, kleinlaut".
[388] Vgl. 2 Kor 11,7; 12,20f und überhaupt die gesamte Auseinandersetzung mit seinen kor. Gegnern 2 Kor 10–13.
[389] Der Gedanke der Selbsterniedrigung Gottes spielt in der Theologie der Rabbinen eine wichtige Rolle, vgl. P. Kuhn, Gottes Selbsterniedrigung in der Theologie der Rabbinen, München 1968.

de ist.[390] Daß in der Mitte christlicher Botschaft das ärgerliche Kreuz steht (1 Kor 1,18–25), hat seine Konsequenzen.[391]

Mit dem Gegensatz „hoch-niedrig" greift Paulus ein wichtiges biblisches Thema auf. Es bekommt von der für ihn zentralen Kreuzestheologie her einen entscheidenden neuen Akzent. Daß der Christ sich den Geringen zuwenden soll, ist letztlich im Kreuz Jesu begründet. Zwar spricht Paulus das Röm 12,16 nicht aus. Aber in der Auseinandersetzung mit dem Problem der „Starken" und der „Schwachen" in Röm 14–15 macht er auf diesen Aspekt mehrmals deutlich aufmerksam.[392]

In Röm 12,3 geht es Paulus um die nüchterne Selbsteinschätzung des Christen, der seine Lebenssituation als den ihm von Gott angewiesenen Ort akzeptieren soll. Paulus greift den griechischen Begriff des *σωφρονεῖν* auf, des Maßhaltens und Sich-Bescheidens. Hinter Röm 12,3–8 steht die Überzeugung, daß Gott jedem Menschen in der Gemeinde seinen Platz zugewiesen hat, und jedem damit eine unvertretbare Aufgabe – und Würde! – verleiht. Demut ist hier gerade nicht als Unterwürfigkeit und Selbstverachtung verstanden, sondern als ruhiges, selbstgewisses Annehmen der von Gott verliehenen Aufgabe. Ein Ausdruck solcher Haltung ist 1 Kor 15,10: „Durch Gottes Gnade bin ich, was ich bin!" Röm 12,10.16 stellt die soziale Seite der Demut heraus: Der Christ soll die Würde des Mitmenschen achten und sich gerade den Geringen (bzw. geringen Aufgaben) zuwenden. Solche Hinwendung zu den Geringen basiert auf dem Respekt vor ihrer menschlichen Würde; sie darf nicht herablassender Hochmut sein.

11. Verhalten gegen Verfolger und Feinde: Friedensbereitschaft

Die Forderung großzügigen Verhaltens gegenüber den Feinden ist auch außerhalb des Christentums weit verbreitet.[393] Der Vergleich mit nicht-

[390] Vgl. A. Deissmann, Das Urchristentum und die unteren Schichten, Göttingen ²1908: Das Urchristentum war nicht eine sozialrevolutionäre, wohl aber eine religiöse Bewegung innerhalb der unteren Schichten der Kaiserzeit, aaO 19; vgl. A. Deissmann, Paulus. Eine kultur- und religionsgeschichtliche Skizze, Tübingen ²1925, 186f. G. Theißen, Schichtung, vertritt eine differenziertere Auffassung: „die korinthische Gemeinde ist durch eine innere soziale Schichtung charakterisiert: Einigen tonangebenden Gemeindegliedern aus der Oberschicht steht die große Zahl von Christen aus den unteren Schichten gegenüber." aaO 232. Die 1 Kor 1,26–29 immerhin erwähnten Vertreter sozial höherer Schichten „waren eine Minorität in der Gemeinde, aber, wie es scheint, eine dominierende Minorität." aaO 235; das wird dann 235–261 ausführlich begründet. Sein Ergebnis: „Das hellenistische Urchristentum ist weder eine proletarische Bewegung unterer Schichten gewesen, noch eine Angelegenheit gehobener Schichten. Charakteristisch für seine soziale Struktur ist vielmehr, daß es verschiedene Schichten umfaßte – und damit verschiedene Interessen, Gewohnheiten, Selbstverständlichkeiten." aaO 268. Vgl. auch G. Theißen, Integration 180f.

[391] Vgl. Phil 4,12f.

[392] Röm 15,1–6; vgl. 14,7–10; 14,15; auch 15,8.

[393] Beispiele aus buddhistischen und stoischen Schriften bei A. Juncker, Ethik 232–233; eine reiche Materialsammlung bei H. Haas, Idee.

christlicher Ethik geschah bisweilen allzu apologetisch, mit dem unverkennbaren Bemühen, die qualitative Überlegenheit christlicher Ethik gegenüber anderen ethischen Entwürfen aufzuzeigen.[394] Doch wird man damit der Intention des Urchristentums selbst nicht gerecht. In Röm 12,19f beruft Paulus sich z. B. ausdrücklich auf vergleichbare alttestamentliche Forderungen.[395] H. Haas kommt am Ende seiner ausführlichen Materialsammlung zu dem Ergebnis: „Unser Christentum hat das erhabene Gebot nicht als seinen ausschließlichen ethischen Besitz. Es teilt sich in diesen Ruhm mit anderen Religionen."[396] Origenes weist gegenüber Celsus ausdrücklich darauf hin, daß es bereits im heidnischen Altertum den Verzicht auf Rache gegeben hat.[397]

Epiktet fordert, daß man Böses mit Gutem vergelten soll.[398] „Er muß sich schlagen lassen wie einen Esel; und zugleich diese, die ihn schlagen, wie . . . einen Bruder lieben."[399] Zwar geht es Epiktet deutlich um die eigene Selbstvervollkommnung – der Zürnende fügt im Grunde sich selbst ein Übel zu –,[400] doch dürfte die Charakterisierung der Haltung Epiktets als eines „idealen Egoismus"[401] zu scharf urteilen.

Bei Seneca[402] findet sich ein Wort, das geradezu an Mt 5,44f erinnert: „Wenn du die Götter nachahmen willst, erweise auch Undankbaren Wohltaten: denn auch über den Bösen geht die Sonne auf, und auch den Seeräubern stehen die Meere offen."[403] Dieses hohe Ethos finden wir bei Seneca sehr häufig.[404] Zwei Beispiele mögen das illustrieren: In einem (fingierten) Dialog setzt sich Seneca mit der Frage der Rache und Wiedervergeltung auseinander: „ ‚Aber der Zorn enthält auch eine Art von Genuß, und süß ist es, Schmerz zu vergelten.' Keineswegs: nicht nämlich, wie es bei Wohltaten ehrenwert ist, Güte mit Güte aufzuwiegen, so auch, Unrecht mit Unrecht. Dort ist sich besiegen zu lassen schimpflich, hier, zu siegen. Ein unmenschliches Wort gibt es, freilich als gerecht aufgefaßt – Rache."[405] Er umreißt wichtige Kernsätze stoischer Ethik so: „Bis zum äußersten Ende

394 Vgl. z. B. A. Juncker, aaO 233. Schon H. Haas, aaO 68, beklagt die Neigung, „den ethischen Gehalt von außerchristlichen Worten, auch solchen, deren auffallende Verwandtschaft mit christlichen Gedanken man wohl oder übel zugestehen muß, so oder so zu bekritteln, zu bemäkeln."

395 Vgl. L. Schottroff, Gewaltverzicht 205.

396 H. Haas, aaO 95.

397 Orig Cels 8, 35.

398 Diss III 22,54; fragm 5.7; vgl. Diss II 10, 14. 26; 14, 12–13; zu Epiktet M. Waldmann, Feindesliebe 77–79.

399 Diss III 22,54 R. Mücke.

400 Diss II 18,5; vgl. 10,14.

401 A. Vögtle, Tugend- und Lasterkataloge 141.

402 Vgl. J. N. Sevenster, Paul 180–183; M. Waldmann, aaO 67–75.

403 Ben IV 26, 1.

404 Vgl. außer den im folgenden genannten Stellen de vita beata XX 5; XXIII 5; de ira II 32. 34; ep. 95, 52. Ben VII 31,1 findet sich der berühmte Satz „Vincit malos pertinax bonitas."

405 de ira II 32,1; vgl. 2–3, M. Rosenbach.

des Lebens werden wir in Tätigkeit sein, werden wir nicht aufhören, uns für das Gemeinwohl einzusetzen, zu helfen den einzelnen, Unterstützung zu bringen auch den Feinden ...".[406]

Die Motivation zu solcher Großzügigkeit ist freilich bisweilen recht vordergründig:[407] „Es wird uns milder stimmen, wenn wir bedenken, was uns einmal genützt hat jener, dem wir zürnen, und durch seine Verdienste wird die Beleidigung ausgeglichen. Auch das sollte vor Augen stehen: wieviel uns an Empfehlung einbringt der Ruf der Milde, wieviele zu nützlichen Freunden Nachsicht gemacht hat."[408] An anderer Stelle wird die Großzügigkeit gegenüber dem Feind zu einem Erweis sittlicher Überlegenheit: Der Weise soll sich nicht rächen; wohl aber kann er den verirrten Menschen, der ihm Böses zufügt, bemitleiden: der Weise haßt Irrende nicht.[409]

Plutarch wendet sich gegen die menschliche Neigung, Groll mit Groll zu vergelten. Doch grenzt seine Aufforderung, die Menschen so zu nehmen wie sie sind, fast an Menschenverachtung: „Brauche sie so, wie sie von Natur sind, etwa wie der Arzt die Zahnzange oder den Verband, und wenn du dann nach Möglichkeit freundlich und gelassen bleibst, dann wirst Du gewiß über Deine Haltung mehr Freude haben als Ärger über die Ungezogenheiten und Ungesetzlichkeiten Deiner lieben Nächsten. Wisse, daß sie nur tun, was ihre Natur ihnen eingibt, wie Hunde, wenn sie bellen, und vergiß es."[410]

Die Beispiele zeigen, „daß die stoische Humanität doch ihre nicht zu leugnende Grenze hat".[411] Die Menschenliebe des stoischen Weisen ist nicht nur selbstloser Dienst, sondern bringt auch dem Nutzen und Gewinn, der sie übt; sie steht im Dienst des inneren Gleichgewichts und Selbstwertgefühls. Gleichwohl bleibt wahr, daß wir in der stoischen Ethik auf unverkennbare Höhepunkte stoßen, die man uneingeschränkt anerkennen muß.[412]

In der atl.-jüdischen Literatur begegnen wir häufig einem großzügigen Ethos gegenüber den Feinden. Zwar wird im AT das Gesetz der Vergeltung z. T. anerkannt: Ex 21,24; Lev 24,20; Dt 19,21. „Dieses Gesetz ist jedoch nicht ein Gebot der Rache, sondern der Mäßigung in der Vergeltung."[413] Lev 19,17f wendet sich ausdrücklich gegen Haß und Rache, wobei deutlich an den persönlichen Feind aus der Reihe der eigenen Volksgenossen gedacht

406 de otio I 4, M. Rosenbach.

407 Auch im Kontext von de ira II 34,5 („Es wird einer zürnen: du dagegen fordere ihn mit Wohltaten heraus", M. Rosenbach) stehen recht vordergründige Nützlichkeitserwägungen.

408 de ira II 34,2, M. Rosenbach.

409 Clem I 17,1; de ira I 14,2.

410 Plut. De tranqu 468 C. Übers. W. Ax.

411 H. Preisker, Ethos 70f.

412 Vgl. K. H. Schelkle, Theologie III 134. M. Waldmann, aaO 67 urteilt, eine solche Fülle echt humaner Ideen wie bei Seneca suche man sonst in der vorchristlichen griechischen und römischen Literatur vergebens.

413 K. H. Schelkle, aaO III 126.

ist.[414] Ex 23,4f fordert dazu auf, dem persönlichen Gegner[415] in alltäglichen Schwierigkeiten ebenso beizustehen, wie man sonst seinen „Nächsten" behandeln würde.[416] Spr 25,21 findet sich die Röm 12,20 zitierte Aufforderung, dem hungernden und dürstenden Feind zu Hilfe zu kommen. Die Beispiele zeigen eine tolerante, großzügige Haltung gegenüber dem persönlichen Gegner. Ein Beispiel solcher Großzügigkeit bietet David, indem er das Leben Sauls schont: 1 Sam 24,[417] vgl. besonders V. 5–7. Auch 2 Chr 28,8–15 zeigt eindrucksvoll, wie der Prophet Oded dem sinnlosen Morden an den Samaritanern entgegentritt und eine faire Behandlung und Freilassung der Gefangenen erwirkt.

Im Buch der Sprüche findet sich die Aufforderung, über Fehler hinwegzusehen (19,11), das Böse nicht heimzuzahlen (20,22),[418] sich über die Frevler nicht zu ereifern (24,19), sich über das Unglück des Feindes nicht zu freuen (24,17).[419] Der in Spr 20,22b folgende Hinweis auf Jahwe, der helfen wird, zeigt, auf welchem Hintergrund Spr 20,22a zu verstehen ist: „Hinter der so gewichtigen Mahnung, angetanes Böses nicht zu vergelten (Prov 20,22), dem Bösen gegenüber auf Selbsthilfe zu verzichten (Prov 24,29), steht nicht – jedenfalls nicht so, wie wir es verstehen würden, – ein hoher sittlicher Grundsatz, sondern etwas anderes, nämlich das Vertrauen in die von Jahwe überwachte Ordnung, in das Gute als einer lebensfördernden Macht."[420] Sir 27,30 – 28,7 wendet sich gegen Groll und Rachsucht und plädiert dafür, zu vergeben und Feindschaft zu beenden.[421] In seiner Verteidigungsrede weist Hiob ausdrücklich darauf hin, daß er sich über das Unglück des Feindes nicht gefreut habe (Hiob 31,29). „Die Distanzierung von der Schadenfreude gegenüber dem Feind unterscheidet sich zwar von dem Gebot der Feindesliebe, aber der Vergleich mit manchen Äußerungen in den Rachepsalmen zeigt doch die Wendung zu einer Vertiefung des persönlichen Ethos ..."[422]

Neben den Aufforderungen zur Großzügkeit und Vergebungsbereitschaft[423] begegnen im AT Aussagen, in denen die Liebe vor dem Feind Halt macht, am eindrücklichsten in dem „qualdurchbebten 109. Psalm".[424] Der Feindeshaß erscheint in manchen Texten als etwas Selbstverständliches

414 Vgl. N. Lohfink, Liebe 234.
415 Im Zusammenhang von Ex 23,1–9 ist damit offenbar jemand gemeint, mit dem man in einem Rechtsstreit steht; denn in Ex 23,1–9 stehen sonst Forderungen für das Rechtsprechungswesen, vgl. M. Notz z.St.
416 Vgl. Dt 22,1–4.
417 Vgl. 1 Sam 26.
418 Vgl. 24,29.
419 Doch wird die Mahnung durch 24,18 „bedauerlich verdorben" (Oesterley), H. Ringgren z.St.
420 G. von Rad, Weisheit in Israel, Neukirchen 1970, 129.
421 Vgl. dagegen Sir 12,2–7: keine Hilfsbereitschaft für die Gottlosen und Sünder; vgl. Tob 4,17.
422 A. Weiser z.St.
423 Vgl. den Überblick bei R. Völkl, Botschaft 35–37.
424 **G. Quell, ThW I 26,17f; vgl. auch „Joabs biederes, aber rohes Wort an David 2 S. 19,7", G. Quell, aaO 26, Anm. 34.**

(2 Sam 19,6f, wo sich Joab gegenüber David zum Sprecher der „Stimme des Volkes" macht),[425] ja Gottwohlgefälliges (Ps 139,19–22). Hinter solchen uns heute befremdlich erscheinenden Psalmen[426] steht die Überzeugung, daß die Feinde des Beters bzw. Israels auch Gottes Feinde sind.[427] In den individuellen Klageliedern wird man dabei nicht übersehen dürfen, daß es sich oft um die Klage des Recht- und Wehrlosen handelt.[428] Solche atl. Aussagen lassen sich nicht leugnen. Doch sollte man diese z. T. unerbittliche Haltung gegenüber den Feinden auf dem Hintergrund der Geschichte Israels sehen, das sich seiner Feinde oft kaum erwehren konnte. So ist z. B. der Aufruf zur Rache in 1 Makk 2,67f nur auf dem geschichtlichen Hintergrund der Makkabäerzeit verständlich.

Beim Versuch einer gerechten Einschätzung des AT darf man jene Texte nicht übersehen, in denen die Glaubenshoffnung Israels eine eindrucksvolle Höhe und Weite erreicht. Bei den großen Propheten wird die nationale Enge überwunden, wenn etwa im Bild der Völkerwallfahrt zum Zion die Feinde Israels ausdrücklich in das erwartete Heil einbezogen werden: Jes 2,2–4; Mi 4,1–4. Wenn Jes 19,24f vom Segen Jahwes für Ägypten und Assur spricht, „ist nichts mehr von einem engen Heilspartikularismus geblieben, der sich Freiheit und Heil Israels nur bei gleichzeitiger Knechtschaft und Schande der Völker denken kann."[429] Zu erinnern ist auch an Gen 12,2f, wo das von Jahwe gesegnete Volk zum Segen für die Völkerwelt wird.[430] In dem relativ spät entstandenen Buch Jona übt der Verfasser ausdrücklich Kritik an einer allzu selbstgerechten Haltung, die die Feinde Israels vom Heil ausschließen will und besteht gegenüber seinen intoleranten Zeitgenossen mit Nachdruck darauf, daß Jahwe an allen Menschen liegt. Ausdruck einer noblen, toleranten Haltung, die sich freilich nicht überall in Israel durchsetzen konnte.

Das zeigen deutlich die Qumranschriften. Der Gedanke des Fluchs und der Rache gegen die Frevler und die Erwartung des Zorngerichtes Gottes über sie[431] spielt in der sektiererischen Mentalität der Qumrangemeinde eine große Rolle.[432] In 1 QS 1,3f. 9ff[433] findet sich der ausdrückliche Aufruf, die Erwählten, die Söhne des Lichtes zu lieben, die Söhne der Finsternis zu hassen,[434] ein Aufruf zum Feindeshaß, wie er sich im AT und Judentum in dieser Zuspitzung sonst nicht findet. Doch findet sich daneben die

[425] Vgl. auch Ri 15,7; 16,28; 1 Sam 14,24.
[426] Ps 35; 55; 58; 129; 137, 7–9.
[427] Vgl. J. Gewiess, LThK^2 IV 60.
[428] Vgl. H. J. Kraus zu Ps 5, Exkurs 2.
[429] O. Kaiser z.St.
[430] Weitere Aussagen, die vom Heil für alle Völker sprechen, sind zusammengestellt bei A. Jepsen, RGG^3 II 660f; O. Kaiser zu Jes 19,24f.
[431] Dieser Gedanke findet sich auch in der Apokalyptik. Beispiele bei A. Nissen, Gott 325, Anm. 1024.
[432] Vgl. 1 QS 2,4–9; 8,6f. 10; 9,16; 1 QM 3,7f; 4,12; 1 QHab 5,3–5.
[433] Vgl. 1 QS 9,21ff; 10,19–21.
[434] Vgl. die Übersicht über die einschlägigen Stellen bei R. Völkl, Botschaft 215–216; A. Nissen, Gott 326f.

Bereitschaft, auf persönliche Rache zu verzichten,[435] wobei allerdings das Verbot der Rache in Dam 9,2–8[436] entsprechend Lev 19,18 auf den Sektenbruder eingeschränkt wird.

Auf eine großzügigere Mentalität treffen wir im sonstigen jüdischen Schrifttum. Arist 207 fordert Milde gegen Untertanen und Sünder, Arist 227 empfiehlt großzügiges Verhalten gegen die Feinde. In der Schrift Joseph und Asenath begegnet häufiger die Warnung, Böses mit Bösem zu vergelten.[437] 4 Makk 2,13f erklärt, daß die Vernunft durch die Thora sogar den Feindeshaß beherrschen kann. Gegen eine Wiedervergeltung des Bösen wendet sich slav Hen 50,3f: „Jeden Schlag, jede Wunde, Hitze und böses Wort, das euch trifft, ertraget um des Herrn Gottes willen! Könnt ihr auch Vergeltung üben, so vergeltet doch nicht dem Nächsten! Denn sonst vergilt euch der Herr und ist am großen Gerichtstag der Rächer."[438] Zur Vergebungsbereitschaft gegenüber dem persönlichen Feind mahnt Test Gad 6,3–7; in dieser Bereitschaft soll man sich selbst dann nicht beirren lassen, wenn der andere bei seiner Bosheit bleibt: „Ist er jedoch unverschämt und beharrt auf der Bosheit, dann vergib ihm auch so von Herzen und überlaß Gott die Vergeltung" (6,7).[439] Großzügigkeit gegen Sünder und Gegner empfiehlt Test Benj 4,2f: „Der gute Mann hat kein finsteres Auge. Denn er erbarmt sich aller, auch wenn sie Sünder sind. Auch wenn sie über ihn zum Bösen planen, so besiegt er, das Gute tuend, das Böse, da er von Gott beschirmt wird."[440] Test Benj 8,1 wendet sich gegen Bosheit, Neid und Bruderhaß; statt dessen sollen Güte und Liebe die Haltung bestimmen.[441]

Auch bei den Rabbinen[442] findet sich die Forderung der Hilfsbereitschaft gegenüber dem Feind[443] wie die Ablehnung von Haß und Rache.[444] Ein besonders schönes Beispiel ist die „von R. Jochanan[445] tradierte Bemerkung . . .:[446] Als die Ägypter im Roten Meer ertrunken waren, hätten die

435 1 QS 10,17f, vgl. 5,24–6,1; der Kontext 10,19–21 sollte dabei nicht übersehen werden: „der Verzicht auf Rache dauert nur bis zum eschatologischen Rachekrieg." J. Maier z.St.

436 Vgl. auch Dam 8,5f par. 19,18; 1 QS 7,8f.

437 23,9; 28,5. 10. 14; 29,3; in Joseph und Asenath 22–29 zeigt sich so etwas wie „Feindesliebe". Vgl. D. Lührmann, Liebet eure Feinde (Lk 6,27–36/Mt 5,39–48), ZThK 69 (1972) 412–438, hier 427f.

438 P. Riessler.

439 J. Becker.

440 J. Becker; griech. Text: τὸ ἀγαθὸν ποιῶν νικᾷ τὸ κακόν. Daß Röm 12,21 von diesem Text abhängig sei, ist kaum haltbar, vgl. V. P. Furnish, Theology 37.

441 Vgl. ferner Test Zab 8,4ff; Test Jos 18,2. Auch Philo fordert Feindesliebe; Nächstenliebe ist laut Virt 102–174 „in dieser Stufenfolge zu üben: Volksgenosse, Proselyt, Beisasse, Feind, Sklave, Tiere, Pflanzen, alle Kreatur". K. H. Schelkle, Theologie III 128.

442 Vgl. Billerbeck I 353–371. 372; A. Nissen, Gott 305–329.

443 Vgl. E. Stauffer, ThW I 43, 5–10.

444 Beispiele bei G. Kittel, Probleme 117–120; A. Nissen, Gott 305f. 314; Billerbeck I 424f.

445 2. Hälfte des 3. Jh.

446 Bab. Megilla 10b.

Engel des Dienstes ein Lied anstimmen wollen; da sprach der Heilige, g.s.E., zu ihnen: ‚Meiner Hände Werk ist im Meer ertrunken, und ihr wollt ein Lied anstimmen!' "[447] Allerdings gibt es andere Äußerungen, in denen das Verbot, sich zu rächen, auf die Volksgenossen begrenzt wird und zu Lev 19,18 ausdrücklich hinzugefügt wird: „Du darfst Rache üben und Zorn nachtragen gegen die anderen."[448] Ähnliche Einschränkungen finden sich zu Ex 23,4.[449] Andererseits gibt es Beispiele, wo solche nationale Begrenzung durchstoßen wird.[450] Wenn die späteren Rabbinen den Feind von Spr 25,21f auf den „bösen Trieb" umdeuten,[451] zeigt das deutlich, daß sie das Niveau von Spr 25,21f nicht durchhalten.[452]

Überschauen wir die genannten Beispiele aus dem Bereich der heidnischen Antike und des Judentums, so zeigt sich, daß wir dort oft auf ein hohes Ethos stoßen, das Respekt verdient. Es zeigt sich allerdings auch, wie das Ethos der „Feindesliebe" immer wieder mit „allzumenschlichen" Motiven durchmischt ist. Auf einen wichtigen, in der bisherigen Diskussion nicht genügend beachteten Aspekt hat L. Schottroff aufmerksam gemacht, daß nämlich der Racheverzicht von Sklaven gegenüber ihren Herren oder der von Königen gegenüber ihren besiegten Feinden (um zwei extreme Beispiele zu nennen) kaum vergleichbar sind.[453] Daher wäre es unsachgemäß, die oben zitierten Äußerungen zur Feindesliebe einfach ungeschichtlich nebeneinander zu stellen. Schon Seneca hat das deutlich als Problem empfunden: „Mit dem Ebenbürtigen zu kämpfen ist zweischneidig, mit dem Höheren wahnsinnig, mit dem Niedrigeren schmutzig."[454] So sind viele Mahnungen zur Hinnahme von Unrecht Klugheitsregeln „für den kleinen Mann".[455] Vor allem der großmütige Racheverzicht des Überlegenen ist „ein gängiges Thema antiker Ethik".[456] In diesen Zusammenhang gehören viele Äußerungen Senecas; ein Beispiel: „jener ist groß und edel, der nach Art eines großen Tieres das Gekläffe winziger Hunde unbekümmert überhört."[457] Solche Großzügigkeit kann auch ausdrücklich im Dienst der Erhaltung der Macht stehen.[458]

447 G. Kittel, aaO 116f.
448 S Lev 19,18 (89b). Weitere Beispiele für eine solche nationale Einschränkung bei G. Kittel, aaO 113f.
449 aaO 115f.
450 aaO.
451 Billerbeck III 302.
452 Vgl. G. Kittel, Probleme 117.
453 L. Schottroff, Gewaltverzicht 206.
454 Seneca, de ira II 34,1 M. Rosenbach.
455 L. Schottroff, aaO 207, Beispiele 207f.
456 aaO 208, Beispiele 208–211. So ist der Vergeltungsverzicht in Joseph und Asenath Gnade gegen niedergeworfene Feinde, vgl. aaO 210, Anm. 63; neben den oben genannten Stellen vgl. 28,7; 29,3–5.
457 Seneca, de ira II 32,3 M. Rosenbach; vgl. Clem I 7,4. Senecas Schrift De Clementia ist ein Fürstenspiegel für den jungen Nero.
458 Vgl. de ira III 23,2.

In den Mahnungen Röm 12,14.17–21 geht es eindeutig nicht um den Racheverzicht des Überlegenen gegenüber dem Abhängigen; die Mahnungen richten sich an Christen, die schon Verfolgung und Willkür der Umwelt zu spüren bekommen.[459] Es geht nicht nur darum, sich vom (oft ohnmächtigen) Zorn nicht besiegen zu lassen; es geht vielmehr darum, auch die Verfolger zu „segnen", ihnen aufrichtig Gutes zu wünschen. Die Forderung greift tief. Das wird besonders deutlich, wenn man an die tatsächlichen Machtverhältnisse zwischen den Christen und ihren Verfolgern denkt.[460] Der Aufruf, die Verfolger zu segnen, ist auf dem Hintergrund des traditionellen atl.-jüdischen Denkens neu und überraschend; sind doch in einem dort weitverbreiteten Verständnis die Verfolger per definitionem die Feinde Gottes.[461] Allerdings darf man nicht vergessen, daß in Spitzenaussagen des AT auch die Liebe Gottes zu den Feinden des Volkes proklamiert wird, etwa im Buch Jona.[462]

Die Aufforderung, niemandem Böses mit Bösem zu vergelten in Röm 12,17 a stimmt nahe mit 1 Thess 5,15 a und 1 Petr 3,9 a überein; sie nimmt in der urchristlichen Paränese eine wichtige Stellung ein. Eine ausdrückliche Aufforderung, die Feinde zu „lieben" (Mt 5,44 a; Lk 6,27 a) findet sich bei Paulus nicht; doch kommen seine Aussagen in Röm 12,14. 17. 21 zweifellos nahe an die Intention des syn Jesuswortes heran. Die Aufforderung, das Böse mit Gutem zu beantworten, steht als Zusammenfassung und Schlußpunkt von 12,9–21 an zentraler Stelle und erhält so einen starken Akzent. Daß Paulus seine Mahnung mit geschichtserfahrener Spruchweisheit kommentiert, nimmt ihr nichts von ihrer Eindeutigkeit.[463]

In Röm 12,18 umschreibt Paulus das rechte Verhalten gegenüber den Feinden mit dem zentralen biblischen Wort des „Friedens". „Friede" ist ein Grundwort der Bibel und meint dort weit mehr als den politischen oder persönlichen Frieden zwischen den Menschen; das Wort ist Inbegriff gelungenen, rundum heilen Lebens.[464] Der Friede ist vor allem der von Gott geschenkte oder verheißene Friede,[465] wird aber auch zur Aufgabe des Menschen.[466] Paulus weiß, daß er Geschenk des Geistes ist (Gal 5,22);[467] er kann aber ebensogut zum Frieden mahnen. In 2 Kor 13,11 und 1 Thess 5,13 betrifft seine Mahnung den Frieden innerhalb der Gemeinde.[468] Da-

459 Ein wie belastendes Problem das für die ersten christlichen Gemeinden war, zeigt sich an dem häufigen Vorkommen von διωκω im Sinne von „verfolgen" im NT. Stellen bei A. Oepke, ThW II 233,13–20. 1 Kor 15,9 und Gal 1,13.23 spricht Paulus von seiner eigenen Verfolgung der christlichen Gemeinden.

460 L. Schottroff, aaO 210.

461 Vgl. L. Légasse, L'amour 159.

462 Vgl. Jes 19,25: „Gesegnet sei mein Volk Ägypten und Assur, das Werkzeug meiner Hände, und Israel, mein Eigentum", Jerusalemer Bibel.

463 Anders C. H. Ratschow, Agape 175.

464 Vgl. G. v. Rad, ThW II 400f.

465 aaO 401–405; E. Schick, LThK² IV 366f.

466 Vgl. Test Gad 6,3.

467 Vgl. Röm 8,6; 14,17; 15,13; Phil 4,7.

468 Vgl. 1 Kor 14,33. Röm 14,19 steht der Friede der „Erbauung" der Gemeinde parallel.

gegen geht es Röm 12,18 betont um den Frieden „mit allen Menschen". Hier fordert Paulus, deutlich im Blick auf die Verfolger und Feinde der Gemeinde, die Bereitschaft zum Frieden. Er weiß realistisch darum, daß der Friede immer auch von der Bereitschaft der anderen Seite abhängt; Christen sollten unbeirrt alles ihnen mögliche tun, mit den anderen in Frieden zu leben und immer wieder – jedenfalls von sich aus – die Hand zum Frieden anbieten.

Für Paulus ist der Verzicht auf Rache und die Bereitschaft zur Vergebung „ein zentrales Stück christlicher Bewährung".[469] Die Vergebung, die der Christ selber empfing, ist dabei treibendes Motiv: Röm 5,6–11. Die Aufforderung zur „Feindesliebe" in Röm 12 ist auch auf dem Hintergrund der paulinischen Rechtfertigungsbotschaft zu hören: Die Rechtfertigung, die Gott dem Menschen schenkt, soll sich in seinem Leben dynamisch fortsetzen.[470] Gerade die Mahnungen zur Großzügigkeit gegenüber Verfolgern und Feinden machen deutlich, wie sehr sich die Grundhaltungen von Christen von den üblichen Gewohnheiten menschlichen Zusammenlebens unterscheiden können. Die Aufforderung von Röm 12,2, sich dem Lebensstil dieser Welt nicht anzupassen, erhält hier ein ganz konkretes Profil. Wenn der Christ nicht zurückschlägt, sondern die Verfolger segnet, so „entspricht er dem Urbild seines Herrn und hält Solidarität mit Gottes Geschöpf über dem Abgrund irdischer Feindschaft fest."[471]

[469] R. Liechtenhan, Gebot 85; vgl. 1 Thess 5,15; 2 Kor 2,6–10.
[470] H. Asmussen, Röm 260; vgl. A. Schlatter, Röm 348: „Die Gemeinde handelt einzig im Dienst der göttlichen Güte."
[471] E. Käsemann zu Röm 12,14.

D. FOLGERUNGEN FÜR CHRISTLICHES VERHALTEN HEUTE

Abschließend sollen einige Themen der Paränese von Röm 12/13 auf ihre Bedeutung für heute befragt werden. Die nichtexegetische zeitgenössische Literatur konnte hier nur recht sporadisch verwendet werden. So wird man den folgenden Versuchen sicher den Vorwurf des „Zufälligen" machen können. Doch scheint es mir immer noch besser, diesen Vorwurf in Kauf zu nehmen, als den Versuch ganz zu unterlassen, die paulinischen Aussagen auf ihre Bedeutung für heute abzuklopfen. Denkanstöße sollen hier gegeben werden, mehr nicht. Insofern kann dieses abschließende Kapitel kurzgefaßt bleiben. Wenigstens an einigen Punkten soll angedeutet werden, wo ein Hören auf die Paränese des Paulus uns heute weiterführen könnte, wo sie heutigem Denken Impulse vermitteln, es bestätigen oder korrigieren, Einseitigkeiten zurechtrücken oder auf Vergessenes aufmerksam machen kann.

I. Einheit von Glauben und Handeln

Eine säuberliche Aufteilung des Röm in einen „dogmatischen" und einen „ethischen" Teil ist nicht möglich. Auch in den stärker lehrhaften Kapiteln findet sich Mahnung, und umgekehrt verweist Paulus in den paränetischen Kapiteln immer wieder auf grundlegende Aspekte seiner Glaubensbotschaft. Paulus „hat so klar wie kein anderer den inneren Zusammenhang zwischen gnadenhafter Errettung und sittlicher Verpflichtung gesehen und betont."[1] Er kann die Grundwahrheiten des Glaubens nicht zur Sprache bringen, ohne auf ihre Konsequenzen für den Lebensvollzug aufmerksam zu machen; und er kann nicht mahnen, ohne an die Grundwahrheiten des Glaubens zu erinnern, die das Leben des Christen in eine bestimmte Sinnperspektive stellen und so das Handeln des von ihnen getroffenen Menschen entscheidend prägen.

Angesichts dieser engen Verflechtung von Glaube und Handeln im paulinischen Denken erweist sich die moderne Alternative „Orthodoxie oder Orthopraxie" als unsinnig. Glaube und Handeln lassen sich nicht trennen, sondern sind auf das engste aufeinander bezogen. Auch die übliche Trennung der theologischen Disziplinen Dogmatik und Moral erweist sich auf diesem Hintergrund als fragwürdig. Zwar ist sie aus Gründen der Arbeits-

[1] R. Schnackenburg, Sacramentum Mundi I 550.

teilung notwendig; sie ist jedoch nicht unproblematisch. „Oft hatte sie eine praktisch folgenlose Dogmatik auf der einen und eine dogmatisch unbegründete Ethik auf der anderen Seite zur Folge."[2] Für Paulus jedenfalls wäre eine solche Trennung undenkbar; Glaube und Ethos sind eng aufeinander bezogen. Dogmatik und Ethik sind für ihn zwei Aspekte eines Ganzen.[3]

Wo der Glaube den Menschen in seiner existentiellen Tiefe trifft, hat dieser Glaube Konsequenzen für sein Handeln. Aus dem paulinischen Ansatz ergibt sich die Forderung, daß jede Theologie ihre Auswirkungen auf den Lebensvollzug des Christen bedenken müßte. So sehr man das Christliche verfehlt, wenn man Christentum nur als „Hüter der Moral" begreift – ein nach wie vor weitverbreitetes Mißverständnis –, so sehr würde auch eine folgenlose Pflege von dogmatischen Korrektheiten dem Wesen des Christlichen widersprechen. Christsein kann nicht nur heißen, die richtige „Weltanschauung" zu haben; Christsein ist wesentlich christliche Praxis. Das rechte Handeln ist nicht nur (nachträgliche) Konsequenz des Glaubens, sondern gehört zum Vollzug dieses Glaubens selbst. Gegenüber der Warnung, ein handlungsorientierter Glaube drohe das Gesetz in der Kirche wieder zu etablieren, stellt G. Strecker mit Recht fest, eine solche Warnung verschließe sich der Erkenntnis, „daß Kirche und Theologie unter solchem Vorzeichen allzu oft entscheidende Phasen der Kirchengeschichte versäumten und der Aufgabe, den Anspruch der christlichen Verkündigung durch ein sachentsprechendes ethisches Verhalten glaubwürdig zu vertreten, nicht nachgekommen sind."[4]

Jedes Entweder–Oder zwischen Glaube und Praxis erweist sich angesichts der theologischen Konzeption des Paulus als falsch. Es ist völlig unangemessen, den Gottesdienst gegen den alltäglichen Lebensvollzug auszuspielen, wozu E. Käsemanns Formel vom „Gottesdienst im Alltag der Welt" bisweilen verleitet hat. Zweifellos geht es Paulus in Röm 12,1 um das konkrete Leben des Menschen, den Gott nicht nur teilweise oder zeitweise, sondern ganz und gar, mit Leib und Leben, in jedem Augenblick zum Eigentum und Opfer fordert.[5] Das Wort vom „Opfern des Leibes" meint die

[2] H. Küng, Christ sein, München 1974, 546. Vgl. W. Schweitzer, Glaube 132: Die Dogmatik „muß ihre ethischen Aspekte ständig mit bedenken . . .".

[3] Schon K. Benz hat die Zuordnung richtig getroffen, wenn er meint, „daß gerade die Sittlichkeit nicht bloß der Prüfstein der religiösen Verfassung des einzelnen ist, sondern auch den inneren Wahrheitsgehalt eines Religionssystems ausweist . . . Dogmatik und Ethik bedingen sich gegenseitig, sie gehören zusammen wie zwei Seiten eines organischen Ganzen." K. Benz, Ethik 1. „Das sittliche Leben des Christen ruht vollständig auf seiner Heilserfahrung, es ist ebensosehr religiös orientiert wie fundiert." aaO 74, vgl. 100.

[4] G. Strecker, Glaube 47. W. de Boor behauptet Röm 274, Anm. 218 nicht ganz zu Unrecht, die Leidenschaft für grundsätzliche, theoretische Fragen sei etwas typisch Deutsches; er erinnert an die heißen dogmatischen Kämpfe um den ersten Teil des Röm bei gleichzeitigem „völligen" Verfall des christlichen Lebens. Selbst wenn man das für zu pauschal geurteilt hält: Hier ist eine bedenkenswerte Frage auch für heute gestellt.

Hingabe des ganzen Menschen. Aus dieser Hingabe läßt sich kein Teilbereich aussparen – und man kann schon gar nicht in einen Ritus, in eine bloße „Übung" ausweichen, die das eigene Engagement ersetzen könnte. Eine Innerlichkeit, welche die Weltverantwortung aus dem Spiel läßt, wäre eine unerträgliche Karikatur des Christlichen.

Umgekehrt wäre ein Aktivismus, der nur noch die politische Verantwortung sieht und die Feier vergißt, eine freudlose Sache. Mit Recht kritisiert J. Moltmann die mißverständliche Formel von E. Käsemann, daß für Paulus die Lehre vom Gottesdienst mit der christlichen Ethik notwendig zusammenfalle:[6] „Mißfällt Gott nach den Propheten das Geplärr der Lieder und der Geruch der Opfer, so mißfällt ihm wohl noch mehr das schlechte Gewissen, das die christlichen Moralisten verbreiten, und die angequälte Nächstenliebe. Nächstenliebe ohne Nächstenfreude und Freude mit dem Nächsten in Gott ist eine schwache Sache."[7] Gottesdienst ohne Gottesfreude ist nicht möglich. „Der Gottesdienst im Alltag der Welt bedarf der Ergänzung durch den Gottesdienst im Abstand zur Welt . . .".[8]

Umgekehrt ist gegenüber manchen „mystischen" Strömungen unserer Tage die Weltbezogenheit christlichen Glaubens kräftig zu betonen. Paulus fordert in Röm 12,1 nicht die mystische Versenkung, nicht das Suchen geistlicher Selbsterfüllung, sondern das genaue Gegenteil: Selbsthingabe, leibhaftige Hingabe des Lebens. Diese Haltung steht in deutlichem Kontrast zur Weltabgewandtheit in den Mysterienkulten seiner Zeit, in denen die alltägliche Existenz des Menschen enthusiastisch übersprungen wird.[9] Wie weit der Glaube seine Weltverantwortung wahrnimmt, ist ein Kriterium seiner Echtheit. Eine Frömmigkeit, die das politische Engagement (und damit das Leiden an der Welt) außer acht ließe und nur noch wohlgefällig um sich selber kreiste, wäre eine Karikatur des Christlichen.

Was der tschechische Marxist M. Machovec über seine eigene Entwicklung sagt, sollte zu denken geben. In einem autobiographischen Bericht[10] spricht er von seiner christlichen Erziehung, die ihn eine zeitlang zu faszinieren ver-

[5] W. Schrage, Einzelgebote 49f.

[6] E. Käsemann, Gottesdienst 201.

[7] J. Moltmann, Der gekreuzigte Gott. Das Kreuz Christi als Grund und Kritik christlicher Theologie, München 1972, 28, Anm. 17; vgl. auch G. Ebeling, Die Notwendigkeit des christlichen Gottesdienstes, ZThK 67 (1970) 232–249, hier 249: „Es wäre offenbar ein sehr einseitiges Verständnis von politischem Gottesdienst, wenn darin nur die Aktionen eine Rolle spielten und nicht auch und erst recht die Versäumnisse, die Schuldverstrickungen sowie die Erfahrungen von Ohnmacht und Scheitern, und wenn nicht in allem Elend dieser Welt etwas von dem Jubel laut würde, zu dem der Glaube das Recht gibt und durch den vielleicht gerade auch in politischer Hinsicht sich neue Wege öffnen, mit Mut und Geduld das Wenige zu tun, das in unseren Kräften steht."

[8] H. Flender, Weisung statt Ermahnung. Einführung in die Bibelarbeit über Römer 12, Bibel und Kirche 28 (1974) 81–84, hier 84.

[9] Vgl. W. Schrage, aaO 67.

[10] M. Machovec, Engagement für ein sinnvolles Leben, in: G. Rein (Hrsg.), Warum ich mich geändert habe, Stuttgart 1971, 97–103.

mochte,[11] dann aber in einen entschiedenen Protest gegen ein mystisch-introvertiertes Christentum umschlug: „. . . bald danach protestierte ich heftig – weil ich in meiner formell christlichen Umwelt dieses Echo (der Bergpredigt und der Jesu-Parabeln) verwirklicht nicht nur nicht wahrgenommen habe, sondern die Mitglieder der Kirchen erschienen mir mit der Radikalität des Evangeliums so gut wie gar nichts gemeinsam zu haben."[12] Bei seinem Abfall von der Religion seien nicht so sehr intellektuelle Schwierigkeiten entscheidend gewesen, bekennt Machovec. „Bestimmend war die erwähnte fast absolute Diskrepanz zwischen der erlebten Christenheit und den erlebten Christen, vor allem im sozialen Engagement. Mich jammert des Volkes, sagte Jesus – und ‚sei anders!', aber es waren nicht die Christen, sondern die Marxisten, . . . die mir mit leuchtenden Augen betont haben, daß man eine ganz andere, bessere Welt schaffen kann, will und muß. Sie handelten nicht ohne Fehler, ihre Argumente waren manchmal schrecklich vereinfacht, aber ihre Begeisterung war echt."[13] Daß der Glaube sich so wenig in der Lebenspraxis auswirkt, das ist immer wieder der kritische Einwand, der Christen von Ungläubigen gemacht wird. Und tatsächlich ist hier ein – auch für Paulus – wesentliches Kriterium für die Stimmigkeit einer religiösen Lebenshaltung erfragt.

Ein introvertiertes, sich auf den Bezirk von Gottesdienst und persönlicher Frömmigkeit beschränkendes Christentum wäre eine schlimme Verzerrung: da würde der Glaube nur noch einen Sektor des Lebens, nicht mehr das Leben als Ganzes bestimmen. Genau darauf kommt es Paulus in Röm 12,1ff an: daß der Christ sich ganz, in all seinen Lebensbezügen, Gott zur Verfügung stellt. Umgekehrt wäre eine nur noch auf Aktion, Engagement, politisches Handeln ausgerichtete Christlichkeit eine schlimme Verkürzung des Christlichen und eine Überforderung des Menschen. Es entstünde ein Aktivismus, der sehr schnell den Atem verlöre, weil ihm die Hoffnungskraft des Glaubens fehlt.

Paulus steht hier wohltuend in der Mitte. Er betreibt Theologie, ohne ihre ethischen Konsequenzen aus dem Auge zu verlieren, und er betreibt Paränese, ohne ihr theologisches Fundament zu vergessen; er erinnert in seiner Paränese immer wieder an den sinnstiftenden Horizont des Glaubens, der dem Christen den langen Atem der Hoffnung gibt und so ein gelassenes Handeln möglich macht – aber auch fordert! In der treuen Bewältigung seiner irdischen Aufgaben dient der Mensch Gott. Solcher Dienst – soll er sich nicht in Resignation totlaufen oder sich in eine Anpassung an die Trends dieser Welt auflösen – bedarf der ständigen Rückbindung an die Mitte des Glaubens.

[11] Aufschlußreich sind seine Fragen: „War es nur Durst eines Fünfzehnjährigen nach Romantik oder Tiefe? Nach etwas Festem im modernen Relativismus, nach etwas Philosophischem, Transzendentem und Inspirierendem in der Wüste des damals von den Nazis beschränkten Gymnasialunterrichtes?" aaO 99.

[12] aaO.

[13] aaO 100.

II. Vertröstung? Zur eschatologischen Motivierung der Paränese

Formuliert ein Christ heute seine eschatologische Erwartung, muß er auf den Vorwurf gefaßt sein, christlicher Glaube sei eine billige, unverbindliche Vertröstung, die zwar über manche Misere und Enttäuschung des irdischen Lebens hinweghelfen könne, aber zugleich den Menschen von der notwendigen Aufgabe entlaste oder ablenke, die Verhältnisse auf dieser Erde wirksam zu verändern. Christlicher Glaube führe notwendig zu einer passiven Haltung, die diese Welt nicht wirklich zum Besseren zu ändern sucht, sondern letztlich zur Beibehaltung des status quo den Segen gibt.

Tatsächlich gibt es manche paulinischen Texte, die diesem Vorwurf Recht zu geben scheinen (vgl. etwa 1 Kor 7,29–31). So hat man Paulus bisweilen auch auf christlicher Seite gründlich mißverstanden: „. . . das ethische Problem, die Frage nach der Gestaltung dieser Welt und dieses Lebens vom Evangelium aus, steht für Paulus, der diese Welt vergehen sieht, überhaupt nicht im Vordergrund.“[1] Da nach Paulus die Welt vergeht und so nicht um ihrer selbst willen bejaht werden kann, ist ein Interesse an einem Kulturfortschritt ausgeschlossen.[2] Schließlich hat man Paulus unterstellt, „daß seine Frömmigkeit wie das Evangelium Jesu im tiefsten Grunde individualistisch ist; den Einzelnen aus dem bösen Äon zu retten, zog er in die Welt, nicht diese Welt umzugestalten.“[3] So hat die christliche Weltdistanz eine sehr konservative politische Haltung zur Folge.[4] Daß die Frömmigkeit des Paulus zutiefst individualistisch sei, ist im Blick auf Röm 12,3–8 zu bestreiten. Auch die Behauptung, daß er an der Gestaltung dieser Welt letztlich kein Interesse gehabt habe, ist zu undifferenziert und pauschal.

Wenn es bei Paulus Texte gibt, die eher eine Beibehaltung des status quo zu empfehlen scheinen, wird man nicht zuletzt die historische Situation der ersten christlichen Gemeinden bedenken müssen: Eine Gemeinde, die sich

[1] M. Dibelius, Botschaft und Geschichte. Gesammelte Aufsätze II, Tübingen 1956, 109; vgl. R. Bultmann, Urchristentum 230: „Das Urchristentum kennt kein Programm der Weltgestaltung und hat keine Vorschläge zur Reform der politischen und sozialen Verhältnisse. Den staatlichen Behörden gegenüber soll jeder seine Pflicht tun; aber man übernimmt keine Verantwortung für das bürgerliche Leben, denn man ist ja ‚Bürger‘ im Himmel (Phil 3,20). Der Sklave, der ‚im Herrn‘ frei von der Welt geworden ist, soll nicht meinen, daß er auch im soziologischen Sinne frei werden müsse . . .“ (1 Kor 7,17–24).

[2] H. Preisker, Ethos 110.

[3] H. Weinel, Paulus 190.

[4] Sie „führte nach dem Scheitern der Naherwartung damals im frühkatholischen Urchristentum, später in der Alten Kirche und auch im Protestantismus weithin bis heute zur Beibehaltung und Stabilisierung des status quo. Das heißt aber: die paulinische Weltindifferenz ist unter den heutigen geschichtlichen Verstehensbedingungen und in unserer gesellschaftlichen Situation neu zu formulieren. Erst dann ist die paulinische Distanz zur Welt auch in einer radikal veränderten Situation heute durchaus akzeptabel, aber nicht mehr in ausschließlicher Weise. Ihr ist die Weltverantwortung im Sinne von Weltgestaltung und Weltveränderung an die Seite zu stellen.“ S. Schulz, Evangelium 490; er verweist vor allem auf 1 Kor 7,17–24. Schulz erliegt hier allerdings z. T. der Tendenz zu historischen Pauschalurteilen.

als Minderheit erlebte, zu der überdies eher Menschen aus den Unterschichten gehörten, konnte eine Änderung der gesellschaftlichen Verhältnisse kaum ernsthaft in Angriff nehmen und schon gar nicht auf den Gedanken kommen, „soziale oder gar politische Verantwortung zu übernehmen.“[5] Zumindest wird verständlich, warum so etwas außerhalb ihres Gesichtskreises blieb. Gleichzeitig wird deutlich, daß solches unter den veränderten Verhältnissen heute keinesfalls außerhalb des Blickfeldes von Kirche und Gemeinde bleiben kann.

Der Vorwurf der Abstinenz bzw. des Scheiterns des Christentums bei der Bewältigung gesellschaftlicher Aufgaben ist vor allem vom Marxismus erhoben worden. Er sollte Christen nicht gleich zu apologetischer Abwehr, sondern zur selbstkritischen Überprüfung der eigenen Position veranlassen. Texte wie 1 Kor 7,17. 20. 21. 29 scheinen diesen Vorwurf tatsächlich zu bestätigen und müssen auf Marxisten befremdlich wirken.[6] Man wird freilich fragen dürfen: Führt das Wissen um die Vorläufigkeit der Welt und die Ausrichtung auf das Eschatologische wirklich zu einer völligen Relativierung des Irdischen? Verhindert es das Engagement für die Veränderung ungerechter gesellschaftlicher Verhältnisse? War Paulus der Überzeugung, die Realisierung von Gerechtigkeit und Frieden hier in dieser Welt sei belanglos? Schaut man nicht nur auf ein isoliertes Textstück wie 1 Kor 7,29–31, sondern auf das Gesamt des paulinischen Denkens, etwa auch auf die Mahnungen in Röm 12f, wird man das kaum behaupten können. Doch ist das zunächst nicht apologetisch den Marxisten, sondern selbstkritisch uns Christen zu sagen: Oft ist die notwendige Kritik an ungerechten Verhältnissen tatsächlich ausgeblieben, die Kritik an Situationen, in denen Menschen unterdrückt, überfordert, mutlos gemacht wurden – und das kann oft in sehr subtilen Formen geschehen.

Nur: auf Paulus kann man sich dabei schwerlich berufen. In Röm 13, 11–14 läßt sich beobachten, daß er an die eschatologische Erwartung nicht um ihrer selbst willen erinnert. Der eschatologische Ausblick soll zum verantwortlichen Handeln im Hier und Jetzt motivieren. Er ist eindringlicher Aufruf, sich den Aufgaben der Gegenwart zu stellen. Hier geht es um das genaue Gegenteil von Träumerei. Es gilt gerade, vom Schlaf aufzustehen, nüchtern die Aufgaben des „Tages“ anzupacken. Das Bild von den „Waffen des Lichts“ in 13,12 macht vollends deutlich, daß Paulus christliches Leben nicht als geruhsames, abwartendes Schlafen versteht, sondern als eine Zeit aktiven Einsatzes und Kampfes – und das schließt im Blick auf unsere Zeit mit ein: des Kampfes für eine bessere Zukunft der Welt. Der eschatologische Ausblick in Röm 13,11–14 steht im Dienst der Paränese: Es geht darum, im Blick auf die erwartete Zukunft sich den Aufgaben der Gegenwart nüchtern und wach und einsatzbereit zu stellen.

[5] R. Bultmann, Urchristentum 232.

[6] Vgl. z. B. B. Bošnjak, Was bedeutet das Dilemma: Jesus – Marx?, in: J. Fetscher – M. Machovec (Hrsg.), Marxisten und die Sache Jesu, München 1974, 103–115, hier 109.

Der marxistische Vorwurf, die eschatologische Erwartung der Christen sei Beschwichtigung und Vertröstung, ist weit verbreitet und prägt das Bewußtsein weiter Kreise. Christliche Verkündigung muß sich dieser tiefsitzenden Mentalität bewußt sein, will sie nicht völlig am Menschen vorbeireden.[7] Christliche Verkündigung und Praxis haben überzeugend deutlich zu machen, daß die eschatologische Erwartung die Kräfte des Menschen nicht bindet, sondern sie gerade freisetzt und zu verantwortlichem Handeln in dieser Welt befähigt.

Mit dem Vertröstungsverdacht ist man oft allerdings allzu schnell und leichtfertig bei der Hand. Man übersieht dabei sehr schnell, daß man die Grundfragen des Menschen nur noch partiell wahrnimmt. Denn zu den fundamentalen Fragen des Menschen gehört nicht nur die Frage: Was soll ich tun? – sondern ebenso die Frage: Was darf ich hoffen?[8] Es wäre fatal, würden Verkündigung und Theologie vor der marxistischen Religionskritik allzu eilfertig die Segel streichen und die eschatologische Erwartung entweder höflich verschweigen oder ganz aufgeben – als heute so nicht mehr nachvollziehbaren Restbestand eines überholten Weltbildes.

Die eschatologische Erwartung – als Erwartung eines in Christus begonnenen, in seiner Vollendung aber noch ausstehenden Handelns Gottes an Welt und Geschichte zur endgültigen Befreiung des Menschen – gehört unaufgebbar zum Kern paulinischer Theologie. Im Horizont dieser Erwartung hat der Christ sich auch um die irdische Zukunft dieser Welt zu kümmern – mit allem Ernst und vollem Einsatz. Aber er wird die Zukunft der Welt nicht schlechthin vom Handeln des Menschen abhängig machen. Da der Mensch letztlich auf Gott verwiesen ist, erwartet er von ihm sein ganzes künftiges Schicksal.

Bei dem französischen Marxisten R. Garaudy finden sich einige bemerkenswerte Überlegungen zur christlichen Auferstehungshoffnung, die den Stellenwert der eschatologischen Erwartung neu sehen lehren können.[9] Garaudy meint, Christus werde dann lebendig, Auferstehung vollziehe sich dann, wenn Menschen ihrem Hang zur Resignation widerstehen, wenn sie ihr routinemäßiges Verhalten drangeben und Neues, Schöpferisches wagen und so auch etwas Neues zur menschlichen Selbstverwirklichung beitragen.[10] Hier versteht Garaudy den Auferstehungsglauben deutlich als einen machtvollen Impuls zum schöpferischen Handeln, einem Handeln, das sich nicht mit dem status quo zufriedengibt.

Garaudy weist noch auf einen weiteren Aspekt der christlichen Zukunftshoffnung hin. Er geht von dem Postulat aus, daß menschliches Leben –

[7] Die Schlußorationen des neuen Meßbuches z. B. gehen an diesem weitverbreiteten Empfinden heutiger Zeitgenossen fast völlig vorbei.

[8] Vgl. H. Gollwitzer, Krummes Holz – aufrechter Gang. Zur Frage nach dem Sinn des Lebens, München 1970, 19, der auf die zentrale Stellung dieser Fragen bei I. Kant verweist.

[9] R. Garaudy, Glaube und Revolution. Die Postulate schöpferischer Existenz des Menschen, in: I. Fetscher – M. Machovec, aaO 22–45, hier 38–45.

[10] aaO 43.

wenn schon – dann einen Sinn für alle haben müsse; aber im Blick auf die menschliche Geschichte mit ihren vielen sinnlosen Opfern stellt sich ihm die bedrängende Frage, wie man denn von einem weltumfassenden Sinn der Geschichte überzeugt sein kann, „wenn davon Milliarden Menschen in der Vergangenheit ausgeschlossen worden sind, wenn soviel Sklaven oder Soldaten gelebt haben und gestorben sind, ohne daß ihr Leben und ihr Tod sinnvoll waren?" Und er bekennt: „Entweder ist mein Ideal vom zukünftigen Sozialismus eine abstrakte Idee, die den Auserwählten der Zukunft einen möglicherweise durch die jahrtausendelange Vernichtung der Massen erlangten Sieg zuspricht, oder aber alles geschieht so, wie wenn mein ganzes Tun sich auf den Glauben an die Auferstehung der Toten gründete."[11] Ein recht verstandener christlicher Glaube sei kein Opium des Volkes. Er wirke Befreiung, weil er nicht nur Zuwachs an Sinn, sondern zugleich Zuwachs an tätigem Wirken sei.[12]

Diese marxistische Stimme ist hier etwas ausführlicher zitiert, nicht um sie christlich zu vereinnahmen, sondern weil sie die Augen dafür öffnen kann, daß die eschatologische Hoffnung geradezu dazu drängt, sich in schöpferischem, weltveränderndem Handeln zu bewahrheiten. Dem Vorwurf, christlicher Glaube sei Vertröstung, können Christen nur glaubwürdig entgegentreten, wenn sie durch ihre Lebenspraxis verdeutlichen, daß die eschatologische Erwartung nicht vertröstet, sondern zum Handeln drängt. Sie kann – richtig verstanden – Kräfte entbinden, verantwortlich an dieser Welt zu arbeiten, und sie kann davor bewahren, daß sich das Engagement in Resignation totläuft. So schließt auch Paulus das große Kapitel des 1. Korintherbriefs über die Auferstehung mit einem Aufruf zum Handeln: „denn ihr wißt, daß eure Mühe nicht vergeblich ist im Herrn" (1 Kor 15,58).

Im Blick auf die von Garaudy gestellte Frage nach den Opfern der menschlichen Geschichte und dem Sinn ihres Lebens könnte man u. U. auch einen Zugang zu dem Verweis auf das vergeltende Zorngericht Gottes in Röm 12,19 finden. Dieser Hinweis ist heutigem Denken besonders anstößig. Ein Blick auf Röm 12,19, einen Text, der sich an eine verfolgte Gemeinde richtet (vgl. Röm 12,14), könnte zeigen, an welcher Stelle angemessen vom Gericht zu reden ist: bei der bedrängenden Frage nämlich, ob Unrecht und Gewalt, die Verfolgung Unschuldiger, Folter und Terror unabgegolten in der Geschichte stehen bleiben. Es gibt im politischen Bereich oder da, wo es um die rücksichtslose Unterdrückung von Menschen geht, eine so beängstigende Summierung menschlicher Bosheit, daß hier die Rede vom Gericht angemessen erscheinen will als Aussage darüber, daß die Herrschaft der Herren und die Knechtschaft der Knechte mit dem Tod nicht einfach besiegelt wird

[11] aaO.
[12] aaO 44f.

für immer.[13] Freilich immer verbunden mit der Hoffnung, daß Gott auch dem Verfolger, Unterdrücker und Mörder vergeben kann.[14]

III. Verbindlichkeiten für Christen

Die Diskussion um das Spezifische der christlichen Moral[1] wurde bisweilen allzu sehr unter dem Gesichtspunkt geführt, ob es ethische Verhaltensweisen gibt, die nur im Raum des Christlichen anzutreffen und auch nur dort sinnvoll sind, so als hätten Christen eine anderen ethischen Entwürfen gegenüber weit überlegene Moral. Das Problem rückt bei einer solchen Sicht in die falsche Perspektive. Die eigentliche Frage lautet nicht, ob es spezifisch christliche Verhaltensweisen oder Gesinnungen gibt, sondern ob es typisch christliche Grundhaltungen gibt; das ist deswegen sachlich richtiger, weil so das Moment der Exklusivität entfällt[2] und die entscheidendere Frage nach den bestimmenden Kräften des Verhaltens von Christen in den Blick kommt.

Gibt es für Christen verbindliche Grundhaltungen, Grundhaltungen, die für einen Christen aufgrund seines Glaubens unverzichtbar sind?[3] Hier bewegt sich die Debatte auf einem schmalen Grat: Auf der einen Seite besteht die Gefahr, das Christliche einzuebnen und zu verwässern; christliches Ethos muß sich Rechenschaft darüber geben, wo es die in dieser Welt herrschenden Maßstäbe nicht übernehmen darf (Röm 12,2). Auf der anderen Seite lauert die nicht minder große Gefahr ärgerlicher christlicher Überheblichkeit.[4] Treffend formuliert W. Pannenberg in einer 1956 gehaltenen Predigt,[5] auf den ersten Blick unterscheide sich das Leben eines Christen

[13] Vgl. den Synodenbeschluß: Unsere Hoffnung. Ein Bekenntnis zum Glauben in dieser Zeit, I 4, in: Gemeinsame Synode der Bistümer in der Bundesrepublik Deutschland. Beschlüsse der Vollversammlung. Offizielle Gesamtausgabe I, Freiburg 1976, 92f.

[14] „Man kann nicht darauf hoffen, daß diejenigen werden leiden müssen, die Unrecht getan haben. Ist Gott denn kleiner als der jüdische Träger des Friedenspreises des deutschen Buchhandels, Victor Gollancz, der gesagt hat: ‚Ich trage Hitler nichts nach. Ich wünsche seiner Seele Frieden'?" G. Stachel, Unrecht im Schatten des Erfolges. Wer sühnt die Ungerechtigkeit vergangener und gegenwärtiger Tage? Was uns das letzte Gericht Gottes bedeuten kann, Publik-Forum Nr. 7/1978, 12–14, hier 14.

[1] Vgl. dazu ausführlicher meinen Beitrag „Gibt es eine spezifisch christliche Moral?" in: F. J. Ortkemper/H. Werners, Der Wandel in der Moral und das bleibend Christliche. Religionspädagogische Arbeitshilfen Heft 8, Münster 1973, 27–52.

[2] H. Halter, Taufe 485.

[3] Vgl. F. Böckle, Fundamentalmoral, München 1977, 297f.

[4] „Daß der Glaube der einzige Weg zur Sittlichkeit ist, bedeutet also, daß nur im christlichen Raum wahre, echte Sittlichkeit möglich und wirklich ist. Das ist also die große, die frohe Botschaft des Apostels Paulus an die Menschheit: Der Mensch kann gut sein und das Ideal der Sittlichkeit verwirklichen; aber er kann es nur, wenn er sich zu Christus bekennt und seine Heilsbotschaft bejaht." P. Bläser, Mensch 248f.

[5] über Röm 6,3–11.

nicht sehr vom Treiben der Welt. „Der Christ lebt hier gleichsam in einem Incognito. Wo man nach unzweideutigen Kennzeichen sucht, die ihn als Christen von anderen unterscheiden, da ist immer die Gefahr von Selbstgerechtigkeit und Frömmelei in der Nähe. Und doch gibt es etwas, was den Christen von allen andern Menschen unterscheidet. Das ist nicht nur das Wissen davon, daß Gott in Christus gegenwärtig war, sondern es ist das Wissen davon, daß diese Tat Gottes meine eigene Situation umgewälzt hat."[6]

Das unterscheidend Christliche liegt nicht in einzelnen materialen ethischen Forderungen, sondern in dem neuen Sinnhorizont, den christlicher Glaube dem Menschen eröffnet. „Materiell gesehen geht der Christ im Ethischen den gleichen Weg wie der Atheist. Und doch gibt es einen wesentlichen Unterschied: der Christ weiß, daß Gott die letzte Tiefe dieser Wirklichkeit ist, daß er in einer Welt steht, die von Gott durch Jesus Christus geliebt und angenommen ist."[7] Das ist keine moderne theologische Konstruktion, schon gar nicht eine Entleerung des Christlichen; diese Sicht läßt sich an den Briefen des Paulus verifizieren. Nimmt man den Schöpfungsglauben ernst, ergibt sich fast von selbst die Folgerung, daß das sittlich Richtige jedem ehrlich nach dem rechten Weg suchenden Menschen prinzipiell erkennbar ist (vgl. Röm 2,14).

Ebenso deutlich ist zu betonen, daß der Glaube an Jesus Christus eine Beliebigkeit des Ethos ausschließt. Er impliziert „eine bestimmte Ausrichtung des Menschen im Leben in dieser Welt, also ein bestimmtes Ethos."[8] Es gibt ethische Forderungen, die sich einem Christen aufgrund seines Glaubens mit unausweichlicher Konsequenz stellen. Einige solcher Grundhaltungen macht Paulus in Röm 12f namhaft. So erfährt das Gebot der Liebe eine radikale Zuspitzung – bis hin zur Feindesliebe. Natürlich gibt es Feindesliebe auch außerhalb des Christentums. Für einen Christen ist sie aufgrund seines Glaubens eine unverzichtbare Forderung. Aufschlußreich ist, wie Paulus Röm 14f im Streit der „Starken" und „Schwachen" argumentiert: Der Mitchrist, der eine andere Überzeugung vertritt, ist immer auch der Bruder, „für den Christus gestorben ist" (Röm 14,15). Von daher erhält der Anspruch, ihm mit Achtung zu begegnen, den Charakter der unausweichlichen Konsequenz: Der Christ hat auch dem Achtung zu bezeugen, der anderer Meinung ist. Ja, er soll jeden achten (Röm 12,10) und sich besonders den Geringen zuwenden (Röm 12,16).

Christliche Ethik fordert eine Hinwendung zum anderen, die jenseits aller „menschlichen" Motivationen durch Sympathie, Mitleid usw. liegt und so auch über eine vordergründige „Einsichtigkeit" hinausgeht.[9] Ein

[6] W. Pannenberg, Gegenwart Gottes. Predigten, München 1973, 22f.

[7] A. Auer, Moral 183,

[8] W. Schweitzer, Glaube 130.

[9] H. Schürmann, Gesetz 294–300, macht mit Recht darauf aufmerksam, daß man bei der Diskussion nach dem Proprium der christlichen Ethik den Aspekt der „Kreuzesnachfolge" nicht übersehen darf.

Blick auf die Grundaussagen des Glaubens schiebt dem natürlichen Hang des Menschen, sich vor allem der Gleichgesinnten und Sympathischen anzunehmen und die anderen links liegenzulassen, einen Riegel vor; ein deutlicher Hinweis darauf, daß die theologischen Grundaussagen sich im Bereich des materialen Ethos auswirken und vom Christen ganz bestimmte Verhaltensweisen fordern – mit unbedingter Verpflichtung.

Die Berührungen der paulinischen Paränese mit dem atl.-jüdischen Ethos und andererseits mit dem der hellenistischen Umwelt sind unverkennbar. In Phil 4,8 empfiehlt Paulus es geradezu, auf das zu achten und das aufzugreifen, was sich bei anderen an positiven ethischen Impulsen findet. Er „weiß, und nimmt es ernst, daß das Gute auch außerhalb des Christentums gewußt, ausgesprochen und getan wird, und daß Christen durchaus mit Nichtchristen zusammen darüber nachdenken und es nachtun sollen."[10] Seine Haltung gegenüber dem Ethos der Umwelt ist von spürbarem Respekt bestimmt; er ist der Meinung, daß Christen dort lernen können.

Daß sich die neutestamentliche Paränese in ihren material-ethischen Inhalten der nichtchristlichen, jüdischen und paganen Ethik ihrer Zeit anschließt und diese auch in vielen Einzelheiten übernimmt, „bezeugt die ihr innewohnende universale Perspektive. Ihre ‚Vernünftigkeit' bildet eine Klammer zwischen dem ethischen Verhalten von Gemeinde und Welt."[11] Für unsere heutige Situation eines oft verwirrenden ethischen Pluralismus ist das nicht ohne Bedeutung. Es scheint so aussichtslos nicht zu sein, einen Grundbestand ethischer Normen zu suchen, denen Menschen mit verschiedenen weltanschaulichen Voraussetzungen zustimmen können.[12] Es entspricht dem paulinischen Ansatz, wenn Christen heute das aufgreifen und anerkennen, was an zeitgenössischen ethischen Entwürfen positiv ist, freilich auch das deutlich kritisieren, was mit dem christlichen Grundansatz nicht übereinstimmt. Angesichts einer verwirrenden Fülle ethischer Angebote haben Christen die Aufgabe, in kritischer Prüfung zu sondieren, welche Haltungen und Verhaltensweisen ihrem Glauben entsprechen und welche nicht. Die Gabe der „Unterscheidung der Geister", die ihren Ort in der vom heiligen Geist geleiteten Gemeinde hat (vgl. 1 Kor 12,10), könnte dabei hilfreiche Anwendung finden.

[10] H. Schlier, Christ 248.

[11] G. Strecker, Strukturen 134; vgl. aaO 136: „Die neutestamentliche Paränese übernimmt also hellenistische bzw. jüdische ethische Allgemeinbegriffe, d. h. sie richtet sich in materialethischer Hinsicht an den anerkannten Normen ihrer Umwelt aus und entdeckt eben darin Gottes Anspruch."

[12] Vgl. D. E. H. Whiteley, Theology 60f.

IV. Christliche Tugenden für heute

Es scheint eine vordringliche Aufgabe heutiger christlicher Verkündigung zu sein, positive Leitbilder aufzuzeigen, Grundhaltungen, die der einzelne Christ, aber auch die Gemeinschaft der Kirche bewußt pflegen und fördern müssen, Tugenden, ohne die menschliches Leben nicht voll gelingen kann. Im folgenden soll exemplarisch auf einige wichtige von Paulus in Röm 12f skizzierte christliche Tugenden hingewiesen werden;[1] es sind z. T. solche Haltungen, die heute Schwierigkeiten bereiten und nicht eben en vogue sind. Die Auseinandersetzung gerade mit ihnen dürfte lohnend sein.

1. Eigenständigkeit gegenüber den Trends dieser Welt

Christen sind zur kritischen Distanz gegenüber „dieser Welt" aufgerufen (Röm 12,2).[2] Die Gemeinde der Christen hat immer wieder die herrschende Gesellschaftsmoral in Frage zu stellen, wobei sie niemals den Anschein erwecken darf, als ob sie sich selber an der Situation der Welt völlig unschuldig fühlte![3] Christen können nicht einfach ungeprüft die konventionellen Ansichten der Gesellschaft übernehmen. Anpassung an konventionelle – oder „unkonventionell" neue, modische Verhaltensweisen – das kann ihre Sache nicht sein. Ihre Sache ist das kritische Prüfen. Und Paulus traut den Christen durchaus solche Urteilskraft zu. Sie haben sich mit dem, wie „man" denkt und tut, kritisch auseinanderzusetzen – und müssen nötigenfalls riskieren, daß sie in Widerspruch dazu leben.[4] „Zuerst hat der Christ auf die Weisung Gottes und Christi zu hören und nach dem Willen Gottes zu fragen; die Meinung der Gesellschaft dazu kann ihm dabei zunächst völlig gleichgültig sein und muß es bis zu einem gewissen Grad, sonst kommt er nie zu einem Anfang."[5] Gerade indem er sich nicht anpaßt, kann der Christ dieser Welt einen Dienst leisten, indem er die Maßstäbe dieser Welt kritisch hinterfragt und einen Lebensstil u. U. gegen diese Maßstäbe versucht.

1 Die entsprechenden Ausführungen unter C IV sind jeweils zu vergleichen.

2 Solche Distanz zur Welt hat z. T. recht seltsame Blüten getrieben: „Welcher unter Deinen Auserwählten, o Herr, wollte auch von Dir im Wirtshause, im Theater, im Kino, beim Romanlesen, im Konzert, beim Tanz, auf der Vergnügungsreise, auf dem Volksfestplatz, beim Sport, rauchend, spielend, im Flirt der Mode angetroffen werden? Kann in einem Hause, in dem das Radio ‚läuft', Dein Geist noch bleiben?" F. Mayer, Das absolute Dekret der Liebe nach dem Römerbrief, Stuttgart 1951, 466. Wir mögen heute über solche Auslassungen lächeln: Sie markieren die bleibende Gefahr, im Namen christlicher Moral das jeweils Neue und Moderne zu verteufeln.

3 Vgl. F. Böckle, Themen 186.

4 Doch wäre es verhängnisvoll, mit der Bemerkung, Paulus wisse um die Notwendigkeit des Widerstands gegen die in der Welt herrschenden Trends, konservative kirchliche Unbeweglichkeit verteidigen zu wollen. Auch das ist eine Gefahr, und zwar keine geringe. Nicht minder gering ist die Gefahr, daß man das Unverständnis der „Welt" für solche Unbeweglichkeit als „Ärgernis des Kreuzes" interpretiert und sich selber nicht zu ändern braucht.

5 J. Blank, Problem 360.

Natürlich haben Christen nicht für jedes Problem eine fertige Lösung parat; auch sie müssen den Willen Gott jeweils mühsam suchen und angesichts der vielfältig divergierenden Lebenshaltungen einen eigenständigen christlichen Lebensstil entwickeln, der ihrem Glauben entspricht. Bei der Frage, wo heute Widerstand gegenüber den Maßstäben der Welt und der Versuch eines anderen Lebensstils angezeigt wäre, ist wohl vor allem auf den Gegensatz zwischen einem hemmungslosen Konsum in vielen der traditionell christlichen Länder und der Armut der Dritten Welt zu verweisen. Hier scheint die größte Herausforderung zu liegen, der Christen gegenwärtig gegenübergestellt sind.

Die von Paulus in Röm 12,2 und noch radikaler in 1 Kor 7,29–31 geforderte Haltung des Abstands zur Welt darf nicht mit Resignation oder Pessimismus verwechselt werden; sie hat den Glauben an die von Gott besorgte Zukunft der Welt als Hintergrund. Darum kann sie dem Menschen gerade für die Bewältigung seiner irdischen Aufgaben Gelassenheit und Zuversicht geben. Sie entlastet ihn davon, von seinen eigenen Erfolgen oder Mißerfolgen sein Heil zu erhoffen oder sein Unheil zu befürchten. „Diese Einsicht befreit den Menschen davon, jemals an einem Mißerfolg, die Verhältnisse der Welt zum Besseren zu wenden, verzweifeln zu müssen. Durch solchen Mißerfolg ist ja weder das Leben seiner Mitmenschen noch sein eigenes Leben um seinen Sinn gebracht. Ein Scheitern, das nicht die Verzweiflung rechtfertigt, berechtigt auch nicht zur Resignation oder zur Gleichgültigkeit. Gerade weil der Mensch von seinem Wirken in der Welt weder für andere noch für sich selbst das Heil erwartet, ist es ihm grundsätzlich möglich und sittlich aufgegeben, auch nach Mißerfolgen immer wieder erneut den Versuch zu unternehmen, eine bessere Welt zu schaffen.“[6] Schließlich kann solche Weltdistanz die Kraft vermitteln, auch da sittlich zu handeln, wo es persönliche Nachteile bringt.[7]

2. Solidarität innerhalb der Kirche

Für Paulus gibt es kein von der Gemeinde isoliertes privates Christentum. Ohne den Halt einer Gruppe wäre christlicher Glaube unter den Belastungen der ersten Jahrhunderte nicht lebensfähig gewesen. Die Frage ist, ob das nicht erst recht heute gilt, wo sich der einzelne Christ einer verwirrenden Fülle von Daseinsdeutungen und ethischen Entwürfen gegenübersieht, ob ohne beständigen Kontakt zur Gemeinde christlicher Glaube und christliches Ethos überhaupt durchzuhalten sind. Denn wer nicht von seiner

[6] B. Schüller, Handeln 245f.

[7] Vgl. B. Schüller, aaO 246; auf einen weiteren wichtigen Aspekt weist C. H. Dodd, Gesetz 37 hin: „Der Wahrheit ins Angesicht zu schauen, daß diese Welt, wie lang oder kurz ihr Lauf auch sein mag, wesentlich vergänglich ist, befähigt uns, die ... ethische Forderung als absoluten Anspruch an uns zu betrachten, welche zeitweiligen und vorläufigen Formen sie auch annehmen mag. Die Anerkennung dieser Wahrheit ist ein ständiger charakteristischer Zug alles gesunden christlichen Denkens.“

Umwelt, von den Menschen, die ihm persönlich von Bedeutung sind, darin bestätigt wird, richtig zu handeln und zu leben, wird seine Überzeugung auf die Dauer nicht durchtragen können. Anspruchsvolle ethische Forderungen lassen sich letztlich nur in einer Gruppe Gleichgesinnter erfüllen, während der Einzelkämpfer sehr schnell in der Gefahr steht, aufzugeben und sich dem in seiner Umgebung Üblichen anzupassen. Christliches Ethos verlangt, damit es lebbar wird, „nach einer Gemeinschaft gleichgesinnter, auf demselben Fundament stehender, . . . von derselben Hoffnung getragener und motivierter Menschen, wie es eben die Ekklesia ist oder sein sollte."[8] Die Gemeinde ist der Ort, wo christliches Ethos praktikabel wird.[9]

Um so notwendiger ist die Erfahrung gegenseitiger Solidarität innerhalb der Kirche, einer Solidarität, die sich über Meinungsunterschiede und Spannungen hinweg durchhält. Solche Solidarität setzt voraus, daß jeder in der Gemeinde die Chance und Grenze seines eigenen Charisma erkennt und bereit ist, seine spezifische Gabe in die Gemeinde einzubringen – aber auch die Charismen der anderen gelten zu lassen (Röm 12,3–8). Der Glaube, daß Gott es ist, der dem Einzelnen seine Gabe zuweist, verbietet maßlose Selbstüberschätzung – aber auch resignierende Unterschätzung. Solche nüchterne Selbsteinschätzung ist eine für das Gelingen menschlichen Lebens wie für das Gelingen des Zusammenlebens in der Kirche besonders wichtige Sache. Wo sie fehlt, drohen Hochmut auf der einen, Neid und Unzufriedenheit auf der anderen Seite. Die Überschätzung der eigenen Fähigkeiten kann auf die Dauer nur zur Resignation führen – oder zu einer ständigen Verdrängung der Wahrheit über sich selbst. Ihre Unterschätzung auf der anderen Seite würde dazu führen, daß die eigenen Fähigkeiten brach liegen bleiben und möglicherweise gar nicht entdeckt werden und so der Gemeinde verlorengehen. Wer die ihm bestimmte Rolle nicht akzeptiert und seine Fähigkeiten nicht einbringt, macht alle anderen ärmer.

Für das Gelingen kirchlicher Gemeinschaft heute ist es besonders wichtig, das Bewußtsein der breiten Streuung der Charismen in den Gliedern der Kirche neu zu wecken und lebendig zu halten.[10] Vor allem darf man die

[8] H. Halter, Taufe 438; vgl. 468.

[9] aaO 468; vgl. 439 und 446–448. Das darf allerdings nicht heißen, daß christliches Ethos nun doch wieder den Anstrich des Elitären oder Esoterischen bekommt, vgl. aaO 437. So wichtig auf der einen Seite das Zusammengehörigkeitsbewußtsein der Gemeinde als Leib Christi ist, so wenig darf sich auf der anderen Seite die christliche Bruderliebe als sacro egoismo auf die Gemeinde beschränken. „Die christliche Bruderliebe ist nur gesund, . . . wo sie die ganze Weite der Nächstenliebe in sich trägt. Ein Gemeindebewußtsein bleibt nur da echt, wo es die Welt meint . . ." C. H. Ratschow, Agape 182. Der Gefahr, daß eine Gruppe geneigt ist, sich abzukapseln, je größer ihr Zusammenhalt ist, sollte gerade die christliche Gemeinde sich bewußt sein.

[10] K. Wennemer, Begabung 525. „Gewiß würde Paulus mit seinem Blick für die Gaben Gottes in unseren heutigen Gemeinden sehr konkret und farbig teilweise andere Geistesgaben namhaft machen. Vielleicht würden wir dann staunen, was es alles unter uns gibt und wie üppig reich der geistliche Garten Gottes auch in der Kirche unserer Tage ist. Die verbreitete Vorstellung, alle Gläubigen seien – mit Ausnahme weniger begnadeter Amtsträger – nur passive Empfänger von geistlichen Gnadengaben und von jenen zu betreuen, ist dem paulinischen Verständnis gänzlich zuwider." H. Schürmann, Gnadengaben 249.

Spannung zwischen Amt und Charisma nicht zu einem Gegensatz hochstilisieren. Die paulinische Charismenlehre läßt sich „nicht spiritualistisch gegen eine hierarchische Ordnung ausspielen."[11] Umgekehrt ist eine Überbetonung des Hierarchischen verhängnisvoll, weil so viele Gaben nicht zum Zuge kommen können, die eine Bereicherung für die Kirche wären. Hier liegt gegenwärtig, so hat es den Anschein, eine große Gefahr. „Neben dem Charisma des Amtes . . . müssen auch nichtinstitutionelle Charismen in der Kirche ihr Recht haben. Das Amt in der Kirche darf nicht ausschließlich und totalitär sein. Es kann in der Kirche nicht alles verwaltet werden. Es muß auch Neuheit und Freiheit des Geistes geben."[12] Die Mahnung des Paulus an die Charismatiker, ihre Gabe nicht in stolzer Überhebung zu genießen, sondern in die Gemeinde einzubringen, müßte heute durch die Mahnung an die Amtsträger ergänzt werden, Begabungen, die von unten aufbrechen, nicht zu beargwöhnen und zu drosseln, sondern zu ermutigen und zu fördern.[13]

Eine weitere wichtige Voraussetzung dafür, daß Kirche als Ort von Solidarität erfahren werden kann, besteht darin, Pluralität zuzulassen. Wenn Paulus in Röm 12,16 zum einmütigen Denken innerhalb der Gemeinde mahnt, so meint er keineswegs eine alle Individualität einebnende Gleichschaltung. Daß es in der Gemeinde verschiedene Charismen, verschiedene Auffassungen, verschiedene Lebensstile gibt, ist nicht von vornherein eine Bedrohung der Einheit. Es liegt auch die Chance des Reichtums darin: „Die Gleichen haben sich nichts zu sagen, sie können einander nicht helfen. Sie bleiben introvertiert und vermögen den ständig differierenden Situationen des Lebens wie der jeweils wechselnden Umwelt und den Menschen in ihren Besonderheiten nicht gerecht zu werden. Nicht allen das Gleiche, sondern jedem das Seine zu geben und zu lassen, sind Notwendigkeit und Segen der christlichen Freiheit als dem Stande in der Gegenwart Christi. Dem entspricht die Forderung, daß jeder an seinem eigenen Platze ein Glied und Spiegelbild seines Herrn sei, wo es um die Weltherrschaft Jesu geht."[14]

[11] aaO 260.

[12] K. H. Schelkle, Theologie IV 2, 75.

[13] Aus der Tatsache, daß Paulus in seinen Charismenkatalogen in Röm 12 und 1 Kor 12 die Gnadengaben in scheinbar bunter Reihenfolge nebeneinanderstellt – alltägliche Dienste der Liebe stehen vor und neben den Charismen der Leitung und der Glaubensverkündigung –, zieht W. Thüsing eine bemerkenswerte Schlußfolgerung für die heutige Situation: „Paulus würde in der heutigen Kirche die Charismen von Laientheologen und Priestern beide nebeneinander und inmitten der Charismen aller anderen Christen aufzählen; Lehre und Verkündigung als ‚Dienst am Glauben' innerhalb der Gemeinde würde er nicht als Monopol des Presbyters ansehen, nicht einmal die Predigt im Gottesdienst." W. Thüsing, Aufgabe 74; vgl. aaO 79: „Und was die Kommunikation zwischen den Dienstträgern (und Charismenträgern) angeht: der neutestamentliche Befund verlangt sie geradezu und damit das lebendige Stehen in der Gemeinde, auch das brüderliche Ertragen der anderen, die in ihr Dienst tun, das Geltenlassen ihrer Eigenart und der Gnadengaben, die ihnen geschenkt sind."

[14] E. Käsemann, Problem 206; vgl. ders., Amt 115.

Einheit und Solidarität innerhalb der Kirche sind vor allem dann bedroht, wenn Uneinigkeit über den einzuschlagenden Weg besteht. Bedenkt man, daß wir heute in einer immer unüberschaubarer werdenden Welt leben, vor ethischen Problemen stehen, die immer verwickelter werden und deren Implikationen der Einzelne kaum noch überschaut, so ist es kaum verwunderlich, wenn Christen in manchen ethischen Einzelfragen zu unterschiedlichen sittlichen Urteilen kommen. Hier ist in der Kirche eine Ethik der gegenseitigen Toleranz zu entwickeln. Einen Hinweis auf solche Toleranz gibt Paulus in Röm 14–15, wo er die „Starken" und die „Schwachen" dazu auffordert, über allen Unterschieden in Einzelfragen die Solidarität miteinander nicht aufzugeben. Solche Bereitschaft ist eine wichtige Voraussetzung für das Gelingen von Gemeinde.

Paulus zeigt sich in diesen beiden Kapiteln erstaunlich tolerant, erstaunlich jedenfalls, wenn man bedenkt, wie wenig an innerkirchlicher Pluralität man heute oft für möglich hält. Eine eingehende Reflexion dieser beiden Kapitel würde lohnen und könnte vielleicht dazu beitragen, manchen heutigen innerkirchlichen Streit, etwa zwischen „Progressiven" und „Konservativen", aus der Sackgasse herauszuführen: Paulus plädiert dafür, den abweichenden Standpunkt des anderen zu achten, gegenseitige Toleranz zu üben, damit bei aller Verschiedenheit der Meinungen ein vertrauensvolles Miteinander möglich ist. Übrigens ist interessant zu sehen, wie treffend Paulus die typischen Gefahren der Konservativen wie der Progressiven charakterisiert: Die Konservativen stehen in der Gefahr, die anderen zu „richten", sie zu verurteilen, die Progressiven stehen in der Gefahr, die anderen zu „verachten", sie als rückständig zu belächeln (vgl. Röm 14,10).

Man könnte hier die Frage anfügen, ob dies nicht in unserer Zeit angesichts einer Gesellschaft, die mit ihren Konflikten kaum noch fertig wird, angesichts einer Welt voller Spannungen, eine wesentliche Aufgabe von Kirche wäre: Vorzuleben, wie Menschen mit verschiedenen Standpunkten, Auffassungen, Lebensstilen sich gegenseitig achten und tragen können. Man sage nicht gleich, der Streitpunkt, der in Röm 14f vorausgesetzt wird, sei ja doch recht nebensächlich gewesen. So beurteilen wir heute, aus dem historischen Abstand, den damaligen Streit. Für die damaligen Christen ging es dabei nicht um Nebensachen. Paulus würde sonst kaum zwei Kapitel seines Briefes auf dieses Problem verschwenden.

3. Hoffnung und Standhaftigkeit

Beim Aufstellen eines Kataloges wichtiger christlicher Tugenden würde man heute wohl nicht so schnell auf „Hoffnung" oder „Freude" verfallen. Daß Hoffnung und Freude Gegenstand christlicher Mahnung werden können, scheint uns alles andere als selbstverständlich. Dabei sind gerade Resignation und Hoffnungslosigkeit eine schlimme Verdunkelung des christlichen Zeugnisses. Und eine weltweite schleichende Resignation angesichts der riesigen Probleme, vor denen wir stehen, scheint eine der gegenwärtig größten Gefahren zu sein.[15] In der Pastoralkonstitution des 2. Vatikanischen Konzils über die Kirche in der Welt von heute heißt es: „Mit Recht dürfen wir annehmen, daß das künftige Schicksal der Menschheit in den Händen jener ruht, die den kommenden Geschlechtern Triebkräfte des Lebens und der Hoffnung vermitteln können."[16]

Hoffnung bedeutet für Paulus auf der einen Seite Hoffnung für den Einzelnen – angesichts der Grenzerfahrungen seines Lebens, letztlich angesichts des Todes. Man darf die menschlichen Grundfragen, wie sie sich an den Grenzen des Lebens stellen, nicht herunterspielen. Mit welcher Wucht sie auf den Menschen eindringen, sei an zwei zeitgenössischen nichtchristlichen Texten dargestellt.

Die französische Schriftstellerin Simone de Beauvoir bekennt am Ende des 3. Bandes ihrer Memoiren: „Manchmal ist mir der Gedanke, mich ins Nichts aufzulösen, genauso abscheulich wie früher. Voller Melancholie denke ich an all die Bücher, die ich gelesen, an all die Orte, die ich besucht habe, an das Wissen, das sich angehäuft hat und das nicht mehr da sein wird. Die ganze Musik, die ganze Malerei, die ganze Kultur, so viele Bindungen: plötzlich bleibt nichts mehr . . . Wenn man meine Bücher liest, wird der Leser bestenfalls denken: Sie hat aber viel gesehen! Aber dieses einzigartige Ganze, meine persönlichen Erfahrungen mit ihrer Folgerichtigkeit und ihren Zufällen . . . das alles wird niemals wieder auferstehen . . . Nichts wird stattgefunden haben."[17] Hier beklagt Simone de Beauvoir eindrucksvoll die Unerträglichkeit des Todes, der den einmaligen Erfahrungen und Erwartungen des Menschen ein Ende setzt. Der Text belegt die Trostlosigkeit einer Lebenshaltung, die angesichts des Todes nichts mehr erwarten kann.

Eine in ihrer Ehrlichkeit beeindruckende Auseinandersetzung mit der Todesproblematik findet sich bei dem tschechischen Marxisten V. Gardavský.[18] Gardavský stellt sich nüchtern der unumstößlichen Gewißheit des Sterbens. Der Tod bedeutet für ihn das Ende aller Hoffnungen. Gardavský

[15] In einer Rede, die Georg Picht 1974 aus Anlaß der Eröffnung der 16. Aktion „Brot für die Welt" hielt, heißt es dazu: „Aber schon steigt im Hintergrund unserer Gedanken eine Gefahr auf, die schlimmer ist als der Hunger: die Gefahr der Resignation. Sie lauert nicht nur im Bewußtsein des einzelnen, sie verbreitet sich heute wie eine schleichende Krankheit über die ganze Erde. Sie lähmt das Denken, sie läßt die Herzen verkümmern und droht die bestgemeinten Versuche zum Kampf gegen den Hunger zu ersticken. Auch die Gemeinden und die Kirchen sind von dieser unsichtbaren Seuche befallen. Sie sind in Versuchung, sich in die Stille und Vereinzelung eines verantwortungsfreien Innenraumes zurückzuziehen und damit der Welt das Zeugnis zu verweigern, das vom Evangelium gefordert wird." Evangelische Kommentare 7 (1974) 760. Vielzitiert ist Pichts Äußerung; „Man muß an Gott glauben, wenn man den Glauben an die verborgene Zukunft des Menschengeschlechtes nicht verlieren soll." zitiert in einer Rezension von G. Altner, in: Evangelische Kommentare 8 (1975) 180.

[16] Gaudium et spes, Nr. 31.

[17] Simone de Beauvoir, Der Lauf der Dinge, rororo Band 1250–1253, Reinbek 1970, 622f.

[18] V. Gardavský, Gott ist nicht ganz tot. Betrachtungen eines Marxisten über Bibel, Religion und Atheismus, München [5]1971, 227–236.

sieht deutlich die Grenze des marxistischen Trostes, daß zwar der Einzelne sterben, die Gesellschaft aber weiterlebe.[19] Der Last und Tragik des Todes läßt sich nicht ausweichen: „Ich sterbe – das heißt: ich werde mein Werk nicht zu Ende führen, ich werde die, die ich geliebt habe, nicht mehr sehen, ich werde Schönheit oder Trauer nicht mehr empfinden. In meinen Sinnen wird nicht mehr die unwiederholbare Musik dieser Welt widerklingen; ich werde niemals mehr, nirgendwohin, nach keiner Richtung über mich hinausschreiten. Mir bleibt nur dies letzte."[20]

Für Gardavský ist die Gewißheit des Todes ein eindringlicher Appell zu einem intensiven Leben, das jede mitmenschliche Beziehung ganz ernst nimmt: „Wer an Gott glaubt und an eine unsterbliche Seele, der hat auch in seinem letzten Stündlein eine Hoffnung; er schiebt seinen Tod noch um ein Weilchen hinaus. Ich habe diese Hoffnung nicht. Deshalb erscheinen mir alle meine Beziehungen in durchsichtiger Klarheit, nicht vernebelt durch mystische und trügerische Erwarungen von etwas, was nach dem letzten Versinken folgen wird. Jede meiner Beziehungen trägt das Zeichen des Todes. Jede hat für mich einen unwiederholbaren Wert, keine läßt sich gegen eine andere auwechseln. Jede Begegnung mit einem Menschen ist für mich, der ich selbst ein endliches Einzelwesen bin, ein Geschenk, denn sie kann meine letzte Begegnung mit ihm sein."[21] Trotzdem bleibt der Tod eine absurde Unerträglichkeit: „Wir stehen alle bereits im Augenblick der Geburt vor einer Niederlage . . ."[22] „Wir werden am Ende eine Niederlage erleiden . . ."[23] Gardavský sucht als Marxist eine ehrliche Antwort auf das Problem des Todes, eine Antwort, die Respekt abnötigt, auch wenn man sie nicht teilt.

Für Paulus steht am Ende des individuellen Lebens wie der Geschichte nicht die Niederlage, sondern der Sieg: „Tod, wo ist dein Sieg? Tod, wo ist dein Stachel?" (1 Kor 15, 55). Daß so viele Menschen dieser christlichen Hoffnungsbotschaft gegenüber zutiefst mißtrauisch sind und eine unangemessene Vertröstung wittern, stellt Christen unausweichlich die Frage, wie weit sie selber durch schlimme Verkürzungen der christlichen Botschaft zu solchem Mißtrauen beigetragen haben.

Die christliche Zukunftshoffnung, wie sie Paulus vertritt, ist nicht nur individuelle Hoffnung für den Einzelnen. Sie ist Hoffnung für die Menschheit und die gesamte Schöpfung. So wenig man die Sinnprobleme des Einzelnen bagatellisieren darf, so richtig es ist, daß die christliche Botschaft den Einzelnen in seinen individuellen Grenzerfahrungen „trösten" will,[24] so sehr muß man auf der anderen Seite betonen, daß die christliche Hoffnungsbotschaft nur dann glaubwürdig vertreten wird, wenn Christen aus

[19] aao 227–229.
[20] aaO 229.
[21] aaO 229f.
[22] aaO 230.
[23] aaO 236.
[24] „Trost" ist nicht von vornherein als „Vertröstung" zu diffamieren!

den Impulsen dieser Hoffnung handeln, wenn die Hoffnung sich in der Tat der Liebe bewahrheitet.[25]

Auch die neutestamentlichen Aussagen über die Geduld sind immer wieder mißverstanden worden, als gehe es um eine abwartende, passive, sich nicht ernsthaft für Gerechtigkeit engagierende Haltung. Selbst bei einem dem Christentum wohlwollend gegenüberstehenden Marxisten wie B. Bosnjak findet sich der Vorwurf, das Christentum predige letztlich eine passive Geduld: „. . . es ist besser, Ungerechtigkeit zu dulden, als zu versuchen, selbst Gerechtigkeit zu schaffen, die innerhalb der menschlichen Maßstäbe nie sicher ist."[26] Es sei für einen Christen letztlich unwesentlich, „ob hier im Diesseits das realisiert wird, was wir wünschen, denn für alle Leiden, hier auf Erden, ist der Lohn – sicher und groß – im Himmel."[27] Wiederum muß dieses weitverbreitete Mißverständnis christliche Theologie und Verkündigung hellhörig machen, wie weit sie an solchen Verzerrungen des Christlichen mitschuldig sind. Vor allem ist dieses Mißverständnis eine ernste Anfrage an die christliche Praxis.

Wir haben es hier mit einem Mißverständnis und einer Verkürzung des Christlichen zu tun. Liest man nämlich die paulinischen Aussagen über die Geduld unvoreingenommen in ihrem Zusammenhang, läßt sich die Größe seiner Konzeption nicht übersehen: Mißerfolge und Leiden gehören zur Realität menschlichen Lebens. Sie werden weder verherrlicht, noch werden sie geleugnet, verdrängt oder bagatellisiert, wie es häufig im Marxismus geschehen ist[28] und wie es überhaupt einer heutigen weitverbreiteten Lebenshaltung entspricht. Paulus spricht von der Bereitschaft, ihm widerfahrendes Leid (soweit es unabänderlich ist) zu tragen, und er vermag selbst darin Hoffnung und Freude durchzuhalten. Die „Geduld" ist bei ihm keine passive Tugend; sie ist vielmehr aktive Standhaftigkeit gegenüber den negativen, bedrängenden Erfahrungen des Lebens, gegenüber Leiderfahrungen, die er keineswegs sucht, die ihm aber im Verlauf seiner Lebensgeschichte aufgezwungen werden. Sie werden von Paulus in Hoffnung durchgestanden und bewältigt – als ein Teil des Lebens, den es zu akzeptieren und zu verarbeiten gilt.

[25] Vgl. dazu vor allem den Synodenbeschluß: Unsere Hoffnung. Ein Bekenntnis zum Glauben in dieser Zeit, in: Gemeinsame Synode der Bistümer in der Bundesrepublik Deutschland. Beschlüsse der Vollversammlung. Offizielle Gesamtausgabe I, Freiburg 1976, 84–111.

[26] B. Bosnjak, Was bedeutet das Dilemma: Jesus – Marx? in: I. Fetscher – M. Machovec (Hrsg.), Marxisten und die Sache Jesu, München 1974, 103–115, hier 108.

[27] aaO. vgl. den gesamten Zusammenhang 108–110.

[28] So wendet sich z. B. M. Machovec häufig gegen die verbreitete Tendenz im Marxismus, das verborgene, kleine, alltägliche Leid des Menschen zu bagatellisieren. Gerade auch die individuellen Leiderfahrungen des Menschen verlangen nach einer Antwort, die ihre Bewältigung ermöglicht. Vgl. M. Machovec, Jesus für Atheisten, Stuttgart 1972, 12f. 17; ders., Die Gott-Frage und der moderne Atheismus, in: J. Blank u.a., Gott-Frage und moderner Atheismus, Regensburg 1972, 51–71, hier 65f. Dort findet sich die schöne Bemerkung: „Ich habe noch keinen einzigen so harten Marxisten oder Leninisten gesehen, der auf dem Sterbebett noch das Kapital lesen möchte. Das ist sicher nicht Verrat oder Revisionismus – das Buch ist einfach für diese Situation nicht geschrieben." aaO 65.

4. Beten

Die Einwände der antiken Gebetskritik, die Paulus kaum unbekannt geblieben sein können, ähneln auf verblüffende Weise mancher modernen Diskussion um das Bittgebet und seine angemessenen Inhalte. Wenn etwa das Bitten um äußere Güter abgelehnt und nur noch die Bitte um geistige Werte zugelassen wird, die Bitte etwa um die rechte innere Haltung, so entspricht das manchem heute gemachten Vorschlag, nicht um äußere, alltägliche Dinge zu bitten, sondern um die rechte Gesinnung oder um ein Sich-Schicken in den Willen Gottes[29] – bis hin zur Deutung des Bittgebets als einer das Handeln vorbereitenden Selbstreflexion des Menschen.[30] In der Antike wie heute ist es im Grunde die Frage der Personalität, der Ansprechbarkeit Gottes, die den Hintergrund solcher Überlegungen abgibt. Daß die antike Skepsis dem Bittgebet gegenüber ihren tiefsten Grund in einer Auflösung der Überzeugung von der Personalität Gottes hat, sollte zu denken geben.

An zwei Beispielen sei die Berührung der antiken mit der heutigen Diskussion illustriert. Wenn etwa Seneca das Bittgebet kritisiert und dazu aufruft, sich selbst zu helfen, seine Anliegen selber in die Hand zu nehmen, so entspricht das einem heute weitverbreiteten Pathos, daß der Mensch seine Interessen selber vertreten und sich dafür aktiv einsetzen solle, statt sich auf Gott zu verlassen. Ein Beispiel dafür findet sich in der vorletzten Szene von Bert Brechts „Mutter Courage“: Feindliche Soldaten wollen in der Nacht die unbewachte Stadt Halle überfallen. Die Soldaten zwingen einen Bauernsohn, ihnen den Weg durch den Wald zu zeigen. Die Bauernfamilie bleibt voller Angst zurück. Sie sieht keine Möglichkeit, die ahnungslose, schlafende Stadt zu warnen. Das einzige, was sie noch glaubt tun zu können: Sie betet. Währenddessen steigt die Tochter der Mutter Courage, die stumme Kattrin, unbemerkt mit ihrer Trommel auf das Dach des Bauernhauses. Sie trommelt laut, bis sie von den Soldaten erschossen wird. Aber in der schlafenden Stadt hat man ihr Trommeln gehört. Die Stadt ist gerettet.[31] In dieser Szene formuliert Brecht eindrucksvoll seine Kritik am christlichen Bittgebet: Ist es nicht eine Flucht vor der eigenen Verantwortung, ein Alibi für menschliches Nichtstun? Daß Brecht einen solchen Mißbrauch des Gebets in seinem Drama so deutlich geißelt, zeigt jedenfalls, daß die Anfrage Senecas inzwischen keineswegs erledigt ist. Niemand wird bestreiten, daß diese Anfrage berechtigt ist.

Allerdings: Was Brecht hier angreift, ist eine pervertierte Form des Betens. Beten ist, recht verstanden, nicht Flucht vor dem Handeln, sondern

[29] Vgl. dazu H. Schaller, Bittgebet 54–58. Auch I. Kant möchte das Bittgebet auf die Belebung der sittlichen Gesinnung im Beter beschränkt wissen. Die „bestimmte Bitte“ ist unnötig und vorwitzig und wird vom Evangelium nur um der menschlichen Schwachheit willen erlaubt. Vgl. zu Kant G. Greshake, Grundlagen 34.

[30] Beispiele bei G. Greshake, aaO 35.

[31] B. Brecht, Mutter Courage und ihre Kinder, edition suhrkamp 49, Berlin [29]1977, 99–105.

setzt voraus, daß der Mensch selbst das Notwendige tut. Ja, das Gebet kann gerade zu solchem Tun der Anstoß sei. „Echtes Gebet nämlich ist tiefere Übernahme von Verantwortung. Es gibt nicht nur Leute . . . die beten, statt zu handeln, sondern auch solche, die handeln, weil sie beten.“[32] Überschauen wir die Fülle der Gebetsaussagen in den Briefen des Paulus, so wird jedenfalls deutlich, daß sein Handeln vom Gebet getragen und angestoßen ist. Daß er sich von den vielen Widerständen nicht in die Resignation treiben ließ, war möglich aufgrund eines persönlichen Vertrauens zu Gott, einer lebendigen Christusbeziehung, die sich im Gebet immer wieder aktualisierte.

Auch der antike Spott gegenüber dem Bittgebet, wie er sich in der oben zitierten Äsop-Fabel artikulierte, ist heute keineswegs verstummt. Das zeigt sich an einem Text von Wolfdietrich Schnurre, „Die schwierige Lage Gottes“:

„Und verschone uns mit Feuer,
Mißernten und Heuschreckenschwärmen“,
beteten die Farmer am Sonntagmorgen.
Zu gleicher Zeit hielten
die Heuschrecken einen Bittgottesdienst ab,
in welchem es hieß:
„Und schlage den Feind mit Blindheit,
auf daß wir in Ruhe
seine Felder abnagen können.“[33]

Solche Ironie hat natürlich zunächst die Lacher auf ihrer Seite. Und doch vermag sie ein recht verstandenes christliches Bittgebet nicht zu treffen. Das Bittgebet deshalb ad absurdum zu führen, weil Gott auf menschliches Bitten hin nicht gleich für das richtige Wetter sorgt, das ist – so publikumswirksam es formuliert sein mag – doch ein bißchen oberflächlich.

Das Bittgebet ist Ausdruck des Wissens um die Abhängigkeit des Menschen von einem Größeren, dem der Mensch nicht wie ein Spielball ausgeliefert ist, sondern dem er sich persönlich anvertrauen darf. Das wird am Beispiel des Paulus besonders deutlich (vgl. 2 Kor 12,7–10). Er bittet seinen Herrn ganz konkret um Befreiung von seiner Krankheit. Seine Bitte wird nicht erhört. Und doch erfährt er in dieser bedrückenden Situation – gerade durch das Gebet – Sinn und Halt.[34] Er erhält die Antwort: „Es genügt dir meine Gnade“ (2 Kor 12,9). Er weiß sich in allem von seinem Herrn abhängig, aber auch von ihm getragen. Sein Beten drückt das Wissen um diese Abhängigkeit aus, aber zugleich das Vertrauen, nicht einem blinden Schicksal ausgeliefert, sondern einem persönlichen Gott anvertraut zu sein, dessen Nähe ermutigt. Bedenkt man, daß das alles von Paulus nicht theoretisch ausgedacht, sondern persönlich erfahren und erlitten ist, so wollen einem die ironischen Einwände gegen das Bittgebet recht vordergründig erscheinen.

[32] H. Schaller, aaO 58; Schaller formuliert dies ausdrücklich gegen D. Sölle.
[33] zit. nach H. Halbfas, Das Menschenhaus. Ein Lesebuch für den Religionsunterricht, Düsseldorf 1972, 223.
[34] Vgl. dazu G. Greshake, aaO 47–49.

5. Gastfreundschaft

H. Rusche beklagt, daß die Gastfreundschaft heute selbst in der Verkündigung kein aktuelles Thema mehr sei. Der lebendige Beistand von Mensch zu Mensch werde, außer in schweren Notzeiten, als ein Unsicherheitsfaktor gestrichen.[35] „Weithin wird Gastlichkeit nur den Menschen erwiesen, die man bereits kennen und schätzen gelernt hat oder die einem von anderen empfohlen wurden, aber kaum noch dem, der einer Einladung zu Tisch bedarf, weil er ein Fremdling ist. Das Gefühl des Numinosen, das den antiken Menschen einem Fremden gegenüber erfüllte, ist dem modernen Menschen abhanden gekommen. Die tiefste Wurzel dieser ‚entarteten' Gastlichkeit liegt nicht nur in der sozialen Struktur der heutigen Gesellschaft, am Phänomen des Wohlfahrts- und Fürsorge-Staates; es genügt auch nicht, sie aus dem individualistischen Habitus moderner Europäer heraus zu erklären, sie liegt viel mehr im Bereich des Glaubens."[36]

Man muß sich vor romantischer Nostalgie hüten. Gastfreundschaft im antiken Sinne ist heute nicht mehr möglich (und nötig); damals war der Reisende bei dem weithin fehlenden Gastgewerbe (und die bestehenden Unterkunftsmöglichkeiten waren oft zweifelhafter Natur[37]) auf die Gastfreundschaft angewiesen. Zudem darf man die Verhältnisse in der Antike nicht idealisieren. Doch stellt H. Rusche eine berechtigte Frage. Wenn sich christliche Gemeinde heute fragt, was unter den völlig veränderten gesellschaftlichen Bedingungen Gastfreundschaft bedeuten könnte, wird sie (mit schlechtem Gewissen) an das Heer der Gastarbeiter denken; wird sie an die vielen psychisch belasteten und vereinsamten Menschen denken, die nirgendwo Geborgenheit und menschliche Wärme finden, die eine „offene Tür" brauchen und ein Gespräch und menschliche Anteilnahme; wird sie schließlich an die Scharen von Obdachlosen und Pennern denken, Strandgut (und vielfach Opfer) der modernen Gesellschaft. Christliche Gemeinde ist durch den Ruf des Paulus zur Gastfreundschaft auch heute herausgefordert – vielleicht mehr, als ihr bewußt ist. Daß man ein offenes Haus hat für andere, daß andere willkommen sind, das gewinnt auf dem Hintergrund der starken Vereinzelung der Menschen in der Anonymität der großen Städte und angesichts der starken Mobilität der Gesellschaft große Bedeutung. Hier kommen auf die christliche Gemeinde große Aufgaben zu – und große Chancen. Hier wäre zunächst eine Auflockerung der „bürgerlichen" Mentalität notwendig, um in heutigen Gemeinden den Sinn für „Gastfreundschaft heute" zu wekken. So würden es die meisten Christen wohl als eine Zumutung empfinden, wenn man ihnen nahelegen würde, gefährdete Jugendliche, denen der Halt des Elternhauses fehlt, in ihr Haus aufzunehmen.

[35] H. Rusche, Gastfreundschaft 44f.
[36] aaO 45.
[37] Vgl. H. Schlier zu Röm 12,13.

6. Demut und Barmherzigkeit

Der Begriff „Demut" hat für uns einen faden Beigeschmack. Das liegt zum Teil an einer schiefen Beschreibung dieser Tugend, als ginge es darum, den eigenen Wert bewußt zu verkleinern. In diesem Sinne einer Geringschätzung seiner selbst wurde sie in der christlichen Tradition bisweilen verstanden; entsprechend wurde sie vom gesamten Strom des abendländischen Humanismus als „feige" verpönt.[38] In dieser Verzerrung ist ihre Verwechslung mit Unaufrichtigkeit, ja Heuchelei, nicht verwunderlich.[39] Gegen ein solch verzerrtes Demutsideal hat sich zu Recht Protest erhoben. Besonders F. Nietzsche hat solche „Demut" als entwürdigend empfunden und heftig gegen sie protestiert; sie gehört für ihn zur „Sklavenmoral":[40] Christentum ist für ihn „ein Aufstand alles Am-Boden-Kriechenden gegen das, was Höhe hat: das Evangelium der ‚Niedrigen' macht niedrig."[41].

Schaut man auf Röm 12,3.10.16, ergibt sich ein anderes Bild. Hier werden drei Aspekte wirklicher Demut benannt:

1. Eine nüchterne Einschätzung seiner selbst, die jede überhebliche, der Wirklichkeit nicht entsprechende Selbsteinschätzung vermeidet (Röm 12,3). Wirkliche Demut hat ein gesundes Selbstwertgefühl zur notwendigen Voraussetzung. In Röm 12,6–8 ermuntert Paulus die Christen, die dem Einzelnen gegebenen positiven Möglichkeiten in die Gemeinde einzubringen. Eine rechte Selbsteinschätzung ist nur möglich auf dem Hintergrund eines gelassenen Wissens um den eigenen Wert – und um den Wert des Mitmenschen.

2. Eine unbedingte Achtung vor der Würde des anderen (Röm 12,10). Der Wert des Menschen ergibt sich nicht nur aus seinen Qualitäten und Fähigkeiten. Er ist tiefer begründet, darin, daß Gott ihn in Christus angenommen hat. Vor dieser Tatsache werden alle Unterschiede von Nationalität, Rasse und Stand hinfällig (Gal 3,26–28). Die hier im Glauben erkannte Gleichheit und Gleichrangigkeit aller Menschen darf kein abstraktes Ideal bleiben; sie muß sich im Alltag der Gemeinde bewahrheiten, in der menschlichen Achtung, in der Christen miteinander umgehen.

3. Die Zuwendung zu den Geringen (Röm 12,16). Die heutige Kirche muß sich von einem solchen Text fragen lassen, ob sie sich nicht allzu sehr in der Rolle der geachteten Bürgerkirche etabliert hat,[42] wie weit sie „auf der Seite der Niedrigen zu stehen und auch sozial das Ghetto der Klassen zu durchbrechen vermag".[43] So haben sich z. B. Christen und Gemeinden selbstkritisch zu fragen, wie sie es mit den Außenseitern und Randgruppen der Gesellschaft halten. Ob sie auf der Seite der Reichen und Anerkannten zu finden sind, oder vor allem auf der Seite der Zukurzgekommenen. Ob

[38] R. Mehl, RGG³ II 80.
[39] vgl. aaO.
[40] O. Schaffner, HThG I 223.
[41] F. Nietzsche, Antichrist. Kröner 77, 244. 246.
[42] G. Dehn, Leben 60.
[43] E. Käsemann zu Röm 12,16.

Menschen mit anderen politischen Zielvorstellungen, an ihrem Leben Gescheiterte, Trinker und Süchtige, gestörte und behinderte Menschen in den Gemeinden wirklich ein Heimatrecht haben und angenommen werden.

Das Wissen um den Wert jedes Menschen erfordert gerade die Hinwendung zum hilfsbedürftigen Mitmenschen: die Barmherzigkeit (vgl. Röm 12,8). Der italienische Marxist L. Lombardo-Radice erkennt an, daß hier eine wesentliche Stärke des christlichen Glaubens liegt: „Das Spezifisch-Christliche ist die Betonung der Liebe für diesen und jenen Nächsten – hic et nunc –, unabhängig von irgendeiner kollektiven welthistorischen Perspektive. Es ist aus christlicher Sicht wichtig, sich einem menschlichen Geschöpf zu widmen, für es zu sorgen und es zu lieben, auch wenn uns aus unserer Hingabe kein Nutzen entspringt. Es ist für den Christen wichtig, dem Todkranken mit Liebe und Freude alle seine Zeit ‚gratis' zu schenken; die ‚unnütz' gewordenen Alten auf ihrem Todesweg liebevoll und geduldig zu begleiten; die ‚letzten', unglücklichsten, unvollendetsten Geschöpfe, auch jene, in denen die Menschenzüge fast unkenntlich sind, gütig zu versorgen."[44]

In der Stoa erscheint das Mitleid häufig im Lasterkatalog. Doch wäre es zu pauschal geurteilt, ihr deswegen Herzlosigkeit vorzuwerfen. Ihre Vorbehalte gegenüber dem Erbarmen enthalten immerhin eine bedenkenswerte Warnung: Mitleid kann den Mitmenschen erniedrigen, indem er von oben herab „betreut" wird. Auch in der Stoa findet sich die Forderung, dem hilfsbedürftigen Mitmenschen beizustehen. Allerdings steht die Stoa – und da scheint eine ihrer Grenzen zu liegen – den Gefühlen des Menschen höchst reserviert gegenüber; der Stoiker wahrt einen gewissen Abstand gegenüber der Not des Mitmenschen, indem er dessen Schmerz nicht wirklich an sich herankommen läßt.

Paulus ruft die Römer dazu auf, sich von der Not der anderen Menschen innerlich betreffen zu lassen; er fordert die solidarische Nähe zu den Menschen und ihren Problemen (Röm 12,15). In diesem Sinne äußert sich auch die Pastoralkonstitution über die Kirche in der Welt von heute: „Freude und Hoffnung, Trauer und Angst der Menschen von heute, besonders der Armen und Bedrängten aller Art, sind auch Freude und Hoffnung, Trauer und Angst der Jünger Christi."[45] Die rechte Haltung des Christen kann nicht die unbetroffene heitere Gelassenheit dessen sein, der meint über den Dingen zu stehen. Der Christ kann nicht privat sein Glück genießen, indem er das Leid der anderen aus seinem Bewußtsein verdrängt. Zum Christsein gehört der Schmerz am Leid der anderen – aber auch die herzliche Mit-Freude mit ihrem Glück. Zum Christsein gehört die Sensibilität für die Leidenden und das Engagement für sie.

[44] L. Lombardo-Radice, Sohn des Menschen, in: I. Fetscher – M. Machovec (Hrsg.), Marxisten und die Sache Jesu, München 1974, 17–21, hier 20. Zu beachten ist freilich, was Lombardo-Radice, aaO, hinzufügt: „Solche Erfahrungen der Nächstenliebe sind nicht ausschließlich christliche Erfahrungen. Die Barmherzigkeit ist kein Privileg des Glaubenden. Christus wußte es wohl, als er die Parabel vom guten Samariter erzählte."

[45] Gaudium et spes, Nr. 1.

Die Mahnung des Paulus trifft heute in eine Situation, die oft von einer inneren Teilnahmslosigkeit und Gleichgültigkeit der Menschen gegeneinander geprägt ist: „man will vom anderen nichts hören und sehen und möchte auch von ihm in Ruhe gelassen werden.“[46] Sie ergeht an eine Gemeinde, die keine verschwindende Minderheit mehr ist und angesichts von Not und Hunger in weiten Teilen der Welt, angesichts weit verbreiteter Lebensangst und Vereinsamung in den reichen Ländern vor einer großen Herausforderung steht. Wenn der Gedanke der tätigen Hilfe in den armen ersten Gemeinden so lebendig war, um wieviel lebendiger müßte er in den reichen heutigen Gemeinden der westlichen Welt sein![47]

Die praktische Barmherzigkeit des Christen ist dann vor der Gefahr geschützt, zur herablassenden „Betreuung“ zu entarten, wenn er davon weiß, wie sehr er selber vom Erbarmen Gottes lebt. Für Paulus ist das Erbarmen, zu dem er die Christen aufruft, im Erbarmen Gottes begründet, das sie zuvor erfahren haben. Es gehört zur Wahrheit über unser Leben, daß Menschen im tiefsten hilfsbedürftig sind und davon leben, daß Gott sich ihrer annimmt. In dieser Perspektive ist auch das Angewiesensein auf andere keine Entwürdigung des Menschen, wie umgekehrt die Hilfsbereitschaft nicht mit dem herablassenden Gestus der Großmut des Überlegenen erfolgen kann; beides ist vielmehr Ausdruck eines solidarischen Verwiesenseins der Menschen aufeinander.

7. Feindesliebe

Gerade die Forderung der Feindesliebe ist immer wieder auf Einwände gestoßen, die z. T. großes Gewicht haben. Es ist nicht nur so, daß die Feindesliebe der spontanen menschlichen Neigung widerspricht, sich für Unrecht zu rächen und mit gleicher Münze heimzuzahlen. Der Einwand läßt sich noch schärfer formulieren: Wird jemand, der sich alles gefallen läßt, der versucht, Böses mit Gutem zu beantworten, den anderen nicht im Bösen bestärken? Muß man nicht manchmal – um des anderen willen! – Widerstand leisten, den anderen in seine Schranken weisen, um ihm seine verkehrte, egoistische Haltung bewußt zu machen, um ihm so die Chance zu geben, sich zu ändern? Das sind Fragen von einigem Gewicht, die davor bewahren können, hier in einen allzu idealistischen Überschwang zu verfallen.

Der Forderung der Feindesliebe scheint die befremdliche Aussage in Röm 12,19 zu widersprechen, wo die Rache nicht verworfen, sondern dem eschatologischen Zorngericht Gottes überantwortet wird. Wird hier das Reden von der Vergeltung Gottes nicht zu einer recht sublimen Form menschlichen Rachebedürfnisses?[48] Gerade hier ist Nüchternheit angebracht: Sich

[46] B. Stoeckle, Handeln aus dem Glauben. Moraltheologie konkret, Freiburg 1977, 34.
[47] Vgl. C. E. B. Cranfield, Commentary 37.
[48] So meint z. B. G. Dehn, in den Worten vom Zorne Gottes stecke drin, – „daß es auch ein gerechtes Vergeltungsbedürfnis geben kann. Es gibt unerhörte Freveltaten in der Welt. Es gibt Schändungen menschlicher Ehre, die laut nach Vergeltung

Gefühle von Haß und Rache einzugestehen, ist besser, als sie zu verdrängen und dann im Unterbewußtsein unkontrolliert ihr Unwesen treiben zu lassen. „Die Aussagen der Bibel zum Thema Rache ermutigen dazu, Empfindungen des Zorns gegen übermächtiges Unrecht nicht resigniert oder verschämt zu unterdrücken, sondern zu akzeptieren und auch zu verbalisieren . . Darüber hinaus verliert die Rache, indem sie Gott überantwortet wird, ihren Charakter als selbstverantwortete Privatstrafe. Gott ist es nun, nicht mehr der verletzte Mensch (freilich auch nicht andere Menschen, etwa irdische Richter!): Gott ist es, der entscheidet, was Recht ist und wann und wie es durchzusetzen ist."[49]

Paulus fordert den Verzicht auf Rache (Röm 12,19), mehr noch, er mutet den Christen zu, der Macht des Bösen unbeirrt das Tun des Guten entgegenzusetzen. Seine Forderung richtet sich an eine Gemeinde, die bereits unter Haß und Verfolgung zu leiden hat. Die „realen" Verhältnisse widersprechen ihr völlig. Das Böse durch das Gute zu überwinden – das zahlt sich u. U. sichtbar nicht aus. Eine solche Haltung verlangt die „Hoffnung wider alle Hoffnung" des Glaubens Abrahams (Röm 4,17).[50] Sie ist letztlich nur verständlich auf dem Hintergrund einer gläubigen Einstellung zur Welt und einer gläubigen, und damit positiven, Einschätzung des Mitmenschen, bei allem nüchternen Wissen um seine (und die eigene!) Gebrochenheit und Gefährdung.

Für heutige Christen dürfte der Aufruf des Paulus zur Mitsorge um den Frieden (Röm 12,18) von besonderer Bedeutung sein. Seltsamerweise findet das Thema „Frieden" kaum Niederschlag in der heutigen Verkündigung; das hängt z. T. mit der Meinung zusammen, Frieden zu schaffen sei Sache „derer da oben", während der normale Bürger sich den großen Problemen unserer Zeit gegenüber eher machtlos fühlt.[51] Hier sind der einzelne Christ wie die Gemeinde längst nicht so machtlos, wie sie meinen. Sie können die öffentliche Meinung mitzubestimmen versuchen, von der Politiker immerhin abhängig sind.[52] Sie können zu Bewußtsein bringen, daß Kriege in ungerechten Strukturen und menschlichen Haltungen ihre Ursache haben, die

schreien. Hier ist es auch dem Christen nicht verboten, mitzurufen. Sein Zorn über das zum Himmel schreiende Unrecht, das geschieht und das er je und dann auch selber erfährt, besteht zu Recht. Aber nun soll er seinen Zorn dem Zorne Gottes preisgeben, der, auch wenn er zürnt, nicht blind in seinem Zorne ist, sondern ein gerechtes Urteil fällen wird." G. Dehn, Leben 65; doch vgl. aaO 66 zu Röm 12,21: „Der Mensch, wie böse er auch sei, wird niemals zu einem Teufel, sondern er bleibt Kreatur Gottes."

49 W. Dietrich, Rache 469; vgl. aaO 465: „Wer seine Aggressionen, statt ihnen freien Lauf zu lassen, einem Anderen, und zwar einem ungleich Mächtigeren und darum nicht zu Lenkenden, überträgt, der ist – ob nun aus freiem Entschluß oder notgedrungen – faktisch viel friedfertiger, als man seinem Reden anhört. Gott um Rache zu bitten, bedeutet in der Regel Verzicht auf eigene Rache."

50 Vgl. J. Blank, Problem 361.

51 Vgl. F. Böckle, Themen 186.

52 Vgl. aaO.

geändert werden können: „Hunger und Krankheit, wirtschaftliches Elend, soziale Ungerechtigkeit, Ausbeutung und Unterdrückung, Kolonialismus, Rassendiskriminierung, National- und Gruppenegoismus, weltanschauliche und ideologische Zäune und Vorurteile, schließlich Ehrgeiz und Machtstreben."[53]

Die christliche Forderung der Feindesliebe ist vor allem im marxistischen Bereich erbittert abgelehnt worden. An diesem Punkt scheint der Widerspruch zwischen christlicher Lehre und Marxismus so gut wie unüberbrückbar zu sein.[54] Solange der Marxist „durch den Kampf gegen die kapitalistische Klasse gebunden war, mußte ihm natürlich die christliche These von der Verzeihung, von der Liebe auch dem Feinde gegenüber, vom Anbieten der zweiten Wange usw. als etwas zur Passivität, zur ‚Klassenversöhnung' Führendes, also als etwas Falsches und nicht ‚Benützbares' erscheinen. Nachdem er aber lange Jahrzehnte in seiner eigenen Bewegung viele innere Kämpfe erlebte, geriet er selbst oft in Situationen, wo er vor der Wahl stand, entweder sich selbst am Unrecht gegen die Genossen zu beteiligen – oder lieber selbst durch Unrecht verletzt, beleidigt, erniedrigt zu werden. In einer solchen Lage wählen freilich manche die erste Möglichkeit. Es war für mich jedoch fast ein Wunder zu erleben, wie viele marxistische Atheisten an diesem Scheideweg lieber die zweite Möglichkeit wählten und nicht durch etwas Perverses, durch falsche Liebe zum Schmerz motiviert, sondern aus Gewissensgründen, in der festen Überzeugung, daß sie so – eben so! – ihrer eigenen Bewegung zu einer besseren, moralisch höherstehenden Zukunft helfen würden."[55] Ähnlich hatte Machovec in seinem zwei Jahre zuvor erschienenen Jesusbuch erklärt, aufgrund der Erfahrungen des erschütternden Mißbrauchs der Gewalt in der marxistischen Bewegung, daß der Marxist des 20. Jahrhunderts nicht selten Situationen erlebt, „in denen er lieber Ungerechtigkeit erduldet, als daß er sich an Ungerechtigkeiten beteiligt."[56] Äußerungen eines heutigen engagierten Marxisten, die zeigen, wie die christlichen Aussagen über die Feindesliebe in einen Bereich hineinwirken, in dem man das am wenigsten erwartet hätte.[57]

[53] aaO; vgl. zu den Möglichkeiten einer Mitverantwortung des Christen für den Frieden heute aaO 186f. „Beispielsweise sollte jedem Christen selbstverständlich sein, daß ein grundsätzliches Nein zur Entwicklungshilfe oder anderweitigen Verantwortung für Menschen anderer Völker mit christlichem Glauben schlechterdings unvereinbar sein dürfte." aaO 187.

[54] Vgl. M. Machovec, Jesus für Atheisten, Stuttgart 1972, 22.

[55] M. Machovec, Die „Sache Jesu" und marxistische Selbstreflexionen, in: I. Fetscher – M. Machovec (Hrsg.), Marxisten und die Sache Jesu, München 1974, 85–102, hier 100.

[56] M. Machovec, Jesus 23f.

[57] Übrigens begegnet der von Machovec geäußerte Gedanke schon bei Platon: Sokrates hält das Tun des Unrechts für schändlicher, als Unrecht zu erleiden, Gorg 508c – 509 c. Plato kennt auch die Forderung, Unrecht nicht zu vergelten: Kriton 48. 49 b–e. Aeschylos äußert den Gedanken, daß die Beantwortung von Gewalt mit Gewalt zu einer Eskalation ohne Ende führt: Ag 764f.

Wir sind in der heidnischen und atl.-jüdischen Literatur sehr großzügigen Passagen begegnet; es ist unangemessen, solche Äußerungen zu verkleinern. Christen dürfen hier nicht vergessen, wie unzureichend die Forderung der Feindesliebe im Christentum selbst (und in ihrem eigenen Leben) verwirklicht wird. Bei einem Vergleich mit außerchristlichem Ethos ist Bescheidenheit angebracht. Man sollte die Überlegenheit des christlichen Ethos über andere ethische Entwürfe nicht zu lautstark betonen.[58] Auch das Christentum hat sich von Anfang an mit der Feindesliebe schwer getan. Schon Did 1,3 wird die Forderung der Feindesliebe „ermäßigt und um ihren Radikalismus gebracht“:[59] liebet, die euch hassen, so werdet ihr keinen Feind haben. Wie sich schon die alte Kirche mit dieser Forderung versucht hat zu arrangieren, hat W. Bauer[60] in einem instruktiven Aufsatz gezeigt. Doch infolge „der ihr innewohnenden Lebenskraft hat sie sich stets aufs neue durchzusetzen vermocht, um den Jüngern Jesu immer wieder die Gewissen zu schärfen.“[61] Chrysostomus weist auf das für die Christen so beschämende Beispiel mancher Heiden hin, „die, obwohl sie nichts Großes hoffen konnten, doch über diese Dinge philosophiert haben, während die Christen trotz der übergroßen Verheißungen vor der Schwierigkeit dieses Gebotes zurückscheuen wollen.“[62] Eine solche Äußerung (eines gewiß unverdächtigen Mannes) wird einen vorsichtig machen, zu behaupten, die Begründung der universalen Liebe in der Natur sei weniger wirksam als die Berufung auf einen persönlichen Gott.[63]

Auch die heutige Christenheit steht vor dem Gebot der Feindesliebe eher verlegen. Schon F. Kattenbusch wundert sich (1916), daß die Lehrbücher der Ethik den Gedanken der Feindesliebe zwar sämtlich berühren, aber „merkwürdig kurz und nebenher“.[64] Man kann durchaus bezweifeln, daß das heute anders geworden ist.[65]

[58] Angesichts einer nüchternen und ehrlichen Betrachtung der christlichen Kirchengeschichte will einem z. B. die folgende Äußerung entschieden zu vollmundig erscheinen: „Daher also die geschichtlich unabweisbare Thatsache, dass diese herrlichste Blüte der Menschlichkeit im Schatten des Kreuzbaumes in einer bis dahin unbekannten Pracht sich erschlossen hat, dass diese Tugend . . . bei den Bekennern der Kreuzesreligion in einer der Antike unbekannten Weise geübt und lebensvolle Wirklichkeit geworden ist. Und daher auch die Erscheinung, dass die machtvolle Verkündung dieses Gebotes und seine gnadengewirkte Erfüllung im Christenthum zu allen Zeiten als ein bedeutsamer Beweis der Göttlichkeit dieser Sittenlehre und Religion selbst betrachtet worden ist . . . Die Antike kann nur den unvergänglichen Ruhm beanspruchen, auch in dieser Frage der christlichen Lehre die Wege bereitet zu haben . . .“ M. Waldmann, Feindesliebe 4f; Waldmann betont ausdrücklich das hohe Niveau der zeitgenössischen stoischen Ethik: 18f.

[59] M. Dibelius, Zur Formgeschichte 217.

[60] W. Bauer, Das Gebot der Feindesliebe und die alten Christen, ZThK 27 (1917) 37–54, abgedruckt in: W. Bauer, Aufsätze, Tübingen 1967, 235ff.

[61] aaO 54.

[62] M. Waldmann, Feindesliebe 159, vgl. PG 58, 722.

[63] so z. B. A. Juncker, Ethik 233.

[64] F. Kattenbusch, Feindesliebe 1f, Anm. 1.

[65] Das „Wörterbuch Christlicher Ethik“, hrsg. v. B. Stoeckle, Freiburg 1975, weist weder unter seinen 84 Artikeln, noch im Stichwortverzeichnis, das Stichwort „Feindesliebe“ auf.

Man hat die Aufforderung zur Feindesliebe immer wieder als eine Forderung empfunden, die die Kräfte des Menschen übersteigt.[66] Paulus versteht sie nicht als unerreichbares, über den realen Verhältnissen schwebendes Ideal. Er ist der Meinung, daß die Römergemeinde – mitten in der Situation der Verfolgung – eine solche Haltung praktizieren und das Böse durch das Tun des Guten überwinden soll. So bleibt die Forderung der Feindesleibe eine unbequeme Mahnung für die Christenheit aller Zeiten, die immer von neuem aufgerufen werden muß, sich dem Lebensstil dieser Welt nicht anzupassen und nach anderen Möglichkeiten des Miteinanderumgehens zu suchen, als sie in dieser Welt üblich sind.

[66] Vgl. H. Haas, Idee 4.

LITERATURVERZEICHNIS

Adams, B.E., Responsible Living in Community Setting (Romans 12 – 16), Southwestern Journal of Theology 19 (1976) 57–69

Althaus, P., Der Brief an die Römer, Göttingen [10]1966

Amstutz, J., ΑΠΛΟΤΗΣ. Eine begriffsgeschichtliche Studie zum jüdisch-christlichen Griechisch, Bonn 1968

Asmussen, H., Der Römerbrief, Stuttgart 1952

Auer, A., Autonome Moral und christlicher Glaube, Düsseldorf 1971

Bacht, H., Wahres und falsches Prophetentum. Ein kritischer Beitrag zur religionsgeschichtlichen Behandlung des frühen Christentums, Bibl 32 (1951) 237-262

Bardenhewer, O., Der Römerbrief des heiligen Paulus, Freiburg 1926

Barrett, C.K., A Commentary on the Epistle to the Romans, London 1957

Barth, K., Der Römerbrief, Zollikon-Zürich 1947 (= [5]1926)

– Kurze Erklärung des Römerbriefes, München 1956

Bauer, K.A., Leiblichkeit das Ende aller Werke Gottes. Die Bedeutung der Leiblichkeit des Menschen bei Paulus, Gütersloh 1971

Baulès, R., L'Évangile Puissance de Dieu. Commentaire de l'épître aux Romains, Paris 1968

Baumgarten, J., Paulus und die Apokalyptik. Die Auslegung apokalyptischer Überliefegungen in den echten Paulusbriefen, Neukirchen 1975

Benz, K., Die Ethik des Apostels Paulus, Freiburg 1912

Berg, L., Das neutestamentliche Liebesgebot – Prinzip der Sittlichkeit, TThZ 83 (1974) 129–145

Best, E., The Letter of Paul to the Romans, Cambridge 1967

– The Interpretation of Tongues, SJTh 28 (1975) 45–62

Bisping, A., Erklärung des Briefes an die Römer, Münster [3]1870

Bjerkelund, C.J., Parakalo. Form, Funktion und Sinn der parakalo-Sätze in den paulinischen Briefen, Oslo 1967

Black, M., Romans, London 1973

Bläser, P., Das Gesetz bei Paulus, Münster 1941

– Der Mensch und die Sittlichkeit nach dem Römerbrief des Apostels Paulus, ThGl 39 (1949) 232–249

– Glaube und Sittlichkeit bei Paulus, in: N. Adler (Hrsg.), Vom Wort des Lebens. Festschrift für Max Meinertz, Münster 1951, 114-127

Blank, J., Zum Problem „ethischer Normen" im Neuen Testament, Concilium 3 (1967) 356-362

– Indikativ und Imperativ in der paulinischen Ethik, in: Schriftauslegung in Theorie und Praxis, München 1969, 144-157

Böckle, F., Was ist das Proprium einer christlichen Ethik? ZevE 11 (1967) 148-159

– Vordringliche moraltheologische Themen in der heutigen Predigt, Concilium 4 (1968) 182-189

Bonhöffer, A., Epiktet und das Neue Testament, Gießen 1911

– Epiktet und das Neue Testament, ZNW 13 (1912) 281-292

Boor, W. de, Der Brief des Paulus an die Römer, Wuppertal 1962

Bornkamm, G., Paulus, Stuttgart 1969

Borse, U., Die geschichtliche und theologische Einordnung des Römerbriefes, BZ NF 16 (1972) 70-83

Braun, H., Die Indifferenz gegenüber der Welt bei Paulus und bei Epiktet, in: Gesammelte Studien zum Neuen Testament und seiner Umwelt, Tübingen [2]1967, 159-167

Brockhaus, U., Charisma und Amt. Die paulinische Charismenlehre auf dem Hintergrund der frühchristlichen Gemeindefunktionen, Wuppertal 1972

Brosch, J., Charismen und Ämter in der Urkirche, Bonn 1951

Bruce, F.F., The Epistle of Paul to the Romans, London 1963

Brunner, E., Der Römerbrief, Berlin 1950 (= 1938)

Bultmann, R., Der Stil der paulinischen Predigt und die kynisch-stoische Diatribe, Göttingen 1910
– Das religiöse Moment in der ethischen Unterweisung des Epiktet und das Neue Testament, ZNW 13 (1912) 97–110; 177–191
– Das Problem der Ethik bei Paulus, ZNW 23 (1924) 123–140
– Das Urchristentum im Rahmen der antiken Religionen, Zürich 1949
– Das christliche Gebot der Nächstenliebe, in: Glauben und Verstehen. Gesammelte Aufsätze, I. Band, Tübingen [2]1954, 229–244
– Theologie des Neuen Testaments, Tübingen [7]1977
Campenhausen, H.v., Kirchliches Amt und geistliche Vollmacht in den ersten drei Jahrhunderten, Tübingen [2]1963
Casel, O., Die Λογική θυσία der antiken Mystik in christlich-liturgischer Umdeutung JLW 4 (1924) 37–47
Colpe, C., Zur Leib-Christi-Vorstellung im Epheserbrief, in: Judentum Urchristentum Kirche, Festschrift für J. Jeremias, Berlin 1960, 172–187
Conzelmann, H., Christus im Gottesdienst der neutestamentlichen Zeit, in: Bild und Verkündigung. Festgabe für H. Jursch, Berlin 1962, 21–30
– Grundriss der Theologie des Neuen Testaments, München [3]1976
Corriveau, R., The Liturgy of Life. A Study of the Ethical Thought of St. Paul in his Letters to the Early Christian Communities, Bruxelles 1970
Cranfield, C.E.B., METPON ΠΙΣΤΕΩΣ in Romans XII. 3, NTS 8 (1961/62) 345–351
– A Commentary on Romans 12 – 13, Edinburgh 1965
Cullmann, O., Urchristentum und Gottesdienst, Zürich [2]1950
Dahl, N.A., Das Volk Gottes. Eine Untersuchung zum Kirchenbewußtsein des Urchristentums, Oslo 1941
Dahood, M.J., Two Pauline Quotations from the Old Testament, CBQ 17 (1955) 19–24
Daube, D., The New Testament and Rabbinic Judaism, London 1956
Dautzenberg, G., Was bleibt von der Naherwartung? Zu Röm 13, 11–14, in: H. Merklein – J. Lange (Hrsg.), Biblische Randbemerkungen (Schülerfestschr. R. Schnakkenburg), Würzburg 1974, 361–374
– Urchristliche Prophetie. Ihre Erforschung, ihre Voraussetzungen im Judentum und ihre Struktur im ersten Korintherbrief, Stuttgart 1975
Davies, W.D., Paul and Rabbinic Judaism. Some Rabbinic Elements in Pauline Theology, London 1948
Dehn, G., Vom christlichen Leben. Auslegung des 12. und 13. Kapitels des Briefes an die Römer, Neukirchen 1954
Deißner, K., Paulus und Seneca, Gütersloh 1917
Delling, G., Der Gottesdienst im Neuen Testament, Göttingen 1952
– Zeit und Endzeit. Zwei Vorlesungen zur Theologie des Neuen Testaments, Neukirchen 1970
– Merkmale der Kirche nach dem Neuen Testament, in: Studien zum Neuen Testament und zum hellenistischen Judentum. Gesammelte Aufsätze, Göttingen 1970, 371–390
Dermott, M. Mc, The Biblical Doctrine of KOINΩNIA BZ NF 19 (1975) 64–77. 219–233
Dibelius, M., Zur Formgeschichte des Neuen Testaments (außerhalb der Evangelien), ThR NF 3 (1931) 207–242
– Die Formgeschichte des Evangeliums, Tübingen [5]1966
– Geschichte der urchristlichen Literatur. Neudruck der Erstausgabe von 1926 unter Berücksichtigung der englischen Übersetzung von 1936, hrsg. v. F. Hahn, München 1975
Dietrich, W., Rache. Erwägungen zu einem alttestamentlichen Thema, EvTh 36 (1976) 450–472
Dinkler, E., Zum Problem der Ethik bei Paulus. Rechtsnahme und Rechtsverzicht (1. Kor. 6, 1–11), ZThK 49 (1952) 167–200; abgedruckt in: Signum Crucis, Aufsätze zum NT, Tübingen 1967, 204ff

Dodd, C.H., The Epistle of Paul to the Romans, London [12]1947 (= [1]1932)
– Das Gesetz der Freiheit. Glaube und Gehorsam nach dem Zeugnis des Neuen Testaments, München 1960
Donfried, K.P., False Presuppositions in the Study of Romans, CBQ 36 (1974) 332–355
Duchrow, U., Christenheit und Weltverantwortung. Traditionsgeschichte und systematische Struktur der Zweireichelehre, Stuttgart 1970
Dülmen, A. van, Die Theologie des Gesetzes bei Paulus, Stuttgart 1968
Eichholz, G., Was heißt charismatische Gemeinde? 1. Korinther 12. Theologische Existenz heute. Neue Folge Nr. 77, München 1960
– Die Theologie des Paulus im Umriß, Neukirchen 1972
Fascher, E., ΠΡΟΦΗΤΗΣ Eine sprach- und religionsgeschichtliche Untersuchung, Giesen 1927
Feine, P., Theologie des Neuen Testaments, Leipzig [7]1936
Feuillet, A., Les fondements de la morale chrétienne d'après l'Épître aux Romains, RThom 70 (1970) 357–386
– Loi ancienne et morale chrétienne d'après l'Épître aux Romains, NRTh 92 (1970) 785–805
Fischer, K.M., Tendenz und Absicht des Epheserbriefes, Göttingen 1973
Fraling, B., Glaube und Ethos. Normfindung in der Gemeinschaft der Gläubigen, ThGl 63 (1973) 81–105
Fridrichsen, A., Exegetisches zu den Paulusbriefen, ThStK 102 (1930) 291–301
Friedrich, G., Geist und Amt, in: Wort und Dienst. Neue Folge 3 (1952) 61–85
– Christus, Einheit und Norm der Christen. Das Grundmotiv des 1. Korintherbriefs, KuD 9 (1963) 235–258
Fuchs, E., Was heißt: „Du sollst deinen Nächsten lieben wie dich selbst"?, in: Zur Frage nach dem historischen Jesus. Gesammelte Aufsätze II, Tübingen 1960, 1–20
Fuchs, J., Gibt es eine spezifisch christliche Moral?, StdZ 95 (1970) 99–112
Furnish, V.P., Theology and Ethics in Paul, Nashville 1968
– The Love Command in the New Testament, Nashville 1972
Gaugler, E., Der Brief an die Römer, I – II, Zürich 1945. 1952
Gäumann, N., Taufe und Ethik. Studien zu Römer 6, München 1967
Gewieß, J., Die neutestamentlichen Grundlagen der kirchlichen Hierarchie, HJ 72 (1953) 1–24
Gnilka, J., Jesus und das Gebet, BuL 6 (1965) 79–91
– Geistliches Amt und Gemeinde nach Paulus, Kairos NF 11 (1969) 95–104
Goppelt, L., Theologie des Neuen Testaments. Zweiter Teil. Vielfalt und Einheit des apostolischen Christuszeugnisses, hrsg. von J. Roloff, Göttingen 1976
Grabner-Haider, A., Der weltliche Gottesdienst des Christen, GuL 40 (1967) 170–176
– Paraklese und Eschatologie bei Paulus. Mensch und Welt im Anspruch der Zukunft Gottes, Münster 1968
– Zur Geschichtlichkeit der Moral (Biblische Bemerkungen), Cath 22 (1968) 262–270
Greeven, H., Propheten, Lehrer, Vorsteher bei Paulus. Zur Frage der „Ämter" im Urchristentum, ZNW 44 (1952/53) 1–43
– Die Geistesgaben bei Paulus, in: Wort und Dienst. Neue Folge 6 (1959) 111–120
Greshake, G., Grundlagen einer Theologie des Bittgebets, in: G. Greshake – G. Lohfink (Hrsg.), Bittgebet – Testfall des Glaubens, Mainz 1978, 32–53
Gundry, R.H., Sōma in Biblical Theology. With emphasis on Pauline Anthropology, Cambridge 1976
Gutjahr, F.S., Der Brief an die Römer, I – II, Graz 1923. 1927
Haas, H., Idee und Ideal der Feindesliebe in der außerchristlichen Welt. Ein religionsgeschichtlicher Forschungsbericht, Leipzig 1927
Hahn, F., Das Gesetzesverständnis im Römer- und Galaterbrief, ZNW 67 (1976) 29–63
– Neutestamentliche Grundlagen einer christlichen Ethik, TThZ 86 (1977) 31–41

Hainz, J., Ekklesia. Strukturen paulinischer Gemeinde-Theologie und Gemeinde-Ordnung, Regensburg 1972
Halter, H., Taufe und Ethos. Paulinische Kriterien für das Proprium christlicher Moral, Freiburg 1977
Hanson, A.T., Studies in Paul's Technique and Theology, London 1974
Harder, G., Paulus und das Gebet, Gütersloh 1936
Hasenhüttl, G., Charisma. Ordnungsprinzip der Kirche, Freiburg 1969
Hasenstab, R., Modelle paulinischer Ethik. Beiträge zu einem Autonomie-Modell aus paulinischem Geist, Mainz 1977
Hegermann, H., Zur Ableitung der Leib-Christi-Vorstellung, ThLZ 85 (1960) 839–842
Heine, S., Leibhafter Glaube. Ein Beitrag zum Verständnis der theologischen Konzeption des Paulus, Wien 1976
Hennen, B., Ordines sacri. Ein Deutungsversuch zu I Cor 12, 1–31 und Röm 12, 3–8, ThQ 119 (1938) 427–469
Herold, G., Zorn und Gerechtigkeit Gottes bei Paulus. Eine Untersuchung zu Röm. 1, 16–18, Bern 1973
Herten, J., Charisma – Signal einer Gemeindetheologie des Paulus, in: J. Hainz (Hrsg.), Kirche im Werden. Studien zum Thema Amt und Gemeinde im Neuen Testament, München 1976, 59–89
– Amt und Gemeinde im Neuen Testament. Neue Versuche über ein altes Thema, Theologie der Gegenwart 19 (1976) 165–173
Hierzenberger, G., Weltbewertung bei Paulus nach 1 Kor 7, 29–31. Eine exegetisch-kerygmatische Studie, Düsseldorf 1967
Huby, J., Saint Paul, Épître aux Romains (Verbum Salutis X, Nouvelle édition par St. Lyonnet), Paris 1957
Hübner, H., Das Gesetz bei Paulus. Ein Beitrag zum Werden der paulinischen Theologie, Göttingen 1978
Jewett, R., Paul's Anthropological Terms. A Study of there Use in Conflict Settings, Leiden 1971
Joest, W., Gesetz und Freiheit. Das Problem des Tertius usus legis bei Luther und die neutestamentliche Parainese, Göttingen 1951
Jüngel, E., Erwägungen zur Grundlegung evangelischer Ethik im Anschluß an die Theologie des Paulus. Eine biblische Meditation, ZThK 63 (1966) 379–390
Juncker, A., Die Ethik des Apostels Paulus. Zweite Hälfte: Die konkrete Ethik, Halle 1919
Käsemann, E., Leib und Leib Christi. Eine Untersuchung zur paulinischen Begrifflichkeit, Tübingen 1933
– Römer 13, 1–7 in unserer Generation, ZThK 56 (1959) 316–376
– Amt und Gemeinde im Neuen Testament, in: Exegetische Versuche und Besinnungen I, Göttingen 1960, 109–134
– Gottesdienst im Alltag der Welt. Zu Römer 12, in: Exegetische Versuche und Besinnungen II, Göttingen [2]1965, 198–204
– Grundsätzliches zur Interpretation von Römer 13, in: Exegetische Versuche und Besinnungen II, Göttingen [2]1965, 204–222
– Gottesgerechtigkeit bei Paulus, in: Exegetische Versuche und Besinnungen II, Göttingen [2]1965, 181–193
– Das theologische Problem des Motivs vom Leibe Christi, in: Paulinische Perspektiven, Tübingen 1969, 178–210
– An die Römer, Tübingen [3]1974
Kamlah, E., Die Form der katalogischen Paränese im Neuen Testament, Tübingen 1964
Karris, R.J., Rom 14: 1 – 15: 13 and the Occasion of Romans, CBQ 35 (1973) 155–178
Kasner, H., Bemerkungen zum paulinischen Verständnis der Kirche als „Leib Christi", in: G. Forck – J. Henkys, Brüderliche Kirche – menschliche Welt, Festschr. A. Schönherr, Berlin 1972, 149–169
Kattenbusch, F., Über Feindesliebe im Sinne des Christentums, ThStK 89 (1916) 1–70

Kaye, B.N., „To the Romans and Others" Revisitid, NovT 18 (1976) 37–77
Kerkhoff, R., Das unablässige Gebet. Beiträge zur Lehre vom immerwährenden Beten im Neuen Testament, München 1954
Kertelge, K., „Rechtfertigung" bei Paulus. Studien zur Struktur und zum Bedeutungsgehalt des paulinischen Rechtfertigungsbegriffs, Münster 1967
– Der Brief an die Römer, Düsseldorf 1971
– Neutestamentliche Ethik. Ein Literaturbericht, BuL 12 (1971) 126–140
– Gemeinde und Amt im Neuen Testament, München 1972
Kirk, K.E., The Epistle to the Romans, Oxford ^{4}1955 (= 1937)
Kittel, G., Die Probleme des palästinensischen Spätjudentums und das Urchristentum, Stuttgart 1926
Klassen, W., Coals of Fire: Sign of Repentance or Revenge?, NTS 9 (1962/63) 337–350
Klein, G., Apokalyptische Naherwartung bei Paulus, in: H.D. Betz – L. Schottroff (Hrsg.), Neues Testament und christliche Existenz (Festschr. H. Braun), Tübingen 1973, 241–262
Knoch, O., Der Geist Gottes und der neue Mensch. Der Heilige Geist als Grundkraft und Norm des christlichen Lebens in Kirche und Welt nach dem Zeugnis des Apostels Paulus, Stuttgart 1975
Knox, J. – Cragg, G.R., The Epistle to the Romans, New York 1954
Krafft, E., Die christliche Existenz nach den Ermahnungen des Apostels Paulus, EvTh 9 (1949/50) 12–23
Kraus, H.J., Gottesdienst im alten und im neuen Bund, EvTh 25 (1965) 171–206
Kühl, E., Der Brief des Paulus an die Römer, Leipzig 1913
Kümmel, W.G., Die Theologie des Neuen Testaments nach seinen Hauptzeugen Jesus – Paulus – Johannes, Göttingen 1969
– Die Botschaft des Römerbriefs, ThLZ 99 (1974) 481–488
Kuss, O., Die Briefe an die Römer, Korinther und Galater, Regensburg 1940
– Der Römerbrief, Regensburg 1957/1959
– Die Heiden und die Werke des Gesetzes (nach Röm 2, 14–16), in: Auslegung und Verkündigung I. Aufsätze zur Exegese des Neuen Testamentes, Regensburg 1963, 213–245
– Enthusiasmus und Realismus bei Paulus, in: Auslegung und Verkündigung I. Aufsätze zur Exegese des Neuen Testamentes, Regensburg 1963, 260–270
– Paulus. Die Rolle des Apostels in der theologischen Entwicklung der Urkirche, Regensburg 1971
Ladd, G.E., A Theology of the New Testament, Grand Rapids ^{2}1975
Lagrange, M.-J., Saint Paul, Épître aux Romains, Paris 1950 (= ^{2}1930)
Leenhardt, F.J., L'Épître de Saint Paul aux Romains, Neuchatel 1957
Légasse, S., L'étendue de l'amour interhumain d'aprés le Nouveau Testament: limites et promesses, Revue Théologique de Louvain 8 (1977) 137–159. 293–304
Liechtenhan, R., Gottes Gebot im Neuen Testament. Sein ursprünglicher Sinn und seine bleibende Bedeutung, Basel 1942
Lietzmann, H., An die Römer, Tübingen ^{5}1971 (= ^{4}1933)
Lövestam, E., Spiritual Wakefulness in the New Testament, Lund 1963
Lohfink, G., Die Grundstruktur des biblischen Bittgebets, in: G. Greshake – G. Lohfink (Hrsg.), Bittgebet – Testfall des Glaubens, Main 1978, 19–31
Lohfink, N., Liebe. Das Ethos des Neuen Testaments – erhabener als das des Alten?, in: Unsere großen Wörter. Das Alte Testament zu Themen dieser Jahre, Freiburg 1977, 225–240
Lohse, E., Umwelt des Neuen Testaments, Göttingen 1971
– Paränese und Kerygma im 1. Petrusbrief, in: Die Einheit des Neuen Testaments. Exegetische Studien zur Theologie des Neuen Testaments, Göttingen 1973, 307–328
– Grundriß der neutestamentlichen Theologie, Stuttgart 1974
Macgregor, G.H.C., The wrath of God in the New Testament, NTS 7 (1960/61) 101–109

Maly, K., Mündige Gemeinde. Untersuchungen zur pastoralen Führung des Apostels Paulus im 1. Korintherbrief, Stuttgart 1967
Marxsen, W., Der ἕτερος νόμος Röm. 13,8, ThZ 11 (1955) 230–237
Meinertz, M., Theologie des Neuen Testamentes. Zweiter Band, Bonn 1950
Merk, O., Handeln aus Glauben. Die Motivierungen der paulinischen Ethik, Marburg 1968
Meuzelaar, J.J., Der Leib des Messias. Eine exegetische Studie über den Gedanken vom Leib Christi in den Paulusbriefen, Amsterdam 1961
Michel, O., Paulus und seine Bibel, Gütersloh 1929
– Der Brief an die Römer, Göttingen 13 1966
– Zum Thema: Paulus und seine Bibel, in: H. Feld, J. Nolte (Hrsg.), Wort Gottes in der Zeit. Festschr. f. K.H. Schelkle, Düsseldorf 1973, 114–126
Minear, P.S., The Obedience of Faith. The Purposes of Paul in the Epistle to the Romans, London 1971
Montefiore, H., Thou shalt love the Neighbour as thyself, NovT 5 (1962) 157–170
Morenz, S., Feurige Kohlen auf dem Haupt, ThLZ 78 (1953) 187–192
Müller, U.B., Prophetie und Predigt im Neuen Testament. Formgeschichtliche Untersuchungen zur urchristlichen Prophetie, Gütersloh 1975
Mullins, T.Y., Petition as a Literary Form, NovT 5 (1962) 46–54
Murphy – O'Connor, J., Pauline Morality, Doctrine and Life 21 (1971) 3–16. 59–71. 127–134
Mußner, F., Christus, das All und die Kirche. Studien zur Theologie des Epheserbriefes, Trier 1955
Nauck, W., Das οὖν – paräneticum, ZNW 49 (1958) 134–135
Neugebauer, F., Die hermeneutischen Voraussetzungen Rudolf Bultmanns in ihrem Verhältnis zur Paulinischen Theologie, KuD 5 (1959) 289–305
– In Christus. Eine Untersuchung zum Paulinischen Glaubensverständnis, Göttingen 1961
Nieder, L., Die Motive der religiös-sittlichen Paränese in den paulinischen Gemeindebriefen. Ein Beitrag zur paulinischen Ethik, München 1956
Niederwimmer, K., Das Problem der Ethik bei Paulus, ThZ 24 (1968) 81–92
Nielen, J.M., Die paulinische Auffassung der λογικὴ λατρεία (rationabile obsequium; Röm. 12,1) in ihrer Beziehung zum kultischen Gottesdienst, ThGl 18 (1926) 693–701
– Gebet und Gottesdienst im Neuen Testament. Eine Studie zur biblischen Liturgie und Ethik, Freiburg 1937
Nissen, A., Gott und der Nächste im antiken Judentum. Untersuchungen zum Doppelgebot der Liebe, Tübingen 1974
Nygren, A., Der Römerbrief, Göttingen 1951
Oepke, A., Das neue Gottesvolk in Schrifttum, Schauspiel, bildender Kunst und Weltgestaltung, Gütersloh 1950
Percy, E., Der Leib Christi in den paulinischen Homologumena und Antilegomena, Lund 1942
Pohlenz, M., Vom Zorne Gottes. Eine Studie über den Einfluß der griechischen Philosophie auf das alte Christentum, Göttingen 1909
– Paulus und die Stoa, ZNW 42 (1949) 69–98
– Die Stoa. Geschichte einer geistigen Bewegung, 2 Bände, Göttingen 3 1964
Preisker, H., Das Ethos des Urchristentums, Gütersloh 2 1949
– Das historische Problem des Römerbriefes, Wissenschaftliche Zeitschrift der Friedrich-Schiller-Universität Jena 1952/53, Heft 1, 25–30
Prümm, K., Das neutestamentliche Sprach- und Begriffsproblem der Vollkommenheit, Bibl 44 (1963) 76–92 (Besprechung von P.J. Du Plessis, Teleios. The Idea of Perfection in the New Testament, Kampen 1959)
Quasten, J., Musik und Gesang in den Kulten der heidnischen Antike und christlichen Frühzeit, Münster 1930
Radermacher, L., Neutestamentliche Grammatik, Tübingen 2 1925
Ramaroson, L., „Charbons ardents": „sur la tête" ou „pour le feu"? (Pr 25,22a – Rm 12,20b), Bibl 51 (1970) 230–234

Ratschow, C.H., Agape. Nächstenliebe und Bruderliebe, ZSTh 21 (1950–52) 160–182
Ratzinger, J., Bemerkungen zur Frage der Charismen in der Kirche, in: G. Bornkamm – K. Rahner (Hrsg.), Die Zeit Jesu. Festschrift für Heinrich Schlier, Freiburg 1970, 257–272
Rehrl, S., Das Problem der Demut in der profangriechischen Literatur im Vergleich zu Septuaginta und Neuem Testament, Münster 1961
Reitzenstein, R., Die hellenistischen Mysterienreligionen, Leipzig [3]1927
Reuss, J., Die Kirche als „Leib Christi" und die Herkunft dieser Vorstellung bei dem Apostel Paulus, BZ NF 2 (1958) 103–127
Rhys, H., The Epistle to the Romans, New York 1961
Ridderbos, H., Paulus. Ein Entwurf seiner Theologie, Wuppertal 1970
Riddle, D.W., Early christian hospitality: a factor in the gospel transmission, JBL 57 (1938) 141–154
Romaniuk, K., Les motifs parénétiques dans les écrits Pauliniens, NovT 10 (1968) 191–207
Rotter, H., Die Eigenart der christlichen Ethik, StdZ 98 (1973) 407–416
Ruhbach, G., Das Charismaverständnis des Neuen Testaments, MPTh 53 (1964) 407–419
Rusche, H., Gastfreundschaft in der Verkündigung des Neuen Testaments und ihr Verhältnis zur Mission, Münster 1958
Salom, A.P., The Imperatival Use of the Participle in the New Testament, Australian Biblical Review 11 (1963) 41–49
Sanday, W. – Headlam, A.C., The Epistle to the Romans, Edinburgh [5]1902
Schaller, H., Das Bittgebet und der Lauf der Welt, in: G. Greshake – G. Lohfink (Hrsg.), Bittgebet – Testfall des Glaubens, Mainz 1978, 54–70
Schelkle, K.H., Der Apostel als Priester, ThQ 136 (1956) 257–283
– Biblische und patristische Eschatologie nach Rom., XIII, 11–13, in: J. Coppens u.a. (Hrsg.), Sacra Pagina II, Paris 1959, 357–372
– Meditationen über den Römerbrief, Einsiedeln 1962
– Theologie des Neuen Testaments, Band I – IV, Düsseldorf 1968 – 1976
Schenke, H.M., Der Gott „Mensch" in der Gnosis. Ein religionsgeschichtlicher Beitrag zur Diskussion über die paulinische Anschauung von der Kirche als Leib Christi, Göttingen 1962
Schlatter, A., Gottes Gerechtigkeit. Ein Kommentar zum Römerbrief, Stuttgart 1935
– Der Brief an die Römer. Ausgelegt für Bibelleser, Stuttgart 1962
Schlier, H., Christus und die Kirche im Epheserbrief, Tübingen 1930
– Vom Wesen der apostolischen Ermahnung nach Römerbrief 12, 1–2, in: Die Zeit der Kirche. Exegetische Aufsätze und Vorträge, Freiburg [3]1962, 74–89
– Die Verkündigung im Gottesdienst der Kirche, in: Die Zeit der Kirche. Exegetische Aufsätze und Vorträge, Freiburg [3]1962, 244–264
– Die Einheit der Kirche nach dem Neuen Testament, in: Besinnung auf das Neue Testament. Exegetische Aufsätze und Vorträge II, Freiburg 1964, 176–192
– Zu den Namen der Kirche in den Paulinischen Briefen, in: Besinnung auf das Neue Testament. Exegetische Aufsätze und Vorträge II, Freiburg 1964, 294–306
– Über die Hoffnung, in: Besinnung auf das Neue Testament. Exegetische Aufsätze und Vorträge II, Freiburg 1964, 135–145
– Die Eigenart der christlichen Mahnung nach dem Apostel Paulus, in: Besinnung auf das Neue Testament. Exegetische Aufsätze und Vorträge II, Freiburg 1964, 340–357
– Der Christ und die Welt, in: Das Ende der Zeit. Exegetische Aufsätze und Vorträge III, Freiburg 1971, 234–249
– Der Römerbrief, Freiburg 1977
Schmidt, H.W., Der Brief des Paulus an die Römer, Berlin 1963
Schmithals, W., Der Römerbrief als historisches Problem, Gütersloh 1975

Schnackenburg, R., Die Kirche im Neuen Testament. Ihre Wirklichkeit und theologische Deutung, ihr Wesen und Geheimnis, Freiburg 1961
– Die sittliche Botschaft des Neuen Testamentes, München ²1962
– Die neutestamentliche Sittenlehre in ihrer Eigenart im Vergleich zu einer natürlichen Ethik, in: J. Stelzenberger (Hrsg.), Moraltheologie und Bibel, Paderborn 1964, 39–69
– Christliche Existenz nach dem Neuen Testament. Abhandlungen und Vorträge, Band I–II, München 1967–1968
Schneider, G., Die Neuheit der christlichen Nächstenliebe, TThZ 82 (1973) 257–275
Schoeps, H.J., Paulus. Die Theologie des Apostels im Lichte der jüdischen Religionsgeschichte, Tübingen 1959
Schottroff, L., Gewaltverzicht und Feindesliebe in der urchristlichen Jesustradition. Mt 5, 38–48; Lk 6, 27–36, in: G. Strecker (Hrsg.), Jesus Christus in Historie und Theologie, Festschr. H. Conzelmann, Tübingen 1975, 197–221
Schrage, W., Zur formalethischen Deutung der paulinischen Paränese, ZevE 4 (1960) 207–233
– Die konkreten Einzelgebote in der paulinischen Paränese. Ein Beitrag zur neutestamentlichen Ethik, Gütersloh 1961
– Die Stellung zur Welt bei Paulus, Epiktet und in der Apokalyptik. Ein Beitrag zu 1 Kor 7, 29–31, ZThK 61 (1964) 125–154
– Korreferat zu ‚Ethischer Pluralismus im Neuen Testament', EvTh 35 (1975) 402–407
Schrenk, G., Geist und Enthusiasmus. Eine Erläuterung zur paulinischen Theologie, in: Studien zu Paulus, Zürich 1954
Schüller, B., Das Handeln in der Welt unter dem eschatologischen Vorbehalt, in: P.W. Scheele – G. Schneider (Hrsg.), Christuszeugnis der Kirche. Festschr. F. Hengsbach, Essen 1970, 231–246
– Die Begründung sittlicher Urteile. Typen ethischer Argumentation in der katholischen Moraltheologie, Düsseldorf 1973
Schürmann, H., Die geistlichen Gnadengaben in den paulinischen Gemeinden, in: Ursprung und Gestalt. Erörterungen und Besinnungen zum Neuen Testament, Düsseldorf 1970, 236–267
– Die Gemeinde des Neuen Bundes als der Quellort des sittlichen Erkennens nach Paulus, Cath 26 (1972) 15–37
– „Das Gesetz des Christus" (Gal 6,2). Jesu Verhalten und Wort als letztgültige sittliche Norm nach Paulus, in: Neues Testament und Kirche, Festschrift für R. Schnackenburg, hrsg. v. J. Gnilka, Freiburg 1974, 282–300
– Haben die paulinischen Wertungen und Weisungen Modellcharakter? Beobachtungen und Anmerkungen zur Frage nach ihrer formalen Eigenart und inhaltlichen Verbindlichkeit, Gr 56 (1975) 237–269
Schulz, S., Evangelium und Welt. Hauptprobleme einer Ethik des Neuen Testaments, in: H.D. Betz – L. Schottroff (Hrsg.), Neues Testament und christliche Existenz. Festschr. f. H. Braun, Tübingen 1973, 483–501
– Die Charismenlehre des Paulus. Bilanz der Probleme und Ergebnisse, in J. Friedrich u.a. (Hrsg.), Rechtfertigung. Festschrift für E. Käsemann, Tübingen 1976
Schweizer, E., Gemeinde und Gemeindeordnung im Neuen Testament, Zürich 1959
– Das hellenistische Weltbild als Produkt der Weltangst, in: Neotestamentica. Deutsche und englische Aufsätze 1951–1963, Zürich 1963, 15–27
– Die Kirche als Leib Christi in den paulinischen Homologumena, in: Neotestamentica. Deutsche und englische Aufsätze 1951–1963, Zürich 1963, 272–292
– Leib Christi und soziale Verantwortung bei Paulus, ZEvE 14 (1970) 129–132
– Gottesdienst im Neuen Testament und heute, in: Beiträge zur Theologie des Neuen Testaments. Neutestamentliche Aufsätze, Zürich 1970, 263–282 (= Gottesdienst)
– Gottesdienst im Neuen Testament und Kirchenbau heute, in: Beiträge zur Theologie des Neuen Testaments. Neutestamentliche Aufsätze, Zürich 1970, 249–261 (= Gottesdienst und Kirchenbau)

– Ethischer Pluralismus im Neuen Testament, EvTh 35 (1975) 397–401
Schweitzer, W., Glaube und Ethos im Neuen und Alten Testament, ZevE 5 (1961) 129–149
Seidensticker, Ph., Lebendiges Opfer (Röm 12,1). Ein Beitrag zur Theologie des Apostels Paulus, Münster 1954
Sevenster, J.N., Paul and Seneca, Leiden 1961
Sickenberger, J., Die Briefe des heiligen Paulus an die Korinther und Römer, Bonn ^{4}1932
Sladeczek, H., Ἡ φιλαδελφία nach den Schriften des h. Apostels Paulus, ThQ 76 (1894) 272–295
Soiron, Th., Die Kirche als der Leib Christi, Düsseldorf 1951
Spicq, C., ΦΙΛΟΣΤΟΡΓΟΣ (A propos de Rom., XII, 10), RB 62 (1955) 497–510
– Agapè. Prolégomènes a une étude de Théologie Néo-Testamentaire, Louvain-Leiden 1955
– Agapè dans le Nouveau Testament. Analyses des Textes II, Paris 1959
– Die Nächstenliebe in der Bibel, Einsiedeln 1962
– Théologie morale du Nouveau Testament, I–II, Paris 1965
Stalder, K., Das Werk des Geistes in der Heiligung bei Paulus, Zürich 1962
Stange, E., Diktierpausen in den Paulusbriefen, ZNW 18 (1917/18) 109–117
Steensgaard, P., Erwägungen zum Problem Evangelium und Paränese bei Paulus, Annual of the Swedish Theological Institute 10 (1976) 110–128
Stendahl, K., Hate, Non-Retaliation, and Love. 1 QS X, 17–20 and Rom 12: 19–21, HThR 55 (1962) 343–355
Stoessel, H.E., Notes on Romans 12: 1–2. The Renewal of the Mind and Internalizing the Truth, Interpretation 17 (1963) 161–175
Strecker, G., Handlungsorientierter Glaube. Vorstudien zu einer Ethik des Neuen Testaments, Stuttgart 1972
– Strukturen einer neutestamentlichen Ethik, ZThK 75 (1978) 117–146
Strieder, I.R., Die Bewertung der Leiblichkeit in den Hauptbriefen des Apostels Paulus und in seiner Kulturwelt, Diss. (masch.schrift.), Münster 1975
Stuhlmacher, P., Christliche Verantwortung bei Paulus und seinen Schülern, EvTh 28 (1968) 165–186
Suhl, A., Paulus und seine Briefe. Ein Beitrag zur paulinischen Chronologie, Gütersloh 1975
Synofzik, E., Die Gerichts- und Vergeltungsaussagen bei Paulus. Eine traditionsgeschichtliche Untersuchung, Göttingen 1977
Talbert, C.H., Tradition and Redaction in Romans XII. 9–21, NTS 16 (1969/70) 83–94
Taylor, V., The Epistle to the Romans, London 1955
Theißen, G., Soziale Schichtung in der korinthischen Gemeinde. Ein Beitrag zur Soziologie des hellenistischen Urchristentums, ZNW 65 (1974) 232–272
– Soziale Integration und sakramentales Handeln. Eine Analyse von 1 Cor XI 17–34, NovT 16 (1974) 179–206
Therrien, G., Le Discernement dans les Écrits Pauliniens, Paris 1973
Thieme, K., Die christliche Demut. Eine historische Untersuchung zur theologischen Ethik, Gießen 1906
– Die ταπεινοφροσύνη Philipper 2 und Römer 12, ZNW 8 (1907) 9–33
Thüsing, W., Das Opfer der Christen nach dem Neuen Testament, BuL 6 (1965) 37–50
– Aufgabe der Kirche und Dienst in der Kirche, BuL 10 (1969) 65–80
– Per Christum in Deum. Studien zum Verhältnis von Christozentrik und Theozentrik in den paulinischen Hauptbriefen, Münster ^{2}1969
Thyen, H., Der Stil der Jüdisch-Hellenistischen Homilie, Göttingen 1955
Unnik, W.C. van, The Interpretation of Romans 12:8: ὁ μεταδιδοὺς ἐν ἁπλότητι, in: M. Black – W.A. Smalley (Hrsg.), On Language, Culture and Religion: In Honor of Eugene A. Nida, Mouton 1974, 169–183
Viard, A., Saint Paul. Épitre aux Romains, Paris 1975

Vielhauer, Ph., Geschichte der urchristlichen Literatur. Einleitung in das Neue Testament, die Apokryphen und die Apostolischen Väter, Berlin 1975
Vögtle, A., Die Tugend- und Lasterkataloge im Neuen Testament, Münster 1936
– Röm 13, 11–14 und die „Nah"-Erwartung, in: J. Friedrich u.a. (Hrsg.), Rechtfertigung (Festschr. E. Käsemann), Tübingen 1976, 557–573
Völkl, R., Botschaft und Gebot der Liebe nach der Bibel, Freiburg 1964
Waldmann, M., Die Feindesliebe in der antiken Welt und im Christentum. Eine historisch-ethische Untersuchung, Wien 1902
Wambacq, B.N., Le mot „charisme", NRTh 97 (1975) 345–355
Weinel, H., Paulus. Der Mensch und sein Werk: Die Anfänge des Christentums, der Kirche und des Dogmas, Tübingen [2]1915
Weiß, H.F., „Volk Gottes" und „Leib Christi". Überlegungen zur paulinischen Ekklesiologie, ThLZ 102 (1977) 411–420
Weiß, K., Paulus – Priester der christlichen Kultgemeinde, ThLZ 79 (1954) 355–364
Wendland, H.D., Das Wirken des Heiligen Geistes in den Gläubigen nach Paulus, ThLZ 77 (1952) 457–470
– Ethik des Neuen Testaments. Eine Einführung, Göttingen 1970
Wengst, K., Das Zusammenkommen der Gemeinde und ihr ‚Gottesdienst' nach Paulus, EvTh 33 (1973) 547–559
Wennemer, K., Die charismatische Begabung der Kirche nach dem heiligen Paulus, Scholastik 34 (1959) 503–525
Wenschkewitz, H., Die Spiritualisierung der Kultusbegriffe Tempel, Priester und Opfer im Neuen Testament, in: Angelos 4 (1932) 70–230
Wernle, P., Der Christ und die Sünde bei Paulus, Freiburg 1897
Whiteley, D.E.H., The Theology of St. Paul, Oxford 1964
Wibbing, S., Die Tugend- und Lasterkataloge im Neuen Testament und ihre Traditionsgeschichte unter besonderer Berücksichtigung der Qumran-Texte, Berlin 1959
Wilckens, U., Über Abfassungszweck und Aufbau des Römerbriefs, in: Rechtfertigung als Freiheit. Paulusstudien, Neukirchen 1974, 110–170
Wikenhauser, A., Die Kirche als der mystische Leib Christi nach dem Apostel Paulus, Münster [2]1940
Wiles, G.P., Paul's Intercessory Prayers. The significance of the intercessory prayer passages in the letters of St. Paul, Cambridge 1974
Windisch, H., Das Problem des paulinischen Imperativs, ZNW 23 (1924) 265–281
Wobbe, J., Der Charis-Gedanke bei Paulus. Ein Beitrag zur ntl Theologie, Münster 1932
Zahn, Th., Der Brief des Paulus an die Römer, durchgesehen von F. Hauck, Leipzig [3]1925
Zenger, E., Ritus und Rituskritik im Alten Testament, Concilium 14 (1978) 93–98